KB090342

비파괴검사문제집 2

초음파(UT)탐상검사

– 한국산업인력공단

기사 · 산업기사 · 기능사

문제수록 및 요점정리 –

김철영 · 박재원 共著

NODE MEDIA
노드미디어

 ## 머리말

이 책을 내면서 이런 말이 생각납니다.

『천리길도 한 걸음 부터다.』

아무리 힘든 것이라도 천천히 차근차근 하다보면 끝이 보이고 결과는 그것이 이루어진다는 것이지요.

이 문제집은 **과년도에 출제되었던 국가기술자격 시험의 문제가 총 망라되어 있으며** 또한 각 과목에 대한 **요점정리**가 잘 되어 있는 것이 특징이고, 수험생들이 여러 개의 학습서를 공부할 필요가 없이 이 문제지로 공부를 한다면 자격증을 쉽게 취득하리라 생각 됩니다.

자격증 시험은 많은 문제를 다루어 봄으로서 문제의 유형이라든가 특징을 알면 실제의 시험 문제를 쉽게 풀 수 있고 또한 시험문제를 쉽게 풀 수 있으리라 봅니다.

아무튼 이 문제지를 보는 모든 수험생들께서는 합격의 영광을 누리시길 바랍니다.

끝으로 이 책을 만드는데 항공 비파괴과 교수님들이 노력하셨습니다.
또한 이 책을 편찬하기 위해 많은 노력을 해주신 골드 출판사의 박승합 사장님께 깊은 감사를 드립니다.

2009.
저자 씀

CONTENTS

CONTENTS

CONTENTS

MEMO

초음파(UT)탐상검사 이론

01

I. 초음파의 정의

1. 소리(sound)

탄성과 관성에 의해서 일어나는 진동의 전달한다. 즉, 공기라는 매질 속에서 공기 분자의 압력이 높은 부분과 낮은 부분이 번갈아 가면서 나타나는 진동이다.

① 음의 높고 낮은 음은 주파수와 파장과 관련(높은 음은 고주파수)되고, 강약은 진폭과 관련된다.

② 가청주파수은 20~20,000회/초(Hz)이며 초음파란 20,000Hz 이상의 음파를 말한다.

③ 초음파 탐상 실용한 주파수는 500KHz~10MHz이다.

2. 초음파의 발생 : 압전이라는 물질의 물리적 성질을 이용하였다.

① 압전효과는 기계적 에너지를 전기적 에너지로 또는 전기적 에너지를 기계적 에너지로 변형시키는 현상을 말한다.

② 최초의 압전 물질은 수정이며 수정은 종파를 발생시키는 X-cut 진동자와 횡파를 발생시키는 Y-cut 진동자가 있다.

3. 초음파의 특징

① 파장이 짧고 전자파에 비해 속도가 느리며 주파수와 파장은 반비례 관계에 있다.

② 지향성이 예민하고 물질내부에 전달이 쉽다.

③ 초음파의 성질 4가지는 반사, 굴절, 회절, 간섭이 있다.

4. 초음파의 장단점

(1) 장점

　　① 침투력이 매우 높아 두꺼운 제품이나 결함 검출이 가능하다.

　　② 고 감도로 미세 결함 걸출이 가능하다.

　　③ 결함으로부터 즉시 지시를 출력 자동화 가능하다.

④ 시험품의 한 면만을 이용한다.

⑤ 내부 불연속의 위치, 크기, 방향 및 모양을 정확하게 측정이 가능하다.

⑥ 방사선 투과법에 비해 검사자와 주변에 대해 장해가 없다.

(2) 단점

① 수동 탐상 경우 숙련된 기술자가 요구된다.

② 광범위한 기술적 지식이 절차서 작성에 요구된다.

③ 표면이 매우 거칠거나 모양이 불규칙한 것 또는 반사면이 평행하지 않은 부품 등은 탐상
이 곤란하다.

④ 표면 직하의 얕은 결함은 검출이 어렵다. 그 이유는 불감대 영역 때문이다.

⑤ 내부 조직의 입도가 크고 기포가 많은 부품 등은 탐상이 곤란하다.
그 이유는 감쇠 때문이다.

⑥ 접촉 매질이 필요하다. 그 이유는 거친 표면일 경우에 필요하다.

⑦ 표준 시험편과 대비 시험편이 요구된다.

5. 공식으로 알아보는 초음파의 원리

(1) 【 $\lambda = \dfrac{V}{F}$ 】

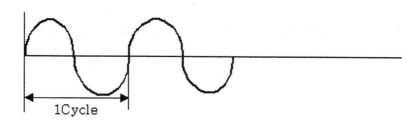

1Cycle

그림 2.3 음파의 sin 곡선

① λ

파장(wave length)으로서 Cycle이라고도 하며 입자가 완전한 1회의 진동 또는 궤도를 만

드는 동안 진행된 파의 거리를 말한다.

㉮ 속도에 비례하며 주파수에는 반비례한다.

㉯ 파장이 짧아지면 감도는 증가하지만 투과력은 감소한다.

㉰ 단위는 mm를 쓴다.

② **V**

속도를 나타내고 초음파에서는 음속이라 한다.

㉮ 단위는 m/s이다.

㉯ 음속은 각 매질에서 일정하며 파형 중 종파에서 가장 빠르다.

㉰ 매질의 입자 농도와 매질의 탄성에 의해서 좌우된다($\sqrt{\dfrac{K}{\rho}}$).

㉱ 파형에는 4가지가 있다.

    ㉠ 종파 : 압축파, 소밀파, 세로파, L파라고도 하며 고체, 액체, 기체 모든 물질에 존재하고 음파의 진행 방향에 수평으로 입자의 진동을 갖고 가장 빠른 파형이다.

    ㉡ 횡파 : 전단파, 수직파, 가로파, S파라고도 하며 고체에서만 존재하고 음파의 진행 방향에 수직으로 입자의 진동을 가지며 음속은 종파의 1/2정도이다.

        ※사각탐상 시 종파를 이용하는 이유는 횡파는 고체만 전달되고 액체인 접촉매질에서는 전달이 잘 안된다. 그래서 종파는 횡파로 변환시켜서 이용된다.

    ㉢ 표면파 : rayleigh wave라고도 하며 음속은 횡파의 90%정도이며 표면 1/4파장 이내에 에너지가 집중되는 특수한 파로서 표면을 따라 전달되어 물체의 표면 결함을 검출하는데 사용되고 1파장정도 깊이를 투과하여 표면을 진행하는 파이고 수침법에서는 사용할 수 없다.

    ㉣ 판파 : Lamb wave라고도 하며 박판의 결함 검출에 사용하고 초음파가 빔 파장의 반 파장 이하의 두께를 통과하는 파동 양식이고 속도는 판의 두께 및 주파수에 따라 변한다. 그리고 파의 진행모양은 대칭형(S-mode)과 비대칭형(A-mode)으로 나눈다.

㉲ 액체나 기체의 경우 음속

$$C = \sqrt{\dfrac{K}{\rho}} \text{(K : 체적탄성계수, } \rho \text{ : 밀도)} \quad K = \dfrac{P}{\dfrac{\Delta V}{V}}$$

㉳ 고체의 경우 종파, 횡파 음속

$$CL(종파음속) = \sqrt{\frac{E}{\rho} \times \frac{1-v}{(1+v)(1-2v)}} \qquad E(영계수, 종탄성계수) = \frac{\frac{P}{A}}{\frac{\Delta L}{L}}$$

$$v(푸아송비) = \frac{1}{m} = \frac{가로변형율}{세로변형율}$$

$$CS(횡파음속) = \sqrt{\frac{E}{\rho} \times \frac{1}{2(1+v)}} \qquad G(전단탄성계수, 횡탄성계수) = \frac{E}{2(1+v)} = \sqrt{\frac{G}{\rho}}$$

④ 음속과 푸아송 비와의 관계

$$v = 0.5 \times (1 - \frac{1}{(\frac{CL}{CS})^2 - 1})$$

③ F

주파수(frequency)라하며 일정한 시간에 이루어진 완전한 주기의 수를 말한다.

㉮ 단위는 Hz(Hertz), CPS(cycle per second)이다.

㉯ 초음파탐상에서 0.5~25MHz가 일반적으로 쓰며 가장 많이 쓰이는 것은 1~5MHz이다.

(2) [Z = $\rho \times$ V]

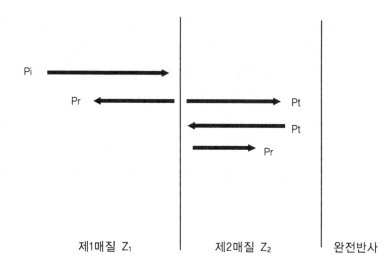

① Z

음향 임피던스라 하며 음의 저항이라고 한다.

㉮ 음의 반사와 통과의 양을 결정하며 Z의 차가 크면 반사의 양이 크다.

㉯ 음향 임피던스의 단위는 kg/㎥s 또는 g/㎤s이다.

② **r**

반사율이며 음압에 관련된다.

㉮ $r = Pi/Pr = (Z_2-Z_1)/(Z_1+Z_2)$이다.

㉯ Pi은 입사시 음압이며 Pr은 반사시 음압이고 Z_1은 제1매질의 음향임피던스이고 Z_2는 제2매질의 음향임피던스이다.

③ **t**

통과율이며 음압에 관련된다.

㉮ $t = Pi/Pt = 1-r$이다.

㉯ 통과율은 1매질에서 2매질로의 통과율($t_{1\rightarrow2}$)과 2매질에서 1매질로의 통과율($t_{2\rightarrow1}$)이 있다.

④ **T**

음압 왕복 통과율이다.

㉮ $T = 1-r^2 = 4Z_1Z_2/(Z_1+Z_2)^2$이다.

(3) 【 $\dfrac{V_1}{\sin \alpha} = \dfrac{V_2}{\sin \beta} = \dfrac{V_3}{\sin \gamma}$ 】

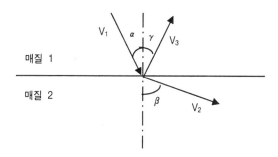

① **스넬의 법칙(Snell's law)**

㉮ 입사각에 따라 다른 파로 변형되어 굴절되는 현상이 나타나는 굴절의 법칙이라 한다.

㉯ 매질이 굴절과 반사시 고체일 경우에는 횡파와 종파 모두 존재할 수 있다.

② 임계각

굴절각이 90°가 되어 표면과 같아지는 현상이다.

㉮ 제1임계각(종파임계각)은 종파의 굴절각이 90°가 되어 매질이 표면 또는 계면에 평행하게 흐를 때의 입사각이라 하고 물질 내부에는 횡파만이 존재한다.

㉯ $\sin \alpha / \sin 90° = V_1/V_2$(단, V_2 = 종파의 속도)

㉰ 제2임계각(횡파임계각)은 횡파의 굴절각이 90°가 되어 매질의 표면 또는 계면에 평행하게 흐를 때의 입사각이라 하며 표면파가 발생된다. 이때의 입사각이 제2임계각 이상이 되는 입사각일 때는 종파, 횡파 모두 전반사된다.

$$\sin \alpha / \sin 90° = V_1/V_2 \text{ (단, } V_2 = \text{횡파의 속도)}$$

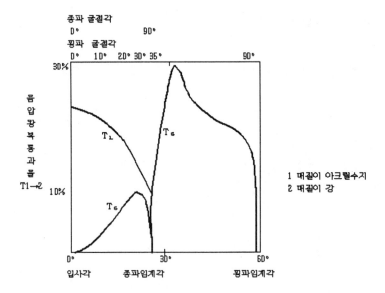

(4) $[\ X0 = \dfrac{D^2}{4\lambda} = \dfrac{D^2 F}{4V}\ ]$

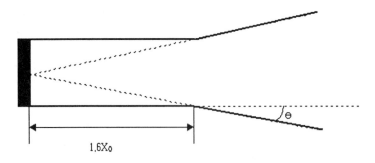

① **X₀**

근거리 음장(near field, fresnel zone) 한계 거리이다.

㉮ 음장에는 근거리 음장, 원거리 음장(far field, fraunhofer zone)이 있다.

㉯ 근거리 음장 영역에서는 불감대의 영역이 포함되며 불감대 영역에서는 결함검출이 되지 않는다.

㉰ 근거리 음장 영역에서는 간섭현상으로 증폭과 소실 영역으로 구분되고 매우 복잡한 형태의 음역이며 에코(echo)의 크기로 결함의 크기를 판단할 수 없다.

㉱ X₀는 진동자의 크기가 클수록, 주파수가 클수록 파장이 짧을수록 길어진다.

㉲ 원거리 음장은 근거리 음장 밖의 영역이고 X₀의 1.6배 이상이고 거리의 배가 되며 음압은 반으로 된다.

㉳ 원거리 음장에서 지시의 강도가 지수함수적으로 감소한다. 그 이유는 감쇠(attenuation)와 분산(beam spread)가 이면 감쇠원인은 산란과 흡수이다.

② **D**

진동자의 직경이고 초음파검사시 여러 가지 부분에 관련된다.

(5) 【 $\theta = 70\frac{\lambda}{D} ≒ \text{Sin}^{-1}1.22\frac{\lambda}{D} = \text{Sin}^{-1}1.22\frac{V}{FD}$ 】

① **θ**

지향각이며 거리가 멀어짐에 따라 음이 퍼지는 현상을 말한다.

㉮ 원거리음장 영역에서 나타나며 각형 진동자의 경우 상하방향과 좌우방향의 지향각이 달라진다.

㉯ 재질이 두꺼울수록 저주파수를 사용하고 재질이 얇을수록 고주파를 사용한다.

㉰ 지향각 $\Sigma = 57 \times \frac{\lambda}{2a}$ (a : 가로, 세로 중 긴 쪽) → 각형

㉱ 상하방향의 지향각 $\Sigma = 57 \times \frac{\lambda}{H}$, 좌우방향의 지향각 $\Sigma = 57 \times \frac{\lambda}{W}$

(H : 진동자의 높이, W : 진동자의 폭)

㉲ 원형 진동자의 지향성은 초음파가 어느 각도 범위 안에서 강하게 방사되는 것을 말한다(주파수가 높고 진동자가 클수록 분산이 작고 중심축으로 집중된다).

㉳ 원형 진동자의 직경(D)가 클수록 또는 파장(λ)가 작을수록 θ° 지향각은 작아져서 지향성이 예민하다.

④ 지향계수(DC)는 중심축상의 음압을 1이라 할 때 그 주변의 어떤 각도로 퍼져 나가는 음파의음압을 나타내는 것이고 지향각은 지향계수가 0이 되는 음파의 퍼짐 각도이다.

⑩ 실효 지향계수($D_c{}^2$)는 실제 탐상에서 송신을 수신음파로 바꾸는 지향계수의 곱이다.

㉑ 실효 지향각은 반사지시가 중심음파의 반사지시에 비해 1/2되는 지향각이다.

$$\psi = 29 \times \frac{\lambda}{D} \quad \text{(D : 진동자의 직경)}$$

㉒ 각형 진동자의 실효 지향각 $\Sigma = 25 \times \frac{\lambda}{2a}$

(6) 【 $PX = 2PO \times \sin \frac{\pi D^2}{8\lambda X}$ 】

① Px

거리 x에서의 음압이다.

㉮ $X \geq 1.6X_0$(원거리 음장)

$$P_X = P_0 \times \frac{A}{\lambda X} = P_0 \times \frac{\pi D^2}{4\lambda X} = P_0 \times \frac{\pi X0}{X}$$

(P$_X$: X만큼 떨어진 거리에서의 음압, P$_0$: 평균 음압 $A = \dfrac{\pi D^2}{4}$: 진동자의 면적)

㉯ 음압은 진동자의 면적에 비례하고 거리에 반비례한다.

㉰ $X \geq 0.5X_0$(근거리 음장)

$$P_X = 2P_0 \times \sin \frac{A}{2\lambda X}$$

(A : 진동자의 면적, X : 반사원까지 거리 D : 원형 진동자의 직경, λ : 파장)

② **초음파의 감쇠는 음압 뿐 아니라 물체 내부로의 입사시와 물체 중의 진행시 손실되어 음파의 세기가 떨어진다. 손실값에는 전이손실, 산란감쇠, 반사손실, 확산손실, 초음파 흡수 등이 있다.**

$P = P_0 e^{-\alpha x}$, $n(P/P_0) = -\alpha x$, $\ln(P_0/P) = \alpha x$에서 $\log x = 0.434 \ln x$, $1Np/cm = 8.68 dB/cm$, $\alpha x = (8.68/0.434)$, $\log(P_0/P) = 20$, $\log(P_0/P)$, $\alpha = 20\log(P_0/P)/x(dB/cm) = \ln(P_0/P)/x(Np/cm)$

(7) 【 dB = 20log($\frac{Q}{P}$) 】

① 음압의 비, 전압의 비, 에코높이의 비 등 일반적으로 두 개의 수치의 비를 대수를 써서 수치를 축소시켜 표시하는 단위를 데시벨(dB)이라 한다.

(8) 【 T = λ/2 = V/2F 】

① 공진 현상은 음파의 왕복진행시 입사파와 반사파의 간섭현상에 의해 음의 세기가 커지는 것을 말한다.

㉮ 공진(resonance)은 재질의 두께가 투과된 연속 종파 파장의 1/2인 경우에 일어나며 이 공진 원리를 이용하여 재질 두께 측정한다.

㉯ 재질 두께는 기본 공진 주파수 파장의 1/2이므로 재질 두께(T) = λ/2이다.

㉰ 공진은 여러 주파수에 대하여 재질의 특징 두께에서 일어나며 이러한 주파수를 기본 공진 주파수와 관련하여 조화주파수라 하며 연속종파 오실레이터를 통해 탐촉자에 에너지를 부여한다.

㉱ 공진법은 두면이 평행한 재질의 두께 측정 및 표면과 평행한 불연속부의 측정에도 사용한다.

MEMO

II. 초음파 탐상기와 탐촉자

1. 장치 구성

탐상기, 탐촉자, 케이블, 접촉 매질, 시험편으로 구성된다.

2. 탐상기의 기본 구조

① 송신부 : 전기 펄스(Pulse)파 발생한다.
② 탐촉자 : 전자파를 초음파로 바꾸고 결함 등의 에코 음압을 수신하며 전압으로 변환한다.
③ 수신부 : 검출된 전압을 증폭 시킨다.
④ CRT 브라운관 : 검출 신호를 육안으로 볼수 있게 한다.
⑤ 시간축 : 결함의 위치를 나타낸다.
⑥ 기타 부속 회로 : 기록기 등

(1) 송신부

진동자가 진동하도록 진동자에 전기적 펄스를 보내는 곳이다.

수백 V의 전압이 발생하지만 송신 중 소요 전력은 10Kw정도 평균 0.5W 이하가 되며 전기 펄스의 세기가 클수록 진동자의 진동이 강해지며 음파의 세기가 강해지고 펄스의 발생을 도와주는 역할을 하는 회로인 펄스 동조 회로가 있다.

(2) 수신부

결함에코에 의해 진동자에 발생하는 전압은 수 mV정도이다.

Rejection은 임상 에코 등 잡음 에코를 식별하며 증폭 직선성이 없어지므로 주의한다.

① 아나로그 방식 : 탐상도형 전체를 화면 밑으로 끌어내리는 것을 말하고 에코높이가 부정확해지고 높이가 낮아진다.
② 디지털 방식 : 기준을 설정하고 그 보다 낮은 에코들은 제거하고 에코높이가 부정확해지는 단점을 보완했다.

Filter는 파형을 평활하게 하며 동일 종 실험재 다량 검사에 편리하지만 분해능이 나빠진다. 송신 펄스의 폭 때문에 결함에코를 측정하지 못하는 거리의 범위를 불감대라 한다.

(3) 시간축부

브라운관의 Spot를 수평에서 등속도로 움직이기 유한 전압을 만든다. 화면상에 탐상 도형을 나타내주는 곳으로 수신되는 음파지시를 화면상에 나타내주는 회로이다.

① 측정 범위 손잡이(Sweep length)

거친 조정 손잡이라고 하며 화면에 나타낼 수 있는 시험체중의 거리를 단계별로 조정한다.

② 음속 손잡이

화면상의 거리 범위를 미세하게 조정하게 조정하며 미세 조정 손잡이라고 한다.

③ 소인 지연 손잡이(Sweep delay)

거리 범위를 변화시키지 않고 화면 전체를 좌우로 이동시키는 손잡이라고 한다.

(4) 동기부(Timer)

모든 탐상기의 상태를 시간적으로 조정하는 제어 장치이다.
초음파 송신 수신이 시간적으로 정확히 발생하도록 제어하며 1초 동안 펄스가 발생하는 횟수를 펄스 반복 주파수라 한다.

(5) CRT 화면의 수평축

시간축이라 하며 어떤 반사지시가 있을 경우 반사원까지 음파가 왕복이 진행하는데 걸린 시간 또는 반사원까지 거리를 말한다.
CRT 상의 한점에 오른쪽으로 이동하면서 한 개의 선의 형태로 탐상도형을 나타내게 되는데 이런한 선을 소인선(Sweep line)이라 한다.

(6) 전원부는 탐상기 내부의 여러 회로에 전력을 공급한다.

(7) 보조회로부

① Gate 회로는 결함 에코만을 나타내기 위해 게이트(Gate)를 사용한다.

② DAC 회로는 거리 진폭 보상회로(Distance Amplitude Conpen Sation)라 하며 동일크기의 결함에 대해서 거리에 관계없이 동일한 에코 높이를 갖도록 전기적으로 보정하는 회로이다.

3. 탐상기의 성능

(1) 증폭 직선성(amplitude Time)

입력에 대한 출력의 관계가 정비례 관계가 되는 정도를 말하고 측정 방법에는 표준 시험편을 측정 방식과 의사 신호 발생기가 있다.

① STB-G V_{15-4} 이용하면 에코높이 100%에 맞춘 다음 6dB씩 낮춰서 24dB 내리고 그 다음까지 진행하고 다시 30dB까지 낮춘 다음 CRT상의 에코존재 여부를 확인한다.

② STB-G V_1, $V_{1.4}$, V_2, $V_{2.8}$, V_4, $V_{5.6}$을 이용하면 면적이 2배 증가함에 따라 에코 높이가 2배 증가하는가 확인한다.

(2) 시간축직선성(Horizontal linearity)

화면상에 반사 에코의 나타나는 위치가 반사원의 실제 위치와 동일한지에 대한 성능이다(측정방법에는 저면 다중 반사법이 있다).

(3) 분해능(resolution)

인접한 2개의 결함을 분리 할 수 있는 능력을 말하며 펄스 에너지가 증가하거나 댐핑이 작을수록 펄스폭이 커져서 분해능이 떨어진다.

※탐촉자의 성능이기도 한다.

① 수직탐촉자의 분해능 : STB-N1

② 사각탐촉자의 분해능 : STB-A2

(4) 감도 여유치

탐상기, 탐촉자 양쪽의 특성에 의해 좌우 탐상이 가능한 최대증폭치와 최소증폭치간의 차를 말한다.

(5) 송신부의 성능측정, 감도, 안정성이 있다.

4. 탐촉자(probe, transducer)의 성능

진동자 두께 역시 탐촉자 주파수와 관계가 있으며 고주파 탐촉자는 진동자가 얇다.

① 고주파 탐촉자는 접촉법에서는 깨지기 쉬워 수침법에서 많이 사용한다.

② 접촉법 0.5~10MHz, 수침법 10~25MHz 주파수를 사용한다. 고주파란 수침법 10MHz, 접촉법 5MHz 이다.

5. 초음파의 발생과 수신

전기펄스(pulse)은 탐상기에서 진동자에 가해지는 순간적인 전기에너지가 계속진동자에 가해지는 것이 아니라 잠깐 동안만 진동자에 보내진다.

전기펄스 ⇒ 진동자 진동 ⇒ 진동 정지 ⇒ 반사음파 복귀 ⇒ 다시 진동자 진동 일련의 과정이 1/1000초 이하의 순간 동작

6. 펄스 폭(펄스 지속 시간)

전기 펄스가 중단되고 나서도 관성에 의해서 진동의 세기가 0이 될 때까지 진동은 지속된다.
이때 진동의 시작점에서부터 최대 강도의 1/10 이하가 되는 첫 번째 진동이 시작점까지의 거리 또는 시간을 말한다.

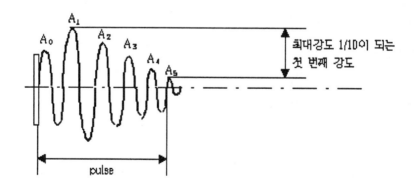

① 펄스반복주파수(P.R.F)는 1초간에 수십~1천회 정도의 펄스를 발생하는데 그 신호의 빈도를 말한다.

② 펄스전압을 높이면 ☞ 초음파펄스는 세게 되고, 에코도 높아진다.

③ 펄스폭이 작을 경우 두 개의 펄스가 구분되지만, 펄스폭이 크면 시간적으로 겹쳐 구분하기가 힘들다. ☞ 분해능이 떨어진다(탐촉자의 중요 성능).

④ 진동자의 한번의 진동에 의해 생긴 것을 한 개의 음파라 하고 한번의 전기 펄스에 의해 생긴 한 무리의 음파를 펄스라 하며 전기 펄스와는 의미가 다르다.

⑤ 펄스폭의 조정은 댐핑(damping)에 의하여 진동자 뒷면에 댐핑재(damper)를 부착하여 진동자의 진동을 억제하여 펄스가 지속되는 시간이고 펄스폭을 줄인다.

⑥ 댐퍼가 진동을 억제하는 정도를 댐핑 상수(δ)라 하면 인접하는 음파간의 진폭의 비로서 $x = A_1/A_2 = A_2/A_3 ......$ 나타낸다. 즉, A_1/A_2의 값이 크다는 것은 A_1에 비해 A_2의 진폭이 그 만큼 작다는 것을 의미하며 그것은 진동이 많이 억제되어 있다는 것을 의미하며 이 진동 억제에 의해서 펄수폭은 점차로 줄어들게 된다.

⑦ 음파의 세기가 최고인 주파수를 진동자의 공진 주파수라 하는데 이공진 주파수 근처에서 주파수 변화에 따른 음파의 강도 변화정도를 Q값이라 하며 주파수 분석 곡선의 기울기를 나타낸다.

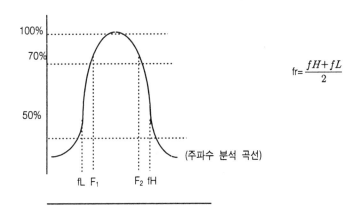

$$fr = \frac{fH + fL}{2}$$

※ $Q = \dfrac{fr}{B} = \dfrac{fr}{(fH - fL)} = \dfrac{\pi}{\ln\delta}$ fr : 공진주파수

※ B(대역폭, bandwidth) : 최대강도의 70%(ASME) 이상이 되는 강도에서의 주파수 범위를 말한다(B = $F_2 - F_1$). KS ⇒ 50% 이상

댐핑	펄스 폭	감도	주파수 분석 곡선의 기울기 Q값	대역폭(B)	분해능
클수록	작아진다.	높아진다.	작아진다.	커진다.	높아진다.
작을수록	커진다.	떨어진다.	커진다.	작아진다.	떨어진다.

주파수 \ 분류	펄스폭 (펄스 지속 시간)	분해능	음파 강도
고 주파수	짧다.	증가한다.	일 정
저 주파수	길다	감소한다.	-

7. 진동자 재질

(1) 수정(Quarts)

① 장점

㉮ 기계적 전기적 화학적으로 안정성이 우수하다.

㉯ 액체에 용해되지 않는 불용성이다.

㉰ 수명이 매우 길고 단단하며 내마모성이 좋다.

② 단점

㉮ 송신효율이 여러 진동자 재질 중 가장 나쁘다.

㉯ 진동 양식의 간섭을 받는다.

㉰ 낮은 주파수에서 고전압에 요구된다.

(2) 황산리튬(Lithium sulphate)

① 장점

㉮ 수신 효율이 가장 좋은 재질이다.

㉯ 음향 임피던스가 낮아 수침용으로 적당하다.

㉰ 내부 댐핑이 커 분해능 증가시킬 수 있고 수명이 길다.

② 단점

㉮ 깨지기 쉽다.

㉯ 수용성이라 수침용으로 사용시 방수처리를 해야 한다.

㉰ $165°F(74°C)$ 이하에서 사용해야 하는 온도 제한이 있다.

(3) 티탄산바륨계(Barium titanate)

① 특징

순수 티탄산 바륨 퀴리점은 130℃정도이고 실제 사용 온도는 80℃정도에서 순수한 것은 거의 만들지 않고 Ca가 Pb를 더 첨가한 것이나 지르콘 티탄산납을 쓰며 지르콘 티탄산납은 일명 PZT라고도 하며 티탄산납과 지르콘산 납을 약 반반씩 섞은 것으로서 큐리점이 약 350℃에 달해 고온용으로도 사용된다.

② 장점

㉮ 송신 효율이 가장 좋은 재질이다.
㉯ 낮은 전압에서 작동되며 습기 등의 영향이 없다.

③ 단점

㉮ 내마모성이 낮아 수명이 짧다.
㉯ 약간의 진동 양식의 간섭을 받는다.

※큐리 점(Curie Point) : 진동자의 결정 형태가 변하여 압전 현상이 일어나지 않게 되는 온도를 말한다.

(4) 니오비움산납(Lead metaniobate)

① 장점 : 내부 댐핑이 높아 고분해능형 탐촉자로 적합하다.
② 단점 : 깨지기 쉬워 고주파수에는 부적당하다.

(5) 니오비움산리튬(Lithium niobate)

초고온용으로 1200℃에서도 압전효과. 분해능이 떨어진다.

8. X-Cut과 Y-Cut

X-Cut이란 결정체를 X축에 대해 수직으로 절단하여 종파를 만들며, Y-Cut이란 Y축에 수직으로 절단하여 횡파를 만든다. 대부분의 천연 결정체는 종파를 만들기 위해 X-Cut이며, 횡파는 사각 탐촉자를 사용해서 진동 양식의 변환에 의한 종파로부터 전파된다.

① X-Cut 결정은 Z축과 Y축은 결정면에 위치하며 X축은 결정과 수직인 방향에 존재한다. 주로 종

파에서 발생에 사용된다.

② Y-Cut 결정은 Z축과 X축은 결정면에 위치하며 Y축은 결정과 수직인 방향에 존재한다. 주로 고체에서 횡파 및 표면파 발생에 사용된다.

　　※진동자의 모형은 육각형이 많이 사용된다.

9. 수직 탐촉자의 종류

(1) 수직 탐촉자

음파를 물체 표면에 수직으로 입사시키기 위해 사용된다.

① 표준형 : 일반적으로 사용하며 보호막이 있는 경우와 없는 경우로 나누며 보호막(Proected gace)은 마모가 쉬운 진동자를 보호하기 위해 일반적으로 알루미나계 자기나 내마모성이 좋은 경질 보호막이나 합성 수지와 같은 연질보호막을 사용한다.

② 성능 측정법 : 빔중심축의 편심과 편심각과 송신펄스폭

(2) 분활형(dual transducer)

이진동자 수직 탐촉자라고도 하며 송신 및 수신 진동자가 따로 있는 경우이다.

① 진동자 - 표면간의 거리가 길어 송신 펄스에 이한 불감대(deal zone)가 없어진다.

② 표면 직하의 결함까지도 찾을 수 있다.

③ 초점(focus)에 위치한 결함의 검출에 유용하여 얇은 판재나 표면직하의 결함을 검출하는데 주로 사용한다.

④ 촛점을 벗어나면 오히려 에코가 낮아진다.

(3) 광대역탐촉자(broadband transducer)

고 분해능형 탐촉자라고도 한다.

① 보통 내부 댐핑이 큰 니오비움산납이나 황산리튬 진동자를 사용한다.

② SN비가 커지므로 탐상이 용이해진다.

③ 성능측정법 : 펄스폭

(4) 집속형 탐촉자(immersion transducer)

평면 진동자를 사용하면서 오목형의 음향렌즈를 부착하거나 구형의 진동자를 부착한 것이다.

① 소리의 경우에는 오목렌즈일 때 접속한다.

② 고체인 렌즈는 액체인 매질 보다 속도 빠르므로 스넬의 법칙에 의해 굴절파의 굴절각이 입사각보다 작아진다.

③ 작은 결함의 검출이나 결함의 위치 등을 정확히 측정하고자 할 때 많이 사용된다.

④ 성능측정법 : 집속범위 및 빔폭

(5) 지연재형 탐촉자(delay line transducer)

① 탐상면이 거칠어 초음파의 전달률 변화가 심해 에코 높이 변화가 심할 때 초음파의 탐상면에 대한 영향을 최소로 줄여 준 것이다.

② 고온의 재료에 사용할 때 진동자의 온도에 의한 영향을 줄여준다.

(6) 모자이크형 탐촉자(paint brush)

① 균일한 감도 유지 위해 빔의 강도가 일정하다.

② 탐촉자가 매우 커서 짧은 시간에 넓은 면을 탐상할 때 사용한다.

③ 한개의 탐촉자 안에 수십 개의 진동자로 구성된다.

10. 사각 탐촉자(angle beam probe)의 종류

음파는 접촉 매질(액체)를 통해 시험체 내로 입사하므로 입사파는 항상 종파이어야 하며 종파는 굴절하여 횡파로 파형 변환이 일어난다. 보통 사각 탐상에서는 파형 변환에 의해 생성된 굴절 횡파만 사용된다.

(1) 표준형

일반적으로 사용하며 쐐기(wedge)는 음파를 경사지게 보내기 위해 진동자를 올려놓기 위한 것이며 일반적으로 주로 아크릴 사용한다(이유 : ㉠ 가공이 용이 ㉡ 아크릴의 종파음속이 강 중의 횡파음속과 비슷 ㉢ 음파의 감쇠가 적다).

① 입사각이 30~55°일 때 굴절각이 38~75°가 되어 음압 왕복통과율이 가장 크고 사각탐상에 매우 적합한 각도가 된다.

※흡음재 : 쐐기내에코에 의해 송신펄스 폭이 증가되어 불감대가 길어지는데 이것을 방지하기 위해 설치. 쐐기내에코를 줄인다.

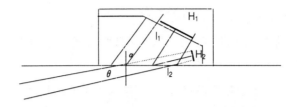

② 겉보기크기 H_2 : 진동자가 굴절각에 의해 실제 크기보다 작게 보인다.

$$H_2 = H_1 \times \frac{\cos \theta}{\cos \alpha}$$

$$H_2 = H_1 \times \frac{\cos \theta}{\sqrt{1 - (\sin \theta \times \frac{C1}{C2} \frac{L}{S})^2}}$$

그리고 근거리 음장 한계거리도 진동자 전면에서부터의 거리이므로 쐐기 내에서 음파가 진행한 거리를 시험체 재질 내에서 음파가 진행한 거리로 환산 후 근거리 음장 한계거리를 구하여야 한다. 쐐기내 음파속도와 재질내의 음파속도가 다르므로 겉보기 위치 $l_2 = l_1 \times$
$\frac{\tan \alpha}{\tan \theta}$.

여기서 l_1은 다음과 같이 구한다.

화면상의 송신펄스는 진동자의 전면을, 0점은 시험체의 표면을 나타낸다. 송신펄스의 상승점과 0점과의 간격은 진동자에서 표면까지의 쐐기내 거리를 나타낸다. 이 화면상의 간격을 l이라 하면 쐐기내거리 l_1은 다음과 같다.

$$l : C_{2S} = l_1 : C_{1L}$$
$$l_1 = l \, C_{1L}/C_{2S}$$

그러면 근거리 음장 한계거리는 다음과 같다.

$$X0 = \frac{H_2{}^2}{4\lambda} \quad \text{or} \quad X0 = \frac{W^2}{4\lambda}$$

여기서 구해진 X0는 진동자 전면에서부터의 거리이므로 시험체 표면에서부터 근거리 음장 한계점까지의 거리를 구하려면 겉보기 위치 l_2를 빼주어야 한다.

(2) 종파 사각 탐촉자

종파를 경사지게 보내기 위한 탐촉자로서 입사각이 0°에서 제1임계각 사이의 각도로 입사시키면 시험체 중에는 종파와 횡파가 동시에 존재한다. 이때 종파만을 사용해 탐상하는 경우를 말한다. 또한 결정립이 큰 구조일 때 횡파보다 파장이 길기 때문에 산란을 줄인다.

(3) 가변각형 탐촉자

입사각을 마음대로 변환 시켜 굴절각을 자유로이 변화시킬 수 있는 것을 말한다. 입사점 고정 → 입사점 고정형, 입사점이 변하는 → 간이형

(4) 분할형 탐촉자

수직 분할형과 마찬가지로 송신과 수신 진동자가 분리되어 있으면서 음파가 경사지게 들어가는 것이고 표면 직하 결함이나 박판 탐상에 유리하고 초점이 있다.

(5) 집속형 탐촉자

수직 탐촉자 집속형과 달리 구면 진동자나 또는 쐐기의 구형면의 반사를 이용해 음파를 집속시킨다.

(6) 이진동자종파사각 탐촉자

종파, 횡파 모두 존재하고 종파만 이용하며 감쇠가 크거나 불감대영역이 커 탐상이 어려운 박판재 탐상이 용이하다.

(7) 휠(타이어) 탐촉자

타이어와 같은 바퀴 안에 물을 채우고 그 안에 진동자 넣는 것
① 진동자와 시험체 사이에는 0.3~0.8mm정도의 간격(gap)이 있어 gap탐촉자라고도 한다.
② Wheel을 기울이는데 따라서 수직과 사각 탐상을 자유롭게 할 수 있다.

11. 탐촉자의 표시

표시순서	내용	기호
1	대역폭	보통 : N(생략가능) 광대역 : B

2	주파수	수치그대로(MHz)
3	진동자재질	수정 : Q 지르콘티탄산납 : Z 압전자기 : C 압전소자 : M
4	진동자 치수	원형 : 직경으로(mm) 각형 : 높이×나비(mm)
5	형식	수직 : N 사각 : A 종파사각 : LA 표면파 : S 가변각 : VA 수침 : I 타이어 : W 이진동자 : D 두께계측용 : T
6	굴절각	강재 중에서의 굴절각으로 표시 ° 알루미늄의 경우 굴절각 뒤에 AL첨가
7	집속 범위	F를 기입 후 그 범위 기록(mm)

12. 탐촉자의 성능 측정 방법

(1) 공통 측정 항목

① 시험주파수

㉠ 사용은 주파수분석기나 오실로스코프로 한다.

㉡ 허용범위는 공칭 주파수의 ±10%가 적당하다.

② 전기임피던스

사용은 벡터 임피던스미터로 한다.

③ 진동자의 유효치수

㉠ 적용은 원형 또는 정사각형의 진동자에만 한다.

㉡ 방법은 침수법 및 선도에 의거한다.

④ 시간 응답 특성

펄스, 송수신기 및 오실로스코프의 조합 또는 초음파 탐상기로 한다.

⑤ 중심 감도 프로덕트 및 대역폭

적용은 공칭 주파수가 1~10MHz인 탐촉자에 한다.

(2) 개별 측정 항목

① 직접 접촉용 1진동자 수직탐촉자 : 빔 중심축의 편심과 편심각 또는 송신 펄스 폭

② 직접 접촉용 1진동자 집속 수직 탐촉자 : 집속 범위 및 빔 폭

③ 직접 접촉용 2진동자 수직 탐촉자 : 표면에코레벨(L_s), 거리진폭 특성 및 N1도 및 빔 폭

④ 직접 접촉용 1진동자 경사각 탐촉자 : 빔 중심축의 편심과 편심각, 입사접과 굴절각, 불감대

⑤ 직접 접촉용 1진동자 집속 경사각 탐촉자 및 직접 접촉용 2진동자 경사각 탐촉자 : 집속 범위 및 빔 폭과 최대 감도

(3) 모든 탐촉자의 공통된 특성

① 감도(sensitivity)

㉮ 미세한 결함을 검출해 낼 수 있는 능력을 말한다.

㉯ 탐촉자의 주파수와 펄스폭과 관계가 있다.

㉰ 주파수가 높을수록 파장이 짧아져 결함 검출한계($\lambda/2$)가 작아진다.

㉱ 분산이 적어 음파의 중심으로 집중되어 작은 결함까지도 검출이 쉬워진다.

㉲ 펄스폭이 클수록 즉, 댐핑이 작을수록 밴드폭이 작을수록 음파의 강도가 증가하여 감도가 증대된다.

② 분해능(resolution)

㉮ 인접한 두 개의 결함을 구별해낼 수 있는 능력을 말한다.

㉯ 펄스폭에 주로 관계가 된다.

㉰ 펄스폭이 클수록, 댐핑이 작을수록 밴드폭이 작을수록 분해능 떨어진다.

③ 주파수

㉮ 탐촉자에 표기되어 있는 주파수를 공칭주파수라 하며, 실제의 주파수를 시험주파수라 한다.

㉯ 공칭 주파수와 시험주파수는 항상 동일하지는 않는다.

㉰ 시험 주파수는 측정 공칭 주파수의 ±10%의 오차를 인정한다.

④ 불감대

㉮ 송신펄스의 폭에 의해 탐상이 불가능한 영역이고 펄스폭이 클수록 쐐기내 에코나 표

면 거칠기가 심할수록 송신 펄스의 폭의 폭도 커져 불감대가 증가한다.

㉯ 수직탐촉자의 불감대 측정법은 STB-N1 시험편의 표준구멍 에코높이를 20% 맞춤 다음에 14dB 올리고 송신펄스의 20% 높이 점의 거리를 말한다.

㉰ 사각탐촉자의 불감대 측정법은 STB-A2시험편의 ψ4×4를 이용하고 45°는 1skip, 60°~70°는 2skip에서 주사에서 최대에코를 20%선에 맞춤 다음에 +14dB 올리고 송신펄스의 20% 높이 점의 거리를 말한다.

⑤ **편심**

㉠ 방음파가 탐촉자의 중심축에 약간 비뚤어져 나가는 것을 말한다.

㉡ 수직 탐촉자에서도 발생하지만 사각 탐촉자에서 많이 발생하여 쐐기의 접촉면이 좌우 방향 중 어느 한 쪽이 편 마모됐을 때 발생하고 수직 탐촉자의 편심 측정은 STB-G V_8 또는 STB-G $V_{15\text{-}2.8}$ 사용하고 또 사각탐촉자의 편심 측정은 STB-A1을 사용한다.

㉢ 탐촉자의 편심이 있을 경우 결함 위치의 판정 오류를 범하게 되므로 일반적으로 편심은 ±2° 이내이어야 한다.

⑥ **거리진폭특성(DAC 곡선)**

동일한 크기의 결함에 대해 거리의 변화에 따른 에코 높이의 변화를 말하며 이 변화를 한 개의 도면에 나타낸 것을 거리진폭특선(DAC Curve)이라 한다.

(4) 사각탐촉자의 성능

① 굴절각 : 탐촉자에 새겨져 있는 굴절각을 공칭 굴절각이라 하며, 쐐기의 마모나 시험체 음속에 따른 실제적으로 측정한 굴절각을 실제 굴절각이라 한다. 실제 굴절각은 통상 공칭 굴절각의 ±2° 이내이어야 한다.

② 접근한계거리 : 용접부 탐상시 용접 비드(bead)에 의해 최대한 접근시킬 수 있는 탐촉자의 입사점을 말한다. 즉, 탐촉자 전면에서부터 입사점까지의 거리가 된다.

(5) 집속형탐촉자의 성능

① 집속거리(focal point) : 입사점에서부터 최대에코 높이를 나타내는 지점까지의 거리를 말한다.

② 집속범위(focal zone) : 최대에코높이의 -3dB~-6dB가 되는 표면으로부터의 깊이 범위를 말한다.

(6) 이진동자탐촉자의 성능

① 표면에코 : 분할형 탐촉자에 발생한 다음 초점에서부터 멀기 때문에 높이는 매우 낮아진다.

② 초점범위와 초점위치 : 집속형 탐촉자의 집속 범위나 집속 거리와 같다.

13. 접촉매질(coleplant)

(1) 접촉매질의 최우선 목적

① 탐촉자와 시험편 표면 사이의 공기를 제거해 준다.

② 불균일한 표면을 평평하게 하는 것을 말한다.

(2) 접촉매질이 갖추어야 할 사항

① 동질이며 고체입자 또는 기포 등이 없어야 한다.

② 쉽게 적용할 수 있고 쉽게 제거되어야 한다.

③ 점성이 있어야 한다.

④ 시험편 표면 및 탐촉자에 해가 없어야 한다.

⑤ 적용 두께가 얇을수록 좋다.

⑥ 탐상 물체와 임피던스 차가 작아야 한다.

(3) 접촉 매질의 종류

종류	장점	단점
물	경제적이고 구입이 쉽다.	기름이 있는 면이나 경사면에서는 점도가 없어 사용이 불가능하다.
기계유	① 구입이 용이하다. ② 표준 시험편과 같은 깨끗한 표면에 적합하다.	① 전달 효율이 떨어진다. ② 거친면에서는 부적합하다.

글리 세린 (Glycerin)	75% 이상의 농도에서는 전달 효율이 좋다.	① 거친면의 탐상면과 접촉성이 나쁘다. ② 경사면에서는 점도가 떨어져 부적합하다. ③ 침투성이 강하고 강재를 부식시켜 장치 고장의 원인이 된다.
물 유리 (Watet glass)	① 글리세린보다 전달 효율이 더 크다. ② 거친면이나 곡면 탐상시 유리하다.	① 강 알카리성으로 피부를 손상시킬 수 있다. ② 건조 응고되면 탐촉자를 손상시킬 수 있다.

Ⅲ. 시험편

1. 결함의 크기 및 위치를 비교 측정하기 위한 비교대상으로 사용한다.

표준 시험편(STB, standard test block)과 대비 시험편(RB, reference block) 측정 범위의 조정과 탐상 감도의 조정 또는 탐상 장치의 성능을 측정한다.

(1) STB-G(KS-B 0831)

고탄소크롬베어링강, 니켈크롬몰리브덴강(SNCM439). 후판 극후판, 조강, 단조품 등의 수직탐상시 탐상감도 조정과 탐상 장치의 성능 측정을 한다.

① STB-G V_2, V_3, V_5, V_8와 STB-G V_{15-1}, $V_{15-1.4}$, V_{15-2}, $V_{15-2.8}$, V_{15-4}, $V_{15-5.6}$가 있다.

② STB-G V_2, V_3, V_5, V_8, V_{15-2}는 20, 30, 50, 80, 150mm의 DAC곡선 작성에 이용한다.

③ STB-G V_{15}시리즈 는 증폭의 직선성 점검하고 결함면적이 2배씩 증가한다.

④ STB-G $V_{15-5.6}$는 탐상기의 감도여유값 측정한 다음 탐촉자를 시험편에서 떼고 탐상감도를 최고로 올린 다음 전기잡음(noise)에코를 10%에 맞추고 gain값 취한다. 그리고 시편 $V_{15-5.6}$은 표준에코높이를 50%하고 gain값 취한 다음 두 값의 차이다.

(2) STB-N₁(KS-B 0831)

용접구조용 압연 강재인 SWS 41 세미킬드강이다.

① 강판의 수직탐상시 감도조정 또는 측정범위 조정한다.

② 수직탐촉자의 불감대 측정은 표준구멍 에코높이를 20%에서 14dB만큼 올린 다음 송신펄스의 20% 높이점의 거리를 불감대라 한다.

(3) STB-A₁(KS-B 0831)

용접구조용 압연 강재인 SWS 41의 세미킬드강이다.

① 용접부 및 관재의 수직 및 사각탐상시 입사점, 굴절각 측정한다.

② 탐촉자의 특성 측정 및 감도조정 그리고 탐상감도 조정에 사용한다.

    ㉮ 사각탐촉자의 입사점 측정 : D의 위치에서 R100면을 향하게 하고 최대 에코를 잡은 후 0.5mm단위로 읽는다.

ⓐ 굴절각 측정 : 각 위치에서 최대 에코를 잡은 후에 0.5°단위로 읽는다(60°~70°는 눈금 간격이 점점 넓어지므로 0.1°단위로 읽는 것이 좋다). 실측과 ±2°가 넘으면 교환을 한다.

ⓑ A1 감도 측정 : 전기잡음(noise)의 높이를 10%로 했을 때의 증폭의 정도와 STB-A1의 R 100의 에코 높이를 50% 했을 때의 증폭정도의 차를 감도 여유값이다.

ⓒ 편심 측정 : 시험편의 측면에 대해 수직되게 하고 탐촉자를 목돌림 및 전후 주사하여 최대에코를 찾는다. 그때 측면의 법선과 이루는 각이 사각탐촉자의 편심이 된다. 편심은 ±2°가 넘으면 교환한다. 수직 탐촉자의 편심은 시험편 STB-G V_8 또는 STB-G $V_{15-2.8}$로 측정한다.

ⓓ 측정범위의 조정 : 수직 탐촉자는 두께 25mm를 이용하여 측정범위를 100에 맞추면 에코는 4개가 뜬다. 사각탐촉자는 R100을 이용하여 최대에코를 잡음 다음 B_1과 B_2를 잡고 간격을 조정하여 delay-key를 이용하여 B_1을 끝 선에 맞춘다.

ⓔ 사각 탐촉자의 탐상감도 조정 : ψ1.5인 구멍의 측면으로부터의 반사에코를 일정높이로 조정한다.

ⓕ 수직 탐촉자의 분해능 측정 : 85mm, 91mm, 100mm를 이용하고 세 개의 에코를 구분한다.

(4) STB-A₂(KS-B 0831)

용접구조용 압연 강재인 SWS 50의 세미킬드강이다.

① 용접부 및 판재의 사각탐상시 탐상감도 조정한다.

② 장치의 성능 측정한다.

ⓐ 사각 탐촉자의 감도 조정 : 표준공 중에서 ϕ1×1, ϕ2×2, ϕ4×4, ϕ8×8 중 어느 하나를 이용한다. 0.5skip나 1skip에서 에코높이를 일정높이로 조정하면 된다.

ⓑ 사각 탐촉자의 A₂감도 측정 : 전기잡음(noise)를 10%에 맞췄을 때 gain값을 취한다. ϕ1.5 관통구멍을 이용하여 1skip으로 주사한 뒤 그 높이를 50%에 했을 때의 증폭 정도의 차이 값이다.

ⓒ 사각 탐촉자의 분해능 측정 : 두 개의 ϕ1.5×4 구멍으로부터 에코를 검출한다. 두 에코의 구분정도가 분해능이 된다.

ⓓ 사각 탐상 시 거리진폭특성곡선 작성 : ϕ4×4를 이용하여 0.5, 1, 1.5, 2skip거리에서의 DAC곡선을 그린다.

ⓔ 사각 탐촉자의 불감대 측정 : ϕ4×4에 대해 45°는 2skip, 60°~70°는 1skip의 거리에서 에코높이를 20%에 한다. 14dB 높이고 송신펄스의 20%높이가 불감대를 측정한다.

(5) STB-A₃(KS-B 0831)

용접구조용 압연강재인 SWS 50의 세미킬드강을 사용한다.

① STB-A1과 유사하나 크기가 작아 휴대용이다.

② 용접부의 사각탐상시 탐촉자의 입사점, 굴절각 측정과 측정범위, 탐상감도의 조정에 사용한다.

(6) STB-A-₇₉₆₃(KS-B 0831)

소형이며 입사점, 굴절각, 측정범위, 탐상감도의 조정에 사용한다.

(7) RB-A₄(KS-B 0896)

대비 시험편으로서 시험체와 동일한 재질 및 두께일수록 좋다. 용접부의 수직 및 사각탐상시 거리진폭특성곡선 작성한다. 감도 조정에 이용한다. 수직 및 사각 탐촉자의 거리진폭특성곡선의 작성에 사용한다.

(8) RB-A₅(KS-B 0896)

시험체와 동일 재질일수록 유리하며 용접부의 2탐법에 의한 사각탐상시 탐상감도 조정에 이용한다.

(9) RB-A₆(KS-B 0896)

곡률을 갖는 원주 용접부를 탐상한다.

① 사각탐상시 입사점, 굴절각의 측정과 거리진폭특성곡선 작성 및 감도조정에 이용한다.

② 재질은 시험체와 동일하거나 유사한 것을 말한다.

③ 시험편의 곡률반경 : 시험체의 0.9~1.5배, 두께는 2/3~1.5배 이내이어야 한다. W는 60mm 이상이어야 하고 L₁은 1.5skip 이상이어야 한다.

④ 구멍 : 수직도는 0.5° 이내, 선단각도는 118°이다. 구멍의 모서리는 가공하지 않는다.

(10) RB-A7(KS-B 0896)

곡률을 갖는 길이 용접부의 사각탐상 시 입사점, 굴절각, 측정범위 조정하고 거리진폭특성곡선 작성에 이용한다.

(11) RB-RA, RB-RB, RB-RC, RB-RD(KS-B 0817)

탐촉자의 분해능 측정에 사용한다.

① **수직탐촉자**

⑦ 원거리분해능 : RB-RA, RB-RB

④ 근거리분해능 : RB-RC

② **사각 탐촉자**

원거리분해능 : RB-RD

(12) RB-A₄ AL(KS-B 0897)

알루미늄 맞대기 용접부의 경사각탐상시 굴절각 측정, 탐상감도를 조정한다.

2. AWS(American welding society)

(1) IIW block

① KS의 STB-A1과 형상과 치수가 동일하다.

② type 1과 type 2로 나누어진다.

③ 거리 보정 및 감도 보정에 사용한다.

(2) DSC block(distance and sensitivity calibration block)

① 시간축직선성, 탐상감도 조정한다.

② 사각탐촉자의 입사점. 굴절각 측정한다.

③ 수직 및 사각탐촉자의 측정범위조정에 사용한다.

(3) DS block(distance and sensitivity reference block)

종파의 측정범위 조정이나 장비의 증폭직선성과 시간축직선성에 사용한다.

(4) DC block(distance reference block)

① 수직 및 사각탐상시 측정범위 조정이나 수직 탐상에서의 감도 조정한다.

② 사각 탐촉자의 입사점 측정한다.

③ 시간축직선성 측정에 사용한다.

(5) SC block(sensitivity reference block)

사각탐상시 굴절각 측정과 감도 조정에 사용한다.

(6) RC block(resolution reference block)

사각탐촉자의 분해능 측정 시에만 사용한다.

(7) BS(British standard)

① Block A_2 : KS의 STB-A_1과 동일하다.

② Block A_3 : 일반적으로 sulzer type이라 하며 측정범위, 탐상감도, 입사점 및 굴절각과 beam -profile의 측정에 사용한다.

③ Block A_4 : 수직 및 사각 탐촉자의 측정범위, 입사점, 굴절각 측정 및 탐상감도 조정에 사용한다.

④ Block A_5 : 수직탐상시 주파수 측정과 감도여유값 측정하며 사각탐상시 굴절각 및 beam -profile을 측정하고 감도여유값 측정에 사용한다.

⑤ Block A_6 : 불감대 측정 및 수직 탐촉자의 주파수 측정에 사용한다.

⑥ Block A_7 : 사각 탐촉자의 분해능 측정에 사용하고 KS의 RB-RD와 유사하다.

(8) ASME(American society of mechanical engineers)

① **Angle beam calibration block**

용접부에 대한 사각탐상시 감도조정을 목적으로 한다.

㉮ RB-A_4와 유사하다.

㉯ 재질 및 두께는 시험체와 동일하거나 유사해야 한다.

㉰ 모든 구멍의 직경은 그 오차가 ±1/32″이내이어야 한다.

㉱ 구멍의 위치는 ±1/8″이내 이어야 한다.

재료 두께	구멍의 직경(D)	구멍의 위치
1/2″ < T ≤ 2″	1/4 "	T/2
T > 2″	3/8″	T/4, T/2, 3T/4

② **Basic calibration block**

시험체 두께(t)	시험편 두께(T)	구멍직경	홈의 치수
t ≤ 1"	3/4" 또는 t	3/32"	폭 = 1/8"~1/4"
1"< t ≤ 2"	1 1/2" 또는 t	1/8"	깊이 = T의 2% 또는 0.04"
2"< t ≤ 4"	3" 또는 t	3/16"	길이 = 2" 이상
4"< t ≤ 6"	5" 또는 t	1/4"	
6"< t ≤ 8"	7" 또는 t	5/16"	
8"< t ≤ 10"	9" 또는 t	3/8"	
t > 10"	t ± 1"		

여기서 구멍은 1.5" 이상 깊이로 뚫으며 평저공이어야 한다. 모든 구멍은 오차가 ±1/32″
이어야 하며, 구멍의 위치는 ±1/8″, 노치부는 ±10~20%T의 오차이어야 한다. 그리고 10"
이상에서는 그 두께가 2" 증가할 때마다 구멍 직경은 1/16″씩 증가한다.

㉮ 감도 조정 : 1/4T, 1/2T, 3/4T중 가장 높은 에코높이를 갖는 구멍의 에코높이를 80%
로 조정한다.

㉯ 거리진폭특성곡선의 작성 : RB-A4와 같은 요령으로 1/4T, 1/2T, 3/4T, 5/4T의 위치에
서 에코높이를 측정하여 작성한다.

㉰ Beam-profile의 작성 : 결함의 위치가 1/4T, 1/2T, 3/4T로서 깊이가 각기 다르므로 이
것을 이용해 작성한다.

㉱ 측정범위의 조정 : 1/4T와 3/4T의 표준구멍에코의 위치를 10눈금과 30눈금에 위치시
키면 10눈금 1/4T에서의 빔거리에 된다.

(9) ASTM(American society for testing and materials)

① Basic set block : 면적/진폭과 거리/진폭 시험편의 혼합 형태로 구성한다.

㉮ 수직탐촉자의 탐상감도 조정한다.

㉯ 거리진폭특성, 면적진폭특성을 측정한다.

　　→ 면적진폭시험편(alcoa series A, area/amplitude block)

㉰ 결함의 면적에 따른 에코높이 변화를 보기 위한 시험편이다.

　　→ 거리진폭시험편(alcoa series B, distance/amplitude block)

㉱ 거리에 따른 에코높이의 변화를 보기 위한 시험편이다.

MEMO

Ⅳ. 초음파탐상방법의 개요

1. 초음파탐상법의 분류

(1) 원리에 따른 분류

① 펄스 반사법

펄스파란 진동자가 연속해서 진동하는 것이 아니라 전기적인 힘이 가해질 때만 진동이 일어나는 것을 이용하여 전기적 힘을 일정한 간격을 두고 공급하여 진동자의 수회 진동하고 그 진동에 의해 여러 개의 음파가 발생한다. 이때 발생한 한 무리의 음파가 1개의 펄스(pulse)가 된다. 이 펄스를 이용한 방법이 펄스 반사법이다. 또 펄스 반사법은 탐촉자 1개로 송수신을 검출하기도 하며 두 개의 탐촉자로 각각 송신과 수신을 하기도 한다.

② 투과법

㉮ 투과법은 2개의 탐촉자를 필요로 하며 그 하나는 송신용으로 사용하고 하나는 수신용으로 사용한다.

㉯ 투과법은 반사하여 되돌아오는 것을 사용하지 않고 투과시킨 음파를 직접 받아내어 시험하는 것으로 재료를 통과하여 받아들인 음파의 손실의 양에 의한다.

㉰ 펄스를 물체 중심으로 투과 시켰을 때 투과되는 음압, 즉 결함 존재시 음파가 진행되어 결함에 의해 방해를 발음으로써 에코 높이가 저하되는 것을 이용해 결함의 유무를 판단한다.

③ 공진법

연속파에서 연속적인 진동하고 두께측정을 위해 사용한다.

(2) 표시방식에 의한 분류

① A-scope

시간과 증폭과의 비를 나타내는 표시 방법으로 음극선관상에 나타나는 파를 사용하여 결함의 존재를 알 수 있다. 또한 재료의 불 연속부 깊이와 대략의 크기를 알 수 있다.

㉮ 화면의 가로축을 음파진행 시간이고 세로축을 수신음파의 세기로 나타낸다.

　※MA-scope 방식은 바로 직전의 화면상태를 그대로 유지하면서 지금의 화면 상태를 모두 보여준다
　（memory기능）.

㉯ 반사파의 형태 즉, 파형만을 보여주므로 재현성이 부족하고 초보인 경우 결함의 크기
모양, 위치 등을 파악하기가 어렵다.

② B-scope

의학적으로 초음파를 적용하는데 쓰인다. 물체의 표면과 화면 그리고 결함의 반사파가 나
타나며 일반적으로 음극선관 화면상에 나타내거나 기록기에 의하여 종이에 기록한다.

㉮ 단면 표시법으로 시험체의 단면을 보여준다(병원의 초음파 진단시 사용함).

㉯ 화면의 시간축이 반사원의 탐상면으로부터의 위치, 즉 깊이가 된다.

③ C-scope

X-ray 사진과 비슷하게 나타나는 평면 표시 방법이다. 물체의 내부를 평면으로 투영하기
때문에 불연속부가 존재하면 윤곽이 나타나게 된다. 표면 및 후면의 반사파가 사용되지
않고 단지 불연속 부로부터의 반사파만 사용된다.

㉮ 결함에서 반사 에코(reflection echo) 검출에 따라 결함의 위치를 평면도상에 나타내 준다.

㉯ 결함의 탐상 면상에서의 위치와 대략적인 형태만을 보여주며 결함의 깊이와 반사면
뒤쪽의 상황은 알 수 없다.

(3) 방식과 진행방향에 의한 분류

① 수직 탐상법

입사표면에 대해 수직으로 입사하고 일반적으로 종파를 사용하며 주 단조품이나 압연재의
내부결함 검출과 두께 측정, 재료의 탄성측정에 사용한다.

② 사각 탐상법

입사표면에 대해 경사지게 입사하고 굴절에 의한 파형 변환(mode 변환)으로 발생된 횡파
이용하며 용접부 및 관재의 내부결함 검출한다.

③ 표면파 탐상법

입사각이 제2임계각이 되었을 때 발생되는 표면파 이용하고 접촉매질에 대한 두께에 영향

을 주며 녹이나 스패터의 영향을 받는다.

(4) 탐촉자수에 의한 분류

① 일 탐촉자법(일검법)

한 개의 탐촉자가 송신과 수신을 겸용하는 것으로써 가장 일반적으로 이용되는 방법이다(수직 탐상과 사각 탐상의 펄스 반사법에 의한 탐상에 쓰인다).

② 이 탐촉자법(이검법)

두 개의 탐촉자을 쓰이는 방법으로 한쪽을 송시용으로 다른 쪽을 수신용으로 사용한다(분할형 탐촉자의 경우 탐촉자는 1개지만 진동자가 송신 진동자와 수신 진동자로 구별되므로 2탐법에 속한다).

③ 다 탐촉자에 의한 방법

원자로, 압력용기 등, 초 후판 용접부 불량을 검출하기 위해 Tandem 주사가 되도록 4개 이상의 탐촉자를 사용하는 방법이다.

㉮ 2탐법의 변형된 형태이다.

㉯ 송신 탐촉자는 1개이며 여러 개의 수신 탐촉자를 사용하는 경우가 많다.

㉰ 송신 탐촉자에서 송신된 음파의 수신될 지점이 불확실할 경우 수신 탐촉자를 여러군데 분포시켜 음파를 수신하기 좋도록 한 것이다.

(5) 접촉방식에 의한 분류

① 직접접촉법

㉮ 탐촉자와 시험체를 얇은 접촉 매질의 막을 사이에 두고 직접 접촉시키는 일반적 형태의 탐상법이다(현장에서 가장 많이 사용한다).

㉯ 펄스 반사법 및 투과법을 이용한 수직 탐상법과 사가 탐상법으로 분류한다.

㉰ 접촉매질의 두께는 약 1/4이다.

② 수침법(water column testing)

탐촉자와 시험체의 사이에 접촉매질, 즉 물의 층을 두껍게 한 것이다.

㉮ 직접 접촉법에 비해 표면의 영향을 줄 수 있어 거친 표면을 가진 시험체 탐상할 때 사용한다.

㉯ 불감대가 거의 없어지므로 두께가 얇아 불감대의 영향이 큰 판재 탐상시 주로 쓰이며 수침법은 아래의 두 가지 방법으로 분류한다.

    ㉠ 전몰 수침법 : 탐촉자와 시편을 모두 물 속에 담겨 탐상하는 것을 말하며 종파 발생시 수직빔 횡파 사용시 사각빔을 전달할 수 있다.

    ㉡ 국부 수침법

        ⓐ bubbler법 또는 Squirter 법 : 시험체의 일부분에 물을 흘러 보내 접촉시킨 형태를 말하고 판재, 실린더 및 일정한 형상의 재질에 대한 고속 자동 주사를 하는 경우에 사용한다.

        ⓑ wheel법(gap법) : 물이 채워진 타이어내의 wheel 탐촉자를 사용한 탐상 방법이고 wheel은 자유롭게 이동하거나 탐촉자는 축에 고정되어 있다.

V. 수직탐상법

1. 수직 탐상의 원리

초음파를 수직으로 입사표면으로 보내고 물체내부에 있는 불연속과 저면에 의해서 반사되어온 초음파를 수신함으로써 이루어지고 화면에 나타내는 방법이며 초음파 빔을 시험편에 수직으로 입사할 경우에는 결함의 투형 면적이 클수록 결합 에코는(F)의 크기는 가장 높게 표시된다.

2. 수직탐상의 기초

(1) 에코의 판독

주 에코의 상승 시작점을 읽고, 측정범위(range)는 탐상기의 시간축은 시험체의 눈금을 표시하고 시험체의 두께보다 큰 값을 정한다.

측정범위(mm)	50	100	125	200	250	500
1눈금의 거리값(mm)	1	2	2.5	4	5	10

(2) 탐상 도형의 표기

① 기본기호

T : 송신펄스, F : 결함에코, B : 저면에코, S : 표면에코, W : 옆면에코

② 부대기호

㉮ 한 결함에 대한 다중 반사파 : 1, 2, 3, 4, ...

㉯ 서로 다른 결함에 대한 반사파 : a, b, c, d, ...

㉰ 지연에코 : ', '', ''', '''', ... 모든 변화에 의해서 변한다.

㉱ 쐐기 내 에코 : T'

㉲ 건전부의 B_1 에코 : B_G

㉳ 결함을 통과한 B_1 에코 : B_F

③ 에코의 높이 표시

㉮ %(percent) 표시 : 에코 높이를 화면상에서 눈금을 그대로 읽고 기입하는 것을 말한다.

㉯ dB(decibel)표시 : 어떤 기준이 되는 에코높이와의 비교치로 나타내는 것을 말한다.

$$dB = 20 \log \frac{H_F}{H_S}$$ (H_F : 결함에코의 높이, H_S : 기준으로 하는 에코의 높이)

㉰ F/B_G : 건전부의 저면 에코의 높이에 비한 결함에코의 높이의 값을 나타낸다.

㉱ F/B_F(결함을 통과한 저면에코) : B_F는 결함부의 저면 에코의 높이로서 결함으로 인해 B_G 보다 작은 높이를 갖는다.

F = 30%, B_F = 70%일 때 F/B_F = 20log $\frac{30}{70}$ = -7.36dB가 된다.

㉲ 거리진폭특성곡선의 높이를 기준으로 한 에코높이의 표시 : 거리진폭특성곡선(DAC curve) 이란 거리에 따른 에코높이의 변화를 나타내는 곡선으로 표준시험편 또는 대비 시험편에 의해 작성된다.

㉳ B_F/B_G : 결함부의 저면 에코높이와 건전부의 저면 에코높이를 비교한 것이다.

　㉠ 결함이 클수록 저면 에코(B_F)의 높이가 점점 낮아지는 것을 이용한다.

　㉡ 결함이 클수록 B_F는 작아지며 F/B_G값은 커진다.

④ 탐상 방향에 따른 에코높이

결함의 에코높이는 결함에 대해 음파가 수직할 때 가장 높다.

⑤ 결함의 모양, 위치, 크기에 따른 에코높이의 변화

결함의 크기가 동일하더라도 모양이 평면일수록 에코높이는 높아진다.

㉮ 형상반사능률

면적이 A인 진동자로부터 X만큼 떨어진 거리에서의 음압 P_X는 다음과 같다.

㉠ 근거리 음장 범위(X ≥ 0.5X$_O$) : $P_X = 2P_O \times \sin \frac{A}{2\lambda X}$

㉡ 원거리 음장 범위(X ≥ 1.6X$_O$) : $P_X = P_O \times \frac{A}{\lambda X}$

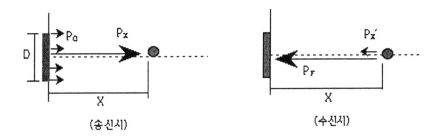

(송신시)　　　　　　　　　(수신시)

ⓒ 계면반사율(음압반사율 γ_I) : PX 에 대한 PX'의 비는 다음과 같다.

$$P_X' = P_X \cdot \gamma_I$$

ⓔ 형상반사능률 γ_G : P_X'에 대한 수신음압 P_F의 비는 다음과 같다.

$$P_F = P_X' \times \gamma_I = P_X \times \gamma_I \times \gamma_G = \gamma \times \gamma_G \times \frac{A}{\lambda X} P_O$$

ⓜ 여기서 대부분의 결함은 내부가 진공이거나 기체가 차 있으므로 $\gamma_I = 1$로 가정한다.

$$즉, P_F = \gamma_G \times \frac{A}{\lambda X} P_O$$

④ 거리에 따른 결함에코의 높이

$P_F = \gamma_G \times \frac{A}{\lambda X} \cdot P_O$에서 거리의 증가에 따라 음파의 음압은 낮아진다.

⑤ 결함의 크기에 따른 에코높이의 변화

ⓐ 한계치수 이상에선 평면결함의 에코높이가 결함의 크기에 관계없다.
ⓑ 한계 치수 이하에서 폭을 가진 띠형 평면결함의 에코높이는 폭의 치수에 비례한다.
ⓒ 원주형 결함의 경우에는 항상 t에 비례한다.
ⓓ 구형 결함의 경우에는 직경에 비례한다.

⑥ 결함치수의 추정

에코높이는 반사에코높이의 음압 P_F에 비례하고 결함치수의 추청의 수식은 다음과 같다.

$$\frac{H_s}{H_f} = \frac{\gamma_{GS} \times X_F}{\gamma_{GF} \times X_S}$$

⑥ **파장에 따른 에코높이**

파장이 짧을(산란감쇠는 크다)수록 결함에서 반사는 잘 일어난다.

㉮ 주파수가 높을수록 미소결함의 검출능력이 높아진다.

ㄱ 결함의 검출 한계크기는 보통 강에서 파장의 1/10정도이다.

ㄴ 결함의 크기가 동일하다.

㉯ 에코높이는 주파수와 비례한다.

$$P_F = \gamma_G \times \frac{A}{\lambda X} \times P_0$$

⑦ **최대에코높이의 검출**

탐촉자에서 발생하는 음파는 탐촉자의 중심에서 가장 강하고, 결함의 위치 및 에코높이는 최고 높이점에서 측정한다.

㉮ **지연에코**

봉, 각재 등 얇고 긴 재질을 탐상할 때 주로 많이 발생하고 B1보다 뒤에서 진행경로의 증가와 횡파로의 파형 변화에 의해 발생한다.

㉯ **원주면 에코**

환봉을 수직 탐상 시 초음파 빔의 분산에 의해 발생한다.

㉰ **적산효과**

일반적으로 불연속부의 크기가 크면 반사의 진폭이 커지고 동일한 크기의 불연속이라도 진행 거리가 길어질수록 반사의 진폭이 작아진다. 그러나 제1차 결함 반사파의 진폭보다 제2차 또는 3차 .... 결함 반사파의 진폭이 크게 나타날 경우를 말한다.

ㄱ 강판의 수직 탐상 시 박판이나 결함이 시험체 중심에 존재한다.

ㄴ 두께가 얇을수록 많이 발생한다.

ㄷ 음파들의 중복에 의해 결함에코의 높이가 점점 높아졌다가 낮아지는 현상을 말한다.

⑧ **결함의 크기와 방향에 따른 저면 에코의 높이**

㉮ 건전부 일 때 : 결함에코가 없으므로 저면의 다중 반사만이 나타난다.

㉯ 결함의 크기가 클 때 : 결함의 크기가 클수록 결함에코가 높아지고 저면 에코는 낮아지며 결함이 매우 크면 저면 에코는 나타나지 않을 수도 있다.

⑨ **수침법에서의 물거리**

시험체의 표면이 거칠거나 박판일 경우와 불감대의 영향을 줄이기 위해 쓰는 방법이다.

㉮ 물거리는 시험체두께를 T라 할 때 1/4T+1/4" 이상이어야 한다.

㉯ 2번째 표면에코(S_2)가 1번째 저면에코(B_1) 뒤에 나타나도록 하기 위함이다.

㉰ 물에서의 종파속도는 강에서의 종파속도의 약 1/4이므로 S_2가 B_1앞에 나타날 수 있다.

⑩ **분할형 탐촉자법에서의 탐상도형**

진동자와 시험체 표면간의 거리가 지연재에 의해 길어지고 표면에코의 발생과 초점(focus)이 존재한다.

3. 수직 탐상의 실제

(1) 탐상 준비

탐상 방향 및 탐상면의 선정 : 음파가 결함에 수직으로 입사할 때 가장 높다.

① **탐촉자의 선정**

㉮ **주파수**

㉠ 파장이 짧을수록 미소결함검출이 용이하고 에코 높이가 높다.

㉡ 주파수가 높을수록 지향성이 예민하다.

㉢ 결함위치의 측정정밀성이 커진다.

㉣ 반사지향성도 커지므로 수직하지 않으면 결함을 놓칠 수도 있다.

㉤ 주파수가 높을수록 거친 재질에서 산란이 심하다.

㉥ SN비가 작아져 결함검출이 곤란해진다.

㉦ 동일 재질, 동일 댐핑 이라면 고주파수가 저주파수에 비해 음파강도는 동일하면서도 펄스폭이감소해 분해능이 증가

㉯ **진동자 크기**

㉠ 진동자가 크면 근거리 음장 한계거리가 길어져 근거리결함의 평가에는 부적합하다.

㉡ 지향성이 예민하고 탐상 유효 범위가 넓어진다.

② 탐상 장치의 조정

㉮ 측정범위의 조정

ㅤㅤㄱ 50, 100, 125, 200, 250, 500mm 중 시험체 두께보다 큰 범위를 설정한다.

ㅤㅤㄴ 일반적으로 B_2가 나타나는 것이 좋다.

ㅤㅤㄷ 시험편과 시험체의 음속이 다르면 보정이 반드시 필요하다.

㉯ 음속의 조정

ㅤㅤㄱ 음속이 다르면 측정범위도 달라진다.

ㅤㅤㄴ STB-A_1으로 측정범위를 100mm에 조정 후 시험체의 저면 에코를 읽는다.

ㅤㅤㄷ 음속을 계산한다.

ㅤㅤㄹ 시간축보정을 한다.

㉰ 탐상 감도의 조정

ㅤㅤㄱ 탐상 감도란 시험체 탐상에 알맞은 증폭 정도이며 조정은 화면상에 나타나는 gain 조정기나 감쇠기 이용한다.

ㅤㅤㄴ 저면 에코 방식과 시험편 방식이 있다.

ㅤㅤㅤㄷ 저면 에코 방식 : 시험체 건전부의 저면에코를 일정 높이가 되도록 조종하는 방법

ㅤㅤㅤㅤ• 장점 : 표면거칠기, 곡률, 감쇠차의 보정이 불필요하다.

ㅤㅤㅤㅤ• 단점 : 저면이 평행이 아니거나 불규칙할 경우와 에코의 변화, 감쇠가 큰 재질에서 근거리 음장에 대한 과대 평가이기 때문에 이것을 보완하는 것은 에코 높이 보정이다.

ㅤㅤㅤㅤㅤ※에코높이보정량 = $-2(-Wf) \times \alpha$ (T : 시험체두께 Wf : 결함에코거리 α : 감쇠계수)

ㅤㅤㅤⓓ 시험편 방식

ㅤㅤㅤㅤ• 어떤 표준시험편의 인공결함을 이용하여 에코높이를 일정 높이로 조정하는 방식이다.

ㅤㅤㅤㅤ• 시험편과 시험체 사이에 재질이나 표면 거칠기가 많이 차이 날 경우 보정이 필요하다.

③ 탐상면의 손질 및 접촉매질의 도포

탐상면이 거칠 경우 표면에서의 산란이 커져 시험체내로 음파의 입사량이 작아진다. 그라인더, 줄, wire-brush 등으로 손질을 한다.

(2) 탐상

① 조 탐상 : 거친 탐상, 결함의 유무와 분포상태를 파악하고 탐상 감도보다 약간 높은 감도로 탐상을 한다.

② 정밀 탐상 : 조탐상에서 검출한 결함에 대하여 탐상하고 기준탐상 감도로 조정을 한다.

㉮ 평가에 사용하는 에코

㉠ 직접접촉법 : 송신펄스에서 B_1 에코 평가를 하며 박판이나 불감대가 길면 B_1~B_2에코 평가한다.

㉡ 수침법, 분할형 탐촉자, 지연재형 탐촉자 사용 시 - S(표면에코)~B_1에코 평가한다.

㉯ 결함의 위치 : X, Y, Z(d)로 표현한다.

㉠ 결함이 근거리 음장 내에 존재 근거리 음장이 짧은 탐촉자(직경이 작고, 파장이 긴)를 사용한다.

㉡ 결함이 표면직하일 경우 : 분할형, 지연재형 탐촉자 사용, 표면파 이용, 반대쪽 면을 이용한다.

(3) 결함의 평가 방법

결함의 길이, 결함의 크기(면적개념), 결함의 높이(상하 방향의 길이)가 있다.

① 결함의 길이 측정법

결함이 매우 큰 경우 길이 측정 방법이고 크게 2가지 방법이다.

㉮ dB drop법

㉠ 반사원(결함)의 면적과 에코높이는 비례하는 관계를 이용한다.

㉡ 6dB drop법(1/2), 10dB drop법(1/3), 12dB drop법(1/4), 20dB drop법(1/10)가 있다.

ⓐ 장점
  • 전이손실이나 감쇠의 영향을 받지 않는다.
  • 결함에코의 높의 영향을 받지 않는다.

ⓑ 단점
  • 측정값에 주관이 개재되기 쉽다.
  • 장시간 작업 시 측정 실수가 유발되기 쉽다.

④ 특정기준높이를 이용하는 방법

　　㉠ 평가레벨법 혹은 문턱값법이라고도 한다.

　　㉡ 용접부 탐상에서 L선 cut법(KS-B 0896), 50% DAC-cut법(ASME sec. V)이다.

　　㉢ 탐촉자의 이동거리를 결함의 길이로 측정하는 점은 dB drop법과 동일하다.

　　㉣ 최고높이에 관계없이 어떤 기준 높이 이상이 되는 탐촉자의 이동거리를 결함의 길이로 측정한다.

　　　ⓐ 장점
　　　　• 피로에 의한 실수가 적다.
　　　　• 자동 탐상에 용이하다.

　　　ⓑ 단점
　　　　• 결함에코높이의 영향을 받는다.
　　　　• 전달손실(산란감쇠)이 클수록 결함이 과소평가 된다.
　　　　• 결함이 클 경우 과대평가, 작을 경우 과소평가하게 된다.

② **결함의 크기(면적) 측정법**

결함에코의 높이와 저면에코높이와의 비교법에 의한 방법과 DAC곡선에 의한 방법 AVG (DGS)선도에 의한 방법이다.

㉮ **저면 에코와의 비교**

　　㉠ F/B_G : 결함이 클 경우 결함에코높이가 높아지므로 F와 B_G의 차가 작아진다.

　　㉡ F/B_F : 결함이 클 경우 결함에코높이는 커지고 B_G는 낮아지고 F가 높을 수도 있다.

　　㉢ B_F/B_G : 결함이 크더라도 경사지게 있으면 F가 높지 않을 수도 있다.

　　㉣ B_F는 결함의 방향에 상관 없이 낮아진다.

　　㉤ 큰 결함일수록 B_F/B_G의 차는 증가한다.

㉯ **DAC곡선의 이용**

　　㉠ DAC곡선의 작성 : DAC곡선이란 거리진폭특성곡선이며 어떤 반사원에 대해 거리의 증가에 따른 에코높이의 변화를 나타낸다.

　　㉡ 수직탐상 시 DAC작성 : STB-G V_2, V_3, V_5, V_8의 각각의 높이점을 표시하여 연결한다. RB-A_4의 1/4T, 3/4T점을 연결한다.

　　㉢ DAC곡선을 이용한 크기측정 : 시험편과 시험체 사이의 감쇠량의 차와 전이손실을 보정해야 한다.

㉴ AVG(DGS)**다이아그램**(선도)**의 이용**

  ㉠ 검출되는 결함의 크기를 원형등가결함의 치수로 나타낸다.

  ㉡ 검출된 결함의 에코높이와 동일한 높이를 갖는 원형평면결함의 직경으로 나타낸다.

  ㉢ DGS선도의 횡축은 거리를 나타내며 n값으로 표시하는데 이것을 반사원의 규준화 거리라 한다.

    ⓐ 결함의 거리가 Xmm인 경우 규준화 거리값 $n = \dfrac{X}{X_0}$

    ⓑ 저면인 경우에는 두께를 T라 하면 규준화 거리값 $nB = \dfrac{T}{X_0}$

    ⓒ 종축은 에코높이를 나타내는데 이것은 반사원의 규준화 에코높이다.

$$\frac{F}{B_0} = 20 \log \frac{P_f}{P_0} , \quad \frac{B}{B_0} = 20 \log \frac{P_B}{P_0}$$

    ⓓ -S는 반사원의 규준화직경으로서 결함의 직경과 탐촉자 직경의 비 d/D이다.

$$S = d/D$$

㉣ **DAC패널(panel)의 이용**

  ㉠ DGS선도에 의해 작성된 것으로 브라운관 전면에 부착하여 사용하므로 결함의 크기 측정이 편리하다.

  ㉡ 브라운관 전면에 패널을 부착한다.

  ㉢ 시험체의 저면 에코를 브라운관에 나타내며 저면 에코높이를 RE_1이나 RE_2곡선에 맞춘다.

  ㉣ 그 후 RE_1에 저면 에코를 맞춘 경우에는 20dB, RE_2인 경우에는 10dB 더 올린다.

③ **결함의 높이 측정법**

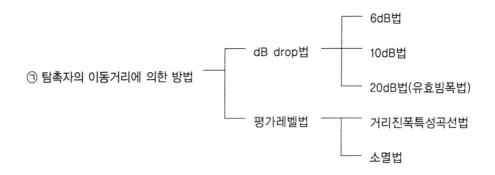

  ㉠ 탐촉자의 이동거리에 의한 방법

    dB drop법 ─ 6dB법, 10dB법, 20dB법(유효빔폭법)

    평가레벨법 ─ 거리진폭특성곡선법, 소멸법

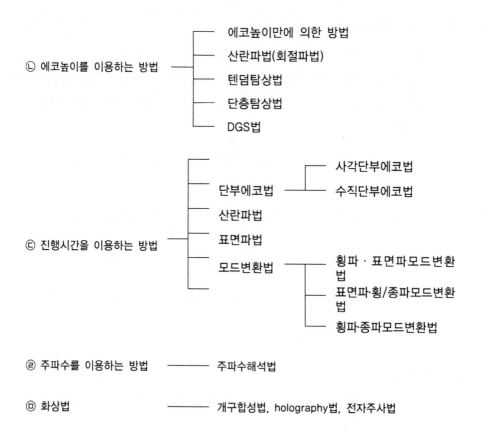

ⓛ 에코높이를 이용하는 방법
- 에코높이만에 의한 방법
- 산란파법(회절파법)
- 텐덤탐상법
- 단층탐상법
- DGS법

ⓒ 진행시간을 이용하는 방법
- 단부에코법
  - 사각단부에코법
  - 수직단부에코법
- 산란파법
- 표면파법
- 모드변환법
  - 횡파 · 표면파모드변환법
  - 표면파·횡/종파모드변환법
  - 횡파·종파모드변환법

ⓔ 주파수를 이용하는 방법 ——— 주파수해석법

ⓜ 화상법 ——— 개구합성법, holography법, 전자주사법

VI. 사각탐상법

1. 사각탐상의 원리

종파를 굴절각을 통해 횡파로 모드변환을 일으켜 용접부나 관재 등을 탐상하는 것을 말한다.

2. 사각탐상의 종류

(1) 종파 사각탐상

0° 〈 입사각 〈 제1임계각에서는 시험체에 종파, 횡파 모두 존재 중 종파 이용한다.

횡파보다 파장이 길어 거친 재질에 의한 산란감쇠가 심할 경우 사용하며 종/횡파 에코가 모두 발생하므로 주의하여야 한다.

(2) 횡파 사각탐상

제1임계각 〈 입사각 〈 제2임계각에서는 시험체에 횡파만이 존재한다.

3. 사각탐상의 기초

(1) 탐상 도형의 판독

① 수직축 : 에코높이다.

② 가로축 : 음파진행시간(빔 진행거리)을 말한다.

4. 사각탐상의 기하학

$\rightarrow W_{0.5S} = \dfrac{t}{\cos \theta}$ $\rightarrow W_{1S} = \dfrac{2t}{\cos \theta}$

$\rightarrow Y_{0.5S} = t \times \tan \theta = W_{0.5S} \times \sin \theta$ $\rightarrow Y_{1S} = 2 \times Y_{0.5S} = 2t \times \tan \theta$

단, t : 시험체의 두께, θ : 굴절각

(1) 결함의 깊이 d

① 직사법 : $d = W_f \times \cos \theta$ (W_f : 결함까지 빔진행거리)

② 1회 반사법 : $d = 2t - W_f \times \cos \theta$

(2) 입사점에서 결함까지 탐상 면상 거리 $= W_f \times \sin \theta$

5. 결함에코높이의 표시방법

(1) % 표시법

수직 탐상과 동일하다(예 : Hf = 80%).

(2) dB 표시법

① 수직 탐상과 동일하게 어떤 기준높이와의 비교치 로서 나타내는 방법이다.

② 사각탐상에는 저면 에코가 없으므로 F/B_F, F/B_F, B_G/B_F가 없다.

(3) 탐상 감도와의 차

① 탐상 감도 조정 시 표준에코높이를 H_s라 했을 때 : 증폭 정도는 H_s이다.

② 결함에코높이를 H_f로 했을 때 : 증폭정도를 H_f라 하면 탐상 감도와의 차 $H_G = -(H_f-H_s)$이다.

(4) 거리진폭특성곡선과의 차

DAC 곡선의 증폭정도를 H_s라 하고 결함에코높이를 DAC 곡선의 높이로 했을 때의 증폭의 정도를 H_f라 하면 에코높이차이다{$H_G = -(H_f-H_s)$}.

(5) 영역에 의한 표시

에코높이구분선 작성 후 I, II, III, IV영역으로 구분되었을 때 결함에코의 최고점의 영역으로 써 표시한다.

6. 결함의 모양, 위치, 크기에 따른 에코높이변화

수직 탐상과 마찬가지로 결함의 모양이 평면일수록, 가까울수록, 클수록 에코높이는 커진다.

(1) 각종 결함의 형상반사능률

$$P_F = \gamma_G \times \frac{A \cdot P_0}{\lambda X}$$

① 원형평면결함 : 각종 용접결함의 일부분이다.
② 띠형평면결함 : 균열, 융합불량(LF), 내부용입불량(IP), 밀집된 기공 등이 있다.
③ 직선홈 : 균열, 용입불량, 언더컷 등이 있다.
④ 횡구멍 : 루트부 융합불량, 슬래그, 밀집기공 등이 있다.
⑤ 종구멍 : 표면 개구 결함이다.
⑥ 구 형 : 단독 기공 등이 있다.

(2) 결함치수의 추정

수직 탐상과 동일하다.

$$\frac{H_F}{H_S} = \frac{\gamma_{GF} \times X_S}{\gamma_{GS} \times X_F}$$

7. 탐상 방향에 따른 에코높이

표면에 대해 기울어져 있는 결함에 적합하며 탐촉자의 굴절각, 반대면 에서의 반사횟수, 탐촉자의 방향에 따라 에코높이가 변화하나 음파에 대해 수직하게 입사하면 에코높이가 최대가 된다.

8. 파장에 따른 에코높이

주파수가 클수록 결함검출한계가 작아져 미소결함을 찾기가 쉽고 에코높이도 높아지며 횡파를 사용함으로 종파보다 파장이 짧다.

9. 진동자치수에 따른 영향

굴절각이 클수록 겉보기 치수는 작아지고 탐촉자의 상하방향의 지향각은 굴절각이 클수록 커진다.
① 굴절각이 클수록 빔거리는 길어지며 판두께가 클 때는 굴절각이 작은 것 사용하고 거리가 길수록 산란감쇠 및 확산손실이 커진다.

② 굴절각이 작을수록 용접부 탐상시 직사법에 의한 탐상범위가 작아진다.

③ 탐상면에 수직인 결함의 경우에는 굴절각이 클수록 탐상이 잘된다.

④ 탐상면에 평행인 결함의 경우에는 굴절각이 작을수록 탐상이 잘 된다.

⑤ 결함의 방향을 예측했다면 음파가 수직이 되게 굴절각을 정한다.

⑥ 2회 반사 시 굴절각에 따른 에코높이 : 용입 불량과 같이 뒷면에 개구 결함을 사각탐상할 시 음파는 결함에 대해 2회 반사는 45°에 파형 변환이 없고 60°는 횡파로의 입사각이 30°가 되어 반사율이 13%로 최소가 되고 모드 변환 손실이 크고 에코높이가 매우 낮아지므로 굴절각 60° 는 가급적 피한다.

⑦ 직사법시 굴절각에 따른 에코높이 45°일 경우에는 음압 왕복 통과율이 가장 크고 탐상에 유리 하다.

10. 사각 탐촉자의 주사법

주사란 탐촉자의 이동을 말하고 종류에는 1탐촉자법과 2탐촉자법이 있다.

(1) 기본주사

① 전후주사 : 탐촉자를 음파진행방향과 평행하게 이동한다. 결함의 형상 및 치수 추정한다.

② 좌우주사 : 음파진행방향과 수직되게 이동한다. 결함의 형상 및 치수 추정한다. 결함의 지 시길이 측정한다.

③ 수진주사(목 돌림주사) : 입사점 중심으로 회전한다(각도는 10~15°). 결함의 형상이나 방향 추정한다. 응용주사시 결함의 빠뜨림을 방지한다.

④ 진자주사 : 진자와 같이 이동한다. 결함의 형상 및 방향 추정한다.

(2) 응용주사

조 탐상 시 결함의 유무 판단을 한다.

① 종방향주사 : 전후주사를 연속적으로 하며 시작점과 끝점에서 좌우주사이다.

② 횡방향주사 : 좌우주사를 연속적으로 하며 시작점과 끝점에서 전후주사이다.

③ 지그재그주사 : 가장 일반적으로 사용한다. 전후주사와 좌우주사의 조합형이다. 결함의 빠 뜨림을 방지하기 위해 목돌림 주사를 병행한다.

④ 경사평행주사 : 용접 비드가 삭제되지 않은 경우 횡 결함 검출에 사용한다. 용접선에 경

사지게 음파를 보내며 용접선 방향과 평행하다. 진행 방향과 용접선이 이루는 각은 10°이내이어야 한다.

⑤ 용접선상주사 : 용접 비드가 삭제되어 있는 경우 횡 결함 검출에 사용한다. 용접선상에서 전후주사와 목 돌림주사를 병행한다.

(3) 2탐촉자법

RB-A₅를 이용, 에코높이를 40%에 맞춘다.

① 탠덤 주사(tandem)

㉮ 송신 탐촉자와 수신 탐촉자는 용접부에서 0.5S 떨어진 탠덤기준선을 사이에 두고 위치시킨다.

㉯ 탐촉자가 클수록 굴절각이 작을수록 검출 불가능 지역이 발생한다.

㉰ 굴절각은 45° 이용한다.

※ 2탐법의 경우 결함에코가 나타나는 시간축상의 위치는 결함위치에 관계없이 모두 $W_{0.5S}$ 위치에 나타내고 화면상의 시간축은 편도거리를 나타낸다.

② 두갈래주사(straddle)

㉮ 횡균열과 같이 용접선에 수직이면서 탐상면에 수직인 결함을 검출에 사용한다.

㉯ 송/수신 탐촉자의 사잇각은 60~90°이다.

③ K주사

탠덤 주사의 변형으로 탠덤 주사와 동일한 용도로 사용한다.

④ V 주사

㉮ V 투과법 : 송/수신 2개의 탐촉자를 1skip거리를 갖고 서로 마주보게 하여, 시험체의 재질 조사나 결함의 유무를 확인한다.

㉯ V 반사법 : 용접선을 중심으로 양쪽에 위치시켜 탐상면에 평행한 결함을 검출에 사용한다.

⑤ 투과주사

11. 탐상

(1) 탐상의 준비

① 탐촉자 선정

㉮ 주파수 선정

2 또는 5MHz. 주파수가 높을수록 결함검출한계가 작아지며 반사지향성이 예민하고 산란감쇠가 심하며 거친면의 경우 전달손실이 커진다.

㉯ 진동자크기

클수록 근거리 음장 한계 거리가 길어지고 지향성이 예민하다.

㉰ 굴절각의 선정

ㄱ 45°가 음압 왕복 통과율이 최고이며 빔거리가 짧아 에코가 높다.
ㄴ 면에 수직한 결함은 검출능력이 떨어진다.
ㄷ 접근한계거리로 직사법 탐상이 곤란한 영역이 커진다.

② 측정범위 선정

일반적으로 1skip의 빔노정이 나타나게 한다.

③ 시험편의 준비

STB-A1, STB-A2, STB-A3, RB - A4.

④ 탐상 감도의 선정

저면 에코가 없으므로 시험편 방식에 의한 것이다.

㉮ STB-A$_2$, RB-A$_4$

㉯ 탐상 감도의 조정 방법

ㄱ 일정거리에서의 표준에코를 일정높이로 조정한다.
ㄴ 에코높이 구분선 이용한다.

⑤ 장치의 조정

㉮ 입사점, 굴절각, 측정범위의 조정을 한다.

㉯ 입사점, 굴절각, 측정범위의 종합 check : (W+25)×cos 45° 또는 60° = 70mm±0.5(W+25)×cos70° = 30mm±0.5 (W : 빔진행거리)

㉰ 음속이 시험편과 시험체가 다를 경우 굴절각의 측정 : STB-A₁에서 굴절각이 45°로 측정되고 시험체가 알루미늄이라면

$$\frac{\sin 45°}{3230mm} = \frac{\sin \theta}{3080mm} \qquad \theta = 42.4°$$

㉱ 음속의 측정

  ⓐ 화면상의 반사원의 거리를 X, 실제거리를 X_F라 한다.

  ⓑ STB-A₁의 속도를 C_{S1}, 시험체의 속도를 C_{S2}라 하면 $C_{S2} : X_F = C_{S1} : X$

  ⓒ X_F는 입사점에서 구멍측면까지의 빔노정으로 $X_F = W - \frac{t}{2}$ (t : 횡구멍 직경)

㉲ 시간축의 보정 : 시험체의 재질이 다른 경우 STB-A₁으로 100mm의 측정 범위를 조정하였다면 3230 : 100 = C_{S1} : 측정범위 X

㉳ 탐상 감도의 조정

  ㉠ 저면 에코가 없으므로 시험편 방식을 사용한다.

  ㉡ STB-A₂, RB-A₄를 사용하나 STB-A₂의 경우 시험체 재질이 거칠다면 감도 보정이 반드시 필요하고 재질에 따른 감쇠차 때문이다.

㉴ 감도보정 방법

  ㉠ 시험편과 시험체의 감쇠정수를 구한다.

$$감쇠정수(\alpha) = \frac{20 \log\dfrac{V_1}{V_2} - 확산손실}{X(V_1 과 \ V_2 \ 사이의 \ 진행거리차)}$$

(확산손실은 DGS선도를 이용한다.)

  ㉠ 시험편과 시험체의 감쇠 정수차를 구한다.

$$\Delta \alpha = \alpha_F - \alpha_S$$

  ㉡ 시험체에서 1skip 빔 거리를 왕복 진행했을 경우의 시험편과 시험체의 감쇠량의 차를 구한다.

감쇠량의 차 = 2×W_{1S}×$\Delta \alpha$ (W_{1S} : 시험체의 1skip 빔거리)

ⓒ 전이 손실량의 차를 구한다.

$$\varDelta LT = 2\varDelta H_1 - \varDelta H_2$$

ⓔ 감도 보정량을 구한다.

$$감도\ 보정량 = 2 \times W_{1S} \times \varDelta\alpha + \varDelta LT$$

그러나 시험체 1skip을 기준으로 한 보정이므로 결함의 위치에 따라 보정 정도가 과다/과소해 질 수 있다. 따라서 에코높이 보정이 필요하다.

$$에코\ 높이\ 보정량 = -2 \times (W_{1S}-W_f) \times \varDelta\alpha\ \ (W_f : 결함의\ 빔거리)$$

ⓜ 시험편과 시험체의 빔 진행거리가 동일할 경우

ⓐ (a)에서 R_0의 에코높이를 80%로 하고 gain값 V_1(dB)를 읽는다.

ⓑ (b)에서 R_1의 에코높이를 80%로 하고 gain값 V_2(dB)를 읽는다.

ⓒ $-|V_2-V_0|$이 감도 보정량이다.

ⓗ 시험편과 시험체의 빔 진행 거리가 다를 경우

ⓐ (a)에서 R_0의 에코높이를 80%로 하고 gain값 V_1(dB)를 읽는다.

ⓑ (b)에서 R_1의 에코높이를 80%로 하고 R과 R'의 gain값을 읽는다.

ⓒ 양쪽의 빔 진행거리가 다르면 내삽법에 의해 그래프에서 V_2를 추정한다.

ⓓ $-|V_2-V_1|$이 감도 보정량이다.

ⓓ 구한 감도 보정량이 2dB 이하면 감도 보정 불필요하다.

(2) 탐상

① 조탐상탐상

감도보다 약간 높은 감도로 하여 결함의 유무 및 분포상태를 조사한다.

② 정밀탐상

원래의 기준감도로 조정하여 결함의 크기, 길이, 위치, 방향 등을 조사한다.

㉮ 평가에 사용하는 에코

직사법($W_{0.5S}$), 1회반사법(W_{1S})

④ **결함의 위치**

X, Y, Z(d)로 표시한다.

⑮ **시험체와 시험편의 재질이 다를 경우 측정범위와 굴절각이 달라진다.**

⑯ **결함의 길이 측정**

6dB, 10dB, 12dB, 20dB drop법이 있다.

㉠ 20dB drop법의 경우 : BS block A₅를 이용하여 beam-profile을 작성한다. 탐촉자 이동거리-빔 폭 = 실제 결함지시 길이

㉡ 기준선에 의한 방법(문턱값법, 평가레벨법) : 에코높이 구분선에서 L선을 초과하는 범위의 탐촉자 이동거리를 결함의 지시 길이다. 이것을 L선-cut법이라 한다.

⑰ **결함의 높이 측정**

㉠ 단부 에코법 : 결함의 상단과 하단에서 맞고 뜨는 에코를 이용한다.

㉡ 표면파법 : 개구 결함에만 적용하고 1탐법과 2탐법을 사용한다.

⑱ **결함크기의 측정**

㉠ DAC곡선 이용법과 DGS(AVG)선도 이용법이 있다.

㉡ DGS선도를 이용할 경우 탐촉자의 겉보기 위치를 더해 주어야 한다.

ⓐ 겉보기위치 $l_2 = l_1 \times \dfrac{\tan \alpha}{\tan \theta}$

ⓑ 결함까지 규준화거리 $n = \dfrac{Wf + l_2}{X_0}$

ⓒ 사각탐촉자의 근거리음장 한계거리 $X_0 = \dfrac{W^2}{4\lambda}$

$$n = \frac{4(Wf + l_2)\lambda}{W^2}, \quad G = \frac{d}{W} \text{ (W : 진동자 폭)}$$

⑲ **결함단면길이의 측정**

결함의 길이방향과 수직되는 방향에서의 결함의 치수이다.

㉠ 6dB drop법, 20dB drop법 사용한다.

㉡ beam-profile 적용시 탐촉자의 전후 방향을 사용한다.

⑩ **결함의 형상추정**

㉠ 결함의 형상을 추정하기 위해서는 여러 굴절각, 여러 위치 여러 방향으로 진자 목 돌림, 전후주사, 좌우주사 등을 사용하다.

㉡ 진자주사시 평면결함은 위치에 따라 에코가 변한다.

㉢ 구형결함은 변화가 거의 없다.

초음파(UT)탐상검사 문제

02

2006년 3회 초음파(UT)탐상검사 기사

제1과목 초음파탐상시험원리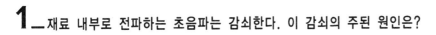

1_ 재료 내부로 전파하는 초음파는 감쇠한다. 이 감쇠의 주된 원인은?

가. 공진현상 나. 직진과 굴절

다. 자력운동 라. 산란과 흡수

[해설] 결정립계에서의 산란감쇠 빔퍼짐에 의한 확산감쇠 또한 탐상면에서의 표면손실과 저면에서의 반사손실 감쇠의 원인이다.

2_ 어떤 매질 내에서 음파가 전달되는 속도를 나타내는 일반식은?

가. 음속(V) = 탄성계수/밀도

나. 음속(V) = 인장강도×음향임피던스

다. 음속(V) = (탄성계수/밀도)1/2

라. 음속(V) = (인장강도×음향임피던스)1/2

[해설] $V = \sqrt{(k/\rho)}$

3_ 다음 중 빔의 퍼짐이 적고 감도와 분해능이 가장 우수한 탐촉자는?

가. 5Q10N 나. 5Q20N

다. 10Q10N 라. 10Q20N

[해설] 빔퍼짐 각 = 70λ/D, F가 높을수록 감도와 분해능이 우수하다.

해답 1. 라 2. 다 3. 라

4_ 펄스반사법을 이용하여 알루미늄을 종파탐상시험할 때 탐상면으로부터 10㎜ 깊이에 불연속이 존재함을 알았다. 이때 초음파가 입사하여 CRT 상에 불연속을 나타낼 때까지 걸리는 시간은? (단, 알루미늄의 음파속도는 종파 : 2.5×106인치/s, 알루미늄의 음파속도는 횡파 : 2.5×105 인치/s)

가. 32초

나. 3.2×10^{-6}초

다. 64초

라. 6.4×10^{-6}초

[해설] 결함의 깊이/종파의 음속 = 10㎜/2.5×106인치/s = 3.2×10^{-6}초

5_ 주조품과 같이 조대한 결정입자 구조의 금속을 초음파탐상시험할 때 발행할 수 있는 요인으로 틀린 것은?

가. 잡음 신호가 많아진다.

나. 저면 반사에코의 크기가 줄어든다.

다. 감쇠현상이 커 침투력이 감소한다.

라. 결정 입자의 크기가 조대하므로 침투력이 증가한다.

[해설] 결정입자가 커지면 초음파가 산란감쇠가 커진다.

6_ 두께 10㎜ 미만의 강판에 존재하는 라미네이션의 검출에 관한 초음파탐상시험의 설명 중 옳은 것은?

가. 일탐촉자에 의한 경사각탐상이 유리하다.

나. 텐덤법에 의한 경사각탐상이 유리하다.

다. 수직탐상에 의한 다중반사법의 탐상이 유리하다.

라. 수직탐상에 의한 저면에코를 탐상하는 것이 유리하다.

[해설] 다중 반사법은 저면에서의 다중 반사파를 이용하여 시험체 내에 초음파 감쇠도, 두께 등을 측정하는 방법이다.

해답 4. 나 5. 라 6. 다

7_ 다음 중 진동자의 펄스폭 조절은 무엇으로 조절하는가?

가. 동축케이블
나. 댐핑재
다. 보호막
라. 탐촉자 튜브

[해설] 댐퍼는 진동자의 진동을 억재 흡수한다.

8_ 초음파탐상시험에서 제1임계각은 무엇을 나타내는 것인가?

가. 횡파의 반사각이 90°되었을 때의 입사각
나. 종파의 굴절각이 90°되었을 때의 입사각
다. 반사각과 굴절각이 동일할 때
라. 입사각과 반사각의 합이 90°일 때

[해설] 임계각이란 굴절각이 90°가 될 때이고 제1임계각(종파의 임계각)과 제2임계각(횡파의 임계각)이 있다.

9_ 다음 중에서 비파괴검사의 적용이 적절한 것은?

가. 스테인리스강의 내부에 존재하는 결함의 깊이를 측정하기 위해서는 방사선투과검사를 선정한다.
나. 알루미늄 주조품의 표면근처 결함을 검출하기 위해서는 자분탐상시험을 선정한다.
다. 동관의 표층부 결함을 검출하기 위해서는 와전류탐상 시험을 선정한다.
라. 다공성 강재의 표면결함을 검출을 위해서는 초음파탐상시험을 선정한다.

10_ 시험체에 종파가 굴절 전파하도록 제작된 특수한 목적에 또는 오스테나이트 스테인리스강 용접부 검사 등에 이용되는 탐촉자는?

가. 집속경사각탐촉자
나. 종파경사각탐촉자
다. 광대역탐촉자
라. 타이어탐촉자

[해설] 오스테나이트스테인레스 강은 입자가 크기 때문에 파장이 긴 종파를 이용하는 것이 좋다.

[해답] 7. 나   8. 나   9. 다   10. 나

11_ 알루미늄과 강의 계면에서 음압반사율은 몇 %인가? (단, 알루미늄 : V_L = 6.320㎧, 밀도 = 2700kg/㎥, 강 : V_L = 5920㎧, 밀도 = 7850kg/㎥)

가. 13%
다. 75%

나. 46%
라. 100%

해설 $Z = V × \rho$, $r = (Z1+Z2)/(Z2-Z1)$이다.

12_ 에코 A를 4dB 올려 에코 B와 동일한 높이로 하면 에코 A와 에코 B의 진폭의 비는 어떻게 되는가?

가. 1.6배
다. 3배

나. 2.6배
라. 6배

해설 4dB = 20log(진폭비)

13_ 초음파의 성질을 설명한 것 중 틀린 것은?

가. 가청음보다 파장이 길다.
나. 빛과 같이 직진성이 있다.
다. 강과 공기 등 매질의 경계에서 반사 또는 굴절한다.
라. 빛 보다는 파장이 길고 보통의 전파보다는 짧다.

14_ Z와 Y축에 평행하고 X축에 수직인 면을 갖는 결정체를 무엇이라 하는가?

가. Y-cut
다. Z-cut

나. X-cut
라. XY-cut

해설 X축에 수직이면 X-cut 진동자이고 종파발생용이고, Y축에 수직이면 Y-cut 진동자이며 횡파발생용이다.

해답 11. 나　12. 가　13. 가　14. 나

15_ 다음의 경우 근거리 음장은 얼마인가? [시험체 : 철강(VL = 5900㎧), 주파수 : 5MHz, 진동자 직경 : Ø20㎜, 시험체 음향임피던스 : 4.5×107kg/㎡·s]

가. 4.2㎜   나. 42.4㎜

다. 8.5㎜   라. 85㎜

16_ 탐촉자의 주사방법 중 탐촉자를 용접선과 평행하도록 이동하며 용접선 중심과 거리를 일정하게 하여 주사하는 방법은?

가. 전후주사   나. 좌우주사

다. 목돌림주사   라. 진자주사

[해설] 기본주사 방법 중에 좌우주사에 대한 설명이다.

17_ 다음 설명 중 적절하지 못한 것은?

가. 근거리음장 거리를 최소화하기 위해 직경이 큰 진동자를 사용한다.

나. 근거리 음장 거리를 최소화하기 위해 주파수가 낮은 진동자를 사용한다.

다. 초음파 빔의 분산각을 작게 하기 위해 직경이 큰 진동자를 사용한다.

라. 초음파 빔의 분산각을 작게 하기 위해 주파수가 높은 진동자를 사용한다.

[해설] $X_0 = D^2/4\lambda = FD^2/4V$, $\theta = 70\lambda/D = 70V/FD$

18_ 초음파 중 종파의 특성 설명으로 틀린 것은?

가. 파 중에서 속도가 제일 빠르다.

나. 같은 주파수에서 가장 긴 파장을 가진 파다.

다. 같은 주파수에서 투과력이 제일 좋다.

라. 입자의 운동은 파의 진행방향에 대해 수직이다.

[해답] 15. 라 16. 나 17. 가 18. 라

19_다음 중 초음파탐상시험의 진동 양식에 따른 파(波)의 분류에 해당하지 않은 것은?

    가. 횡파
                      나. 표면파
    다. 판파
                      라. 복사파

20_초음파탐상시험을 방사선투과시험과 비교했을 때의 장점을 설명한 것으로 틀린 것은?

    가. 일반적으로 탐상기기가 경량(輕量)이다.
    나. 검사체의 한쪽 편만 접근 가능하면 검사할 수 있다.
    다. 결함의 방향과 검사 각도에 무관하며 영구적으로 기록 보존이 가능하다.
    라. 결함의 판두께 방향의 위치 추정이 용이하며 방사선에 의한 장해의 위험이 없다.

제2과목   **초음파탐상검사**

21_초음파탐상시험에서 수침법에 비하여 직접 접촉법이 갖는 가장 큰 문제점은?

    가. 전이손실이 크다.
                      나. 펄스 간섭이 적다.
    다. 면상 결함 검출능력이 떨어진다.
       라. 결함의 종류 식별이 곤란하다.

    [해설] 표면전달손실이 크다.

22_다음 중 종파의 진행속도가 가장 빠른 물질은?

    가. 베릴륨(Beryllium)
                나. 알루미늄(Aluminum)
    다. 스테인리스 강(Stainless steel)
     라. 강(Steel)

    [해설] $V = \sqrt{(K/\rho)}$ 이며, K : 탄성계수이고 ρ : 밀도이다.

                                    해답   19. 라   20. 다   21. 가   22. 가

23_ 종파 수직탐상시 두 매질의 경계를 통과할 때 음압반사율이 가장 큰 경우는?

가. 철강 → 물
나. 알루미늄 → 기름
다. 글리세린 → 물
라. 철강 → 공기

[해설] 음압반사율은 물질의 음향임피던스에 의해 정해지며 임피던스의 차가 클수록 반사율이 크다.

24_ 초음파탐상기에서 이득형(gain) 조정장치를 사용하여 어떤 에코의 높이를 10dB 내렸을 때 에코높이 변화는?

가. 처음 에코의 3.1배 높이가 된다.
나. 처음 에코의 0.3배 높이가 된다.
다. 처음 에코의 1.4배 높이가 된다.
라. 처음 에코의 0.9배 높이가 된다.

[해설] −10dB = 20log(진폭비)

25_ 모재·두께 20mm인 용접부를 60° 경사각탐촉자를 이용하여 탐상했을 때 초음파빔 거리가 70mm에서 결함이 검출되었다면, 이 결함은 모재 표면에서 탐촉자 입사점으로부터 어느 위치(탐촉자-결함거리)에 존재하는가?

가. 약 17mm
나. 약 23mm
다. 약 61mm
라. 약 80mm

[해설] 결함은 0.5-1skip에 위치해 있다. 공식은 d = 2t-Wfcos θ로 계산한다.

26_ 펄스반사식 초음파탐상기에서 동기회로는 탐상기의 무엇을 조정하는가?

가. 펄스길이
나. 게인
다. 펄스 반복주파수
라. 소인길이

[해설] 초음파탐상기에서 시간 관계를 제어하는 회로로 이것에 의해 송신펄스, 시간축, 게이트 등의 시간을 제어하며 음극선 관에 탐상도형을 정지하게 함.

해답 23. 라 24. 나 25. 다 26. 다

27_결함에코의 높이가 비교적 낮고 폭이 좁은 특성이 있으며, 진자주사를 하거나 반대쪽에서 주사를 하여도 거의 일정한 펄스 강도를 나타냈다면 검출된 결함은 다음 중 어느 것에 가장 가까운가?

가. 균열   나. 기공

다. 슬래그 혼입   라. 융합불량

28_다음 중 음향임피던스의 차가 가장 큰 물질들로 조합된 것은?

가. 글리세린-물   나. 알루미늄-물

다. 철-알루미늄   라. 알루미늄-글리세린

[해설] 임피던스는 밀도×음속으로 이것의 차가 크면 반사율이 높다.

29_초음파탐상시험 시 시험주파수를 선정할 때는 여러 가지 사항을 고려하여야 한다. 고려사항의 설명으로 맞는 것은?

가. 주파수를 낮추는 것이 결함검출 능력을 높이는데 유효하다.

나. 결정입이 조대한 재료를 검사할 경우 높은 주파수를 선택한다.

다. 면 모양의 결함탐상시 필요 이상으로 높은 주파수의 적용은 피하는 것이 좋다.

라. 결함의 위치결정의 정밀도를 높이기 위해 낮은 주파수를 사용한다.

[해설] 주파수가 높아지면 감도와 분해능이 높아진다.

30_용접부 탐상을 위해 준비해야 할 사항 중 잘못 설명된 것은?

가. 용접부 인접 모재면에 스페터 등의 부착물이 있으면 스크레퍼 등으로 제거해야 한다.

나. 4MHz 이상의 경사각 탐촉자 사용을 위한 강도조정시 반드시 글리세린을 접촉매질로 사용해야 한다.

다. 시험감도 조정을 위해 필요시 표준시험편 또는 대비시험편을 사용해야 한다.

라. 거친 표면은 그라인딩으로 다듬질한 후 검사하기도 한다.

[해설] 접촉매질은 초음파의 전달손실을 증감시켜 준다.

해답　27. 나　28. 다　29. 다　30. 나

31_집속형 수직탐촉자에 대한 설명으로 옳은 것은?

가. 초음파 빔의 강도를 낮추기 위해 음향 렌즈를 부착한 것이다.

나. 빔을 집속함으로써 최대 강도점이 진동자 쪽으로 이동하게 되고 유효 범위가 짧아진다.

다. 집속된 빔으로 인해 탐상감도를 높이고 큰 불연속의 검출에 유용한 방법이다.

라. 초음파 에너지는 한 곳에 집중되지만 집중된 부위 이외에 반사 감도가 더 많이 발생한다.

32_초음파 에코를 CRT 스크린이나 다른 기록 장치에 나타내는 방식에 관한 설명으로 이 중에서 B주사표시법에 해당하는 것은?

가. 수평축은 경과시간을 나타내고 수직축은 에코높이를 나타내는 방법이다.

나. 시험체 내의 결함이 초음파 빔과 일직선상에 여러 개 있는 경우에는 각각 분리되어 나타낸다.

다. 초음파 빔과 탐촉자 주사방향에 수직으로 있는 결함의 넓이를 기록할 수 있다.

라. 일반적으로 시험체의 저면 측 결함이 표면 결함보다 길게 나타난다.

33_판재를 경사각 초음파탐상법으로 검사할 때 다음 중 가장 검출하기 어려운 결함은?

가. 초음파빔에 수직으로 존재하는 균열

나. 방향이 불규칙한 개재물

다. 초음파빔 진행과 평행한 라미네이션

라. 작은 불연속이 군집된 경우

34_초음파탐상시험에서 용접부의 결함을 등급분류할 때 직접 필요한 항목은?

가. 시험주파수	나. 탐촉자의 공칭굴절각
다. 진동자의 크기	라. 결함 에코높이의 영역

[해설] 에코를 이용하여 결함을 분류하고, 등급을 나눈다.

[해답] 31. 나 32. 라 33. 다 34. 라

35_ 시험편 방식으로 탐상감도를 조정하여 동일한 두께를 가진 2장의 강판 A와 B를 수직탐상하였을 때 각각 그림 1, 그림 2의 탐상도형을 얻었다. 결함에코가 발견되지 않았다면 다음 설명 중 올바른 것은?

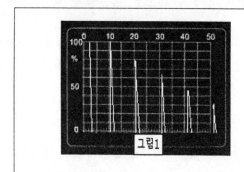 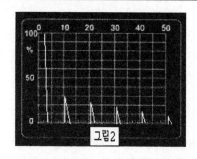

가. A는 B보다 조직이 조대하고 감쇠가 심하다.
나. B는 A보다 미소한 결함이 많다.
다. B는 A보다 저면부의 표면 거칠기가 나쁘다.
라. B는 A와 감쇠는 거의 같으나 탐촉자의 접촉이 나쁘다.

[해설] 그림 2는 그림 1보다 에코의 높이가 높으므로 감쇠가 심하지 않은 것이다.

36_ AVG선도 또는 DGS선도에 나타나지 않는 정보는?

가. 거리(Distance)
나. 증폭(Gain)
다. 음파의 속도
라. 결함의 크기

[해설] AVG 선도에는 종축은 dB로 횡축을 규준화 거리나 결함까지의 거리로 나타내며, 곡선을 규준화 직경이나 결함의 직경으로 한다.

37_ 후판 용접부의 경사각탐상의 경우 2개의 경사각 탐촉자를 용접부의 한쪽에서 전후로 배열하여 하나는 송신용, 하나는 수신용으로 하는 탐상방법은?

가. 탠덤주사
나. 두갈래주사
다. 경사평행주사
라. 전후주사

[해설] 가와 나는 2탐법이고 탐촉자를 일직선으로 하여 검사하는 것은 가이다.

해답 35. 라 36. 다 37. 가

38＿초음파 진동자로 현제 압전재료인 PZT를 많이 사용한다. PZT에서의 종파 속도가 약 400 ㎧라할 때 5MHz의 종파를 발생시키려면 그 두께를 얼마로 하여야 하는가?

가. 0.2㎜　　　　　　　　　　　나. 0.4㎜

다. 0.6㎜　　　　　　　　　　　라. 0.9㎜

〔해설〕 T = λ/2 = V/2f

39＿곡률을 갖는 시험체의 원주용접부를 탐상할 때 RB-A6 대비시험편을 사용하여 감도보정을 하려고 한다. 다음 중 시험편에 대한 내용으로 틀린 것은?

가. 곡률반경은 시험체의 곡률반경의 0.9배 이상 1.5배 이하로 한다.

나. 살두께는 시험체 살두께의 2/3배 이상 1.5배 이내로 한다.

다. 표준구멍은 Ø4㎜의 관통구멍으로 한다.

라. 나비는 60㎜ 이상으로 한다.

40＿초음파탐상검사 시 접촉매질이 가져야 할 조건은?

가. 탐촉자의 음향임피던스보다 낮아야 한다.

나. 탐촉자의 음향임피던스보다 높아야 한다.

다. 탐촉자와 검사물의 중간 정도 음향임피던스를 갖는 것이 좋다.

라. 접촉매질의 막은 두꺼울수록 좋으며 탐촉자와 검사물의 음향임피던스 값과는 무관하다.

〔해설〕 접촉매질은 전달효율의 증가를 위해서 음향임피던스는 높으면 높을수록 좋다. 하지만 액체이므로 시험체의 임피던스보다는 낮다.

해답　38. 나　39. 다　40. 다

제3과목 초음파탐상관련규격 및 컴퓨터활용

41_보일러 및 압력용기에 대한 대형 단강품의 초음파탐상시험(ASME Sec. V Art. 23 SA 388)에 따라 저면반사법(Back Reflection Technique)으로 수직탐상 중에 재교정을 실시하였더니 게인(gain) 레벨이 15% 증가하였다. 어떤 조치를 취하여야 하는가?

가. 재교정전에 실시한 부분은 다시 재검사한다.

나. 재교정전에 실시한 부분 중 기록된 부분만 재평가한다.

다. 기준보다 높은 레벨이므로 재교정전에 실시한 부분은 재검사하지 않는다.

라. 감독관과 협의한다.

[해설] 재교정은 8시간마다 하며 게인레벨이 15% 이상 감소하면 요구되는 교정을 다시 수행하고 재교정전에 검사된 모든 재료는 재검사한다. 게인레벨이 15% 이상 증가하면 기록된 모든 지시를 재평가한다.

42_알루미늄 관 용접부의 초음파 경사각탐상 시험 방법(KS B 0521)에 의한 탐상 방법 및 시험 결과의 분류 방법 설명으로 옳지 않은 것은?

가. 흠을 평가하기 위한 레벨 중 A평가 레벨은 에코 높이의 레벨을 "HRL(기준레벨)-12dB"로 한다.

나. 흠 에코 높이의 레벨이 A평가 레벨을 넘는 것은 "C"으로 판정한다.

다. 동일한 흠으로 간주하는 것은 흠과 흠의 간격이 큰 쪽 흠 지시길이 보다 짧을 경우, 깊이가 동일하다고 간주할 때에 적용한다.

라. 인접 흠을 동일한 흠으로 간주할 경우 간격도 포함시켜 연속한 흠으로 취급한다.

[해설] 흠의 구분과 에코의 높이

흠의 구분	에코 높이의 레벨
A종	A평가 레벨을 넘는 것
B종	A평가 레벨 이하에서 B평가 레벨을 넘는 것
C종	B평가 레벨 이하에서 C평가 레벨을 넘는 것

해답 41. 나 42. 나

43_ 강용접부의 초음파 자동탐상 방법(KS B 0894)에서 탐상기에 필요한 기능 및 성능에 대한 설명 중 틀린 것은?

가. 탐상기의 게인 조정기는 1스텝 1㏈ 이하로 합계의 조정량은 50㏈ 이상으로 한다.
나. 증폭 직선성의 성능은 ±3%의 범위 내로 한다.
다. 시간축의 직선성의 성능은 ±3%의 범위 내로 한다.
라. 감도 여유값의 성능은 40㏈ 이상으로 한다.

44_ 알루미늄의 맞대기 용접부 초음파 경사각탐상 시험방법(KS B 0897)에 규정된 탐상장치 및 부속품에 대한 설명이 바르게 기술된 것은?

가. 경사각 탐촉자에 사용되는 공칭주파수는 5MHz이다.
나. 탐상기의 시간축의 직선성은 실물 크기의 5% 이내이어야 한다.
다. 경사각탐촉자의 양축에는 적어도 10㎜의 범위에 2㎜의 간격으로 유도 눈금이 새겨져야 한다.
라. 경사각탐촉자의 공칭굴절각은 35°, 50°, 71° 중 하나여야 한다.

[해설] 나.는 ±1%, 라.는 40°, 45°, 50°, 55°, 60°, 65°, 70° 이고, 입사점은 1㎜ 단위로 읽는다.

45_ 강용접부의 초음파탐상 시험방법(KS B 0896)에서 경사각탐상시 영역구분에 대한 H선, M선 및 L선의 결정 설명 중 틀린 것은?

가. 작성된 에코높이 구분선 중 적어도 하위에서 3번째 이상의 선을 선택하여 H선으로 한다.
나. H선은 원칙적으로 탐상감도를 조정하기 위한 기준선으로 한다.
다. H선은 원칙적으로 홈 에코의 평가에 사용되는 빔 노정의 범위에서 그 높이가 40% 이하가 되지 않는 선으로 한다.
라. H선 보다 3㏈ 낮은 에코높이 구분선을 M선으로 하고, 6㏈ 낮은 에코높이 구분선을 L선으로 한다.

[해설] 에코높이 구분선은 ±6dB의 차이를 가진다.

[해답] 43. 다 44. 가 45. 라

46_보일러 및 압력용기에 대한 용접부의 초음파탐상검사(ASME Sec. V Art. 4 app. C)에 따라 용접부를 수직 탐상하는 경우, 수직 빔 교정의 일반적인 절차를 위해 필요한 구멍의 크기는?

가. T/4 와 3T/4 축 구멍
나. T/2 와 3T/4 축 구멍
다. T/8 와 3T/8 축 구멍
라. 0.5스킵과 2스킵에서 최대 신호가 오는 구멍

[해설] 수직법은 보통의 경우 T/4와 3T/4의 축 구멍을 사용한다.

47_강 용접부의 초음파탐상 시험방법(KS D 0896)에 관한 탐상기에 필요한 성능에 대해 설명한 것이다. 옳은 것은?

가. 증폭 직선성은 ±5%의 범위 내로 하여야 한다.
나. 시간축 직선성은 ±1%의 범위 내로 하여야 한다.
다. 전원전압 변동에 대한 안정도는 사용 전압 범위 내에서 감도 변화는 ±5dB의 범위 내로 하여야 한다.
라. 전원전압 변동에 대한 안정도는 세로축, 시간축 및 DAC 기점의 이동량은 풀스케일의 ±3%의 범위 내로 한다.

[해설] 증폭 직선성은 ±3%, 전압변동에 대한 안정도는 감도변화는 1±dB 이내, 시간축 및 DAC기점의 이동량은 풀 스케일의 ±2dB 이내로 한다.

48_보일러 및 압력용기에 대한 재료의 초음파탐상검사(ASME Sec. V Art. 5)에 따라 탐상장치의 스크린 높이 직선성 및 증폭 직선성을 검사해야 하는 최대 주기 기간은? (단, 연속적으로 사용치 않음.)

가. 8시간   나. 30일
다. 3개월   라. 6개월

[해설] 연속사용 기간의 최소(또는 3개월마다 중 어느 쪽인가 짧은 쪽의 간격)에 행해야 한다.

해답 46. 가 47. 나 48. 다

49_ 보일러 및 압력용기에 대한 대형 단강품의 초음파탐상검사(ASME Sec. V Art. 23 SA 388)에 따라 오스테나이트 스테인리스강 단강품을 검사하는 경우 펄스에코 초음파탐상기에 사용되는 주파수는 얼마 이하에서 작동되어야 하는가?

가. 5MHz
나. 2.5MHz
다. 1MHz
라. 0.4MHz

[해설] 주파수 1~5MHz에서 검사를 수행할 수 있는 최소한의 성능을 갖추며 단강품에서는 0.4MHz 이하의 주파수에서도 검사할 수 있는 성능을 가져야 한다.

50_ 강용법부의 초음파탐상 시험방법(KS B 0896)에서 시험결과의 분류 방법시, 동일하다고 간주되는 깊이에서 흠과 흠의 간격이 큰 쪽의 흠의 지시길이와 같거나 그것보다 짧은 경우는 어떻게 분류하는가?

가. 독립 결함으로 짧은 쪽 길이를 기준한다.
나. 독립 결함으로 긴 쪽 길이를 기준한다.
다. 연속 결함으로 두 흠 길이를 합한 것을 기준한다.
라. 연속 결함으로 두 흠 길이 및 그들 사이 간격까지 합한 것을 기준한다.

[해설] 결함의 간격 ≤ 긴 쪽의 결함길이 이 경우는 연속결함으로 결함의 길이+결함간격이고, 반대의 경우에는 독립결함으로 간주한다.

51_ 보일러 및 압력용기에 대한 재료의 초음파탐상검사(ASME Sec. V Art. 5)에서 요구하는 작업 절차서에 꼭 포함되어야 할 내용이 아닌 것은?

가. 접촉 매질의 적용방법
나. 시험대상품의 제품 형태
다. 시험대상품의 표면조건
라. 시험대상품 재료의 종류

52_ 보일러 및 압력용기에 관한 초음파탐상시험(ASME Sec.V Art. 5) 규정에서 니켈합금에 사용되는 접촉매질은 몇 ppm 이상의 황을 포함하지 않아야 하는가?

가. 250
나. 500
다. 1000
라. 2000

[해답] 49. 라 50. 라 51. 가 52. 가

53_강 용접부의 초음파탐상 시험방법(KS B 0896)에 따라 그림과 같이 맞대기 이음의 경사각 탐상 시 판두께 40mm 이하의 경우 한 쪽 면 양쪽에서 탐상할 때 사용하는 탐촉자의 공칭 굴절각으로 올바른 것은?

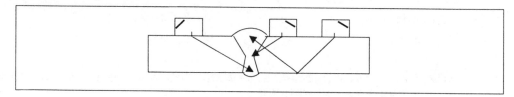

가. 70°

나. 70°와 또는 60°

다. 70° 또는 60°와 45° 병용

라. 70°와 60° 병용 또는 60°와 45° 병용

[해설] 사용하는 탐촉자의 공칭 굴절각

판두께(mm)	사용하는 탐촉자의 공칭굴절각(도)	음향 이방성을 가진 시험체의 경우에 사용하는 공칭 굴절각(도)
40 이하	70	65 또는 60
40 초과 60 이하	70 또는 60	
60을 넘는 것	70과 45의 병용 또는 60과 45의 병용	65와 45의 병용 또는 60과 45의 병용

54_강용접부의 초음파탐상 시험방법(KS B 0896)에 따라 경사각탐상 시 초음파가 통과하는 부분의 모재는 필요에 따라 미리 수직 탐상하여 방해가 되는 흠을 검출하여 기록한다. 이 경우 수직 탐상할 때 탐상감도는 어떻게 하는가?

가. 건전부 밑면 에코 높이가 80% 되게 한다.

나. 건전부 밑면 에코 높이가 50% 되게 한다.

다. 건전부의 제2회 바닥면 에코 높이가 80% 되게 한다.

라. 건전부의 제2회 바닥면 에코 높이가 50% 되게 한다.

[해설] 위의 경우 수직 탐상할 때 탐상감도는 건전부의 제2회 바닥면의 에코가 80%가 되도록 한다.

55_다음 중 인터넷 표준문서 언어가 아닌 것은?

가. XML

나. DSSL

다. HTML

라. SGML

해답 53. 가 54. 다 55. 나

56_초음파탐상 시험용 표준시험편(KS B 0831)에는 시험편의 종류에 따른 재료검사에 대하여 규정하고 있다. G형 STB 시험편의 재료검사에 대한 설명으로 잘못된 것은?

가. 재료의 종파 감쇠계수는 5MHz에서 5㏈/m 이하로 한다.
나. 재료의 종파 감쇠계수는 10MHz에서 20㏈/m 이하로 한다.
다. 직접 접촉법에 따라 공칭지름 20㎜인 탐촉자를 사용한다.
라. 수침법에 따라 주파수 5MHz, 공칭지름 20㎜의 탐촉자를 사용한다.

[해설] 직접 접촉법은 없다.

57_인터넷 익스플로서 6.0으로 FTP 사이트에 접속할 때 ID와 PassWord를 주소창에 주소와 같이 넣어 접속하는 방법으로 옳은 것은? (단, 사이트는 korea.go.kr이고, ID는 abcd이고, Password는 1234라 가정한다.)

가. http://abcd:1234@korea.go.kr
나. http://abcd,1234@korea.go.kr
다. http://abcd.1234@korea.go.kr
라. http://abcd;1234@korea.go.kr

58_컴퓨터의 특성에 대한 설명이다. 맞지 않는 것은?

가. 단일화된 입출력 매체를 갖는다.
나. 데이터 처리비용을 최소화할 수 있다.
다. 대량의 데이터 처리에 적합하다.
라. 자동화에 기여한다.

59_프로그램 명령어들을 해석하고 수행하기 위해 주기억장치와 상호작용하는 동시에 입·출력장치와 보조기억장치들과 통신을 하는 장치를 무엇이라 하는가?

가. 중앙처리장치   나. 네트워크장치
다. 프린터   라. 디스크

[해답] 56. 다 57. 가 58. 가 59. 가

60_ 컴퓨터 연산 장치 중 연산 후 결과 값을 일시적으로 기억하는 장치는?

가. accumulator
나. instruction register
다. data register
라. status register

2007년 1회 초음파(UT)탐상검사 기사

제1과목 **초음파탐상시험원리**

1_ 다음 중 비철 재료의 용접부위에 들어 있는 개재물의 형상을 검출하는데 가장 적절한 비파괴 검사법은?

가. 방사선투과시험　　　　　　　　　나. 자분탐상시험
다. 침투탐상시험　　　　　　　　　　라. 음향방출시험

[해설] 시험체의 내부검사 중 형상을 알아보는데는 RT이고, 크기나 깊이를 알아보는데는 UT이다.

2_ 초음파가 진동자로부터 시험체로 진행할 때의 지향성에 관한 설명 중 틀린 것은?

가. 원형진동자의 지향성은 빔 축에 대해 대칭이 된다.
나. 만일 같은 진동자에서 종파와 횡파가 같이 발생할 때는 횡파의 지향성이 예리하다.
다. 지향성은 진동자의 파장과 주파수의 함수로서 이에 의해 변화된다.
라. 지름이 큰 진동자라 하여도 일부분에서만 진동할 때는 지향성은 둔하다.

[해설] 지향각 $\theta = 70\lambda/D = 70V/FD$이다.

3_ 초음파탐상기의 화면에 나타난 2개의 에코 A, B가 있다. A에코의 높이가 B에코 보다 10배 크다면 B에코의 높이를 현재의 A에코 높이까지 높이려면 증폭기를 몇 dB 올려야 하는가?

가. 10　　　　　　　　　　　　　　나. 20
다. 100　　　　　　　　　　　　　라. 200

[해설] dB = 20log(에코높이의 비) 이 공식을 이용한다.

해답 1. 가 2. 다 3. 나

4_ 초음파탐상시험에서 근거리 분해능을 개선해 주는 방법이 아닌 것은?

　가. 주파수가 낮은 것을 사용한다.　　　나. 진동자의 직경을 크게 한다.
　다. 충분한 접촉매질을 사용한다.　　　라. 분할형 2진동자 탐촉자를 사용한다.

[해설] 분해능을 높이려면 주파수를 높여야 한다.

5_ 경계면에 수직으로 음파가 입사할 때 음파는 계면에서 반사하는 성분과 투과하는 성분으로
나누어지는데 이 비율을 결정하는 것은?

　가. 각 매질의 음속　　　　　　　　　나. 각 매질의 파장
　다. 각 매질의 입자 상태　　　　　　　라. 각 매질의 음향 임피던스

[해설] $Z = \rho \times V$는 음의 저항으로써 두매질 사이에 차이가 크면 반사의 양이 많아진다.
반사율 $r = Pr/Pi = (Z_2 - Z_1)/(Z_1 + Z_2)$이다.

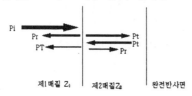

제1매질 Z_1　　제2매질 Z_2　　완전반사면

6_ 표면이 거친 부품을 초음파탐상시험할 경우 만족할 만한 시험효과를 얻기 위하여 일반적으로
표면이 매끈한 부품에 사용할 경우와 비교한 설명으로 다음 중 옳은 것은?

　가. 표면이 매끈한 부품에 사용할 경우보다 더 낮은 주파수의 탐촉자와 점성이 높은
　　　접촉 매질을 사용한다.
　나. 표면이 매끈한 부품에 사용할 경우보다 더 높은 주파수의 탐촉자와 점성이 높은
　　　접촉 매질을 사용한다.
　다. 표면이 매끈한 부품에 사용할 경우보다 더 높은 주파수의 탐촉자와 점성이 낮은
　　　접촉 매질을 사용한다.
　라. 표면이 매끈한 부품에 사용할 경우보다 더 낮은 주파수의 탐촉자와 점성이 낮은
　　　접촉 매질을 사용한다.

[해설] 주파수가 낮으면 파장이 길어져 표면의 영향을 적게 받고, 점성이 높은 접촉매질은 음향임피던스가 증가하여 초음
파의 통과량을 늘려준다.

해답　4. 가　5. 라　6. 가

7_ 다음 중 결함의 형상을 볼 수 없는 비파괴검사는 어느 것인가?

　가. 극간법에 의한 자분탐상시험
　나. C스코프에 의한 초음파탐상시험
　다. 전도율 측정을 위한 와전류탐상시험
　라. 감마선을 이용한 방사선투과시험

8_ 수정 진동자의 특징에 대한 설명 중 잘못된 것은?

　가. 고온에서도 사용이 가능하다.　　나. 사용수명이 길다.
　다. 광범위하게 사용이 가능하다.　　라. 송신효율이 가장 좋다.

[해설] 수정(Quarts)
　• 장점 : 기계적 전기적 화학적으로 안정성이 우수하다. 액체에 용해되지 않는 불용성이다. 수명이 매우 길고 단단하며 내마모성이 좋다.
　• 단점 : 송신효율이 여러 진동자 재질 중 가장 나쁘다. 진동 양식의 간섭을 받는다. 낮은 주파수에서 고전압에 요구된다.

9_ 음파의 속도에 대한 설명 중 틀린 것은?

　가. 음파의 속도는 온도에 따라 전혀 변화하지 않는다.
　나. 음파는 전달되는 매질에 따라 음속이 달라진다.
　다. 횡파의 음속은 일반적으로 종파 음속의 절반 정도이다.
　라. 음속은 매질의 밀도 및 탄성계수에 따라 결정된다.

[해설] V : 속도를 나타내고 초음파에서는 음속이라 한다. 단위는 %이다. 음속은 각 매질에서 일정하며 파형 중 종파에서 가장 빠르다. 매질의 입자 농도와 매질의 탄성에 의해서 좌우된다($\sqrt{\frac{K}{\rho}}$).

10_ 다음 중 수신효율이 가장 좋은 탐촉자의 재료는?

　가. Quartz　　　　　나. Lithium sulfate
　다. Barium titanite　　라. Potassium phosphate

[해답]　7. 다　8. 라　9. 가　10. 나

11
_RB-A6 시험편으로 2Q10A 탐촉자의 입사점을 측정하고자 그림과 같은 결과를 얻었다. 탐촉자 앞면에서 입사점까지의 접근한계거리(L)는 얼마인가?

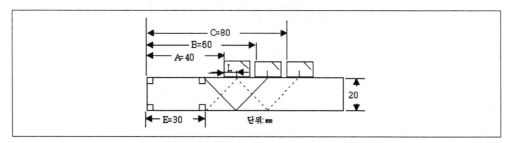

가. 5mm

다. 15mm

나. 10mm

라. 20mm

[해설] 입사점과 입사점의 거리가 20mm이므로 굴절각은 45도이다. 그러므로 식은 결함까지의 표면거리-10 = t×tan θ-10 = 20×tan 45-10 = 10

12
_강에서의 음속 5900㎧, 밀도 7.8g/㎤일 때 임피던스로 옳은 것은?

가. $4.6×10^5$g/㎠ · s

다. $4.6×10^6$g/㎠ · s

나. $7.5×10^5$g/㎠ · s

라. $7.5×10^6$g/㎠ · s

[해설] $Z = ρ×V$

13
_다음 중 일반적인 비파괴검사 실시 시기를 잘못 설명한 것은?

가. 구속을 많이 받는 용접부위는 용접 후 24~28시간 경과 후에 실시한다.

나. 제작공정에 맞추어 검사를 실시한다.

다. 최종 공정이 끝난 후에 검사를 실시한다.

라. 열처리 과정 전에 검사를 실시하여야 한다.

[해설] 최종공정이 끝난 후에 비파괴검사실시를 원칙으로 한다.

해답 11. 나 12. 다 13. 라

14_신속한 거리측정을 할 수 있도록 탐상기의 스크린상에 표시되어 있는 눈금을 무엇이라 하는가?

가. 마커   나. 게이트
다. 수직축   라. 스위프

15_다음 중 초음파 탐상시험의 스크린상 에코의 파형을 가장 바르게 읽는 방법은?

가. 높이는 최고치, 위치는 에코가 일어서기 시작한 점을 시간축 눈금에서 읽는다.
나. 높이는 최고치, 위치는 에코높이가 최고치의 점인 시간축 눈금을 읽는다.
다. 높이는 최고치, 위치는 에코높이의 10% 되는 곳을 시간축 눈금을 읽는다.
라. 높이는 최고치, 위치는 에코높이의 50% 되는 곳을 시간축 눈금을 읽는다.

16_어떤 각도에서 재료의 계면에 초음파 빔이 통과할 때 파의 진행방향이 바뀌는 현상을 무엇이라 하는가?

가. 감쇠   나. 굴절
다. 희박성   라. 압축성

[해설] 초음파의 성질 4가지는 반사, 굴절, 회절, 간섭이 있다.

17_초음파탐상시험시 접촉매질의 적용을 잘못 설명한 것은?

가. 시험편과 표면 사이의 공기를 제거할 수 있어야 한다.
나. 접촉매질의 막은 가능한한 얇은 것을 선택한다.
다. 시험체의 음향임피던스와 차이가 큰 것을 사용한다.
라. 쉽게 제거되고 쉽게 적용할 수 있어야 한다.

[해설] 임피던스는 반사율을 결정짓는 요소이므로 검사체와 접촉매질의 임피던스차이는 적을수록 좋다.

[해답] 14. 가 15. 가 16. 나 17. 다

18_초음파탐상시험시 표면 근처의 결함은 탐지하기 어렵다. 그 이유로 가장 큰 영향을 미치는 것은?

    가. 굴절현상 때문   나. 근거리음장 효과 때문

    다. 감쇠현상 때문   라. 원거리음장 효과 때문

> **해설** 초음파의 음장은 근거리, 원거리로 나누고 근거리음장 내에는 표면하에 존재하는 결함탐지를 불가능하게 하는 불감대의 영역이 포함되어 있다.

19_경사각탐촉자를 사용할 때 매질1에서 매질2로 초음파가 입사할 때 입사각이 2차 임계각보다 크게 되면 매질2내에는 어떤 파가 존재하는가?

    가. 종파

    나. 횡파

    다. 종파와 횡파가 함께 존재

    라. 종파와 횡파 모두 존재하지 않는다.

> **해설** 시험체 내에 횡파만 존재하려면 제1임계각(종파의임계각)≤입사각〈제2임계각(횡파의임계각)의 범위에 있어야 한다.

20_두께가 3㎜인 강재를 공진법으로 검사할 때 주파수 1MHz에서 기본공명이 발생하였다면 강재에서의 초음파 전파 속도는 얼마인가?

    가. 3000m/s   나. 4500m/s

    다. 5200m/s   라. 6000m/s

> **해설** $T = \lambda/2 = V/F2$ 고로 $V = 2TF$

                                   해답   18. 나 19. 라 20. 라

제2과목 초음파탐상검사

21_결함의 크기를 평가하는 방법 중 DGS 선도에 관한 설명으로 옳은 것은?

가. 결함의 크기를 등가의 원형 평면 결함의 직경으로 나타내는 방법이다.
나. 결함의 크기가 초음파 빔의 폭에 비해 충분히 큰 경우에 적용하기 적합하다.
다. 시험주파수가 높을수록 결함 형상으로부터 영향이 적으므로 고주파수를 적용하는 것이 바람직하다.
라. 진동자 크기가 큰 것을 사용하는 것이 바람직하다.

[해설] 그래프의 수직축은 에코의 높이이고, 수평축은 규준화거리 또는 거리이며 곡선은 결함의 직경 또는 결함의 규준화 직경이다.

22_일반적으로 경사각탐촉자의 각도 표시는 어떻게 하는가?

가. 횡파가 발생했을 때의 반사각을 표시
나. 종파가 발생했을 때의 굴절각을 표시
다. 발생한 횡파의 굴절각을 표시
라. 발생한 종파의 반사각을 표시

[해설] 탐촉자의 표시형식은 1.주파수대역폭, 2.공칭주파수, 3.진동자재료, 4.진동자공칭치수, 5.형식, 6.굴절각, 7.공칭집속범위의 순으로 표시한다.

23_다음 초음파탐상 시험방법 중 주로 두께 측정에만 사용되는 방법은?

가. 펄스반사법　　　　　　　나. 투과법
다. 공진법　　　　　　　　　라. wheel법

[해설] 초음파에는 펄스파와 공진파가 있으며 가와 나.는 펄스파를 이용하고 다.는 공집법에 쓰인다.

해답　21. 가　22. 다　23. 다

24_초음파탐상검사의 수침법에 대한 설명으로 틀린 것은?

가. 직접 접촉법보다 에코변화나 표면상태에 덜 영향을 받는다.

나. 접촉매질이 연속적으로 공급된다.

다. 정밀시험이므로 시험속도가 상대적으로 느려진다.

라. 시험물 형상에 따른 탐촉자 전면에 특수한 슈(shoe)를 부착할 필요가 없다.

[해설] 수침법으로 하며 주사가 빨라진다.

25_다음 시험편 중 경사각탐촉자의 거리진폭특성 곡선을 작성하는데 일반적으로 사용되지 않는 것은?

가. IIW-1형 블록

나. STB-A2 블록

다. RB-4 블록

라. ASME 표준 교정시험편(Basic Calibration Block)

[해설] 나.는 경사각 DAC작성, 다.와 라.는 경사각과 수직의 DAC 작성

26_그림과 같이 길이 200㎜, 직경 15㎜인 봉재를 축 방향으로 수직탐상 하였다. 봉재에 대한 아래 CRT상에서 지연(delayed) 에코는 어느 부분인가? (단, 탐촉자 직경 10㎜, 주파수 2MHz, 시간축범위 400㎜)

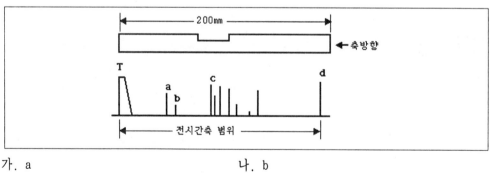

가. a	나. b
다. c	라. T

[해설] T-초기에코, a-첫번째 턱 부위에코, b-지연에코, c와 d는 저면에코이다.

[해답] 24. 다 25. 가 26. 나

27_두께가 5mm인 판재를 공진법에 의해서 두께를 측정하려 한다. 판재 내 속도가 5km/s인 경우 기본 공진주파수는?

가. 0.5MHz   나. 1MHz

다. 5MHz   라. 10MHz

(해설) T = λ/2 = V/F2, F = V/2T = 5000000㎜/10㎜ = 0.5

28_초음파탐상검사에서 다른 조건은 고려하지 않은 탐상면에 바르는 접촉 매질만의 일반적인 설명이다. 옳은 것은?

가. 물/글리세린 혼합제는 거친 표면에 효과적이다.

나. 물은 접촉매질로 사용하지 않는다.

다. 접촉매질의 종류에 따라 초음파의 전달효율이 달라질 수 있다.

라. 탐상면이 매우 거칠 때는 기계유가 가장 좋다.

(해설) 탐상면이 거칠수록 음향임피던스가 높고, 점도가 높은 것이 좋고, 기계유는 음향임피던스가 가장 작다.

29_그림과 같이 A-스코프에서 하나의 날카로운 형태의 에코를 나타내고, 탐촉자를 좌우로 움직일 때에 진폭이 일정한 구간에서는 거의 변화가 없거나 약간 변화하고 전후로 진폭이 부드럽게 변하는 경우에 결함의 종류로 가능한 것은?

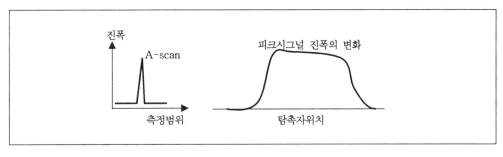

가. 단일 점상 결함   나. 크고 평활한 반사체

다. 크고 불규칙한 반사체   라. 복수 결함

(해답) 27. 가 28. 다 29. 나

30＿초음파탐상검사에 사용되는 다음 진동자 재질 중 가장 높은 큐리점을 갖는 것은?

　　가. 수정(SiO_2)　　　　　　　　나. 황산 리튬($LiSO_4$)
　　다. 티탄산바륨($BaTiO_3$)　　　　라. 니오비움산리튬($LiNbO_3$)

[해설] Lithium niobate-초고온용으로 1200℃에서도 압전효과. 분해능이 떨어진다.

31＿초음파 탐상기에서 탐상을 편리하게 하기 위한 전자적 수단으로서 에코가 이 범위에 나타나면 램프나 부저로 결함이 존재하고 있는 것을 알려주는 장치를 무엇이라 하는가?

　　가. DAC회로장치　　　　　　　나. 게이트장치
　　다. 리젝선장치　　　　　　　　라. 게인조정기

[해설] 시간축 상에서 관심 있는 부분만 선택하여 감시하기 위한 전자적 수단을 케이트 장치라 한다.

32＿다음 중 조대한 결정립의 오스테나이트계 스테인리스강 용접부를 검사하기에 가장 좋은 탐촉자는? (단, 용접 덧살을 제거하지 않음.)

　　가. 횡파수직탐촉자　　　　　　나. 횡파경사각탐촉자
　　다. 종파수직탐촉자　　　　　　라. 종파경사각탐촉자

[해설] 입자가 조대할 경우에는 파장이 긴 파를 이용하여야 파의 전달이 용이하다.

33＿단강품의 수직탐상검사에서 임상에코는 높고 저면에코가 나타나지 않는 경우에 대한 방법으로 옳은 것은?

　　가. 분할형 탐촉자를 사용한다.　　나. 곡률 탐촉자를 사용한다.
　　다. 시험 주파수를 더 높게 한다.　라. 시험 주파수를 더 낮게 한다.

[해설] 시험주파수가 낮으면 강도는 높으나 저면에코가 낮아진다.

해답　30. 라　31. 나　32. 라　33. 라

34_ 다음 중 초음파 탐상기의 회로라고 할 수 없는 것은?

가. 멀티플렉스   나. 송신부

다. 동기부   라. 증폭회로

35_ 그림은 결함높이를 측정하는 주파수분석법으로 면상결함에 대하여 어떤 각도로 초음파를 입사시키면 결함의 상, 하단부로부터 에코가 얻어진다. 이와 같이 시간차가 있는 2개의 에코를 주파수 분석하면 간격 Δf의 스펙트럼이 얻어진다. 이때 결함 높이(H)를 구하는 식은? (단, C는 음속, β는 굴절각이라 한다.)

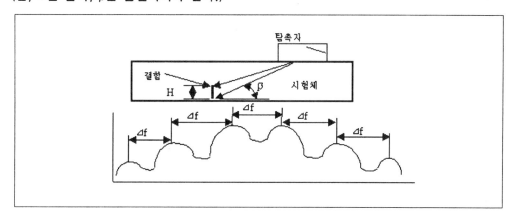

가. $H = C/\Delta f \cdot \sin \beta$ 나. $H = C/2\Delta f \cdot \sin \beta$

다. $H = 2C/4\Delta f \cdot \sin \beta$ 라. $H = 2C/4\Delta f \cdot \sin \beta$

36_ 초음파탐상검사시 동일한 크기의 탐촉자에 주파수를 증가시켰을 때 예상되는 결과는?

가. 측면 분해능이 저하된다.   나. 빔의 분산이 증가한다.

다. 근거리 음장의 길이가 증가한다.   라. 탐상시 감쇠가 저하된다.

[해설] 주파수를 증가시키면 분해능과 감도가 증가하고 강도는 저하되며 근거리음장 거리는 증가, 빔 분산이 감소한다.

[해답]   **34.** 가   **35.** 나   **36.** 다

37_ 강재에서 횡파 굴절각이 60도인 경사각탐촉자를 구리에서 사용할 경우에 굴절각은 얼마인가? (단, 강재에서의 종파, 횡파 속도는 5900㎧, 3230㎧, 구리에서의 종파, 횡파 속도는 4700㎧, 2260㎧)

가. 32.5도
나. 37.3도
다. 43.6도
라. 46.4도

[해설] 스넬의 법칙-V1/sin α = V2/sin β, 3230/sin 60 = 2260/sin β, β = sin^{-1}(2260×sin 60/3230)

38_ 펄스반사 탐상법에서 직접접촉법과 비교한 수침법의 장점은?

가. 빔의 침투력 감소가 적다.
나. 휴대성이 양호하다.
다. 물거리(Water path distance)를 측정하지 않아 간단히 탐상할 수 있다.
라. 전달손실의 영향을 최소화 할 수 있다.

[해설] 시험체의 표면에서의 영향을 최소화할 수 있고, 불감대를 없앨 수 있다.

39_ 다음 대비시험편 중 탠덤 주사 및 두 갈래 주사에 주로 사용하는 시험편은?

가. RB-4
나. RB-A5
다. RB-A6
라. RB-A8

[해설] 탠덤과 두갈래주사는 2탐법으로써 RB-A5를 사용한다.

40_ 펄스반사식 초음파탐상법에서 평판 맞대기 용접부 내에 용입불량이 용접선 방향으로 길게 존재할 때 경사각 탐촉자의 주사방법에 따른 에코의 변화에 대하여 옳은 것은?

가. 진자주사시 에코의 높이가 거의 변하지 않는다.
나. 목돌림주사시 에코의 높이가 거의 변하지 않는다.
다. 전후주사시 에코의 높이가 거의 변하지 않는다.
라. 좌우주사시 에코의 높이가 거의 변하지 않는다.

[해설] 전후주사는 용접선과 직각으로 주사하며, 좌우주사는 용접선과 평행하게 주사한다.

해답 37. 나 38. 라 39. 나 40. 라

제3과목 초음파탐상검사

41_ 강용접부의 초음파탐상 시험방법(KS B 0896)에 따른 탐상시험의 준비시 음향 이방성의 점검에 대한 설명이다. 다음 중 음향 이방성이 있다고 판정되는 내용으로 틀린 것은?

가. 횡파 측정에서 횡파 음속비가 1.05인 경우
나. 횡파 측정에서 횡파 음속비가 1.12인 경우
다. 공칭 굴절각 60°의 경사각탐촉자에 의한 측정에서 굴절 각도차가 3°인 경우
라. 공칭 굴절각 60°의 경사 탐촉자에 의한 측정에서 굴절 각도차가 1°인 경우

[해설] 음향 이방성은 STB 굴적각의 차이는 2° 이내로 하고, 횡파의 음속비는 1.02를 넘는 경우로 한다. 음향이방성이 있다고 판단될 경우에는 탐상에는 공칭굴절각 65° 또는 60°를 사용한다.

42_ 강용접부의 초음파탐상 시험방법(KS B 0896)에서 경사각탐촉자에 필요한 성능 중 탠덤탐상에 사용하는 탐촉자의 불감대는 어떻게 규정하고 있는가?

가. 특별히 규정하고 있지 않다.
나. 진동자 공칭치수 10×10mm, 5MHz 주파수일 때 : 25mm
다. 진동자 공칭치수 20×20mm, 2MHz 주파수일 때 : 20mm
라. 진동자 공칭치수 10×10mm, 2MHz 주파수일 때 : 15mm

[해설] 경사각탐촉자의 불감대는 15mm일 경우는 2MHz에 20×20mm, 5MHz에 10×10mm와 14×14mm이며 불감대가 25mm일 경우는 2MHz에 10×10mm와 14×14mm일 때이다. 탠덤탐상은 특별히 규정하지 않는다.

43_ 강용접부의 초음파탐상 시험방법(KS B 0896)에 규정된 영역 구분의 H선과 L선의 dB 차이는 얼마인가?

가. 3dB   나. 6dB
다. 12dB   라. 20dB

[해설] DAC곡선의 구분선 H, M, L선을 6dB의 차이로 나타낸다.

해답 41. 라 42. 가 43. 다

44_ 강 용접부의 초음파탐상 시험방법(KS B 0896)에 의한 경사각탐상시 에코높이의 범위가 L선 초과 M선 이하일 때 에코높이의 영역은?

가. I 영역
나. II영역
다. III영역
라. IV영역

[해설] L선 이하는 I영역, L선과 M선 사이는 II영역, M선과 H선 사이는 III영역, H선 이상은 IV영역으로 한다.

45_ 금속재료의 펄스반사법에 따른 초음파탐상 시험방법 통칙(KS B 0817)에서 탐상기의 조정은 실제로 사용하는 탐상기와 탐촉자를 조합한 후 전원 스위치를 켜고 나서 최소 몇 분이 경과한 후 하도록 규정하는가?

가. 5분
나. 10분
다. 15분
라. 30분

46_ 강 용접부의 초음파탐상 시험방법(KS B 0896)에서 원둘레이음 용접부의 경사각탐상시 탐촉자의 접촉면을 시험체의 곡률에 맞추어 탐상해야 하는 시험체의 곡률 반지름은 몇 ㎜이하일 때인가?

가. 300㎜
나. 150㎜
다. 200㎜
라. 250㎜

[해설] 길이 이음 용접부는 곡률반지름이 250㎜ 미만일 때 RB-A7의 시험편을 쓰고, 원둘레 이음 용접부는 곡률반지름이 150㎜ 미만일 때 RB-A8(RB-A6)를 사용한다.

47_ 보일러 및 압력용기에 대한 재료의 초음파탐상시험(ASME Sec. V art. 5)에 따르면 펄스에코 초음파탐상 장비는 게인 조절기를 몇 dB이하로 조정할 수 있는 장비를 갖추도록 규정하는가?

가. 2
나. 5
다. 10
라. 20

[해설] 증폭직선성 측정시 에코의 높이는 2dB로 한다.

해답 **44.** 나 **45.** 가 **46.** 나 **47.** 가

48_ 초음파탐촉자의 성능측정 방법(KS B 0523)에서 굴절각이 75°인 경사각탐촉자로 굴절각을 측정하려 할 때 표준시험편 STB-A1에 사용되는 관통 구멍의 지름은 얼마인가?

가. 1mm
나. 1.5mm
다. 4mm
라. 50mm

[해설] Ø1.5 관통홀은 74-80°의 굴절각을 탐상하게 되어 있다.

49_ 보일러 및 압력용기에 대한 용접부의 초음파탐상시험(ASME Sec. V art. 4)에서 탐상 온도의 설명으로 옳은 것은?

가. 접촉법에서 교정시험편과 검사 표면 간의 온도차는 30°F 이내이어야 한다.
나. 접촉법에서 교정시험편과 검사 표면 간의 온도차는 25°F 이내이어야 한다.
다. 수침법에서 교정시 접촉매질의 온도는 검사시 접촉매질온도의 30°F 이내이어야 한다.
라. 수침법에서 교정시 접촉매질의 온도는 검사시 접촉매질온도의 35°F 이내이어야 한다.

[해설] 접촉시험의 경우-시험면과 기번교정시험편 면사이의 온도차는 25℉ 이내이어야 한다. 수침법의 경우-교정용 접촉매질의 온도는 실제 주사하는 동안 사용된 접촉매질온도의 25℉ 이내이어야 한다.

50_ 보일러 및 압력용기에 대한 용접부의 초음파탐상시험(ASME Sec. V Art. 4)에서 검교정으로 확인한 경우를 제외했을 때 다음 중 탐촉자 이동속도로 옳은 것은?

가. 3인치/s를 초과할 수 없다.
나. 6인치/s를 초과할 수 없다.
다. 9인치/s를 초과할 수 없다.
라. 12인치/s를 초과할 수 없다.

51_ 보일러 및 압력용기에 대한 용접부의 초음파탐상시험(ASME Sec. V Art. 4)에서 규정한 초음파 탐상기기의 주파수 범위는?

가. 0.1~5MHz
나. 0.5~10MHz
다. 1~5MHz
라. 1~20MHz

[해설] 장치는 최소한 1~5MHz범위의 주파수에서 작동할 수 있어야 하며, 2.0dB 이하의 단위로 단계별로 조정되는 이득 손잡이가 내장되어 있어야 한다.

해답 48. 나 49. 나 50. 나 51. 다

52__보일러 및 압력용기에 대한 대형 단강품의 초음파탐상시험(ASME Sec. V SA-388)에서 오스테나이트 스테인리스강 단강품을 검사할 수 있는 장비의 주파수 규정으로 옳은 것은?

가. 0.4MHz 이하에서 검사할 수 있어야 한다.

나. 1MHz 이하에서 검사할 수 있어야 한다.

다. 2.25MHz 이하에서 검사할 수 있어야 한다.

라. 5MHz 이하에서 검사할 수 있어야 한다.

[해설] 압력용기의 수직법에서는 2.25MHz를 사용하지만 오스테나이트계 재료검사의 경우에는 대부분 0.4MHz의 주파수를 사용하는 것이 필요하다.

53__보일러 및 압력용기에 대한 용접부의 초음파탐상시험(ASME Sec. V Art. 4)에 따라 시험체를 탐상시험 할 때 탐촉자의 일반적인 중첩 정도(over lap)로 맞는 것은?

가. 탐촉자 외경의 최소 5%   나. 진동자 치수의 최소 10%

다. 진동자 치수의 최소 5%   라. 탐촉자 외경의 최소 10%

[해설] 10%로 하며 진동자의 크기로 결정한다.

54__건축용 강판 및 평강의 초음파탐상시험에 따른 등급분류와 판정기준(KS D 0040)에서 점적률이 6%일 때의 등급과 합격 여부는 어떻게 되는가?

가. A등급, 합격   나. B등급, 불합격

다. X등급, 불합격   라. Y등급, 합격

[해설] 아래의 값 이하인 경우는 각 등급마다 합격으로 한다.

등급	점적률(%)	국부 점적률(%)
X	15	-
Y	7	15

[해답] 52. 가 53. 나 54. 라

55_ 보일러 및 압력용기에 대한 용접부의 초음파탐상시험(ASME Sec. V Art. 4)에 따라 증폭직선성을 측정할 때 스크린 80% 높이의 에코를 6dB 내렸을 때 지시 한계의 허용 범위는?

가. 16%~24% 나. 32%~48%

다. 19%~21% 라. 38%~42%

해설	전 스크린 높이의 %로 나타낸 지시 설정	dB 조정 변화	전 스크린 높이의 %로 나타낸 지시 한도
	80%	−6dB	32~48%
	80%	−12dB	16~24%
	40%	+6dB	64~96%
	20%	+12dB	64~96%

56_ 글의 내용을 보충하기 위해 키보드 글자나 부호들의 짧은 나열을 이용하여 보통 얼굴 표정을 흉내 내거나 느낌을 나타내어 인터넷 전자우편이나 채팅 그리고 메시지 등에 사용하는 문자 표현을 무엇이라 하는가?

가. emoticon 나. navigation

다. banner 라. prompt

57_ 일반적으로 인터넷의 주소체계 중 URL(Uniform Resource Locator) 주소의 구성 순서는?

가. 프로토콜+파일명+호스트명+디렉토리

나. 프로토콜+호스트명+디렉토리+파일명

다. 호스트명+프로토콜+디렉토리+파일명

라. 호스트명+디렉토리+프로토콜+파일명

58_ 단말 장치에서 발생하는 디지털 데이터를 전화선과 같은 아날로그 전송 매체를 통해 전송하기 위해서 디지털 데이터와 아날로그 전송신호 상호간에 변환 과정이 필요하다. 이러한 기능을 수행하는 기기를 무엇이라 하는가?

가. 허브(HUB) 나. 모뎀(Modem)

다. LAN카드 라. 라우터(Router)

해답 55. 나 56. 가 57. 나 58. 나

59_컴퓨터에 있어서 TCP와 UDP 등의 패킷 전달 서비스를 제공하며 경로 설정을 담당하는 것은?

    가. HTTP   나. SMTP

    다. FTP   라. IP

60_컴퓨터의 일반 주기억장치로 사용하며 전원이 공급되어도 일정 시간이 지나면 내용이 지워지므로 재충전이 필요한 메모리를 무엇이라 하는가?

    가. EEPROM   나. DRAM

    다. PROM   라. EPROM

해답   59. 라   60. 나

2007년 3회 초음파(UT)탐상검사 기사

제1과목 초음파탐상검사

1_ 초음파탐상시험에서 탐상절차서와 합격기준이 아주 상세하게 서면화 되었을 때 검사원에 대한 훈련의 필요성을 가장 잘 설명한 것은?

　가. 절차서와 합격기준이 상세한 경우 더 이상 검사원에 대한 훈련은 불필요하다.
　나. 절차서와 합격기준이 아무리 상세하게 잘 작성되어 있다 해도 훈련은 계속되어야 할 것이다.
　다. 절차서와 합격기준만으로는 부족하며 시편의 이용을 잘하면 훈련은 불필요하다.
　라. 대개 합격기준의 까다로운 정도에 따라 검사원의 훈련여부 문제를 결정한다.

[해설] 초음파탐상검사는 숙련된 기술자에 의한 검사이기 때문에 훈련은 필요하다.

2_ 초음파탐상시험시 미세한 불연속을 찾기 위한 조건으로 가장 적합한 것은?

　가. 가능한한 낮은 주파수의 탐촉자 사용　　나. 관통법을 사용
　다. 가능한한 높은 주파수의 탐촉자 사용　　라. 크기가 작은 탐촉자 사용

[해설] 주파수가 높으면 감도가 증가한다.

3_ 탐촉자의 분해능은 대역폭에 직접 비례한다. 대역폭의 값이 0.25, 공진주파수가 1MHz인 수정진동자가 있다면 이 탐촉자를 수침법으로 사용할 경우 Q값은 얼마인가?

　가. 0.25　　　　　　　　　　　　　나. 0.4
　다. 2.5　　　　　　　　　　　　　라. 4

[해설] $Q = \pi/\ln\delta = F_r/B = F_r/(f_2-f_1)$

해답	1. 나　2. 다　3. 라

4_ 티탄산바륨 진동자의 단점으로 가장 옳은 설명은?

가. 수용성이다.　　　　　　　　나. 음파 송신 효율이 낮다.

다. 초음파 수신효율이 낮다.　　　라. 기계적 임피던스가 높다.

[해설] 티탄산바륨계(Barium titanate) → 특징 ; 순수 티탄산바륨 퀴리점은 130℃ 정도이고 실제 사용 온도는 80℃ 정도에서 순수한 것은 거의 만들지 않고 Ca가 Pb를 더 첨가하는 것이나 지르콘 티탄산납을 쓰며 지르콘 티탄산 납은 일명 PZT라고도 하며 티탄산납과 지르콘산 납을 약 반반씩 섞은 것으로서 큐리 점이 약 350℃에 달해 고온용으로도 사용된다. → 장점 ; 송신 효율이 가장 좋은 재질이다. 낮은 전압에서 작동되며 습기 등의 영향이 없다. → 단점 ; 내마모성이 낮아 수명이 짧다. 약간의 진동 양식의 간섭을 받는다.

5_ 초음파탐상시험에서 주파수를 증가시킬 경우 일정 직경의 진동자에 있어서 빔 분산각의 변화로 옳은 것은?

가. 빔 분산각은 증가한다.

나. 빔 분산각은 진동자의 직경에만 의존하므로 변화하지 않는다.

다. 빔 분산각은 상대적으로 감소한다.

라. 빔 분산각은 파장에만 관계되므로 일정하다.

[해설] $\theta = 70\lambda/D = 70V/FD$.

6_ 초음파공명시험에서 1차 공명(기본공명)은 시험체의 두께가 음파 파장의 얼마 크기일 때 발생되는가?

가. 1/2　　　　　　　　　　　나. 1

다. 1/4　　　　　　　　　　　라. 2

[해설] 공진(resonance)은 재질의 두께가 투과된 연속 종파 파장의 1/2인 경우에 일어나며 이 공진 원리를 이용하여 재질 두께 측정한다. 재질 두께는 기본 공진 주파수 파장의 1/2이므로 재질 두께(T) = $\lambda/2$이다.

[해답]　4. 다　5. 다　6. 가

7_ 탄소강과 스테인리스강이 계면을 이루며 접촉되어 있을 때 그림과 같이 탄소강으로부터 스테인리스강 쪽으로 음파가 입사할 경우 스테인리스강 중의 음의 굴절을 올바르게 설명한 것은? (단, 탄소강의 음속은 6000㎧, 밀도는 7.8g/㎤. 스테인리스강의 음속은 5000㎧, 밀도는 7.9g/㎤이다.)

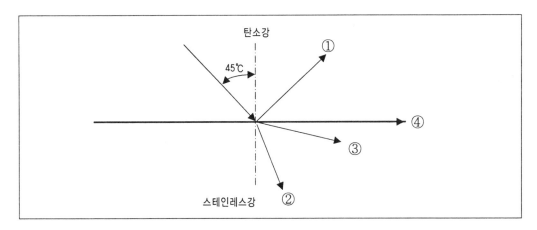

가. ①과 같이 모두 반사할 것이다.
나. ②와 같이 굴절각이 45°보다 작은 각으로 굴절할 것이다.
다. ③과 같이 굴절각이 45°보다 큰 각으로 굴절할 것이다.
라. ④와 같이 경계면으로 진행할 것이다.

[해설] 스넬의 법칙을 이용한다.

8_ 캐나다의 최북단 -50℃의 곳에 배관용접부 초음파탐상검사 용역이 있었다. 접촉 매질을 준비하려고 할 때 다음 중 어느 것이 가장 좋은가?

가. D. I. water 나. oil
다. Glycerin 라. Ultragel

[해설]
ULTAGEL은 고품질의 수용성 Couplant 건조가 천천히 된다. 표면 노이즈를 줄이기 위한 높은 Acustic Impedence 철강 부식을 억제하는 부식 첨가제 첨가 완벽한 성적서 넓은 온도 범위 사용(-10° to 300℉, -23° to 149℃)이 된다.

해답 7. 나 8. 라

9_ 누설검사시 샤를(Charls')의 법칙에 사용되는 온도는?

가. Kelvin 온도
나. Rankin 온도
다. Centigrade 온도
라. Brown 온도

[해설] 절대온도를 사용한다.

10_ 광학적 성질을 이용한 스트레인 측정법으로 옳게 조합된 것은?

가. X선 회절법, 중성자회절법
나. 응력도료법, Thermography
다. 광탄성피막법, 모아레(Moire)법
라. 전기저항법, 와전류탐상법

11_ 초음파탐상시험에서 주파수가 증가한다면 주어진 직경의 탐촉자의 빔 퍼짐(Beam spread)은 어떻게 변하는가?

가. 감소한다.
나. 증가한다.
다. 변하지 않는다.
라. 증가와 감소를 반복한다.

[해설] 빔퍼짐각은 $\theta = 70\lambda/D = 70V/FD$이다.

12_ 다음 재료 중에서 초음파의 감쇠현상이 가장 심하게 일어나는 것은?

가. 알루미늄 주조물
나. 마그네슘 주조물
다. 탄소강 주조물
라. 구리 주조물

[해설] 결정입자의 크기가 클수록 초음파의 감쇠는 커진다.

[해답] 9. 가 10. 다 11. 가 12. 라

13_초음파의 투과와 반사를 결정할 때 음향임피던스는 중요한 인자이다. 다음 중 음향임피던스가 가장 큰 재료는?

가. 물　　　　　　　　　　　　　나. 유리

다. 공기　　　　　　　　　　　　라. 철

[해설] 음향임피던스 Z = ρV이다.

14_탐상면에 수직인 내부결함을 굴절각 θ의 탐촉자로 탐상할 때 결함 상단부에 에코가 진행한 빔 진행거리 W_U, 결함 하단부에 에코가 진행한 빔 진행거리가 W_L이라 할 때 결함높이 H를 구하는 식은 무엇인가?

가. $H = (W_U - W_L) \cdot \sec \theta$　　　　나. $H = (W_U - W_L) \cdot \tan \theta$

다. $H = (W_L - W_U) \cdot \cos \theta$　　　　라. $H = W_L \cdot \cos \theta - W_U \cdot \sec \theta$

[해설] 아래 그림과 같이 풀 수 있다.

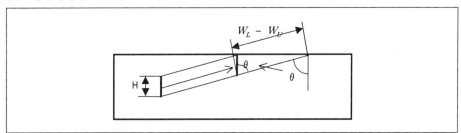

15_3MHz의 주파수로 알루미늄 소재에 초음파를 투과시켰을 때 초음파의 파장은 얼마인가? (단, 종파 알루미늄에서 초음파의 종파 속도는 6300㎧이다.)

가. 1.1㎜　　　　　　　　　　　나. 1.6㎜

다. 2.1㎜　　　　　　　　　　　라. 2.6㎜

[해설] λ = V/F이다.

[해답]　13. 라　14. 다　15. 다

16_경사각 탐촉자를 사용할 때 다음 중 가장 자주 점검해야 하는 내용은?

가. 입사점 및 굴절각　　　　　　나. 감도
다. 원거리 분해능　　　　　　　　라. 불감대

[해설] 입사점과 굴절각은 탐촉자의 사용에 따라 변하기 쉽다.

17_다음 중 근거리음장이 가장 큰 탐촉자는?

가. 직경 1/2인치, 주파수 1MHz　　나. 직경 1/2인치, 주파수 2MHz
다. 직경 1인치, 주파수 2MHz　　　라. 직경 2인치, 주파수 1MHz

[해설] 근거리음장 X_0 = D2/4λ = FD2/4V

18_다음 중 진동자가 가장 얇은 탐촉자는?

가. 1MHz 탐촉자　　　　　　　　나. 5MHz 탐촉자
다. 10MHz 탐촉자　　　　　　　라. 20MHz 탐촉자

[해설] 진동자의 두께는 T = λ/2에서와 같이 파장이 짧을수록 두께가 얇다.

19_다음은 와전류탐상시험에서 표피효과의 기준이 되는 침투깊이에 대해 기술한 것이다. 올바른 것은?

가. 시험체의 투자율이 낮을수록 침투깊이는 작다.
나. 시험체의 도전율이 높을수록 침투깊이는 크다.
다. 시험주파수가 낮을수록 침투깊이는 작다.
라. 탄소강과 알루미늄 중 탄소강이 침투깊이가 작다.

[해설] 침투깊이 $\delta = 1/\sqrt{(\pi f \mu \sigma)}$ 이다.

해답　16. 가　17. 라　18. 라　19. 라

20_주어진 재질내에서 판파의 속도를 결정하는 요소 중 가장 거리가 먼 것은?

가. 진동자의 크기
나. 판의 두께
다. 주파수
라. 파의 입사각도

[해설] 판파는 표면파가 진행시 시험체의 두께가 3파장 이하일 때 발생한다. 속도는 재질의 두께, 주파수, 파의 형태 (대칭형, 비대칭형) 등에 따라 영향을 받으며 입자의 운동양상도 다양하고 복잡해진다.

제2과목 ┃ 초음파탐상검사

21_다음 중 A스캔 장비에서 스크린을 더 밝게 하려면 무엇을 조정하여야 하는가?

가. 펄스의 길이
나. 펄스의 반복주파수
다. 리젝트
라. 게인(Gain)

[해설] PRF는 1초당 발생되는 초음파펄스의 수. 높아지면 잔향에코의 발생이 쉬워지고 탐상도형이 밝아지며, 낮아지면 탐상속도가 늦어지며 탐상도형이 어두워진다.

22_초음파의 펄스반복율은 장비 내의 타이머에 의해 조절되고 있다. 일반적으로 사용되는 장비의 펄스반복율은 매 초당 몇 회정도 범위인가?

가. 60~2000
나. 2000~20000
다. 20000~400000
라. 400000~6000000

23_B스캔 장비에 있는 Rate 발생기는 다음 중 어디에 직접 연결되는가?

가. CRT 강도 회로
나. 펄스발생기 회로
다. RF 증폭회로
라. 수평 소인회로

해답 20. 가 21. 나 22. 가 23. 나

24_ 다음 중 판두께 25mm인 용접부위를 굴절각 71°의 탐촉자로 경사각탐상 할 경우 가장 적당한 측정범위(mm)는?

가. 100 　　　　　　　　　나. 200
다. 300 　　　　　　　　　라. 400

[해설] 측정범위는 빔 진행거리가 1skip 거리가 되는 곳까지로 한다.

25_ 루사이트 슈(Lucite Shoe)가 부착된 탐촉자의 장점이 아닌 것은?

가. 진동자의 마모를 방지해 준다. 　　나. 곡면체에서도 검사가 가능하다.
다. 분해능과 감도가 증가한다. 　　　라. 경사각 초음파탐상검사가 가능하다.

[해설] Lucite(투명합성수지)로 만든 슈는 시험체에 근거리 음장이 미치는 영역이 줄어들기 때문에 근거리 분해능은 좋아지나 감도는 감소하고, 또한 슈의 가공으로 경사각탐상과 곡면탐상 등을 할 수 있다.

26_ 후판의 라미네이션 결함 탐상에 다음 중 가장 효과적인 검사법은?

가. 수직탐상법 　　　　　　　나. 경사각탐상법
다. 표면파탐상법 　　　　　　라. 탠덤탐상법

[해설] 라미네이션은 표면과 평형을 이룬다.

27_ 오스테나이트 스테인리스강의 초음파탐상시험에 대한 다음 설명 중 틀린 것은?

가. 오스테나이트 스테인리스강이나 9% 니켈강에서 모재 및 열영향부에서 발생한 결함은 횡파 경사각탐상으로 검출이 가능하다.
나. 오스테나이트 스테인리스강 용접부의 초음파탐상에 있어서 점집속탐촉자나 2진동자 탐촉자는 S/N비의 개선을 위해 이용된다.
다. 횡파 경사각탐촉자를 이용하여 오스테나이트계 스테인리스강 용접부를 초음파탐상할 때 의사에코가 나타나는 경우가 있다.
라. 오스테나이트 스테인리스강 용접부내를 종파가 전파할 때 종파 음속은 그 전파방향과 결함의 주 성장방향과는 무관하다.

[해설] 초음파의 전파방향에 결함은 직각을 이룰 때 결함 검출이 쉬워진다.

해답 24. 나　25. 다　26. 가　27. 라

28_ 단조품의 수직탐상에서 탐상감도 설정시 대비시험편의 인공결함을 이용할 경우의 장점으로 틀린 것은?

가. 검사결과의 상호 비교가 용이하다.
나. 검출 목적에 부합되는 깊이 및 크기의 인공 불연속을 임의로 만들 수 있다.
다. 탐상감도를 나타내기가 용이하다.
라. 표면거칠기 및 시험체 곡률 등의 영향이 자동적으로 보정된다.

[해설] 대비시험편은 시험체와 유사한 재질로 만들고 탐상기의 감도조정과 DAC 작성이며 결함을 마음대로 만들어 사용이 가능하다. 또한 대비시험편 법은 대비시험편의 결함에코와 시험체의 결함에코를 서로 비교하여 평가를 한다.

29_ 두께가 15mm인 강용접부를 70°인 탐촉자로 탐상하여 80mm에서 결함지시가 나타났다. 이때 탐촉자와 용접부 사이의 거리가 75mm라면, 이 결함의 탐촉자와 결함간 거리(mm)는 약 얼마인가?

가. 14.2   나. 26.5
다. 75.2   라. 77.8

[해설] 탐촉자-결함까지의 거리(Sf) = 탐촉자-결함까지의 빔 진행거리(Wf)×sin굴절각(θ)이다.

30_ 단조품에 대한 수직탐상시 저면에코 방법으로 탐상감도를 설정할 경우의 장점이 아닌 것은?

가. 표면거칠기를 보정하지 않아도 된다.
나. 시험체 곡률을 보정하지 않아도 된다.
다. 시험체 형상에 구애받지 않는다.
라. 시험편 방식에 비하여 감도설정이 쉽다.

[해설] 시험체의 건전부의 저면에코를 이용하여 탐상감도를 조정해서 탐상하는 것을 저면에코방식이라고 한다.

해답   28. 라   29. 다   30. 다

31_ 용접부의 초음파탐상시험 시 용접선에 평행한 방향으로 놓인 불연속이 검출되었을 때 결함의 지시길이를 dB drop법으로 결정하려 할 때 가장 바람직한 주사방법은?

가. 목돌림주사   나. 진자주사

다. 좌우주사   라. 전후주사

[해설] dB drop법은 탐촉자를 결함의 양끝방향으로 움직여 결함의 길이를 구하는 방법이다.

32_ 초음파탐상검사 시 탐상도형에 대한 설명으로 틀린 것은?

가. 라미네이션은 다중에코가 생기고 에코가 등간격으로 여러 개 나오는 경우가 많다.

나. 구멍 형태의 부식부로부터 나타나는 에코파형은 매우 예리한 파형이다.

다. 비금속개재물에 의해 얻어진 에코는 일반적으로 저면에코도 동시에 나타난다.

라. 표면 에코와 저면 에코와의 사이에 에코가 나타나면 라미네이션이나 비금속개재물 등의 내부결함이라 판단해도 좋다.

[해설] 부식부는 파의 형태가 불규칙한 모양으로 나타난다.

33_ 표준시험편인 STB-G에 대한 설명 중 틀린 것은?

가. V15-1.4는 표준구멍(∅1.4㎜) 깊이 15㎜로 가공된 것이다.

나. V2에서 V8까지의 시험편은 거리진폭 특성곡선용이다.

다. V15 시리즈는 증폭의 직선성 점검용이다.

라. 단면이 60×60㎜인 것과 50×50㎜ 두 종류가 있다.

[해설] V15 시리즈는 결함의 크기는 다르고 단면은 50×50㎜이고 시험면의 길이는 180㎜이며 결함인 평저공은 30㎜로 가공되어져 있다.

34_ 2개의 경사각탐촉자를 용접부의 선상에서 전후로 배열하여 각각 송·수신용으로 하는 초음파탐상 주사법은?

가. 진자주자   나. 탠덤주사

다. 평행주사   라. 지그재그주사

[해설] 경사각에서 두 개의 탐촉자를 사용하는 경우는 탠덤과 두 갈래 주사이고 탠덤은 송·수신탐촉자가 일직선으로 배열되고 두 갈래 주사는 경사평행주사의 형식으로 검사 부위의 양쪽으로 배열되어 있다.

해답　31. 다　32. 나　33. 가　34. 나

35_ 어떤 시험체를 탐촉자 5Z20N을 사용하여 탐상하였더니 임상에코가 나타나서 탐상이 되지 않았다. 탐상을 원활히 할 수 있도록 하기 위해서는 다음 중 어느 탐촉자를 사용하는 것이 가장 적절한가?

가. 10Q10N

나. 5Q20N

다. 2Z20N

라. 5Z10N

[해설] 임상에코는 주파수가 높으므로 주파수가 낮은 탐촉자를 사용한다.

36_ X형 개선의 용접부결함 중 내부 용입부족은 방향성 때문에 검출하기 어려운 결함이다. 다음 중 이를 검출하기에 가장 적절한 방법은?

가. 탠덤탐상법

나. 수침법

다. 표면파법

라. 용접선상 주사법

[해설] 45˚의 각도를 가진 탐촉자를 이용하여 송신 탐촉자에서는 빔으로 0.5skip 내에서 결함을 겨냥하고 수신 탐촉자에서는 그 빔이 바닥을 맞고 올라와 돌아오는 빔을 받는 방법으로 일직선상으로 IP가 존재하는 경우에 사용한다.

37_ 용접부를 경사각탐촉자로 탐상시 초음파빔 폭보다 큰 용접부 방향의 결함길이를 측정하는 주사 방법은?

가. 전후주사

나. 좌우주사

다. 목돌림주사

라. 진자주사

[해설] 좌우로 주사하여 결함의 크기를 알아본다.

38_ 직경 12㎜, 중심주파수 2MHz인 수침용 초음파 탐촉자의 물에서의 근거리 음장한계거리 (㎜)는 얼마인가?(단, 물에서의 종파속도는 1500㎧로 한다.)

가. 12

나. 24

다. 48

라. 96

[해설] 근거리음장 한계거리(Xo) = 진동자의 직경(D)2/{4×파장(λ)} = {주파수(F)×진동자의 직경(D)2/{4×파장(λ)}이다.

해답　35. 다　36. 가　37. 나　38. 다

39_ 압연제품이나 단강제품과 비교시 주조제품을 탐상할 때 주조제품에 주로 많이 발생하는 에코는?

가. 임상에코   나. 고스트에코

다. 표면에코   라. 저면에코

[해설] 결정입자가 크면 임상에코의 발생이 많아지고, 감도는 저하된다.

40_ 펄스반사법 초음파탐상장치를 사용하여 강용접부를 60°의 경사각탐촉자로 탐상할 때 용접부 부근에서 에코가 나타났다. 결함의 종류를 추정하는 방법에 관한 설명 중 틀린 것은?

가. 최대 에코높이를 이용하는 방법으로 탐상하여 에코높이의 변화를 이용하여 결함종류를 추정한다.

나. 여러 주사방법으로 탐상하여 에코높이의 변화를 이용하여 결함종류를 추정한다.

다. 탐상기에 나타난 에코의 파형 모양을 이용하여 결함종류를 추정한다.

라. 수직 탐촉자를 이용하여 결함모양을 그려서 결함종류를 추정한다.

[해설] 다른 탐촉자를 사용하는 것은 현재 사용하는 탐촉자로 결함 측정이 어려울 경우에 다른 탐촉자를 사용한다.

제3과목 **초음파탐상관련규격 및 컴퓨터활용**

41_ 강 용접부의 초음파탐상 시험방법(KS B 0896)에서 1회 반사법의 경우 탐촉자-결함거리는 대략 어느 정도인가?

가. 0~0.5S   나. 0.5~1.0S

다. 1.0~1.5S   라. 1.5~3.0S

[해설] 1회 반사시마다 0.5skip씩 증가한다.

[해답] 39. 가 40. 라 41. 나

42_강 용접부의 초음파탐상 시험방법(KS B 0896)에 따라 강 용접부 두께 6㎜를 탐상하고자
한다. 전원 전압의 변동에 따라 탐상기의 감도변화와 세로축 및 시간축의 이동량은 다음
중 어느 범위 내까지 허용되는가?

가. 감도변화는 ±1dB, 세로축 및 시간축 이동량은 풀 스케일의 ±2%
나. 감도변화는 ±2dB, 세로축 및 시간촉 이동량은 풀 스케일의 ±2%
다. 감도변화는 ±1dB, 세로축 및 시간축 이동량은 풀 스케일의 ±1%
라. 감도변화는 ±2dB, 세로축 및 시간촉 이동량은 풀 스케일의 ±1%

[해설] 전원 전압의 변동에 대한 안정도는 사용 전압 범위 내에서 감도변화는 ±1dB의 범위 내, 세로축, 시간축 및
DAC기점의 이동량은 풀 스케일의 ±2%의 범위 내로 한다.

43_초음파탐상 시험용 표준시험편(KS B 0831)에 의한 STB-G형 감도 표준시험편 중 인공결
함의 직경(d)이 서로 다른 한 가지는?

가. STB-G V5   나. STB-G V15-2
다. STB-G V15-4   라. STB-G V8

[해설] STB-G의 인공결함의 직경이 2㎜인 시험편은 V2, V3, V5, V8, V15-2이고, 결함까지의 깊이가 30㎜인 것은
V15-1, 1.4, 2, 2.8, 4, 5.6 이 있다.

44_강 용접부의 초음파탐상 시험방법(KS B 0896)으로 상온(1~30℃)에서 시험부의를 경사각
탐상할 때, 굴절각 70°인 경사각 탐촉자의 실제 굴절각을 점검하였다. 다음 중 탐상검사에
사용해서는 안 되는 탐촉자의 굴절각은?

가. 68.5°   나. 71°
다. 71.5°   라. 72.5°

[해설] 굴절각의 차이는 2° 이내로 한다.

해답   **42**. 가 **43**. 다 **44**. 라

45_ 건축용 강판 및 평강의 초음파탐상시험에 따른 등급 분류와 판정기준(KS D 0040)에서 수직탐촉자의 사용시 시험체의 두께에 따른 탐상감도, 공칭주파수 및 진동자의 유효 지름이 다르다. 다음 중 시험체 두께별 적용 사항이 틀린 것은?

가. 시험체의 두께가 13 이상 20㎜ 이하일 때 탐상감도는 STB-N1 25%-진동자, 공칭주파수 5MHz, 진동자의 유효지름은 20㎜이다.

나. 시험체의 두께가 20 초과 40㎜ 이하일 때 탐상감도는 STB-N1 50%-진동자, 공칭주파수 5MHz, 진동자의 유효지름은 20㎜이다.

다. 시험체의 두께가 40 초과 60㎜ 이하일 때 탐상감도는 STB-N1 70%-진동자, 공칭주파수 5MHz, 진동자의 유효지름은 20㎜이다.

라. 시험체의 두께가 60㎜를 초과할 때는 주문자와 제조자의 협의에 따른다.

> **[해설]** 시험체의 두께(㎜)가 13 이상 60 이하일 경우 공칭주파수 5MHz, 진동자의 직경 20㎜, 탐상감도는 STB-N1을 쓰며 25%(13 이상 20 이하), 50%(20 초과 40 이하), 70%(40 초과 60 이하)로 각각 나뉘고, 시험체의 두께(㎜)가 60 초과 200 이하일 경우 공칭주파수 2MHz, 진동자의 직경 30㎜, 탐상감도는 STB-G V15-4을 쓰며 50%(60 초과 100 이하), 80%(100 초과 160 이하)이고, 두께가 160 초과 200 이하일 때는 STB-G V15-2.8:50%로 한다.

46_ 강 용접부의 초음파탐상 시험방법(KS B 0896)에서 규정하는 경사각탐상에서 에코높이 구분선에 의한 Ⅱ영역이 의미하는 것은?

가. L선 이하　　　　　　　　　　　나. L선 초과 M선 이하

다. M선 초과 H선 이하　　　　　　라. H선 초과

> **[해설]** L선 이하-Ⅰ영역, L선 초과 M선 이하-Ⅱ영역, M선 초과 H선 이하-Ⅲ영역, H선 초과-Ⅳ영역

47_ 강 용접부의 초음파탐상 시험방법(KS B 0896)에서 경사각탐촉자의 "5Q10×10A70"의 불감대 허용한계는 얼마인가?

가. 10㎜　　　　　　　　　　　　　나. 15㎜

다. 25㎜　　　　　　　　　　　　　라. 35㎜

> **[해설]** 불감대 허용한계

공칭 주파수 MHz	진동자의 공칭치수 ㎜	불감대 ㎜
2	10×10, 14×14, 20×20	25, 25, 15
5	10×10, 14×14	15, 15

해답 45. 라　46. 나　47. 나

48_ 보일러 및 압력용기에 대한 초음파비파괴검사(ASME Sec. V. Art. 23 SE 114)는 직접접촉법에 의한 초음파 펄스에코 수직탐상 시험방법의 권고사항이다. 시험체의 표면거칠기 평균값이 100~400 마이크로인치일 때 이 규정에 맞는 접촉매질은 무엇인가?

가. SAE 10wt. 모터오일　　　　　나. SAE 20wt. 모터오일
다. SAE 30wt. 모터오일　　　　　라. SAE 40wt. 모터오일

[해설] 제안된 점도-오일 접촉매질

대략의 표면거칠기평균(Ra), μin.(μm)	동일한 접촉매질의 점도, 모타오일의 점도규격
5~100(0.1~2.5), 50~200(1.3~5.1), 100~400(2.5~10.2), 250~700(6.4~17.8), 700 초과(18 이상)	SAE 10, SAE 20, SAE 30 SAE 40, 컵 그리스(cup grease)

49_ 보일러 및 압력용기의 재료에 대한 초음파비파괴검사(ASME Sec. V. Art. 5)에서 교정시험편은 시험할 주조품의 전 살 두께에 대해 사용하는 경우 ± 몇 %의 살 두께를 갖는 것으로 제작되어야 하는가?

가. 10　　　　　나. 15
다. 25　　　　　라. 30

[해설] 시험할 주조품의 전살두께에 대해, 시험감도를 설정하기 위해 사용하는 시험편은 시험할 주조품과 동일한 재료규격, 등급, 제품의 형상 및 열처리 재료이고, 검사될 주조품 두께의 ±25%의 살두께를 갖는 것으로 제작되어져야 한다.

50_ 보일러 및 압력용기의 용접부에 대한 초음파비파괴검사(ASME Sec. V. Art. 4)에 따라 탐상검사시 탐촉자를 이동하는 속도(인치/초)는 통상 얼마를 초과해서는 안되는가?

가. 4　　　　　나. 6
다. 8　　　　　라. 10

해답　48. 다　49. 다　50. 나

51_ 압력용기용 알루미늄 합금판에 대한 초음파탐상시험(ASME Sec. V. Art. 23 SB 548) 기준에서 완전하게 저면반사의 완전 감쇠(95% 이상)를 만드는 불연속부를 나타내는 범위가 얼마를 초과하면 그 판을 불합격으로 하는가?

가. 1인치　　　　　　　　　　　　나. 1.5인치
다. 2인치　　　　　　　　　　　　라. 2.5인치

[해설] 저면반사에코의 완전 감쇠(95% 이상)를 만드는 불연속부를 나타내는 마크한 범위의 최대치수가 1.0in.(25mm)를 초과하는 경우, 불연속부를 중대한 것으로 간주하여 그 판을 불합격으로 한다.

52_ 보일러 및 압력용기의 재료에 대한 초음파비파괴검사(ASME Sec. V. Art. 5)에 따라 주조품(Castings)을 탐상검사할 때 수직탐촉자를 사용하고, 특수한 경우에는 경사각탐촉자를 추가로 사용한다. 특수한 경우에 대한 내용으로 가장 적절한 것은?

가. 주조품의 재질이 알루미늄일 때
나. 사용주파수가 0.5MHz일 때
다. 주조품의 전면과 후면과의 각도가 15°를 넘을 때
라. 자동 DAC 장치를 사용할 때

[해설] 수직빔의 시험 중에 저면반사를 일정하게 유지할 수 없는 경우 또는 주조품의 전면과 후면과의 각도가 15°를 넘는 경우에는 주조품 및 주조품의 각 부분에 추가로 사각빔 시험을 실시해야 한다.

53_ 강판의 수직빔 초음파탐상시험 표준(ASME Sec. V. SA 435)에 따라 2인치의 두께를 갖는 강판을 검사할 때, 전체 저면반사의 손실을 일으키는 불연속부의 최대합격 지름은 얼마인가?

가. 2.54㎝(1인치)　　　　　　　　나. 5.08㎝(2인치)
다. 7.62㎝(3인치)　　　　　　　　라. 10.16㎝(4인치)

[해설] 지름 3in.(75mm) 또는 평판두께의 ½인 지름 중 큰 쪽의 원안에 포함되지 않고 전체 저면반사의 손실을 일으키는 불연속부 지시는 불합격이다.

해답　51. 가　52. 다　53. 다

54_ 강 용접부의 초음파탐상 시험방법(KS B 0896)에서 경사각 탐촉자의 접근 한계길이를 정하고 있다. 진동자의 공칭치수가 10×10mm, 공칭굴절각이 45°일 때 접근 한계길이는 몇 mm인가?

가. 15 　　　　　　　　　나. 18

다. 20 　　　　　　　　　라. 25

[해설] 접근한계길이

진동자의 공칭 치수 mm	공칭 굴절각 °	접근한계길이 mm
10×10	35, 45, 60, 65, 70	15, 15, 18, 18, 18

55_ 알루미늄 관 용접부의 초음파 경사각탐상 시험방법(KS B 0521)에 의한 원둘레 이음 용접부의 경우 탐상시험 준비에 대한 설명으로 옳지 않은 것은?

가. 측정범위는 STB-A1의 R100mm를 알루미늄에서 102mm로 조정한다.

나. 입사점은 STB-A1 또는 STB-A3를 사용하여 1mm단위로 측정한다.

다. 굴절각은 RB-A4AL의 표준 구멍을 이용하여 공칭 굴절각도에 따라 정해진 스킵거리에서 측정한다.

라. 거리진폭 특성곡선은 홈 에코의 평가에 사용되는 빔노정의 범위에서 높이가 90% 이하 10% 이상이 되도록 조정한다.

[해설] 측정범위가 100mm 및 200mm인 경우 STB-A1의 R100mm 및 STB-A3의 R50mm가 알루미늄 중에서 각 98mm 및 49mm에 상당한 것으로 측정범위를 조정한다.

56_ 거리에 관계없이 자료발생 즉시 처리하는 양방향 통신 기능을 가진 정보처리 방식은?

가. 온라인(On-Line) 처리 　　　나. 일괄(Batch) 처리

다. 원격 일괄(Remoto batch) 처리 　　라. 오프라인(Off-Line) 처리

57_ 컴퓨터에서 산술과 논리 연산을 담당하는 것은?

가. 모니터 　　　　　　　　나. 주기억장치

다. 중앙처리장치 　　　　　　라. 보조기억장치

해답 　54. 가　55. 가　56. 가　57. 다

58_ 전자우편을 이용할 때 사용자의 컴퓨터에서 다른 시스템에 도착한 전자우편을 볼 수 있도록 하는 프로토콜은?

<table>
<tr><td>가. POP3</td><td>나. SMTP</td></tr>
<tr><td>다. NMTP</td><td>라. HTTP</td></tr>
</table>

59_ IP 주소를 유동으로 할당 받는 프로토콜은?

<table>
<tr><td>가. TCP</td><td>나. DHCP</td></tr>
<tr><td>다. IP</td><td>라. UDP</td></tr>
</table>

60_ 소비자 측면에서 전자상거래의 특징이라고 볼 수 없는 것은?

가. 물건에 하자가 있을 때 환불, 교환이 불편하다.
나. 언제든 편리한 시간에 상품을 구입할 수 있다.
다. 항상 저렴한 가격에 상품을 구입할 수 있다.
라. 상품에 대한 풍부한 정보를 얻을 수 있다.

해답 58. 가 59. 나 60. 다

2008년 1회 초음파(UT)탐상검사 기사

제1과목 초음파탐상시험 원리

1_ 펄스반사법에서 초음파가 탐촉자로 부터 발생한 후 저면에 반사되어 수신될 때까지의 소요시간이 20μs라면 이 시험체의 두께는 약 몇 mm인가? (단, 이 시험체의 초음파 전파속도는 2700㎧이다.)

　가. 54mm
　나. 27mm
　다. 13.5mm
　라. 5.4mm

[해설] 두께 = 속도×시간

2_ 두께 100mm 강재를 저면에코 방식으로 탐상하여 40mm 지점에서 40% 높이의 결함에코를 확인하고 산란 감쇠보정을 했더니 결함에코의 높이가 80%였다면 이 강재의 산란 감쇠계수 값은 약 얼마인가?

　가. 0.015dB/mm
　나. 0.037dB/mm
　다. 0.075dB/mm
　라. 0.095dB/mm

[해설] 감쇄계수(α) = 20log(Q/P)/거리(X)이다.

3_ 초음파탐상시험에서 탐상면이 거칠어졌을 경우 취해야 할 가장 적절한 조치는?

　가. 점도가 낮은 접촉매질과 주파수가 높은 탐촉자를 사용한다.
　나. 점도가 높은 접촉매질과 주파수가 낮은 탐촉자를 사용한다.
　다. 점도가 높은 접촉매질과 주파수가 높은 탐촉자를 사용한다.
　라. 점도가 낮은 접촉매질과 주파수가 낮은 탐촉자를 사용한다.

[해설] 탐촉자가 시험체에 잘 밀착되는 접촉매질을 사용하고 주파수는 낮은 것을 사용하는 것이 통과하는데 유리하다.

해답 1. 나　2. 다　3. 나

4_다음 중 초음파 탐상기에서 탐촉자의 분해능은 어느 것과 가장 직접적인 관계가 있는가?

가. 탐촉자의 직경   나. 밴드 폭
다. 펄스 반복율   라. 불감대

[해설]

댐핑(Damping)	펄스폭	Q값	B	분해능	강도
클수록	짧다	작아진다	커진다	커진다	감소
작을수록	길다	커진다	작아진다	작아진다	증가

5_초음파의 성질을 바르게 나타낸 것은?

가. 초음파는 빛과 유사하여 직진성이 있다.
나. 초음파는 서로 다른 2개의 재료 경계면도 곧게 직진하여 모두 통과한다.
다. 초음파는 빔으로 되어 진행하기 때문에 거리가 멀어져도 감쇠하지 않는다.
라. 초음파 음속은 주파수의 제곱에 비례하여 변화된다.

[해설] 초음파의 특징
 • 파장이 짧고 전자파에 비해 속도가 느리며 주파수와 파장은 반비례 관계에 있다.
 • 지향성이 예민하고 물질내부에 전달이 쉽다.
 • 초음파의 성질 4가지는 반사, 굴절, 회절, 간섭이 있다.

6_공진법에 의한 초음파탐상시험에는 어떤 파의 형태가 주로 이용되는가?

가. 펄스 타입의 종파   나. 연속적인 종파
다. 펄스 타입의 횡파   라. 연속적인 횡파

[해설] 지동자의 일시적 진동이 아니라 계속적인 진동에 의해 만들어진 연속종파를 이용하여 두께를 측정한다.

7_진동자의 기계적 에너지를 전기적 에너지로 변환시켜 주는 현상을 무엇이라 하는가?

가. 표면 효과   나. 기계적 효과
다. 전기적 효과   라. 압전 효과

[해설] 수정은 압전성질을 가진 물질로 X-cut의 종파와 Y-cut의 횡파를 일으키는 진동자를 만든다.

해답   4. 나   5. 가   6. 나   7. 라

8_ 초음파탐상시험에서 결함의 실체를 측정하는 방법에 대한 설명 중 옳은 것은?

가. 산란파법은 결함으로부터 산란되어 오는 초음파를 취하여 결함의 형상을 표시하는 방법이다.

나. 결함 끝단 에코법은 결함의 단부의 에코가 최대일 때 빔 진행거리와 굴절각으로부터 기하학적 계산에 의해 결함높이를 구하는 방법이다.

다. 주파수분석법은 결함에코를 주파수분석하여 그 중심 주파수로부터 결함의 위치를 구하는 방법이다.

라. 표면파법은 결함의 종류를 추정하는 방법이다.

[해설] 초음파가 파장에 비하여 작은 물체에 닿거나 여러 가지 방향으로 반사 분사하는 것을 산란이라 하고, 주파수분석법은 에코의 주파수 성분을 분석하여 반사원 등에 관한 정보를 얻는 방법이다.

9_ 공진법으로 두께를 측정하는 기기에서 측정할 수 있는 두께 범위를 증가시키려면 어떻게 하여야 하는가?

가. 큰 진동자를 사용한다.　　나. 기본 주파수로 작동한다.

다. 조화 주파수로 작동한다.　　라. 교류전압을 증가시킨다.

[해설] 주파수를 변화시켜 줌으로써 1/2파장에서의 공진을 얻을 수 있다.

10_ 초음파탐상시험에서 큰 결함영역의 크기를 측정하는 경우의 옳은 설명은?

가. dB drop법은 자동탐상에 이용하기 쉽다.

나. dB drop법은 전달손실의 영향을 받기 쉽다.

다. dB drop법은 감쇠의 영향을 받기 쉽다.

라. dB drop법은 결함 에코높이의 영향을 받기 쉽다.

[해설] dB drop법은 에코높이를 이용한 결함길이의 측정법이다.

11_ 다음 중 원거리음장에서 빔(beam)의 분산이 가장 작게 일어나는 탐촉자는?

가. 2.25MHz, 3/8인치 직경의 탐촉자　나. 5.0MHz, 1인치 직경의 탐촉자

다. 2.25MHz, 1인치 직경의 탐촉자　라. 5.0MHz, 3/8인치 직경의 탐촉자

[해설] 분산각($\emptyset$) = $70\lambda/D$ = $70C/F \cdot D$이다.

[해답]　8. 나　9. 다　10. 라　11. 나

12_ 다음 중 주로 내부결함 검출을 할 수 있는 비파괴검사법으로 옳은 것은?

가. 자분탐상시험　　　　　　나. 침투탐상시험

다. 방사선투과시험　　　　　　라. 전자유도시험

13_ 초음파 현미경(Scanning Acoustic Micoroscope : SAM)에 대한 설명 중 틀린 것은?

가. 표면 및 내부의 미세한 탄성적인 정보를 알 수 있다.

나. 주로 200MHz～1GHz정도의 고주파수가 사용된다.

다. 음향렌즈로 초음파 빔을 집속시켜 시험체에 입사시킨다.

라. 누설탄성표면파를 발생시킬 수 있다.

[해설] 초음파현미경(超音波顯微鏡)-초음파를 이용하여 물질의 미세한 부분을 관찰하는 장치로 100MHz부터 3GHz 정도의 고주파수를 사용하여 광학현미경과 같은 정도의 분해능을 얻을 수 있고, 음파이므로 시료의 광학적인 성질에 좌우되지 않아 시료의 표면상외에 내부의 구조도 볼 수 있다. 반사형과 투과형 그리고 주사형 초음파 현미경도 있어 광학현미경으로 관찰할 수 없는 표면 아래의 음향적 성질을 검출할 수 있어 비파괴검사에 응용된다.

14_ 다음 중 노치부의 응력집중에 대해 설명한 것으로 옳은 것은?

가. 부재 단면의 크기가 급변하는 개소인 노치의 저부에는 공칭응력보다 낮은 응력이 발생한다.

나. 노치 저부에서 발생하는 최대응력과 공칭응력과의 비를 응력집중계수라 한다.

다. 노치 저부에서 발생하는 최대응력과 최소응력의 곱을 응력집중계수라 한다.

라. 응력집중계수는 노치의 치수, 하중 및 길이에 의하여 결정되는 함수이다.

[해설] 응력집중계수(α) = 노치부의 최대응력/응력집중이 없는 것으로 계산한 공칭응력

해답　12. 다　13. 가　14. 나

15_그림은 두께 50㎜의 강판을 수직 탐상하는 다중반사도형이다. B1/B2의 값을 감쇠기로 측정했을 때 6dB이었다. 이 강판의 초음파 감쇠계수는 몇 dB/㎜인가? (단, 진동자의 지향성, 접촉상태 등의 영향에 대한 보정은 필요 없다.)

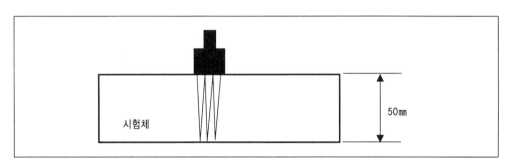

가. 1.2   나. 0.6
다. 0.12   라. 0.06

[해설] 감쇄계수(α) = 20log(Q/P)/빔이 진행한 거리(X)이다.

16_어떤 재료를 통과하는 초음파의 속도가 5000m/s, 파장이 1㎜라면 사용된 초음파의 주파수는 몇 MHz인가?

가. 5000   나. 500
다. 50   라. 5

17_다음 중 이 성능이 나쁘면 정확한 에코높이가 얻어지지 않고 결함을 빠뜨리기도 하고 과소 또는 과대평가하게 되는 탐상기 성능과 관계가 많은 이것은?

가. 시간축 직선성   나. 분해능
다. 증폭 직선성   라. 거리진폭특성 곡선

[해설] 입력에 대한 출력의 비에 의해 얻어지는 에코의 높이로 결함을 찾아내는 것이기 때문에 이에 관련된 것은 증폭 직선성이 있다.

해답   15. 라   16. 라   17. 다

18_ 다음 중 수정진동자에 대한 설명으로 틀린 것은?

가. 고온에서 사용이 불가능하다.　　　나. 음향에너지 송신효율이 나쁘다.

다. 불필요한 진동양식을 발생한다.　　라. 파형변이가 쉽게 일어난다.

[해설]

진동자 재질	장　　점	단　　점	용　도
수정 (Quartz)	① 전기, 화학, 기계, 열적 안정성이 우수함 ② 수명이 길고 내 마모성이 우수함 ③ 불용성. Currie Point가 높아 고온에서의 사용이 용이함 ④ 변환효율이 낮다 ⑤ X-cut 및 Y-cut의 2종류	① 음파의 송신 효율이 가장 나쁘다.	기준탐촉자
황산리튬 (Lithum Sulfate)	① 수신효율은 가장 우수함 ② 음향임피던스가 낮아 수침용으로 적당 (물과의 음향임피던스차가 적어져 통과율이 커진다) ③ 내부댐핑이 커 분해능을 증가시킬 수 있다.	① 깨지기 쉽다 ② 물에 잘 녹아 물에서 사용할 때 방수처리 가 필요하다.	고감도가 요구되는 탐촉자
티탄산바륨 (Barium Titanate BaTiO₃)	① 가장 좋은 송신효율로 고감도가 요구될 때 많이 사용 ② 불용성, 화학적으로 안정, 좋은 송신효율	① 내마모성이 낮아 수명이 짧다.	
니오비움산리튬 (Lithium Niobate)	① 가장 높은 큐리점(1210℃) - 고온사용에 이용	① 분해능이 떨어진다.	고주파수 탐촉자
니오비움산납(Lead Metaniobate PbNb₂O₆)	① 고유의 내부댐핑이 높아 댐핑제를 부착하지 않고 고분해능형 탐촉자에 사용	① 깨지기 쉬워 고주파수용으로 쓸 수 없다.	고분해능 탐촉자

19_ 초음파 빔의 강도를 증가시키기 위해 진동자 앞에 음향렌즈(Acoustical lens)를 부착하여 사용하는 탐촉자는?

가. 집속형 수직탐촉자　　　　　나. 분할형 수직탐촉자

다. 표준형 경사각탐촉자　　　　라. 가변각 탐촉자

[해설] Acoustical lens를 사용하면 빔이 한 곳으로 집중된다.

[해답]　18. 가　19. 가

20_1초 동안에 발생하는 파동의 주기의 수를 무엇이라 하는가?

가. 주파수　　　　　　　　　　　나. 펄스폭

다. 진폭　　　　　　　　　　　　　라. 파장

제2과목　초음파탐상검사

21_다음 초음파 탐상기의 각종 조정 손잡이에 대한 설명 중 틀린 것은?

가. 소인지연 손잡이는 화면전체를 좌우로 이동시킨다.

나. 음속조정 손잡이는 측정범위를 미세적으로 조정한다.

다. 측정범위 손잡이는 측정범위를 계단적으로 조절한다.

라. 게인조정 손잡이는 게이트의 위치를 조정한다.

[해설] 게인은 dB로 나타내며 에코의 높이 조절을 한다.

22_판재의 초음파탐상검사시 적산효과를 설명한 것 중 틀린 것은?

가. 판 두께가 얇은 경우에 나타나는 현상이다.

나. 큰 결함이 존재할 때 나타나는 현상이다.

다. 저면반사회수가 많을 때 나타나는 현상이다.

라. 감쇠가 작을 때 나타나는 현상이다.

[해설] 적산효과는 다중반사 에코에 의해 에코의 높이가 일정거리 동안 증가하다 감소하는 현상으로 판의 두께가 얇거나 결함이 시험체 중심에 존재할수록 결함이 작을수록 잘 나타나는 현상이다.

23_다음 중 초음파탐상검사로 검출하기 가장 어려운 결함은?

가. 라미네이션　　　　　　　　　나. 콜드셧

다. 피로 균열　　　　　　　　　　라. 수축공

[해설] 탕계(湯界 : cold shute)는 주조조건이 부적당할 때 두 용탕 금속의 흐름이 합류되는 곳에 발생하고, 초음파탐상에서는 균열반사파와 유사한 형태로 나타난다.

해답　20. 가　21. 라　22. 나　23. 나

24_초음파탐상시험시 CRT 상에 시험편 표면으로부터 $1\frac{3}{8}$인치 길이에 존재하는 불연속지시가 나타난다. 이 불연속은 다음의 어떤 대비시험편과 비교하는 것이 가장 적합한가?

가. 탐상면-불연속간 거리가 $1\frac{3}{4}$인치인 대비시험편

나. 탐상면-불연속간 거리가 $1\frac{1}{8}$인치인 대비시험편

다. 탐상면-불연속간 거리가 $1\frac{1}{4}$인치인 대비시험편

라. 탐상면-불연속간 거리가 $1\frac{5}{8}$인치인 대비시험편

25_초음파탐상기의 중요한 3가지 기본 성능으로 옳은 것은?

가. 증폭의 직선성, 분해능, 최대감도

나. 증폭의 직선성, 분해능, 시간축의 직선성

다. 증폭의 직선성, 분해능, 브라운관의 크기

라. 증폭의 직선성, 브라운관의 크기, 브라운관의 밝기

[해설] 거리와 에코의 높이가 정확하고 결함 분리능이 좋은 탐상기가 기본성능을 갖춘 탐상기이다.

26_다음 중 초음파탐상검사에서 똑같은 크기의 결함인 경우 가장 발견하기 쉬운 것은?

가. 시험체 내부의 구형(球形) 결함

나. 초음파 진행 방향에 평행한 균열

다. 초음파 진행 방향에 수직인 균열

라. 초음파 진행 방향에 평행한 이종(異種) 물질의 권입

27_다음 중 두께 60㎜인 강판에 탐상표면으로부터 30㎜ 깊이에 큰 결함이 탐상표면과 평행하게 존재한다면 가장 적합한 탐상방법은?

가. 수직 탐상법　　　　　　　　나. 경사각 탐상법

다. 표면파 탐상법　　　　　　　　라. 판파 탐상법

[해설] 초음파의 진행방향과 수직인 결함이 가장 잘 나타난다.

해답　24. 다　25. 나　26. 다　27. 가

28_다음 중 대형 판재의 신속한 검사를 위하여 가장 많이 사용되는 탐촉자는?

가. 초점 탐촉자
나. 송수신 별개 탐촉자
다. 가변각 탐촉자
라. 페인트브러쉬 탐촉자

[해설] 모자이크형 탐촉자(paint brush transducer) : 한 개의 탐촉자안에 진동자를 모자이크모양으로 나열한 것으로 균일한 감도유지를 위해 빔의 강도가 일정해야하고, 탐촉자가 크므로 짧은 시간에 넓은면 탐상에 적합하며 결함의 위치가 불분명 한 경우에는 작은 탐촉자로 정밀 탐상해야 한다.

29_필터 조정기가 부착된 초음파탐상기에서 필터를 사용할 경우의 설명으로 옳은 것은?

가. 불감대가 커진다.
나. 분해능이 증가된다.
다. 불감대가 작아진다.
라. 분해능이 저하된다.

[해설] 에코의 고주파 성분을 전기적 회로로 파형 정형을 하여 탐상도형의 에코파형을 관찰하기 쉽게 한다. 사용시에는 증폭 직선성을 잃어버려 분해능이 나빠진다.

30_판두께 30mm인 맞대기 용접부를 실측 굴절각 71°의 탐촉자로 경사각탐상하기 위한 가장 적당한 측정범위는?

가. 100mm
나. 125mm
다. 150mm
라. 200mm

[해설] W0.5 = t/cos θ이며 적어도 측정범위는 1skip까지의 거리로 한다.

31_다음 중 A-스코프 장비에서 스크린을 더 밝게 하려면 무엇을 조정하여야 하는가?

가. 진동수
나. 펄스의 폭
다. 소인지연 조정노브
라. 펄스 반복주파수

[해설] 초음파탐상기에서 1초 동안에 나오는 송신펄스의 수로 시험체의 감쇠가 작은 경우에 이 주파수가 높으면 표시기의 탐상도형은 밝게 되지만 잔류에코(고스트에코)가 발생한다. 그리고 주파수가 낮고 탐촉자의 주사속도가 빠른 경우에는 결함의 검출능이 저하되거나 탐상도형이 어둡게 되어 결함을 발견하지 못하는 경우가 있으므로 주의해야 한다.

[해답] 28. 라 29. 라 30. 라 31. 라

32_ 초음파 탐상기의 탐상도형에 대한 설명 중 틀린 것은?

가. 송신펄스 다음에 맨 처음 나타나는 에코는 반드시 저면에코이다.

나. 저면과 표면에서 다중반사를 일으키고 에코가 등 간격으로 여러 개 나오는 경우가 많다.

다. 라미네이션 결함에서는 다중반사를 일으키고 에코가 등 간격으로 여러 개 나오는 경우가 많다.

라. 표면에코와 저면에코와의 사이에 에코가 나타나면 비금속 개재물 등 내부결함이 존재한다고 볼 수 있다.

[해설] 수직탐상에서 송신펄스 후에는 불연속부에서의 에코가 저면에코보다 먼저 나타난다.

33_ 수직탐상시 탐촉자의 주파수가 높을수록 나타나는 현상과 가장 거리가 먼 것은?

가. 거친 재질의 결정립에서 산란이 감소한다.

나. 파장이 짧아지고, 작은 결함의 검출이 용이하다.

다. 지향성이 뚜렷해지며, 중심음파의 집중이 좋아진다.

라. 동일 재질일 때 음파의 감도는 동일하나 펄스폭이 감소해 분해능이 증가한다.

[해설] 거친 재질에서 초음파의 감쇠는 두드러지게 나타난다.

34_ 초음파 빔은 매질을 진행함에 따라 강도가 낮아진다. 이에 대한 설명 중 틀린 것은?

가. 초음파가 진행하는 매질이 완벽하게 균일하지 못하기 때문에 산란이 발생한다.

나. 초음파가 진행함에 따라 초음파 에너지가 열로 변환되어 흡수가 일어난다.

다. 접촉 매질과 시험체의 표면 거칠기로 인해 전달손실이 생긴다.

라. 초음파 빔이 매질을 진행할 때 유도전류가 발생하여 파의 진행을 방해한다.

[해설] 초음파 빔이 매질을 통과 시 감쇠로 인하여 강도가 낮아지며 감쇠에는 흡수와 산란이 있다.

해답 32. 가 33. 가 34. 라

35_ 다음 중 내부 댐핑 효과가 커서 추가 댐핑재를 부착하지 않아도 사용 가능한 진동자의 재질은?

가. 황산리튬(LiSO₄) 나. 지르콘티탄산납(PZT)

다. 니오비옴산리튬(LiNbO₃) 라. 니오비옴산납(PbNb₂O₆)

해설

진동자 재질	장 점	단 점	용 도
수정 (Quartz)	① 전기, 화학, 기계, 열적 안정성이 우수함 ② 수명이 길고 내 마모성이 우수함 ③ 불용성, Currie Point가 높아 고온에서의 사용이 용이함 ④ 변환효율이 낮다 ⑤ X-cut 및 Y-cut의 2종류	① 음파의 송신 효율이 가장 나쁘다.	기준탐촉자
황산리튬 (Lithum Sulfate)	① 수신효율은 가장 우수함 ② 음향임피던스가 낮아 수침용으로 적당 (물과의 음향임피던스차가 적어져 통과율이 커진다) ③ 내부댐핑이 커 분해능을 증가시킬 수 있다.	① 깨지기 쉽다 ② 물에 잘 녹아 물에서 사용할 때 방수처리가 필요하다.	고감도가 요구되는 탐촉자
티탄산바륨 (Barium Titanate BaTiO₃)	① 가장 좋은 송신효율로 고감도가 요구될 때 많이 사용 ② 불용성, 화학적으로 안정, 좋은 송신효율	① 내마모성이 낮아 수명이 짧다.	
니오비옴산리튬 (Lithium Niobate)	① 가장 높은 큐리점(1210℃) - 고온사용에 이용	① 분해능이 떨어진다.	고주파수 탐촉자
니오비옴산납(Lead Metaniobate PbNb₂O₆)	① 고유의 내부댐핑이 높아 댐핑재를 부착하지 않고 고분해능형 탐촉자에 사용	① 깨지기 쉬워 고주파수용으로 쓸 수 없다.	고분해능 탐촉자

36_ 초음파탐상검사에서 검출된 결함의 판정시 요구되는 인자로 가장 거리가 먼 것은?

가. 시험체의 제조과정 나. 초음파의 전파특성

다. 금속재료학적 지식 라. 탐촉자의 구조 및 특성

37_ 초음파 탐상장비의 결함 검출능력과 직접적인 관계로 가장 거리가 먼 것은?

가. 감도(Sensitivity)

나. 분해능(Resolution)

다. 신호대 잡음비(Signal to noise ratio)

라. 결함의 종류 및 크기(Flaw type and size)

해답 35. 라 36. 라 37. 라

38_ 두께가 26㎜인 알루미늄판을 수침법으로 탐상하려할 때 이때 물거리(Water path distance)가 최소 어느 정도 되어야 알루미늄판의 표면에코와 제1저면에코사이에 탐상에 방해가 되는 에코가 나타나지 않는가? (단, 알루미늄에서의 종파속도는 6500㎧ 이고, 물속에서의 종파속도는 1500㎧이다.)

가. 6㎜　　　　　　　　　　　　나. 13㎜
다. 52㎜　　　　　　　　　　　　라. 113㎜

[해설] [물거리 : 시험체의 두께 = 물에서의 음속 : 시험체에서의 음속]으로 구한다.

39_ 초음파탐상검사에서 단위시간에 탐상기가 발생하는 펄수의 수를 무엇이라고 하는가?

가. 탐상기의 펄스길이　　　　　　나. 탐상기의 펄스회복시간
다. 탐상기의 주파수　　　　　　　라. 탐상기의 펄스 반복율

40_ 다음 중 배관의 원주 용접부를 경사각탐상으로 0.5스킵 범위 내에서 검사하였을 때 검출하기 어려운 결함은? (단, 배관 내면에서는 검사하기 어려운 경우이다.)

가. 기공　　　　　　　　　　　　나. 슬래그
다. 용입부족　　　　　　　　　　라. 외면 언더컷

[해설] 언더컷은 표면에 발생하므로 1스킵의 거리는 되어야 찾기 쉽다.

제3과목 **초음파탐상관련규격 및 컴퓨터 활용**

41_ 대형 단강품의 초음파탐상시험(ASTM A 388)에 따른 절차를 수행할 때 잘못된 것은?

가. 단강품 전체를 검사하기 위해 탐촉자 경로는 최소 10%씩 중첩한다.
나. 주사속도는 초당 152㎜(6인치) 이하이어야 한다.
다. 열처리가 요구되는 단강품의 형상이 초음파탐상검사에 지장을 주면 기계적 특성을 위한 열처리에 앞서 검사를 수행한다.
라. 가능한 한 단강품의 전체 단면적을 서로 수직되는 방향에서 주사한다.

[해설] 단강품 전체의 범위를 확인하기 위해 담촉자를 최소한 각 pass마다 15% 중첩시킨다.

[해답] 38. 가　39. 라　40. 라　41. 가

42_ 보일러 및 압력용기에 대한 초음파탐상시험(ASME Sec. V Art. 4)에 따라 거리진폭 특성곡선(DAC curve)을 작성하여 정밀탐상을 실시하던 중 결함지시의 최대 신호 진폭을 알기 위해 기준 감도에서 15dB를 감소시켰더니 DAC 곡선에 결함신호가 일치하였다. 이 결함지시의 최대 신호 진폭은 약 얼마인가?

가. 501% DAC
나. 562% DAC
다. 631% DAC
라. 778% DAC

[해설] dB = 20 log(?/100)

43_ 강 용접부의 초음파탐상 시험방법(KS B 0896)으로 시험하는 경우 DAC 회로 사용시 에코 높이 구분선의 작성방법으로 틀린 것은?

가. 표준에코 높이 구분선과 6dB씩 다른 에코높이 구분선을 3개 이상 작성한다.
나. A2형계 표준시험편의 ∅2×2의 표준구멍을 기준으로 사용한다.
다. RB-4의 표준구멍을 기준으로 사용하기도 한다.
라. 에코높이 구분선은 원칙적으로 실제 사용하는 탐촉자를 사용해 작성한다.

[해설] 에코높이 구분선의 작성시 STB-A2 시험편의 ∅4×4의 홈을 사용한다.

44_ 강 용접부의 초음파탐상 시험방법(KS B 0896)에서 규정된 진동자의 공칭 치수가 20×20mm 이고, 굴절각이 70°일 때 접근한계거리는?

가. 15mm
나. 18mm
다. 25mm
라. 30mm

[해설]

진동자의 공칭 치수 mm	공칭 굴절각 °	접근 한계 길이 mm
20×20	35,45 60,65,70	25 30

[해답] 42. 나 43. 나 44. 라

45_ 강 용접부의 초음파탐상 시험방법(KS B 0896)에 따라 곡률을 가진 시험재를 탐상하기 위하여 RB-A6의 두께가 t[mm]일 때 0.5skip의 결함 에코가 나타나는 탐촉자 위치에서 탐촉자 앞면부터 RB-A6 끝면까지의 거리를 p[mm], 1skip의 탐촉자 거리에서 탐촉자 앞면부터 RB-A6 끝면까지의 거리를 q[mm]라 하면 탐상굴절각을 구하는 식은?

가. $\ominus = \tan{-1}(\dfrac{q-p}{t})$ 나. $\ominus = \tan{-1}(\dfrac{q-p}{2t})$

다. $\ominus = \cos{-1}(\dfrac{q-p}{t})$ 라. $\ominus = \cos{-1}(\dfrac{q-p}{2t})$

46_ 금속재료의 펄스반사법에 따른 초음파 탐상시험방법 통칙(KS B 0817)에 따른 초음파탐상장치의 성능 점검에 해당되지 않는 것은?

가. 수시 점검   나. 일상 점검
다. 정기 점검   라. 특별 점검

47_ 강 용접부의 초음파탐상 시험방법(KS B 0896)의 규정에 의한 원둘레이음 용접부의 검사를 위한 대비시험편은?

가. RB-A4   나. RB-A5
다. RB-A6   라. RB-A9

[해설] 곡률 반지름이 50mm 이상 150mm 이하는 RB-A8(RB-A6)를 쓰고, 150mm를 넘는 시험체는 STB-A1 또는 A3형계 STB를 사용한다.

48_ 강 용접부의 초음파탐상 시험방법(KS B 0896)에서 경사각탐상시 흠의 횡단면 위치는 탐촉자가 어느 위치에 있을 때 표시하도록 규정하고 있는가?

가. 최대에코가 얻어지는 위치   나. 흠의 지시길이가 시작되는 위치
다. 흠의 지시길이가 끝나는 위치   라. 흠의 지시길이의 중간 위치

[해설] 흠의 횡단면 위치는 최대에코가 얻어지는 탐촉자의 위치에서 또한 평면의 위치는 흠의 지시길이의 시단 및 종단으로 표시한다.

해답   45. 가   46. 가   47. 다   48. 가

49_ 초음파 탐촉자의 성능 측정방법(KS B 0535)에서 직접접촉용 1진동자 경사각탐촉자의 빔 중심축과 편심과 편심각 측정에 쓰이는 시험편은?

가. STB-A2

나. RB-E

다. STB-A1

라. RB-TR47

[해설] STB-A1의 25mm판 두께방향으로 그 끝면을 굴절각 45°에서는 1skip으로 하고 60° 및 70°의 탐촉자에서는 0.5skip으로 겨냥하여 안정한 에코가 얻어질 수 있는 위치에 탐촉자를 놓고 목흔듦 이외의 주사 방법에 의해 에코가 최대가 되도록 한다. 이때 탐촉자의 측면과 시험편 끝면의 법선과 이루는 각도를 분도기로 측정하여 1도 단위로 읽는다.

50_ 보일러 및 압력용기의 재료에 대한 초음파탐상시험(ASME SEC. V Art. 5)에서 볼트재의 나사산에 대한 수직빔 축방향의 주사에 대한 설명 중 잘못된 것은?

가. 가공하기 전 또는 후 축 방향으로부터 시험해야 한다.

나. 표면 처리 된 볼트재의 양끝 면은 평평하고 볼트 축에 직각이어야 한다.

다. 20% DAC를 넘는 지시모양의 원인이 되는 불연속부는 인용 규격의 판정 기준을 기초하여 평가 가능한 정도까지 조사해야 한다.

라. 펄스에코 방식의 수평빔 장치를 사용하여 직접 접촉법 또는 수직법으로 재료의 양 끝면으로부터 행해야 한다.

[해설] 펄스에코방식의 수직빔 장치를 이용하여 수직법으로 검사한다.

51_ 보일러 및 압력용기의 용접부에 대한 초음파탐상시험(ASME Sec. V Art. 4)에 의한 표준시험편에서 두께 75mm인 시험체를 검사하기 위한 표준공의 직경은?

가. $9.5mm(\frac{3}{8}$인치$)$

나. $8.0mm(\frac{5}{16}$인치$)$

다. $6.4mm(\frac{1}{4}$인치$)$

라. $4.8mm(\frac{3}{16}$인치$)$

[해설]

용접부의 두께, t	기본교정시험편의 두께, T	구멍지름
25mm 이하	19mm 또는 t	2.4mm
25mm 초과 51mm 이하	38mm 또는 t	3.2mm
51mm 초과 102mm 이하	76mm 또는 t	4.8mm
102mm 초과	t±25mm	51mm 증가시 마다 구멍지름은 1.6mm씩 증가한다.

해답 49. 다 50. 라 51. 라

52_ 초음파탐상시험용 표준시험편(KS B 0831)에서 G형 감도 표준시험편 중 인접한 시험편 V15-2와 V15-2.8을 5MHz ø20㎜ 탐촉자로 측정할 대 반사원 에코 높이의 dB차는 얼마 이내이어야 하는가?

가. 4.8±1dB   나. 5.7±1dB

다. 15±1dB   라. 1.8±1dB

[해설] 단위-dB, 오차범위는 ±1dB이다.

탐촉자	이웃하는 시험편				
	V15-1과 V15-1.4	V15-1.4와 V15-2	V15-2와 V15-2.8	V15-2.8과 V15-4	V15-4와 V15-5.6
주파수 2.25MHz 지름 28㎜	4.8	6.2	5.8	6.1	5.6
주파수 5MHz 지름 20㎜	5.9	6.1	5.7	5.9	5.3

53_ 금속파이프 및 튜브의 초음파탐상시험(ASTM E 213)에 의한 교정시험편의 노치에 대한 설명 중 틀린 것은?

가. 노치의 폭은 깊이의 3배를 초과하여서는 안된다.

나. 노치의 깊이는 관의 원주표면에서 측정한 평균 측정값으로 한다.

다. 노치의 깊이 오차는 깊이가 0.005인치일 때 ±0.0005인치 이내이어야 한다.

라. 노치의 깊이 오차는 깊이가 0.005인치를 초과할 때 규정된 깊이의 +10%, -15% 이내이어야 한다.

[해설] 노치의 깊이는 원형의 튜브면으로부터 노치의 최대 및 최소 깊이까지 측정한 평균값이어야 한다. 측정은 광학적 방법, 복제에 의한 방법 또는 상호 합의한 방법으로 실시할 수 있다. 노치 깊이가 0.13㎜ 이하인 노치의 경우 규정된 깊이의 ±0.013㎜ 이내로 해야 하고, 깊이가 0.13㎜ 초과한 노치의 경우 규정된 깊이의 +10%, -15% 이내로 한다. 노치의 폭은 가능한 적어야 하지만, 깊이의 두배를 초과하지 않아야 한다.

54_ 금속재료의 펄스반사법에 따른 초음파탐상 시험방법 통칙(KS B 0817)에는 탐상도형의 기본기호를 규정하고 있다. 다음 중 기호와 설명이 틀리게 연결된 것은?

가. T : 송신펄스   나. S : 표면에코

다. B : 흠집에코   라. W : 측면에코

해답   52. 나   53. 가   54. 다

55_ 강 용접부의 초음파탐상 시험방법(KS B 0896)에 따라 10시간 작업을 할 때 입사점, STB 굴절각, 탐상굴절각 등은 최소 몇 번 이상 조정 및 확인하여야 하는가?

가. 1번   나. 2번

다. 3번   라. 10번

[해설] 입사점, STB 굴절각, 탐상굴절각, 측정범위 및 탐상감도는 작업 개시시와 작업시간 4시간 이내마다 점검한다.

56_ 네트워크 사용자들끼리 뉴스를 서로 주고받는 네트워크 뉴스 그룹은?

가. WAIS   나. Archie

다. Usenet   라. inter-casting

57_ 색을 위한 자신만의 데이터베이스는 없고 다른 검색엔진에서 결과를 찾아서 사용자에게 보여주는 검색방식을 무엇이라고 하는가?

가. 웹 인덱스 방식   나. 키워드 방식

다. 웹 디렉토리 방식   라. 통합형 검색 방식

58_ 다음이 설명하고 있는 인터넷 보안 방식은?

[인터넷에서 자기의 네트워크 안에 있는 호스트로의 접근 시도를 감시하여, 접근이 정당하다고 허락된 접근인지를 조사하고 평가하여 네트워크를 보호하고 성능을 향상시킨다.]

가. E-mail   나. Cache

다. Web Cache   라. Firewall

59_ 라디오, Pager(호출기)와 같이 데이터를 한 쪽 방향으로만 전달하는 통신 방신은?

가. 전이중 통신방식(Full-Duplex)   나. 반이중 통신방식(Half-Duplex)

다. 단방향 통신방식(Simplex)   라. 직렬 전송방식(Serial Transmission)

해답   55. 다   56. 다   57. 라   58. 라   59. 다

60_ 원격 컴퓨터에서 파일을 송·수신하는데 사용하는 프로토콜로 옳은 것은?

　가. Gopher　　　　　　　　　나. Finger
　다. FTP　　　　　　　　　　라. Telnet

해답 60. 다

2006년 1회 초음파(UT)탐상검사 산업기사

초음파탐상시험원리

1_ 와전류탐상시험법의 장점 중 틀린 것은?

가. 비접촉적 방법으로 시험속도가 빠르다.
나. 형상이 복잡한 것도 적용하기 용이하다.
다. 재질변화, 크기 변화 등 적용범위가 넓다.
라. 표면 결함 검출에 적합하다.

[해설] ECT는 2차 전류를 이용하는 것으로 탐상면이 복잡하면 검사가 어려우며, 그런 이유로 자동화가 가능하다.

2_ 탐상재료의 한쪽 면과 그 반대면 즉, 양면에 서로 다른 2개의 탐촉자를 사용하는 탐상방법은?

가. 접촉 탐상   나. 표면 탐상
다. 투과 탐상   라. 판파 탐상

[해설] 2개의 탐촉자를 사용하여 하는 방법은 2탐촉자법이고, 수직과 경사각이 있다.

3_ 탐상기 측정범위를 125mm로 조정하고 STB-A1과 동일한 재질의 두께 30mm에 수직 탐상했을 때 스크린의 눈금판에 나타나는 저면에코의 개수는?

가. 2   나. 3
다. 4   라. 5

[해설] 수직 탐상시는 빔 진행거리가 재질의 두께가 된다.

해답 1. 나 2. 다 3. 다

4_ 초음파탐상시험에 대해 기술한 것으로 올바른 것은?

　가. 초음파탐상기의 눈금판의 횡축은 초음파 빔의 전파거리, 종축은 에코높이를 표시하고 있다.

　나. 초음파 탐상도형에서 결함에코의 발생위치로부터 결함크기를 안다.

　다. 작은 결함의 치수는 에코출현 위치의 범위로부터, 또 큰 결함에서는 에코높이로부터 추정할 수 있다.

　라. 결함위치는 결함을 겨냥하는 방향을 바꾸어 에코높이의 변화모양으로부터 추정할 수 있다.

5_ DGS선도(AVG선도) 제작시 사용한 대비 반사원의 종류는?

　가. 드릴구멍　　　　　　　　　　　　나. 구형 결함

　다. 원형평면 결함　　　　　　　　　　라. V홈 결함

[해설] 원형평면 결함을 대상으로 하여 AVG선도를 그린다. 이것은 시험편방식이다.

6_ 알루미늄에서 표면파가 발생하도록 쐐기를 설계할 때 입사각은? (단, 알루미늄에서의 횡파속도는 3100㎧, 쐐기에서의 종파속도는 2700㎧)

　가. 61　　　　　　　　　　　　　　나. 57

　다. 75　　　　　　　　　　　　　　라. 48

[해설] $V_1/\sin\alpha = V_2/\sin\beta$, $2700/\sin\alpha = 3100/\sin90$, $\alpha = \sin^{-1}(2700/3100)$

7_ 2Z20×20A45의 경사각 탐촉자로 강재를 탐상하였다. 강재 속을 전파하는 초음파의 파장은?

　가. 약 1.6㎜　　　　　　　　　　　나. 약 2.9㎜

　다. 약 3.2㎜　　　　　　　　　　　라. 약 5.9㎜

[해답]　4. 가　5. 다　6. 가　7. 가

8_ 초음파탐상시험의 원리에 대해 설명한 것 중 바른 것은?

가. 초음파탐상에서는 통상 1~5㎑의 연속파의 음파를 탐촉자로 부터 시험체로 전파시킨다.
나. 내부에 결함이 있으면 그 곳에서 초음파의 일부가 흡수되어 결함에코가 된다.
다. 초음파탐상은 초음파의 전파특성을 이용하여 결함의 유무, 존재위치 및 크기를 파괴시험과 병용하여 아는 방법이다.
라. 결함위치는 송신된 초음파 펄스가 수신될 때까지의 시간으로부터 구한다.

[해설] 초음파는 1~5㎒의 펄스파를 이용하고, 결함에서 반사되며 비파괴시험의 한 가지 방법이다.

9_ 음향임피던스에 대한 설명 중 맞는 것은?

가. 물질의 밀도와 음압을 곱한 값이다.
나. 어떤 물질이라도 종파와 횡파의 음압은 같다.
다. 음향임피던스가 같으면 반사가 없다.
라. 음향임피던스가 다른 두 물질의 경계부에서 굴절이 있을 수 없다.

[해설] $Z = \rho \times V$, Z는 통과와 반사의 양을 결정 짓는 중요한 요소이다.

10_ 원형진동자로부터 거리 x만큼 떨어진 빔 중심축 상의 점에서 초음빔의 음압(Px)을 나타내는 식으로 맞는 것은? (단 D : 진동자의 직경, Xo : 근거리음장 한계거리, Po : 초기음압)

가. $Px = Po(D^2/4\lambda x)$ 나. $Px = Po(\pi D^2/4\lambda\ x)$
다. $Px = Po(\pi D^2/4)$ 라. $Px = Po(Xo/x)$

[해설] $Px = 2Po \times sin(\pi D^2/8\lambda x)$이다.

11_ 다음 중 자분탐상시험에서 의사지시가 발생되는 결정적인 요인은?

가. 자극   나. 불연속
다. 누설자장   라. 중력이나 기계적 노치

[해설] 의사지시는 결함이 아닌 다른 지시가 MT를 하는 중에 결함의 형태로 나타나는 현상을 말한다.

해답 8. 라 9. 다 10. 나 11. 라

12_방사선은 물질과의 상호작용에 의해 감소된다. 다음 상호 작용의 형태 중에서 가장 높은 에너지를 가지는 방사선일 때 일어나는 현상은?

가. 전자쌍생성　　　　　　　　　　　　나. 콤프턴효과
다. 톰슨산란　　　　　　　　　　　　　라. 광전효과

[해설] 광전효과(0.1MV 이하), 콤프턴산란(0.1~1.0MV), 전자쌍생성(1.02MV 이상)

13_다음 중 초음파 에너지의 전달이 가장 좋은 재료는?

가. 알루미늄 단조품　　　　　　　　　나. 알루미늄 주조품
다. 강괴　　　　　　　　　　　　　　라. 알루미늄 괴

[해설] 같은 재질이라도 입자가 작은 것이 전달이 잘 된다.

14_물질 내에서의 음파속도와 밀도의 곱은 초음파에너지의 투과량과 반사량의 결정에 중요하게 작용하는데 이를 일컫는 말은?

가. 음향임피던스　　　　　　　　　　나. 속도
다. 파장　　　　　　　　　　　　　　라. 투과

[해설] 9번 참조

15_시험체 표면 콘트라스트를 직접 관찰하지 않는 비파괴시험법은?

가. 자분탐상시험　　　　　　　　　　나. 와전류탐상시험
다. 육안시험　　　　　　　　　　　　라. 누설시험

[해설] MT나 PT는 시험체에 표면을 직접 이용하는 것이 아니라 다른 색체를 이용하여 검사한다.

해답　12. 가　13. 가　14. 가　15. 나

16_ 수직탐상시 저면에코방식에 의한 결함 검출과 평가의 장점은?

가. 감쇠가 적은 시험체에만 적용할 수 있다.

나. 감쇠가 큰 시험체의 경우 결함의 평가가 정확하다.

다. 탐상면의 거칠기의 영향을 받기 쉽다.

라. 감도 조정용 대비시험편이 불필요하다.

[해설] 시험체의 건전부의 저면 에코를 이용하여 탐상감도를 조정해서 탐상하는 방식, 시험체방식에 대응하는 방식

17_ 경사각 탐상법에서 시편의 두께가 두꺼워지면 스킵거리는 어떻게 되는가?

가. 감소

나. 불변

다. 증가

라. 2배 증가시 반으로 준다.

[해설] 스킵거리($W_{0.5}$)=$t/cos\theta$

18_ 침투탐상시험에 사용되는 형광침투액의 오염에 가장 일반적인 대상은?

가. 금속부스러기   나. 기름

다. 세척제   라. 물

19_ 초음파 탐상장치를 사용하기 전에 탐상기기가 정상인지의 여부만을 점검할 목적으로 사용하는 점검방법은?

가. 특별점검   나. 일상점검

다. 정기점검   라. 교정점검

해답   16. 라   17. 다   18. 라   19. 나   20. 라

20_ 비파괴시험의 안전관리에 대해 기술한 것이다. 올바른 것은?

가. 방사선투과시험에서 취급하는 방사선이 그다지 강하지 않는 경우에는 안전에 특히 유의할 필요가 없다.

나. 초음파탐상시험에서 취급하는 초음파가 강력한 경우에는 유자격자에 의한 관리 지도가 의무화되어 있다.

다. 형광자분이나 형광 침투액을 이용하는 자분탐상시험이나 침투탐상시험에서는 자외선조사 등의 자외선이 직접 피부에 닿지 않도록 주의한다.

라. 유기용제를 사용하는 침투탐상시험에서는 방화 대책이나 환기 등의 안전에 특히 주의할 필요가 있다.

[해설] RT는 안전이 의무화되어 있고 UT는 안전하며 자외선은 안구에 영향을 줄 수 있으며 유기용제는 방화대책이 필요하다.

제2과목 **초음파탐상검사**

21_ 일반적인 초음파탐상장비에서 탐촉자의 진동을 위해 전원을 공급해 주는 부분은?

가. 증폭기 　　　　　　　　　　나. 펄스발생기
다. 수신기 　　　　　　　　　　라. 동기장치

[해설] 송신부에서 펄스를 발생시키는 전원을 공급해준다.

22_ 경사각탐촉자로 용접부를 검사했더니 용접선에 수직방향으로 초음파가 입사했을 때 가장 큰 에코 높이를 나타내는 결함이 발견되었다. 그런데 이 결함을 중심으로 진자주사를 했으나 에코높이가 별로 변하지 않았다면 일반적으로 어떤 결함으로 추정되는가?

가. 기공 　　　　　　　　　　나. 융합불량
다. 용입부족 　　　　　　　　　라. 라미네이션

해답 　20. 라　21. 나　22. 가

23_ 초음파탐상시험에서 결함크기의 측정방법에 관한 다음 설명 중 올바른 것은?

가. 수직탐상으로 최대에코높이의 1/2를 넘는 범위의 탐촉자의 이동거리를 결함지시 길이로 하는 방법은 큰 결함의 크기측정에 적당하다.

나. 사각탐상으로 L선을 넘는 범위의 탐촉자의 이동거리를 결함의 지시 길이로 하는 방법은 작은 결함의 크기측정에 적당하다.

다. DGS선도는 결함이 STB-G와 같은 원형평면결함이 아니면 적용할 수 없다.

라. F/Bf의 데시벨 값은 그 값이 그대로 결함의 면적을 나타내고 있다.

[해설] 가 번은 6dB drop법이다.

24_ 다음 시험편 중 경사각 탐촉자의 굴절각을 측정하는데 사용되지 않는 것은?

가. STB-A1 Block　　　　　나. IIW-2형

다. DSC형 Block　　　　　　라. RB-4 Block

[해설]

25_ 초음파탐상시험에 있어서 탐상방법에 대한 설명 중 올바른 것은?

가. 경사각탐상은 탐상면에 대해 수직으로 초음파를 입사시키는 방법으로 결함의 위치와 크기의 추정 및 시험체두께의 측정이 가능하다.

나. 경사각탐상은 탐상면에 대해 경사로 초음파를 입사시키는 방법으로 결함의 위치와 크기의 추정 및 시험체 두께의 측정이 가능하다.

다. 수직탐상에서는 탐촉자가 결함의 수직위치에 있을 때 표시기(CRT)상에서는 송신펄스와 저면에코 사이에 결함에코가 나타난다.

라. 경사각탐상에서는 결함에코높이에 의해서 결함까지의 거리가 추정되고 결함과 저면에코의 상승점의 위치에 의해서 결함의 크기를 추정할 수 있다.

해답　23. 가　24. 라　25. 다

26_ 다음 중 판재의 경사각 탐상에서 검출하기 어려운 것은?

가. 음파에 수직인 균열 　　　　　 나. 여기저기 흩어져 있는 균열

다. 입사면에 평행한 균열 　　　　 라. 연속적인 작은 불연속

[해설] 입사면에 평행한 균열은 경사각으로 탐상시 검출이 어렵고 수직탐상으로 검출이 쉽다.

27_ 경사각탐상에서 0.5S 또는 1S라고 하는 기호는 무엇을 의미하는가?

가. 스킵거리를 표시하는 기호

나. 감도표시의 기호

다. 입사점과 단면의 거리를 표시하는 기호

라. 탐상면의 거칠기를 표시하는 기호

[해설] 경사각탐상에서는 스킵거리가 있는데 이것은 초음파의 주빔이 저면에 맞고 반사되는 것이며 0.5S, 1S,
1.5S, 2S.......... 이런 식으로 표시한다.

28_ 압전재료 중에서 송신 효율이 가장 좋은 것은?

가. 황산리튬 　　　　　　　　　　 나. 수정

다. 티탄산바륨 　　　　　　　　　 라. 산화은

[해설] 2탐 법에서는 $LiSo_4$-수신탐촉자, $BaTio_3$-송신탐촉자로 쓴다.

29_ 다음은 용접부의 경사각탐상에 관한 설명이다. 올바른 것은?

가. 내부 용입불량의 검출에는 탠덤탐상법이 적합하다.

나. 내부 용입불량의 검출에는 V투과법이 적합하다.

다. 측면 용입불량의 검출에는 탠덤탐상법이 적합하다.

라. 블로홀의 검출에는 탠덤탐상법 및 V투과법이 적합하다.

[해설] Tandem Technique-사각법에서 2개의 탐촉자를 전후로 배치하여 송신, 수신하도록 하는 탐상방법. 수
직인 평면상 결함의 검출에 이용된다.

해답　26. 다　27. 가　28. 다　29. 가

30_ 두께 50㎜ 판재를 진동자 직경 10㎜의 수직탐촉자로 검사하려고 한다. 스크린상의 거리보정은 150㎜로 되어 있고, 평면결함이 깊이 40㎜에 크고 넓게 존재한다면 스크린상에 나타나는 에코지점이 아닌 것은?

가. 40㎜

나. 50㎜

다. 80㎜

라. 120㎜

[해설] 저면에코는 50간격으로 나타나고, 결함에코는 40간격으로 나타난다.

31_ 초음파 탐상기의 특성 중 특히 중요한 3가지는?

가. 증폭의 직선성, 브라운관의 크기, 브라운관의 밝기

나. 증폭의 직선성, 분해능, 시간축의 직선성

다. 증폭의 직선성, 분해능, 최대감도

라. 증폭의 직선성, 분해능, 브라운관의 크기

[해설] 초음파탐상기의 특성 4가지는 증폭직선성, 시간축직선성, 분해능, 감도여유치이다.

32_ 주조품을 초음파탐상시험으로 검사하는데는 어려움이 따르는데 그 주된 이유는?

가. 아주 작은 결정구조이므로

나. 불균일한 결함 형상 때문에

다. 초음파 속도가 원래 일정하지 않으므로

라. 조대한 결정입도를 가지므로

[해설] 초음파탐상검사는 주파수가 높을수록 감도가 좋아지나 결정입자가 크면 결정입자에서도 반응하여 잡음이 생길 수 있으므로 주의해야 한다.

해답 30. 나 31. 나 32. 라

33_ DGS(AVG)선도에 대한 설명으로 틀린 것은?

가. 거리에 따라 반사원리 에코를 dB로 구성한 것이다.

나. 수직탐상용으로는 감도의 표준으로 저면에코를 사용한다.

다. 반사원은 수신 특성이 좋은 노치를 사용한다.

라. 이것으로 알 수 있는 것은 결함의 등가 직경이다.

[해설] AVG선도-펄스반사법에서 결함의 크기를 평가할 때 결함과 같은 에코 높이를 나타내는 원형평면 결함을 가정하여 그 직경으로 결함을 나타내기 위한 선도. 이 때 원형 평면 결함의 빔 축상에서 결함과 동일 탐상거리에 있으며 거의 빔축에 있다고 가정한다.

34_ 5Z10N 탐촉자를 사용하여 측정범위를 250mm에 조정한 후 탐촉자를 5Z10×10A70탐촉자로 교체, 측정범위를 100mm로 탐상을 하려할 때 필요한 조작에 대한 설명 중 맞는 것은?

가. 그대로 탐상하여도 좋다.

나. 영점만 재조정한다.

다. 측정범위 조정에 필요한 모든 과정을 다시 한다.

라. 영점은 그대로 하고 측정범위만 재조정한다.

[해설] 경사각과 수직은 음속에 차이가 나고 수직에서 250은 경사각에서는 약 125정도로 계산이 된다.

35_ 다음 중 거리 분해능이 좋은 탐촉자를 선택하려면 어떤 것이어야 하는가?

가. 높은 Q값을 가진 것

나. Q값이 낮고 대역폭이 클 것

다. Q값이 0인 것

라. Q값이 없는 것

[해설] 댐핑재의 두께와의 관계

댐핑(Damping)	펄스폭	주파수분석곡선기울기(Q값)	대역폭(Band width)	강도	분해능
클수록	짧다	작아진다.	커진다.	감소	커진다.
작을수록	길다	커진다.	작아진다.	증가	작아진다.

해답 33. 다 34. 다 35. 나

36_ 다음 중 동일 재료내에서 근거리음장이 가장 긴 탐촉자는?

가. 직경 12mm, 주파수 1MHz   나. 직경 12mm, 주파수 2.25MHz

다. 직경 28mm, 주파수 1MHz   라. 직경 38mm, 주파수 2MHz

[해설] $X_0 = D^2/4\lambda = D^2C/4F$

37_ 탐촉자를 제작할 때 Q값, 밴드폭, 감도, 음향임피던스 및 분해능의 5가지 인자를 고려해야 하는데 초음파탐상시험에 사용되는 탐촉자의 유효한 Q값은 어느 범위 내에 있어야 하는가?

가. 1~10   나. 10~100

다. 100~1,000   라. 20,000 이상

[해설] $Q = F_r/B$

38_ 다음 중 초음파가 두 매질의 경계를 통과 할 때에 투과율이 가장 큰 것은?

가. 철강→알루미늄   나. 알루미늄→공기

다. 공기→알루미늄   라. 물→철강

[해설] 두 매질의 음향임피던스의 차이가 적을수록 통과율이 높다.($Z=\rho*V$)

39_ ASTM에 의한 표준시험편을 수침법으로 탐상하여 B주사방법으로 표시했을 때 나타낼 수 있는 결과는?

가. 입사면에서부터의 깊이 및 저면공에 의한 지시의 높이가 일반적인 탐상법에서와 같이 나타난다.

나. 입사면에서 투영한 저면공의 면적 및 위치가 평면도로 나타난다.

다. 시편의 상, 하단면 및 저면공의 위치가 깊이 방향의 단면으로 나타난다.

라. 재료 내부에 결함이 존재할 때 결함의 상이 나타나지 않는다.

[해설] B-scan은 A-scan 표시도형을 휘도 변조하여 선으로 나타내어 탐촉자의 주사에 따라 시험체 위에서의 탐상 위치와 초음파의 진행시간을 브라운관 상의 종축과 횡축으로 표시하는 것. 시험체의 단면 도형을 얻는다.

해답　36. 라　37. 가　38. 가　39. 다

40_ AVG선도 또는 DGS선도를 설명한 것이다. 맞는 것은?

가. 거리, 증폭, 두께를 나타낸다.

나. 탐촉자의 주파수와 크기에 따라 별도의 DAS선도가 필요하다.

다. 횡축은 주파수를, 종축은 탐상거리를 나타낸다.

라. 원거리 음장에서만 측정 하도록 되어 있다.

[해설] 문제 33번 참조

제3과목 | 초음파탐상관련규격 및 컴퓨터 활용

41_ 알루미늄 맞대기용접부에 대한 초음파 경사각탐상시험에서 결함지시 길이가 5mm였다면 이 결함은 몇 류에 속하는가? (단, KS규격에 따르고 홈은 A종이며 모재의 두께는 45mm이다.)

가. 1류   나. 2류

다. 3류   라. 4류

[해설]

모재의 두께t(mm) 분류	구분	20 초과 80 이하		
		A종	B종	C종
흠의 분류	1류	t/8 이하	t/4 이하	t/3 이하
	2류	t/6 이하	t/3 이하	t/2 이하
	3류	t/4 이하	t/2 이하	t 이하
	4류	3류를 넘는 것		

42_ ASTM A388(대형 단강품의 초음파탐상시험)에 따른 절차를 수행할 때 적절치 못한 것은?

가. 단강품 전체를 검사하기 위해 탐촉자 경로는 최소 10%씩 중첩된다.

나. 주사속도는 초당 6인치 이하여야 한다.

다. 열처리가 요구되는 단강품의 형상이 초음파탐상검사에 지장을 주면 기계적 특성을 위한 열처리에 앞서 검사를 수행한다.

라. 가능한 한 단강품의 전체 단면적을 서로 수직되는 방향에서 주사한다.

[해설] 단강품 전 체적을 검사하기 위해 탐촉자의 경로는 각 경로마다 최소한 15%를 중첩한다.

[해답] **40.** 나 **41.** 가 **42.** 가

43_ KS B 0896 '강 용접부의 초음파탐상 시험방법'의 표와 관련하여 다음 결함지시의 등급은? [단, 결함지시 : 판두께 20㎜, L검출레벨, 영역 Ⅲ, 결함지시 길이(측정치) : 11㎜]

가. 1류
나. 2류
다. 3류
라. 4류

해설	영역 판두께 mm 분류	M검출레벨의 경우는 Ⅲ L검출레벨의 경우는 Ⅱ와Ⅲ		
		18 이하	18 초과 60 이하	60을 넘는 것
	1류 2류 3류	6mm 이하 9mm 이하 18mm 이하	t/3 이하 t/2 이하 t 이하	20mm 이하 30mm 이하 60mm 이하
	4류	3류를 초과하는 것		

44_ KS B 0896에 의해 곡률을 가진 시험체를 탐상하기 위하여 RB-A8로 굴절각을 측정하려 한다. RB-A8의 두께가 t㎜일 때 0.5skip 구간에서 탐촉자 앞면에서 RB-A8의 끝면까지 거리가 g, 0.5skip~1skip 구간에서 RB-A8의 끝면까지의 거리가 h라면 탐상굴절각 θ를 구하는 올바른 식은?

가. $\theta = \tan^{-1}(h-g/2t)$
나. $\theta = \tan^{-1}(h-g/t)$
다. $\theta = \cos^{-1}(h-g/2t)$
라. $\theta = \cos^{-1}(h-g/t)$

해설 S(표면거리) = t×tan θ, 여기에서 t = h-g이다.

45_ ASTM A 609/A 609M에 따라 주강품을 경사각 탐촉자로 시험할 때 최소 몇 %정도 겹치기 주사를 해야 하는가?

가. 탐촉자 폭의 5%정도
나. 탐촉자 폭의 10%정도
다. 음속의 폭의 5%정도
라. 음속의 폭의 10%정도

해설 규정된 주강품단면의 완전한 커버를 확실한 것으로 하기 위해 진동자폭의 적어도 10%를 오버랩 시켜야 한다.

해답   **43.** 다 **44.** 나 **45.** 나

46_ KS B 0831에 규정된 STB-G V8의 설명 중 틀린 것은?

가. 탐상면에서 표준구멍까지의 거리가 80㎜이다.

나. 시험편의 길이가 100㎜이다.

다. 표준구멍의 직경이 1㎜이다.

라. 표준구멍의 오차는 0.1㎜이다.

[해설] STB-G V2, V3, V5, V8까지는 평저공의 직경이 2㎜이다.

47_ ASME code에서 초음파탐상시험 시 곡률보정 블록은 재료의 직경이 20인치 이하일 때 사용토록 규정하고 있다. 교정블록의 곡률반경이 5인치이면 재료의 곡률 반경이 어느 범위일 때 교정블록으로 사용할 수 있는가?

가. 9인치~18인치   나. 4.5인치~9인치

다. 4.5인치~7.5인치   라. 9인치~15인치

[해설] 시험체 반경의 0.9-1.5배까지를 교정블록으로 사용할 수 있다.

48_ ASME Sev. V. SA-388(대형 단강품에 대한 초음파탐상시험)에 따라 저면반사기법 (Back-Reflection Technique)으로 수직탐상 할 때 저면반사에코 높이의 감소를 일으키는 원인이 아닌 것은?

가. 불연속의 존재   나. 두께의 감소

다. 접촉 불량   라. 전면과 후면이 평행하지 않음

49_ KS D 0233은 압력 용기용 강판의 초음파탐상검사에 관한 규격이다. 검사의 대상이 되는 강판 두께의 최소 범위는?

가. 9㎜ 이상   나. 7㎜ 이상

다. 6㎜ 이상   라. 5㎜ 이상

[해설] 불감대의 영향으로 인하여 강판을 6㎜ 이상에서만 적용한다.

[해답] 46. 다 47. 다 48. 나 49. 다

50_ ASME SA-388 규격에 의해 수직 탐촉자로 단조품을 검사할 때 보고서에 기록해야 할 지시 내용은?

가. 저면 반사법에서 한 개의 지시가 건전부의 저면 반사지시의 10%를 초과할 때

나. 대비시험편법에서 한 개의 지시가 대비 증폭기준선의 40%를 초과할 때

다. 대비시험편법에서 5개 이상의 집합적인 지시가 대비증폭기준선의 20%를 초과하나 50%를 초과하지 않을 때

라. 저면 반사법에서 5개 이상의 집합적인 지시가 건전부의 저면 반사지시의 3%를 초과하나 5%를 초과하지 않을 때

[해설] '나'는 100%, '다'와 '라'는 대비시험편법을 사용할 때 대비진폭의 50%를 초과할 때 이고, 저면반사법을 사용할 때 저면반사의 5%를 초과하며 이동하거나, 연속되거나 또는 군집으로 나타나는 불연속적인 지시

51_ KS B 0535에서 탐촉자의 표시 방법 중 기호의 표시 순서가 올바른 것은?

가. 주파수 → 진동자크기 → 진동자재료 → 형식 → 굴절각

나. 진동자재료 → 진동자크기형식 → 굴절각 → 주파수

다. 주파수 → 진동자재료 → 진동자크기 → 형식 → 굴절각

라. 형식 → 굴절각 → 주파수 → 진동자재료 → 진동자크기

[해설] 주파수대역폭 → 공칭주파수 → 진동자재료 → 진동자의공칭치수 → 형식 → 굴절각 → 공칭집속범위

52_ ASME Sec. V에 의해 초음파 탐상장치를 교정할 때 스크린 높이 직선성은 전체 스크린 높이의 %이내에 이어야 하는가?

가. 1%　　나. 2%
다. 5%　　라. 10%

[해설] 스크린높이의 직선성은 전 스크린 높이의 ±5% 이내이고 증폭제어장치의 직선성은 증폭제어비의 ±20%의 정밀도의 증폭 제어장치를 사용한다.

[해답]　50. 가　51. 다　52. 다

53_ ASME Sec. V. Art. 5에 따라 용접부를 초음파탐상검사 할 때 DAC(거리진폭곡선)의 몇 %를 초과하는 홈 지시에 대하여 적용 코드에 따라 합부판정 평가를 하는가?

가. 10%   나. 20%

다. 50%   라. 100%

54_ KS B 0817에서 탐상도형의 표시 기호에 대한 연결이 잘못된 것은?

가. 송신펄스-T   나. 흠집에코-F

다. 바닥면에코-A   라. 표면에코-S

55_ ASME Sec. V에 의하면 용접부 검사용 표준시험편에서 두께 3인치인 시험품을 검사하기 위한 표준공의 직경은?

가. 3/8   나. 5/16

다. 1/4   라. 3/16

해설	용접부의 두께(t)	기본교정시험편의두께(T)	횡드릴 구멍직경	원형바닥구멍직경
	2in. 초과 4in. 까지	3in. 또는 t	3/16in.	3/8in.
	4in. 초과 6in. 까지	5in. 또는 t	1/4in.	7/16in.
	6in. 초과 8in. 까지	7in. 또는 t	5/16in.	1/2in.
	8in. 초과 10in. 까지	9in. 또는 t	3/8in.	9/16in.
	10in. 초과 12in. 까지	11in. 또는 t	7/16in.	5/8in.
	12in. 초과 14in. 까지	13in. 또는 t	1/2in.	11/16in.
	14in. 초과	t±1in.		

56_ 다음 중 인터넷 웹서버 구축을 위한 환경과 도구를 제공하는 것은?

가. UNIX   나. IIs

다. os/2   라. Iws

해답   53. 나   54. 다   55. 라   56. 나

57_ 다음 중 컴퓨터의 연산장치와 관계가 없는 것은?

가. 누산기

나. 기억 레지스터

다. 번지 레지스터

라. 상태 레지스터

58_ 양쪽 방향으로 데이터의 이동이 가능하나 한번에 한 방향으로만 이동 가능한 데이터 전송 방식은?

가. 반이중 전송방식

나. 단방향 전송방식

다. 양방향 전송방식

라. 전이중 방식

59_ 우리나라 정부기관인 행정자치부의 도메인 이름으로 옳은 것은?

가. www.mogaha.com

나. www.mogaha.go.kr

다. www.mogaha.co.kr

라. www.mogaha.pe.kr

60_ 다음 중 정보통신을 위한 OSI 7 Layer 중 하위 계층을 구성하는 기존 통신망의 품질 차이를 보상하고, 송·수신 시스템 간의 논리적 안정과 균일한 서비스를 제공하는 계층은?

가. 세션계층

나. 전송계층

다. 응용계층

라. 네트워크계층

해답 57. 다 58. 가 59. 나 60. 나

MEMO

2006년 3회 초음파(UT)탐상검사 산업기사

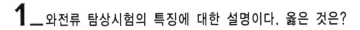

1_ 와전류 탐상시험의 특징에 대한 설명이다. 옳은 것은?

　가. 시험결과의 기록이나 보존이 용이하지 않으나 복잡한 형상의 시험체 전면 탐상에
　　　대해서는 효율이 좋다.
　나. 지시에 영향을 주는 인자가 많아 탐상이나 재질, 크기 등의 시험에 적용 가능하나
　　　결함 이외 잡음인자의 판별이나 억제 작업 등이 필요하다.
　다. 시험코일의 비접촉 사용이나 전기신호의 결과가 얻어지는 자동화가 가능하기 때문
　　　에 자성, 비자성의 유리관, 환봉, 선 등의 내부결함 검출에 대해 적합한 시험이다.
　라. 시험코일의 가열이나 대형화 등에 의해 고온에의 탐상, 굵은 선, 두께가 큰 관, 탄
　　　소강 내면 등 다른 시험방법이 적용하기 어려운 대상에 적합한 시험이다.

　[해설] ECT는 전기를 이용하여 단순한 시험체 내부결함 검출용이다.

2_ 다음 중 초음파탐상시험에서 탐촉자의 주파수를 높이면 저하되는 것은?

　가. 분해능　　　　　　　　　나. 감도
　다. 침투력　　　　　　　　　라. 감쇠

　[해설] 주파수를 높이면 파장이 짧아지고, 감도와 분해능이 좋아지고 강도가 약해진다.

　[해답]　1. 나　2. 다

3_ 황동의 음향임피던스(g/㎠s)는? (단, 황동 중 종파속도 4.43×105㎝/s, 밀도는 8.42g/㎤이다.)

가. 0.5×105

나. 9.4×105

다. 19×105

라. 37×105

[해설] Z = ρ×V이다.

4_ 근거리음장 내에서 초음파탐상시험을 수행할 때 주의해야 할 사항으로 틀린 것은?

가. 허용된 크기의 불연속이 CRT상에 불합격이 될 크기의 시그날이 될 수 있으므로 주의하여야 한다.

나. 불합격이 될 불연속으로부터의 시그날이 허용될 크기의 시그날로 나타날 수 있으므로 주의하여야 한다.

다. 불연속으로부터의 시그날이 완전히 소실될 수 있으므로 주의하여야 한다.

라. 하나의 불연속이 한 개의 지시만을 나타낼 수 있으므로 결함의 정량적 평가가 가능함에 유의하여야 한다.

[해설] 음압이 불안정하여 echo의 크기가 거리에 따라 비례되지 않는다.

5_ 그림은 자기이력곡선 그래프이다. H는 무엇을 나타내는가?

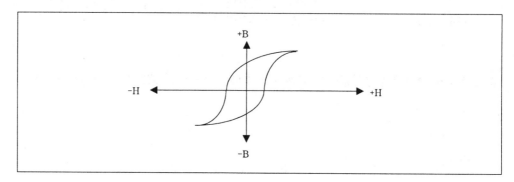

가. 자속밀도

나. 보자력

다. 척력

라. 자화력(자계의 세기)

[해설] H는 자계의 세기이고, B는 자속밀도이다.

[해답] 3. 라 4. 라 5. 라

6_ 다른 비파괴검사법에 비교하여 초음파탐상시험의 장점을 설명한 것 중 틀린 것은?

가. 다른 시험방법에 비해 투과능력이 좋아 두꺼운 시험체의 탐상이 가능하다.
나. 작은 내부결함에 대하여 높은 감도를 얻을 수 있다.
다. 표면직하 얇은 강판에 존재하는 결함의 검출에 가장 적합하다.
라. 한 면만이라도 접근할 수 있으면 검사가 가능하다.

[해설] 불감대가 존재함으로 표면하는 결함탐상이 안된다.

7_ STB-A1 시험편으로 성능검사가 가능하지 않는 것은?

가. 분해능의 측정   나. 측정범위의 조정
다. 경사각탐상의 굴절각 측정   라. 사용주파수 측정

[해설] 주파수는 탐촉자 제작 시 결정되어지는 것이다.

8_ 초음파탐상시험(UT)과 음향방출시험(AE)에 관한 다음 사항 중 초음파탐상시험에 해당되는 것은?

가. 시험체 결정입자의 영향을 크게 받는다.
나. 운전 중 감시와 균열 발생 진행에 응용된다.
다. 탐촉자는 시험체에서 탄성파 방출시에만 수신한다.
라. 외적으로 하중을 부과하여 결함 검출이 가능하다.

[해설] 결함발생 진행 중 검사는 AET이다.

9_ 음파의 세기 감소에 결정적으로 영향을 미치는 인자들 만으로 조합된 것은?

가. 산란, 흡수, 분산   나. 굴절, 흡수, 회절
다. 굴절, 반사, 산란   라. 흡수, 굴절, 반사

[해설] 굴절은 음파의 진행경로를 바꾸고 파형변이에 관계되는 인자이다.

[해답]   6. 다 7. 라 8. 가 9. 가

10_주사방법 중 탐촉자의 입사점을 중심으로 탐촉자를 회전하여 초음파 빔의 입사방향을 변화시키는 방법은?

가. 전후주사 나. 좌우주사
다. 목돌림주사 라. 진자주사

[해설] 기본주사 1.전후주사 : 탐촉자를 음파진행방향과 평행하게 이동한다. 결함의 형상 및 치수 추정한다. 2.좌우주사; 음파진행방향과 수직되게 이동한다. 결함의 형상 및 치수 추정한다. 결함의 지시길이 측정한다. 3.수진주사(목돌림주사); 입사점 중심으로 회전한다.(각도는 10~15°) 결함의 형상이나 방향 추정한다. 응용주사 시 결함의 빠뜨림 방지한다. 4.진자주사; 진자와 같이 이동한다. 결함의 형상 및 방향 추정한다.

11_다음 중 침투탐상시험으로 쉽게 검출할 수 있는 결함은?

가. 표면의 피로균열 나. 내부기공
다. 블로 홀 라. 슬래그 혼입

[해설] PT는 표면결함 검출법이다.

12_초음파탐상시험 시 그 결과에 대한 표시방법 중 초음파의 진행시간과 반사량을 화면의 가로와 세로축에 표시하는 탐상방법은?

가. A-스코프 나. B-스코프
다. C-스코프 라. D-스코프

[해설] A-scop는 거리에 따른 음압의 변화량을 에코로 나타내준다.

13_공진법에서 다음 중 기본 공진이 일어나는 시험체 두께는?

가. 송신 초음파 파장의 1/2일 때 나. 송신 초음파 파장과 같을 때
다. 송신 초음파 파장의 1/4일 때 라. 송신 초음파 파장의 2배 일 때

[해설] 공진은 시험체에 가해진 초음파의 진동수와 시험체의 고유 진동수가 일치할 때 비정상적으로 진동의 진폭이 커지는 현상

해답 10. 다 11. 가 12. 가 13. 가

14_접촉법에서 검사체 내부로 횡파가 전파되게 하려면?

가. 접촉 매질을 적용 후 Y-cut 수정진동자를 검사체에 적용
나. 접촉 매질을 적용 후 시험체의 양면에 2개의 탐촉자를 적용
다. 접촉 매질을 적용 후 구형 집속렌즈를 탐촉자에 부착하여 검사체에 적용
라. 접촉 매질을 적용 후 X-cut 수정진동자를 검사체에 적용

[해설] Y-cut 진동자는 횡파 발생용이고, X-cut 진동자는 종파발생용이다. 하지만 Y-cut 진동자의 횡파는 직접
접촉법시에 액체(접촉매질)를 통과할 수 없으므로 X-cut 진동자의 종파를 이용하여 파형변이를 시킨 후
시험체 내부에서 횡파발생을 한 것을 이용한다.

15_초음파가 최대강도를 갖기 위해서는 다음 중 어떤 상태이어야 하는가?

가. 전기신호의 주파수가 진동자 공진주파수보다 클 때
나. 전기신호의 주파수와 진동자 공진주파수가 동일 할 때
다. 전기신호의 주파수가 진동자 공진주파수보다 작을 때
라. 전기신호의 주파수와 진동자 공진주파수가 역비례 할 때

[해설] 문제 13번 참조

16_표준시험편을 이용하여 CRT의 횡축을 측정거리 100㎜로 조정 후, 수직법으로 탐상하여 4번째의 저면반사파가 100㎜위치의 눈금과 일치하였다면 시험체의 두께는?

가. 20㎜   나. 25㎜
다. 200㎜   라. 400㎜

[해설] 수직법에서는 횡축의 거리가 실제 시험체의 거리와 일치한다.

17_직경 2㎜인 평저공에서 얻은 에코높이를 CRT 스크린 높이의 100%에 맞추어 놓고 동일 조건에서 직경 1㎜인 평저공에서 에코를 얻는다면 그 높이는 스크린높이의 몇 %가 되는가?

가. 약100%   나. 약75%
다. 약50%   라. 약25%

[해설] 거리 X에서의 음압은 면적에 비례하고 거리에 반비례한다.

해답 14. 가 15. 나 16. 나 17. 라

18_ 초음파탐상기 CRT상에 나타난 지시를 이동시켜 송신펄스가 CRT화면 원점과 동일 지점에 오도록 조절하는 것을 무엇이라 하는가?

가. 리젝션(rejection)　　　　　　　나. 스윕지연(sweep Delay)

다. 필터(Filter)　　　　　　　　　라. 스윕길이(sweep length)

[해설] 시간축 스위치를 조절하면 에코의 간격이 변하고, 소인지연 스위치를 조절하면 화면의 전체이동을 할 수 있다.

19_ 다음 중 수정진동자의 빔 분산각을 구하는 공식은? (단, D : 진동자 직경, λ : 파장, F : 주파수, θ : 빔 분산각)

가. $\sin \theta = D/2$　　　　　　　나. $\sin \theta = F \cdot \lambda/D$

다. $\sin \theta = F \cdot \lambda$　　　　　　라. $\sin \theta = 1.22\lambda/D$

[해설] $\theta = 70\lambda/D \fallingdotseq \sin^{-1}1.22\lambda/D$이다.

20_ 다음 접촉매질 중 일반적으로 전달효율이 가장 좋은 것은?

가. 물　　　　　　　　　　　　　　나. 기계유

다. 물유리　　　　　　　　　　　　라. 75% 글리세린

[해설] 점성이 강할수록 전달효율이 좋다.

▐ 제2과목 ▐　초음파탐상검사

21_ 인간의 일반적은 가청영역(audiable) 주파수 범위는?

가. $0 \sim 20\text{Hz}$　　　　　　　　나. $20\text{Hz} \sim 20\text{KHz}$

다. $20 \sim 200\text{KHz}$　　　　　　라. $200 \sim 2000\text{KHz}$

해답　18. 나　19. 라　20. 다　21. 나

22_ 방사선투과검사와 비교한 초음파탐상검사의 특징이라고 할 수 없는 것은?

가. 크기가 작은 융합불량과 같은 결함의 검출이 어렵다.
나. 크기가 작은 기공은 초음파의 전달 특성상 쉽게 검출된다.
다. 종류가 다른 두 금속이 압접되어 있을 때 한꺼번에 검사하기 좋다.
라. 자동화 장치를 사용하면 경험이 없는 검사원일지라도 쉽게할 수 있다.

[해설] LF나 IP도 UT나 RT로 검사가 가능하다.

23_ 단조품을 초음파탐상검사 할 때 특별한 언급이 없는 한 검사표면 거칠기는 어느 정도이어야 하는가?

가. 250 마이크로인치를 초과할 수 없다.
나. 300 마이크로인치를 초과할 수 없다.
다. 10 마이크로인치를 초과할 수 없다.
라. 25 마이크로인치를 초과할 수 없다.

[해설] 표면거칠기가 25μm 이상에서는 표준시험편에 의한 경우 전달손실을 보정하든가 대비시험에 보정하여야 한다.

24_ 점집 속에 사용되는 음향집속 방법이 아닌 것은?

가. 구면진동자식 　　　　　　　나. 렌즈식
다. 평면진동자식 　　　　　　　라. 반사식

25_ 표준시험편으로 탐상기와 탐촉자를 조정하는 과정을 무엇이라고 하는가?

가. 변각조정 　　　　　　　　　나. 교정(calibration)
다. 거리진폭 교정(DAC) 　　　　라. 주사(scanning)

해답 22. 나　23. 가　24. 다

26_ 초음파탐상기의 표시기(CRT)에 대한 설명으로 맞는 것은?

가. 초음파탐상기의 CRT상의 에코 초점은 게인조정 손잡이로 조정한다.

나. 초음파탐상기의 CRT의 나타나는 탐상도형으로부터 얻어진 정보는 결함까지의 거리와 에코높이이다.

다. 초음파탐상기의 CRT상에 나타난 에코높이를 2배로 하기 위해서는 게인조정기의 지시값을 2dB만큼 높인다.

라. 초음파탐상기의 CRT상에 나타난 에코높이를 1/10로 하기 위해서는 게인조정기 지시값을 10dB만큼 낮춘다.

[해설] dB = 20log(P/Q)로 에코의 게인값을 알 수 있다.

27_ 감쇠가 적은 재료를 펄스 반복주파수가 높은 탐상기로 탐상할 때 측정범위 내에서 원래의 거리보다 가까운 거리에 있는 것 같아 에코가 나타나 결함 에코로 착각할 수 있는 지시는?

가. 다중 저면반사 나. 다중 에코반사

다. 잡음파 라. 고스트 에코

[해설] Ghost echo는 펄스 반복주파수가 높을 때 나타난다.

28_ 두께가 22mm인 강용접부를 굴절각 70°인 탐촉자로 탐상한 결과, 결함에 대한 빔 진행거리가 76mm였다. 이 결함의 깊이는?

가. 2mm 나. 4mm

다. 18mm 라. 20mm

[해설] 0.5skip 이내에서의 깊이는 Wf×cos θ이고, 0.5~1skip에서는 2t−Wf×cos θ이다.

해답 25. 나 26. 나 27. 라 28. 다

29_ 접촉에 의한 초음파탐상검사에서 다음 그림과 같이 주사하는 것을 무엇이라 하는가?

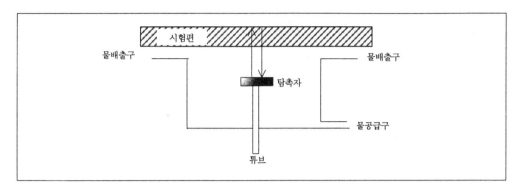

가. 버블러 스캐닝
나. 갭 스키닝
다. 공기 갭 스캐닝
라. 오일 갭 스캐닝

[해설] 수침법에는 전몰수침법과 국부수침법이 있으며 국부수침법에는 bubbler법과 wheel법이 있다.

30_ 초음파 탐상장치에서 브라운관(CRT)의 수평편향판에 직접 관계있는 회로는?

가. 스위프 회로
나. 증폭 회로
다. 탐촉자 회로
라. 펄스 회로

[해설] sweep length와 sweep delay가 있다.

31_ 기본 펄스반사식 초음파 탐상기에서 시간축 발생기와 송신기에 펄스전압을 동시에 걸어줌으로써 탐촉자에 초음파 펄스가 발생함과 동시에 전자빔을 음극선관으로 움직이게 되어 시간에 맞추어 동작을 조정하는 부분을 무엇이라 하는가?

가. 동기회로
나. 수신기
다. CRT 또는 표시장치
라. 마커(Marker)회로

[해설] 초음파탐상기에서 시간 관계를 제어하는 전기 회로로 이것에 의해 송신펄스, 시간축, 게이트 등의 시간을 제어하며 음극선 관에 탐상 도형을 정지하게 한다.

해답 　 29. 가 　 30. 가 　 31. 가

32_용접부의 경사각탐상에 대한 기술로서 올바른 설명은?

가. 기공이 가장 검출하기 쉽다.

나. 비드에서의 에코는 결함에코보다 항상 작게 나타나기 때문에 무시해도 좋다.

다. 동일 탐상면에서 탐상하면 모든 용접부의 결함은 1회 반사법보다 직사법이 에코높이가 높게 나타난다.

라. 탠덤법은 X개선의 용입 불량이나 I개선의 융합불량의 검출에 적합하다.

[해설] 탠덤법은 시험체내부의 중앙부위에 결함이 존재하면 에코가 나타나고, 존재하지 않으면 에코가 나타나지 않는다.

33_대부분의 초음파탐상시험에서 펄스반사식 초음파탐상기에 사용되는 표시방법은?

가. 자동판독장치

나. B-스캔 표시

다. A-스캔 표시

라. C-스캔 표시

[해설] B or C-scan은 자동 초음파탐상기에서 채택하는 방식이다.

34_판재의 초음파탐상시 적산효과를 설명한 것으로 적당하지 않은 것은?

가. 감쇠가 클 때 발생된다.

나. 저면 반사회수가 많을 때 발생된다.

다. 판 두께가 얇을 때 발생된다.

라. 작은 결함 존재시 발생된다.

[해설] 감쇠가 적을 때 발생될 확률이 높다.

해답　32. 라　33. 다　34. 가

35_ 그림의 탐상도형에 대응하는 CRT 표현결과로 맞는 것은?

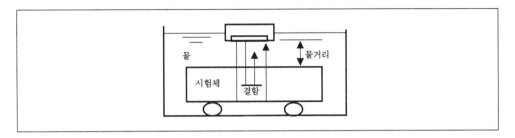

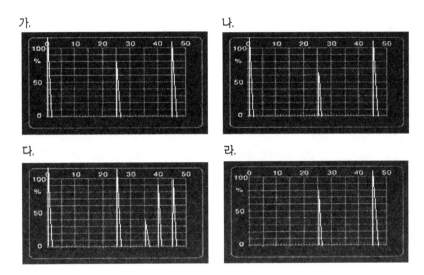

[해설] 에코의 발생순서 T-S1-F1-B1-S2...............의 순이다.

36_ 다음 중 탐상결과의 평가방법으로서 결함에코높이와 저면에코 높이의 비로 분류하는 방법은?

가. 감쇠법   나. 주파수 분석법
다. AVG법   라. F/B법

[해설] AVG법-임의의 평저공 형태의 반사체로부터의 등가신호 크기를 측정하는 AVG 선도를 사용하는 방법,
F/B법-결함에코의 높이와 저면에코의 높이비로 나타내는 방법

해답   35. 다   36. 라

37_ 초음파탐상기에서 송신펄스폭에 의해서 결함을 검출하지 못하는 거리를 무엇이라 하는가?

가. 분해능   나. 불감대

다. 대역폭   라. 게이트폭

[해설] 초음파음장 영역은 불감대영역, 근거리음장영역, 원거리음장영역으로 나눈다.

38_ 모재 두께 20㎜인 용접부를 45°경사각탐촉자를 이용하여 탐상했을 때 초음파빔 거리 50㎜에서 결함이 검출되었다면 이 결함은 탐촉자 입사점으로부터 모재 표면을 따라 얼마 거리(탐촉자-결함거리)에 존재하는가?

가. 14.2㎜   나. 28.1㎜

다. 35.4㎜   라. 70.4㎜

[해설] S(표면거리) = Wf(결함까지의 빔진행거리)×sin θ(굴절각)

39_ 용접부의 루트 균열을 탐상하고자 할 경우에 적절한 경사각 탐촉자의 굴절각은?

가. 30도   나. 45도

다. 60도   라. 70도

40_ 재료의 음향이방성에 관한 설명으로 틀린 것은?

가. 강재 중에 초음파의 음속이나 감쇠 등의 초음파 전파 특성이 탐상 방향에 따라 다른 재료를 음향이방성을 갖는 재료라 부른다.

나. 압연 강판과 같이 주 압연 방향과 이것에 직각인 방향사이에 초음파 전파 특성이 현저히 다른 재료에는 음향이방성에 대한 검정이 필요하다.

다. 음향이방성을 갖는 재료의 탐상에는 공칭굴절각이 70°인 탐촉자를 사용한다.

라. 음속비의 측정에 의해 음향이방성을 검정할 경우 음속비가 1.02를 넘을 때 음향이방성이 있는 것으로 간주한다.

[해설] 음향이방성-초음파가 진행되는 방향에 따라 초음파의 전파속도와 다른 음향특성을 나타내는 자료의 음향특성

해답   37. 나   38. 다   39. 다   40. 나

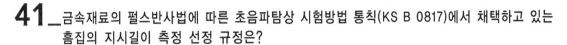

제3과목 초음파탐상관련규격 및 컴퓨터 활용

41_금속재료의 펄스반사법에 따른 초음파탐상 시험방법 통칙(KS B 0817)에서 채택하고 있는 흠집의 지시길이 측정 선정 규정은?

가. 최대에코높이의 1/2을 넘는 범위의 탐촉자 이동거리

나. DGS 도표의 기준에코높이까지 탐촉자 이동거리

다. 최대에코높이의 −12dB를 넘는 범위의 탐촉자 이동거리

라. 흠집에코높이의 범위 이내인 탐촉자 이동거리

[해설] KS B 0817에서는 6dB drop법을 채택하고 있다.

42_보일러 및 압력용기에 대한 재료의 초음파탐상검사(ASME Sec. V Art. 5)에서 접촉법인 경우 교정시험편과 시험체 표면과의 온도 차이는 얼마까지 허용되는가?

가. 10℉(5.6℃) 이내

나. 15℉(8.3℃) 이내

다. 20℉(11.1℃) 이내

라. 25℉(13.9℃) 이내

[해설] 지연재료가 탐촉자 내에 사용되는 경우, 표준화 및 시험면의 온도는 감쇠 및 속도 차이가 커지는 것을 피하기 위해 14℃ 이내로 해야 한다(SE-114.2접촉법에 의한 초음파 펄스-에코 수직빔 시험의 표준 실시방법).

43_강용접부의 초음파탐상 시험방법(KS B 0896)에 의한 규정 설명으로 옳은 것은?

가. 판두께가 110mm인 평판 맞대기 이음은 1회 반사법으로 검사한다.

나. 공칭주파수 2MHz인 수직탐촉자의 원거리 분해능은 9mm 이상이어야 한다.

다. 접촉매질은 탐상면의 거칠기가 80㎛ 이상이면 농도 75% 이상의 글리세린 수용액을 사용한다.

라. RB-4의 경우 시험체 두께가 250mm를 넘는 경우는 두께를 50mm 늘릴 때마다 표준 구멍지름은 1.8mm씩 늘린다.

해답 41. 가 42. 라 43. 다

44_ 비파괴 검사-초음파탐상검사-탐촉자와 음장 특성(KS B ISO 10375)에 따라 진동자 유효 치수가 10×10mm, 주파수 5MHz인 각형 수직탐촉자의 강(V = 5.92km/s)에서의 펄스의 근거리 음장거리는 어떻게 되는가?

가. 14.3mm   나. 21.2mm

다. 28.6mm   라. 84.8mm

[해설] 각형진동자의 X0 = a2/4λ (여기서 a는 각형진동자의 긴변의 길이)이고, 근거리음장거리는 1.6X0이다.

45_ 강용접부의 초음파탐상 시험방법(KS B 0896)에 따라 탐촉자를 접촉시키는 부분의 판 두께가 100mm인 맞대기 용접부를 주파수 2MHz, 진동자 치수 20×20mm의 탐촉자를 사용하여 경사각탐상할 때의 흠의 지시길이를 바르게 설명한 것은?

가. 좌우주사 하여 에코높이가 L선을 넘는 탐촉자 이동거리

나. 좌우주사 하여 에코높이가 M선을 넘는 탐촉자 이동거리

다. 좌우주사 하여 에코높이가 H선을 넘는 탐촉자 이동거리

라. 좌우주사 하여 에코높이가 최대에코 높이의 1/2(-6dB)을 넘는 탐촉자 이동거리

[해설] 6dB drop법을 사용한다.

46_ 강용접부의 초음파탐상 시험방법(KS B 0896)에서 수직탐촉자에 필요한 성능에 대한 올바른 설명은?

가. 공칭 주파수 2MHz 탐촉자의 원거리 분해능은 10mm 이하이다.

나. 공칭 주파수 5MHz 탐촉자의 원거리 분해능은 6mm 이하이다.

다. 공칭 주파수 2MHz 탐촉자의 불감대는 20mm 이하이다.

라. 공칭 주파수 5MHz 탐촉자의 불감대는 10mm 이하이다.

[해설]

공칭주파수(MHz)	진동자의 공칭 치수(mm)	불감대(mm)	원거리분해능(mm)
2	10×10	25	9 이하
	14×14		
	20×20	15	
5	10×10	15	6 이하
	14×14		

[해답] **44.** 다 **45.** 라 **46.** 나

47_ 강용접부의 초음파탐상 시험방법(KS B 0896)에서 탐상기의 성능 점검에 대한 설명 중 잘못된 것은?

가. 시간축 직선성은 장치구입시 및 12개월 이내마다 점검한다.
나. 전원전압의 변동 안정도는 장치구입시 및 12개월 이내마다 점검한다.
다. 감도 여유값은 장치구입시 및 12개월 이내마다 점검한다.
라. 증폭 직진성은 장치구입시 및 12개월 이내마다 점검한다.

[해설] 탐상기의 성능점검은 시간축 직선성(±1%), 증폭 직선성(±3%), 감도여유값(40dB 이상)에 대해서만 장치구입 시 및 12개월 이내에 하고 전원전압의 변동에 대한 안정도는 전압범위 내에서 감도가 ±1dB의 범위내로 한다.

48_ 보일러 및 압력용기에 대한 재료의 초음파탐상검사(ASME Sec. V Art. 5)탐상 장비에 대한 설명으로 틀린 것은?

가. 장비에 댐핑 조절기가 갖춰진 경우 조절기는 검사감도를 낮추는 역할에 사용한다.
나. 펄스 에코형 초음파 탐상장비가 사용되어야 한다.
다. 장비는 1~5㎒ 범위의 주파수에서 작동 가능해야 한다.
라. 2.0dB 이하의 단계로 조정할 수 있는 게인 조절기를 갖추어야 한다.

49_ 강용접부의 초음파탐상 시험방법(KS B 0896)에 의해 곡률반지름이 200mm인 원둘레 이음 용접부를 탐상하고자 할 때 탐상감도 조정에 사용하는 대비 시험편은?

가. STB-A2
나. RB-4
다. RB-A8
라. STB-A3

[해설] 에코높이의 구분선 및 탐상감도의 조정 : 50-250mm{RB-A8(RB-A6)}, 250-1000mm(RB-4)

해답 47. 나 48. 가 49. 다

50_ 보일러 및 압력용기에 대한 용접부의 초음파탐상검사 증폭진선성(ASME Sec. V Art. 4 app II)에서 규정하고 있는 설정 값 및 판독 값은 대략 전 스크린의 얼마까지 측정해야 하는가?

가. ±5% 나. ±3%

다. ±2% 라. ±1%

[해설] 전스크린 높이의 1%까지 읽는다.

51_ 보일러 및 압력용기에 대한 재료의 초음파탐상검사(ASME SEc. V Art. 5)에 따라 시험 절차서를 작성하고자 할 때, 다음 중 절차서에 반드시 포함되어야 할 사항이 아닌 것은?

가. 탐촉자 주파수 나. 검사체의 두께 및 크기

다. 교정에 사용된 시험편 라. 검사체의 허용온도 범위

[해설] 절차서에 들어가야 할 사항-시험될 용접부 및 재료의 종류와 형상, 살두께 치수와 제품형태, 시험을 실시하는 도면, 표면상태, 접촉매질(상품명과 형태), 탐상기법, 재료 내에서의 초음파각도와 형식, 탐촉자의 형식(주파수 및 진동자의 치수), 특수 탐촉자(쐐기, 슈우 및 saddle), 초음파장치의 종류, 교정의 세목(시험편과 기법), 주사의 방향과 범위, 기록할 데이터 및 기록방법(수동 또는 자동), 자동경보 및 기록장치 또는 양쪽모두, 목돌림 주사와 진자주사 또는 주사의 기구, 시험 후 세정

52_ 건축용 강판 및 평강의 초음파탐상시험(KS D 0040)에 따라 시험체의 두께가 60㎜를 넘을 때 다음 중 사용할 수 있는 탐촉자는?

가. N2Q20N 나. B2M10×10A45

다. N5Q10×10A70 라. N4Q20ND

[해설] 시험체의 두께 13-60㎜-2진동자 수직탐촉자, 수직탐촉자. 60㎜ 초과시-수직탐촉자

53_ 비파괴시험 용어(KS B 0550)에서 정의한 "빔 노정에 의한 에코높이의 변화를 나타내는 표준적인 곡선"을 의미하는 것은?

가. 검출 레벨 곡선 나. 결함위치 및 거리 곡선

다. 거리진폭 특성곡선 라. 에코 영역

[해답] 50. 라 51. 라 52. 가 53. 다

54_ 보일러 및 압력용기에 대한 재료의 초음파탐상검사(ASME Sev. V Art. 5)에 따른 교정시험편의 요건을 설명한 것으로 옳은 것은?

가. 주조품 교정시험편은 검사할 주조품 두께의 ±30%이어야 한다.

나. 볼트용 재료 교정시험편은 경사각 빔 검사에 사용되어야 한다.

다. 볼트용 재료 교정시험편은 볼트, 스터드, 스터드 볼트등의 재료에 사용할 수 있다.

라. 관제품 교정시험편의 교정반사체는 횡방향(길이방향)노치여야 한다.

[해설] 문제 53번 참조

55_ 보일러 및 압력용기에 대한 재료의 초음파탐상검사에 따라 노즐의 가동 중 검사(ASME Sev. V, Art. 5 app. II)를 위한 교정시험편의 설명으로 옳은 것은?

가. 반사체는 검사 체적 내에 최소 1개의 노치를 포함하여야 한다.

나. 시험편의 두께는 검사할 부품의 최대 두께와 같거나 더 두꺼워야 한다.

다. 반사체의 노치 또는 균열은 1개의 영역에 0°~360°의 범위를 가져야 한다.

라. 반사체의 노치 또는 균열 길이는 최소 1인치 이상이어야 한다.

[해설] – 교정시험편은 시험할 제품과 동일한 공칭직격과 두께 및 동일한 공칭성분과 열처리조건의 것이어야 한다. 공정반사체는 교정시험편의 내외면상의 축방향의 노치 또는 홈으로 하고, 교정반사체의 내외면상의 축방향의 노치 또는 홈으로 하고, 길이는 1in 이하, 폭 1/6in.를 넘지 않는 것으로 하고, 깊이는 0.004in. 도는 공칭살두께의 5% 이하이어야 한다. 교정시험편은 시험할 제품으로 해도 된다.
– 교정시험편은 시험 장치를 이용하여 시험할 제품을 시험할 수 있도록 충분한 길이를 가져야 한다. 하나 이상의 교정반사체가 교정시험편에 위치한 경우, 서로 간섭 또는 증폭 없이 각 반사체로부터의 지시가 분리되어 구별 가능하도록, 반사체를 배치하여야 한다.

56_ 인터넷에서 주로 사용되는 프로토콜의 이름으로 OSI 7계층 중 계층4와 계층3에 해당되는 프로토콜을 사용하는 통신 프로토콜은?

가. TCP/IP

나. X.25

다. RS-232C

라. ISO/IP

해답 54. 다 55. 나 56. 가

57_ 다음 내용은 무엇에 대한 설명인가?

> - 인터넷에 접속된 컴퓨터의 주소이다.
> - 0~255사이의 정수 4개로 구성된다.

가. 도메인 이름   나. DNS
다. LAN   라. IP Address

58_ 사용자가 internet.abc.ac.kr과 같은 주소로 입력한 주소를 원래의 주소 210.110.224.114 로 바꿔주는 역할을 하는 서버를 무엇이라 하는가?

가. Proxy 서버   나. SMTP 서버
다. DNS 서버   라. Web 서버

59_ 인터넷에 관한 설명으로 옳지 않은 것은?

가. 클라이언트/서버 시스템으로 동작한다.
나. 도메인 이름은 대문자와 소문자를 구별한다.
다. FTP 서버 등 다양한 종류의 서버가 운영되고 있다.
라. TCP/IP 프로토콜에 의해 연결되어 있는 네트웍이다.

60_ 컴퓨터 프로그램을 제어프로그램과 서비스프로그램으로 분류할 때 다음 중 제어프로그램 이 아닌 것은?

가. 감시 프로그램   나. 자료관리 프로그램
다. 작업관리 프로그램   라. 링키지 에디터 프로그램

해답   57. 라   58. 다   59. 나   60. 라

2007년 1회 초음파(UT)탐상검사 산업기사

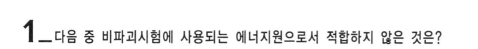

제1과목 초음파탐상시험원리

1__ 다음 중 비파괴시험에 사용되는 에너지원으로서 적합하지 않은 것은?

가. 알파선   나. 마이크로 파

다. X선   라. 중성자선

2__ 초음파탐상을 적용한 기술 중 횡파를 이용한 기술이 아닌 것은?

가. 수중에서 초음파를 이용한 잠수함 탐지기술

나. 강재 용접부의 결함탐상 기술

다. 피검체의 물리적 특성(구조, 입자) 및 탄성률 측정

라. 두 물질 간의 접합(Bond)상태

[해설] 횡파는 고체에서만 진행이 가능하다.

3__ 수침법에서 초음파가 14°의 각도로 강재에 전달되었다면 강재 내에서 횡파의 굴절각은? (단, 강재 내 횡파속도 = 3.2×10^5cm/s, 물속에서의 종파속도 = 1.5×10^5cm/s)

가. 45°   나. 31°

다. 23°   라. 13°

[해설] 스넬의법칙-V1/sinα = V2/sin β

해답   1. 가   2. 가   3. 나

4_ 다음 자분탐상시험의 자화 방법 중 선형 자화법을 이용한 것은?

가. 코일법 　　　　　　　　　　　　나. 축통전법

다. 직각통전법 　　　　　　　　　　라. 프로드법

[해설] 원형자화법 - P, EA, ER, B이고 선형자화법 - C, M이다.

5_ 고체와 액체의 계면에 고체에서 액체로 횡파가 입사할 때 다음 중 발생할 수 없는 파의 종류는?

가. 굴절된 종파 　　　　　　　　　　나. 굴절된 횡파

다. 반사된 횡파 　　　　　　　　　　라. 반사된 종파

[해설] 종파는 고체, 액체, 기체에서 진행이 가능하고, 횡파는 고체에서만 진행하며 초음파가 경사지게 입사하면 굴
절파와 반사파가 생기고 그 량은 음향임피던스에 의해 결정된다.

6_ 일반적으로 횡파는 동일 주파수와 재질에서 종파보다 미소 결함검출에 더 유리하다. 그 이유는?

가. 횡파의 파장이 종파의 파장보다 짧으므로

나. 횡파의 파장이 종파의 파장보다 더 기므로

다. 횡파는 검사체에서 쉽게 분산되지 않으므로

라. 횡파에 대한 입자진동의 방향이 불연속에 더 민감하므로

[해설] 결함을 구할 수 있는 크기는 파장의 1/10정도이며, 파장이 짧을수록 미세결함을 찾기가 쉽다.

7_ 다음 중 와전류탐상시험을 할 때 침투깊이와 관련이 없는 인자는?

가. 주파수

나. 투자율(magnetic permeability)

다. 전기 전도도(volume electrical conductivity)

라. 공명 계수(resonance factor)

[해설] 침투깊이(δ) = $1/\sqrt{(\pi f \mu \sigma)}$이다.

[해답]　4. 가　5. 나　6. 가　7. 라

8_ 비파괴시험에서 결함을 검출하는 목적을 가장 적합하게 설명한 것은?

　가. 비파괴시험을 실시하는 시험 대상물의 제작비용을 명확하게 하기 위함이다.
　나. 시험부에 생기는 스트레인을 알기 위함이다.
　다. 시험대상에 따라서 결함의 허용한도를 명확하게 하기 위함이다.
　라. 결함을 확실하게 검출할 수 있는 제조 방법을 선정하기 위함이다.

　[해설] 비파괴시험의 목적은 제조기술의 개량, 제조원가의 절감, 신뢰성 향상이다.

9_ 시험재의 결정 입자가 클 때 다음 중 가장 크게 영향을 받는 것은?

　가. 감쇠변화　　　　　　　　　나. 파형변이
　다. 진동자 수명단축　　　　　　라. 음속변화

　[해설] 결정입자의 크기는 초음파의 강도에 영향을 미친다.

10_ 다음 중 재료의 잔류응력 측정에 가장 유용한 시험법은?

　가. 형광 X선법　　　　　　　　나. X선 회절법
　다. 레이저 프로브법　　　　　　라. 이온 프로브법

　[해설] 일반적으로 금속 재료는 현미경적으로 보면 미세한 결정립이 불규칙하게 모여 있는 것이지만 충분히 풀림 처리하여 무응력 상태가 되면 각각의 결정립에서 원자는 고유한 변화를 하게 된다. 이것에 어떤 외력을 가하면 외형이 변하며 이에 따라 극히 적지만 원자 상호간의 위치도 변함으로 각각의 원자가 고유의 위치로 되돌아오려고 하는 응력을 일으킨다. 즉, 응력은 결정입자의 미소한 변형의 원인이 되기 때문에 X-선 회절법에 의하여 격자점의 변위를 측정하면 응력을 계산해내는 방법을 X-선 응력측정법이라 한다.

11_ 초음파란 어느 주파수 이상의 높은 음파를 말하는가?

　가. 20Hz　　　　　　　　　　　나. 2KHz
　다. 20KHz　　　　　　　　　　라. 20MHz

[해답]　8. 다　9. 가　10. 나　11. 다

12_알루미늄에서의 초음파 전달속도가 245000인치/s일 때 알루미늄 1인치를 통과하는데 걸리는 시간은?

가. 1/8 s

나. 4 μs

다. 4 s

라. 1/4 × 10⁴ s

[해설] 시험체의 두께/속도로 계산

13_근거리음장으로 인한 탐상의 문제를 최소화하기 위해서는 어떻게 해야 하는가?

가. 직경이 크고 파장이 짧은 진동자를 사용한다.

나. 직경이 작고 파장이 긴 진동자를 사용한다.

다. 직경이 작고 파장도 짧은 진동자를 사용한다.

라. 직경이 크고 파장도 긴 진동자를 사용한다.

[해설] 근거리음장이 짧아야 한다. 고로 근거리음장 한계거리(Xo) = $D^2/4\lambda$

14_일반적으로 경사각 탐촉자에서 굴절하여 시험체내에 전파되는 초음파의 종류는?

가. 종파

나. 횡파

다. 판파

라. 표면파

[해설] X-cut 진동자에서 종파가 발생하고, 이것을 아크릴 쐐기로 굴절시켜 횡파를 만들고, 입사각을 증가시켜 제2임계각의 표면파를 만든 후 시험체의 두께가 표면파파장의 3파장 이내이면 판파가 발생된다.

15_다음 종파에 대한 설명 중 잘못된 것은?

가. 파를 전달하는 입자의 진동방향과 파의 진행방향이 평행하다.

나. 음파의 종류 중 가장 빠르지만 액체 내에서 존재하지 않는다.

다. 동일한 주파수에서 횡파보다 파장이 길다.

라. 동일한 주파수에서 횡파보다 탐상감도가 낮다.

[해설] 횡파보다 속도가 2배로 빠르고, 고체, 액체, 기체에 존재하며 수직파, 압축파, 소밀파, L파로 불리기도 한다.

[해답] 12. 나 13. 나 14. 나 15. 나

16_ 6인치 두께의 알루미늄판에 표면으로부터 3인치 깊이에 표면과 평행하게 큰 결함이 놓여 있다면 어떤 탐상법으로 결함이 가장 잘 검출될 수 있는가?

가. 수직 탐상법

나. 판파 탐상법

다. 표면파 탐상법

라. 경사각 탐상법

[해설] 초음파는 빔의 방향과 결함의 방향이 직각일 때 결함의 검출이 가장 잘 된다.

17_ 어떤 계면에서의 음압반사율이 0.85이고, 통과된 두 번째 매질의 반대면에서 초음파가 100% 반사한다고 간주할 때 음압의 왕복 투과율은? (단, 다른 인자는 무시한다.)

가. 0.15

나. 0.28

다. 0.72

라. 0.85

[해설] 반사율$(r_{1 \to 2})$ = $(Z2-Z1)/(Z1+Z2)$, 투과율$(t_{1 \to 2})$ = $1-r$ = $2 \cdot Z1 \cdot Z2/(Z1+Z2)$, 왕복투과율$(T)$ = $1-r^2$ = $4 \cdot Z1 \cdot Z2/(Z1+Z2)^2$

18_ 보통의 경우 경사각탐촉자에 아크릴수지의 쐐기를 사용하는데 아크릴수지를 사용하는 이유가 아닌 것은?

가. 감쇠가 적으므로

나. 음향임피던스 값이 크므로

다. 가공성이 좋으므로

라. 음속이 적절하므로

[해설] 음향임피던스는 크지 않다.

19_ 경사각탐상에서 시편의 두께가 증가할 경우 스킵거리는 어떻게 되는가?

가. 감소한다.

나. 증가한다.

다. 변하지 않는다.

라. 1/2씩 감소한다.

[해설] 0.5skip 거리(S) = $t \times tan$굴절각

[해답] 16. 가 17. 나 18. 나 19. 나

20_ 다음 중 금속재료를 초음파탐상시험 할 때 가장 많이 사용하는 주파수의 범위는?

가. 1KHz ~ 25KHz
나. 1MHz ~ 5MHz

다. 1KHz ~ 1000KHz
라. 15KHz ~ 100KHz

제2과목 초음파탐상검사

21_ 어떤 기기나 장치를 표준시험편과 비교하여 교정하는 과정을 무엇이라 하는가?

가. 보완
나. 보정
다. 감쇠
라. 각도변형

22_ 초음파 탐상장치에서 송신펄스 위치는 영점에서 나타나며, 구간 당 거리가 10mm인 상태를 구간 당 거리 20mm로 조정하고 싶다면 어느 것을 조정해야 하는가?

가. 소인지연(Sweep delay) 조정
나. 스위프 길이(Sweep length) 조정
다. 측정범위 조정
라. 탐촉자의 종류

[해설] → 측정 범위 손잡이(Sweep length) : 거친 조정 손잡이라고 하며 화면에 나타낼 수 있는 시험체 중의 거리를 단계별로 조정한다.
→ 음속 손잡이 : 화면상의 거리 범위를 미세하게 조정하게 조정하며 미세 조정 손잡이라고 한다.
→ 소인 지연 손잡이(Sweep delay) : 거리 범위를 변화시키지 않고 화면 전체를 좌우로 이동시키는 손잡이라고 한다.

23_ 초음파 빔의 거리가 증가함에 따라 동일한 크기의 결함에 대해 동일 에코높이를 갖도록 전기적으로 보정하는 것은 무엇인가?

가. 게이트 회로
나. DAC회로
다. 리젝션
라. 동기부(timer회로)

[해설] DAC회로는 거리 진폭 보상회로(Distance Amplitude Conpen Sation)라 하며 동일크기의 결함에 대해서 거리에 관계없이 동일한 에코높이를 갖도록 전기적으로 보정하는 회로이다.

[해답] 20. 나 21. 나 22. 나 23. 나

24_ 펄스 반사식 검사장비에서 필터나 리젝션을 부착하는데 이의 목적 또는 효과에 대한 설명이 틀린 것은?

가. 리젝션의 목적은 임상에코 같은 것을 억제하기 위한 것이다.
나. 리젝션의 사용시 장치의 증폭직선성이 나빠지므로 주의해야 한다.
다. 필터는 파형을 평활하게 하기 위한 것이다.
라. 필터를 사용하면 장치의 증폭직선성이 나빠지므로 주의해야 한다.

[해설] 1. Rejection은 임상 에코 등 잡음 에코를 식별하며 증폭 직선성이 없어지므로 주의한다.
   → 아나로그 방식 : 탐상도형 전체를 화면 밑으로 끌어내리는 것을 말하고 에코높이가 부정확해지고 높이가 낮아진다.
   → 디지털 방식 : 기준을 설정하고 그 보다 낮은 에코들은 제거하고 에코높이가 부정확해지는 단점을 보완했다.
   2. Filter는 파형을 평활하게 하며 동일 종 실험재 다량 검사에 편리하지만 분해능이 나빠진다.

25_ 시험체의 양면에 각각 별개의 탐촉자를 사용하여 검사하는 방법은?

가. 접촉법
나. 투과법
다. 판파법
라. 표면파법

[해설] 2탐촉자법에 해당된다.

26_ 경사각 탐촉자의 진동자로부터 입사각 15°로 종파가 강재로 입사하였다. 진동자 표면은 플라스틱이고, 접촉 매질은 글리세린을 사용하였다면 강재 내에서의 종파 굴절각은 약 몇 도인가? (단, 종파속도는 강재 : 5900㎧, 플라스틱 : 2700㎧, 글리세린 : 1900㎧이다.)

가. 21°
나. 35°
다. 45°
라. 50°

[해설] 스넬의 법칙-V1/sin α = V2/sinβ , β = sin-1{(V2/V1)×sinα}

[해답]   24. 라   25. 나   26. 나

27_시험체의 두께 방향으로 결함의 모양을 단면상으로 표현하는 초음파탐상 방법을 무엇이라 하는가?

가. A-스캔　　　　　　　　　　　나. B-스캔

다. C-스캔　　　　　　　　　　　라. MA-스캔

[해설] *A-scope : 시간과 증폭과의 비를 나타내는 표시 방법으로 음극선관상에 나타나는 파를 사용하여 결함의 존재를 알 수 있다. 또한 재료의 불 연속부 깊이와 대략의 크기를 알 수 있다.
*MA-scope 방식은 바로 직전의 화면 상태를 그대로 유지하면서 지금의 화면 상태를 모두 보여준다(memory기능). 반사파의 형태, 즉 파형만을 보여주므로 재현성이 부족하고 초보인 경우 결함의 크기 모양, 위치 등을 파악하기가 어렵다.
*B-scope : 의학적으로 초음파를 적용하는데 쓰인다. 물체의 표면과 화면 그리고 결함의 반사파가 나타나며 일반적으로 음극선관 화면상에 나타내거나 기록기에 의하여 종이에 기록한다. 단면 표시법으로 시험체의 단면을 보여준다(병원의 초음파 진단시 사용함). 화면의 시간축이 반사원의 탐상면으로부터의 위치, 즉 깊이가 된다.
*C-scope : X-ray사진과 비슷하게 나타나는 평면 표시 방법이다. 물체의 내부를 평면으로 투영하기 때문에 불연속부가 존재하면 윤곽이 나타나게 된다. 표면 및 후면의 반사파가 사용되지 않고 단지 불연속부로부터의 반사파만 사용된다. 결함에서 반사 에코(reflection echo) 검출에 따라 결함의 위치를 평면도상에 나타내 준다. 결함의 탐상 면상에서의 위치와 대략적인 형태만을 보여주며 결함의 깊이와 반사면 뒤쪽의 상황은 알 수 없다.

28_알루미늄 시험편에 수직 수침탐상시험을 할 때, 표면에코로부터 6.4㎲ 뒤에 에코가 관측되었다. 이 신호는 표면으로부터 얼마나 깊은 곳에 있는 결함인가? (단, 물에서의 종파속도 1500%, 알루미늄에서의 종파속도 6300%, 알루미늄에서의 횡파속도 3100%이며, 계산에서 ㎜ 이하는 삭제한다.)

가. 10㎜　　　　　　　　　　　나. 20㎜

다. 30㎜　　　　　　　　　　　라. 40㎜

[해설] 시험체의 종파의 음속×시험체에서의 파의 진행시간÷2 = 20

29_초음파탐상검사시 CRT의 수평축에서 결함에코만을 나타내기 위해 설정하는 것은?

가. DAC회로　　　　　　　　　　나. 리젝션

다. 게인(gain)　　　　　　　　　라. 게이트

[해설] Gate 회로는 결함 에코만을 나타내기 위해 게이트(Gate)를 사용한다.

[해답]　27. 나　28. 나　29. 라

30_다음 중 접촉매질이 갖추어야 할 성질이 아닌 것은?

가. 탐촉자와 탐상면을 잘 접촉시켜야 하고 이들 사이의 공기를 제거할 수 있어야 한다.

나. 탐상면을 부식시키지 않아야 하고 독성이 없어야 한다.

다. 넓게 퍼져야 하므로 점도와 표면장력은 낮을수록 좋다.

라. 점성이 높아 주변으로 탐촉자가 이동하는 것을 막을 수 있어야 한다.

[해설] 접촉매질의 최우선 목적 : 탐촉자와 시험편 표면 사이의 공기를 제거해준다. 불균일한 표면을 평평하게 하는 것을 말한다.
*접촉매질이 갖추어야 할 사항-동질이며 고체입자 또는 기포 등이 없어야 한다. 쉽게 적용할 수 있고 쉽게 제거되어야 한다. 점성이 있어야 한다. 시험편 표면 및 탐촉자에 해가 없어야 한다. 적용 두께가 얇을수록 좋다. 탐상 물체와 임피던스 차가 작아야 한다.

31_두께 2인치의 알루미늄 시험편을 수침법으로 검사하는 개략적인 다음 그림에서 스크린에 나타난 지시차가 아래 그림과 같을 때 지시 A와 B 사이의 거리는?

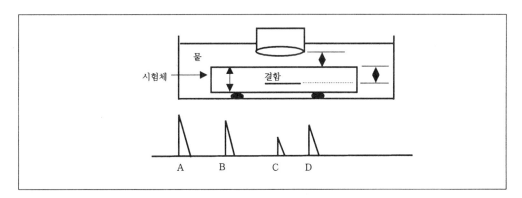

가. 시험편 전면에서 불연속 사이의 거리

나. 시험편 전면에서 저면 사이의 거리

다. 탐촉자에서 시험편 저면 사이의 거리

라. 탐촉자에서 시험편 전면 사이의 물거리

[해답] 30. 라 31. 라

32_ 다음 중 경사각탐상시의 탐상감도 조정에 사용할 수 없는 시험편은?

가. IIW

나. STB-A3

다. STB-G-V5

라. RB-A6

[해설] STB-G형 시험편과 STB-N1시험편은 각각 두꺼운 시험체와 얇은 시험체의 수직탐상용 감도 조정 시험편이다.

33_ 수직 탐상법에 대한 다음 설명 중 옳은 것은?

가. 일반적으로 주파수가 낮은 경우 표면에 가까운 결함의 탐상에 유리하다.

나. 초음파 감쇠가 큰 경우 낮은 주파수를 선택한다.

다. 감쇠가 큰 경우 낮은 주파수 사용은 결함의 경사부에 큰 영향을 받는다.

라. 탐상면이 거친 경우 높은 주파수 쪽이 시험기에 적합하다.

[해설]

주파수 \ 분류	빔의 퍼짐	분해능	감도	침투력
고주파수	작다	증가	좋다	얕다
저주파수	크다	감소	나쁘다	깊다

34_ 일반적인 주조품을 초음파탐상검사 할 때의 특징을 설명한 것이다. 틀린 것은?

가. 산란과 감쇠가 커지므로 신호대 잡음비를 높여야 한다.

나. 표면거칠기로 인하여 감도가 떨어진다.

다. 형상이 여러 가지이므로 수직탐상이 어렵다.

라. 입자가 조대하므로 낮은 주파수를 사용한다.

[해설] SN비가 작을수록 산란이 크다고 할 수 있으며 산란감쇠가 크다는 것은 파장이 짧고, 주파수가 높고, 결정립이 크다는 것을 의미한다.

해답 32. 다 33. 나 34. 가

35_탐촉자의 진동자 크기보다 작은 기공과 라미네이션이 같은 위치, 같은 크기로 존재한다면 일반적으로 스크린상의 에코 높이는 어떠한가? (단, 음파는 결함에 수직방향으로 입사된다.)

가. 기공의 에코가 라미네이션 에코보다 높다.

나. 라미네이션 에코가 기공에코보다 높다.

다. 기공 에코와 라미네이션 에코는 같다.

라. 사용한 주파수에 따라 틀리다.

[해설] 초음파 빔과 수직을 이루며 면상의 결함일 경우 반사가 많아져 결함에코의 높이가 높아진다.

36_용접부탐상시 초음파 탐촉자의 주파수를 선정할 때 옳은 설명은?

가. 표면거칠기가 클 때는 높은 주파수

나. 시험체의 결정립이 클 때는 높은 주파수

다. 분해능을 높이기 위해서는 높은 주파수

라. 탐상속도를 높이기 위해서는 높은 주파수의 작은 탐촉자

[해설] 문제 33번 참조

37_어떤 강재를 주파수 5㎒로 수직탐상 중 감쇠가 심해 탐촉자를 2.25㎒로 바꾸어 탐상하였다. 이 경우 음속 및 파장은 어떻게 되는가?

가. 파장은 변화하지 않고 음속은 늦어진다.

나. 파장은 길어지나 음속은 변하지 않는다.

다. 파장은 변화하지 않고 음속은 빨라진다.

라. 파장은 짧아지나 음속은 변하지 않는다.

[해설] 음속은 재질의 밀도와 탄성에 의해 좌우된다.

해답　35. 나　36. 다　37. 나

38_ 단조품의 초음파 탐상검사의 시험편 방식에 비교한 저면 에코 방식의 특징은?

　　가. 검사결과의 상호비교
　　나. 탐상면의 거칠기에 대한 수정조작 불필요
　　다. 탐상면의 곡률 영향이 있다.
　　라. 얻어지는 저면에코는 최소 B_2까지는 되어야 한다.

　　[해설] – 저면 에코 방식 : 시험체 건전부의 저면에코를 일정 높이가 되도록 조종하는 방법이다.
　　　　　　장점 : 표면거칠기, 곡률, 감쇠차의 보정이 불필요하다.
　　　　　　단점 : 저면이 평행이 아니거나 불규칙 할 경우와 에코의 변화, 감쇠가 큰 재질에서 근거리 음장에 대한 과
　　　　　　대평가이기 때문에 이것을 보완하는 것은 에코 높이보정이다.
　　　　　– 시험편 방식 : 어떤 표준시험편의 인공결함을 이용하여 에코높이를 일정 높이로 조정하는 방식이다. 시험편
　　　　　과 시험체 사이에 재질이나 표면 거칠기가 많이 차이 날 경우 보정이 필요하다.

39_ 용접부의 탐상시 결함의 크기 측정에 직접적인 영향을 미치는 인자가 아닌 것은?

　　가. 탐촉자의 분산각
　　나. 탐촉자의 분해능
　　다. 시험체의 표면조건
　　라. 탐촉자의 입사점 위치

　　[해설] 결함의 크기는 파장의 크기에 관계되며 시험체의 표면조건도 중요한 요인이 된다.

40_ 펄스반사법에서 초음파빔에 대한 검사체의 영향에 미치는 변수가 아닌 것은?

　　가. 표면거칠기
　　나. 시험체 내의 파형변화
　　다. 초음파 음장
　　라. 결함의 방향과 깊이

　　[해설] 초음파의 음장은 근거리 음장과 원거리 음장으로 나뉘며 근거리 음장에는 불감대가 속해 있다.

해답　38. 나　39. 라　40. 다

제3과목 초음파탐상관련 규격 및 컴퓨터 활용

41_ 초음파 탐촉자의 성능 측정방법(KS B 0535)에서 측정 항목을 모든 탐촉자에 대한 "공통의 측정항목"과 "개별측정항목"으로 구분할 때 다음 중 공통 측정항목에 해당되는 것이 아닌 것은?

가. 시험 주파수　　　　　　　　　　나. 전기 임피던스
다. 송신 펄스 폭　　　　　　　　　　라. 진동자의 유효 치수

[해설] 시험 주파수, 전기 임피던스, 진동자의 유효치수, 시간 응답 특성, 중심 감도 프로덕트 및 대역폭이 공통 측정 항목이다.

42_ 강 용접부의 초음파탐상 시험방법(KS B 0896)에서 대비 시험편 RB-4에 대한 설명으로 틀린 것은?

가. 시험체의 두께에 따라 대비시험편의 두께가 정해진다.
나. 시험체 두께(T)가 25mm 이하일 경우를 제외하고는 표준구멍의 위치는 T/4위치에 뚫는다.
다. 표준구멍의 지름은 시험편의 두께에 관계없이 일정하다.
라. 필요한 경우 규정 외로 표준구멍을 추가할 수 있다.

[해설] 표준구멍의 지름은 시험편의 두께에 따라 달라진다.

43_ 강 용접부의 초음파탐상 시험방법(KS B 0896)에 따라 60°인 경사각탐촉자의 공칭 굴절각과 STB굴절각과의 차이는 상온에서 몇 도의 범위 내로 하여야 하는가?

가. ±0.5°　　　　　　　　　　　　나. ±1.0°
다. ±2.0°　　　　　　　　　　　　라. ±4.0°

[해설] 공칭굴절각은 35°, 45°, 60°, 65° 또는 70°로 하고 STB 굴절각과의 차이는 상온(10~30℃)에서 ±2°의 범위 내로한다. 다만, 공칭굴절각이 35°의 경우는 0~+4°의 범위내로 한다.

해답　41. 다　42. 다　43. 다

44_초음파 탐촉자의 성능 측정방법(KS B 0535)에 규정된 다음의 탐촉자 기호에 대한 올바른 해석은?

> "N5 Z 10×10 A45"

가. 보통의 주파수 대역으로 공치주파수가 5㎒, 지르콘 티탄산납계 자기 진동자의 높이×폭이 10×10㎜인 굴절각 45°인 경사각용 탐촉자

나. 보통의 주파수 대역으로 공칭주파수가 5㎒, 황산리튬 진동자의 높이×폭이 10×10㎜ 인 굴절각 45°인 경사각용 탐촉자

다. 넓은 주파수 대역으로 공칭주파수가 5㎒, 수정 진동자의 높이×폭이 10×10㎜ 인 가변각 45°인 경사각용 탐촉자

라. 넓은 주파수 대역으로 공칭주파수가 5㎒, 수정 진동자의 높이×폭이 10×10㎜ 인 굴절각 45°인 경사각용 탐촉자

[해설] 탐촉자 표시방법

표시순서	내용	기호
1	대역폭	보통 : N(생략가능) 광대역 : B
2	주파수	수치그대로(MHz)
3	진동자재질	수정 : Q 지르콘티탄산납 : Z 압전자기 : C 압전소자 : M
4	진동자 치수	원형 : 직경으로(mm) 각형 : 높이×나비(mm)
5	형식	수직 : N 사각 : A 종파사각 : LA 표면파 : S 가변각 : VA 수침 : I 타이어 : W 이진동자 : D 두께계측용 : T
6	굴절각	강재 중에서의 굴절각으로 표시°, 알루미늄의 경우 굴절각 뒤에 AL첨가
7	집속 범위	F를 기입 후 그 범위 기록(mm)

45_강 용접부의 초음파탐상 시험방법(KS B 0896)에서 요구하는 탐상기의 성능 점검 항목 중 장치 구입시 및 12개월 이내마다 성능이 유지되고 있음을 점검하여 꼭 확인해야 할 대상이 아닌 것은?

가. 감도 여유값   나. 증폭 직선성

다. 시간축의 직선성   라. 전원전압의 변동에 대한 안정도

[해설] 증폭 직선성-±3%, 시간축의 직선성-±1%, 감도여유값-40dB 이상이고 장치구입시 및 12개월마다 성능 측정을 하여야 한다.

해답   **44.** 가   **45.** 라

46_ 강용접부의 초음파탐상 시험방법(KS B 0896)으로 용접부를 탐상할 때 경사각 탐촉자의 공칭주파수에 따른 진동자의 공칭 치수가 틀린 것은?

가. 2㎒, 10×10㎜   나. 2㎒, 14×14㎜

다. 5㎒, 10×10㎜   라. 5㎒, 20×20㎜

47_ 강용접부의 초음파탐상 시험방법(KS B0896)에서 경사각 탐촉자 2Q10×10A70의 불감대 허용한계는?

가. 10㎜ 이하   나. 15㎜ 이하

다. 25㎜ 이하   라. 35㎜ 이하

[해설] 불감대 25㎜인 것(2㎒에 10×10과 14×14), 불감대 15㎜인 것(5㎒에 10×10과 14×14, 2㎒에 20×20)이 있다.

48_ 초음파탐상 시험용 표준시험편(KS B 0831)에서 다음 검정 장치류 중 G형 표준시험편의 탐촉자 진동자 치수로 사용되지 않은 것은?

가. ∅28㎜   나. ∅20㎜

다. ∅18㎜   라. ∅14㎜

[해설] 2㎒에 ∅28, 5㎒에 ∅20, 10㎒에 ∅20 또는 ∅14가 사용된다.

49_ 보일러 및 압력용기에 대한 용접부의 초음파탐상시험(ASME Sec. V Art. 4)에서 탐촉자를 주사할 때 중복주사 범위를 규정하고 있다. 중복 범위를 계산하는 기준은?

가. 초음파 빔의 폭   나. 탐촉자의 외경

다. 진동자의 크기   라. 사용하는 쐐기의 크기

50_ 금속재료의 펄스반사법에 따른 초음파 탐상 시험방법 통칙(KS B 0817)에서 주사범위를 결정할 때 고려대상에 포함되지 않은 것은?

가. 흠집의 생성시기   나. 흠집의 종류

다. 흠집의 방향   라. 흠집의 크기

해답 46. 라 47. 다 48. 다 49. 다 50. 가

51__보일러 및 압력용기에 대한 용접부의 초음파탐상시험(ASME Sec.V Art. 4)에서 규정할 수 있는 탐촉자의 이동 속도로 옳은 것은?

　가. 펄스 반복율이 최대 주사속도에서 주사방향에 평행하게 진동자 치수의 $1\frac{1}{2}$만큼 이동에 필요한 시간에서 탐촉자는 적어도 1번의 펄스를 발생시킬 수 있을 때

　나. 펄스 반복율이 최대 주사속도에서 주사방향에 수직하게 진동자 치수의 $\frac{1}{2}$만큼 이동에 필요한 시간에서 탐촉자는 적어도 2번의 펄스를 발생시킬 수 있을 때

　다. 펄스 반복율이 최대 주사속도에서 주사방향에 수직하게 진동자 치수의 $\frac{1}{2}$만큼 이동에 필요한 시간에서 탐촉자는 적어도 4번의 펄스를 발생시킬 수 있을 때

　라. 펄스 반복율이 최대 주사속도에서 주사방향에 평행하게 진동자 치수의 $1\frac{1}{2}$만큼 이동에 필요한 시간에서 탐촉자는 적어도 6번의 펄스를 발생시킬 수 있을 때

[해설] 초음파탐상장치의 펄스 반복율은 최대주사속도에서 주사 방향과 평행하게 진동자 치수의 $\frac{1}{2}$을 이동하는 데 필요한 시간 내에 탐촉자가 최소한 6번의 펄스를 발생하기에 충분해야 한다.

52__보일러 및 압력용기에 대한 용접부의 초음파탐상시험(ASME Sec.V Art. 4)에서 용접부 두께가 25㎜ 미만인 경우 비배관용 대비시험편의 대비 Hole의 지름 크기는?

　가. 1.2㎜　　　　　　　　　　나. 2.4㎜
　다. 3.2㎜　　　　　　　　　　라. 4.8㎜

[해설] 평판형 교정시험편 치수

용접부두께, t	기본교정시험편 두께, T	구멍지름
25mm 이하	19mm 또는 t	2.4mm
25mm 초과 51mm 이하	38mm 또는 t	3.2mm
51mm 초과 102mm 이하	76mm 또는 t	4.8mm
102mm 초과	t±25mm	**

53__강용접부의 초음파탐상 시험방법(KS B 0896)에 따라 곡률반지름 150㎜ 이하의 원둘레 이음부를 경사각 탐상하고자 한다. 이때 사용되는 대비시험편(RB-A6)의 곡률반지름과 그 살두께의 범위가 맞는 것은?

　가. 시험체 곡률반지름의 0.5배 이상 1.5배 이내
　나. 시험체 곡률반지름의 1.0배 이상 1.8배 이내
　다. 시험체 살두께의 0.5배 이상 1.5배 이내
　라. 시험체 살두께의 2/3배 이상 1.5배 이내

해답　51. 라　52. 나　53. 라

54_ 보일러 및 압력용기에 대한 용접부의 초음파탐상시험(ASME Sec. V Art. 4)에서 검사표면 곡률 직경이 20인치를 초과하는 용접부의 대비시험편에 관한 설명이 옳은 것은?

가. 동일한 곡률직경을 갖는 시험편이나 평활한 보정시험편으로 사용한다.

나. 동일한 곡률직경을 갖는 시험편이나 용접부의 0.9~1.5배의 곡률직경을 갖는 시험편을 사용한다.

다. 동일한 곡률직경을 갖는 시험편이나 0.94~20인치까지의 표면 곡률직경을 갖는 시험편을 사용한다.

라. 평활한 보정시험편으로 보정한 후 곡률직경이 7.2~12인치인 시험편으로 재보정하여 사용한다.

[해설] 곡률의 지름이 508mm를 초과하는 재료를 시험하는 경우, 기본적으로 동일한 곡률의 교정시험편을 사용하거나, 대안으로 편평한 기본 교정시험편을 사용해도 된다. 곡률의 지름이 508mm를 이하인 재료를 시험하는 경우 기본 교정시험편 지름의 0.9~1.5배인 곡률 시험편을 사용한다.

55_ 건축용 강판 및 평강의 초음파탐상시험에 따른 등급분류와 판정 기준(KS D 0040)에서 압연 방향으로 평행하게 주사할 경우 2진동자 수직 탐촉자에 의한 결함의 분류 표시 기호 중 "X"의 의미는?

가. 흠 에코의 높이가 DL선 이하인 것

나. 흠 에코의 높이가 DL선 초과 DM선 이하인 것

다. 흠 에코의 높이가 DM선 초과한 것

라. 흠 에코의 높이가 DH선 초과한 것

56_ 컴퓨터 제어장치의 구성요소 중 다음에 실행할 명령어의 주소를 기억하는 것은?

가. 프로그램카운터 나. 기억레지스터

다. 번지레지스터 다. 명령레지스터

57_ 웹브라우저 프로그램에서 자주 방문하는 URL을 목록으로 모아서 관리하는 메뉴는?

가. Find 나. URL Info

다. URL List 라. Bookmark

해답 54. 가 55. 다 56. 가 57. 라

58_ 다음 중 인터넷 검색엔진의 종류가 아닌 것은?

가. Yahoo   나. Altavista
다. Naver   라. MIME

59_ 인터넷에서 하이퍼텍스트 문서를 주고받기 위한 프로토콜은?

가. FTP   나. Telnet
다. HTTP   라. Explore

60_ 인터넷에서 사용하는 대표적인 스크립트 언어로서 웹과 데이터베이스를 연결하는 언어는?

가. Lisp   나. PL/1
다. PHP   라. Ada

해답   58. 라   59. 다   60. 다

2007년 3회 초음파(UT)탐상검사 산업기사

제1과목 초음파탐상시험원리

1__ 자분탐상시험법에 대한 설명으로 틀린 것은?

가. 모든 재료에 적용할 수 있다.

나. 철강재료가 자화되면 결함으로 인해 누설자속이 생긴다.

다. 결함과 자속의 방향이 평행에 가까울수록 누설자속이 작아진다.

라. 자화전류로 교류를 사용하면 표피효과에 의해 표면결함 검출에 유리하다.

[해설] 자분탐상검사에 사용이 가능한 재질은 강자성 성질을 갖는 재질이다.

2__ X선의 초점을 중심으로 하여 X선의 방출시 모든 방향으로 동일한 강도가 안 나오는 경우가 있다. 이를 무슨 효과라고 하는가?

가. 스크린(screen)효과

나. 힐(heel)효과

다. 위험각도(angle of emergence)효과

라. 난시(astigmatism)효과

3__ 재료마다 고유 음향임피던스가 존재한다. 음향임피던스 값은 재료의 밀도와 재료 내에서의 파의 속도를 곱한 값과 같다. 음파가 물에서 알루미늄 합금으로 수직하게 입사할 경우 음의 에너지 반사율은 약 몇 %인가? (단, 물의 음향임피던스 : 0.149g/㎠·㎲, 알루미늄합금의 음향임피던스 : 1.72g/㎠·㎲이다.) 다

가. 11.5%

나. 29.4%

다. 70.6%

라. 88.6%

[해설] 반사율(r) = {알루미늄합금의 음향임피던스(Z2)−물의 음향임피던스(Z1)}/{알루미늄합금의 음향임피던스(Z2)+물의 음향임피던스(Z1)}×100으로 푼다.

[해답] 1. 가 2. 나 3. 다

4_ 매질 내에서 입자의 운동이 파의 진행방향과 평행일 때 송신되는 파를 무엇이라고 하는가?

가. 종파 　　　　　　　　　　　　　나. 횡파
다. 판파 　　　　　　　　　　　　　라. 표면파

5_ 감쇠량(dB)의 차이가 −14dB이었다면 신호크기(Amplitude)의 비는 약 얼마인가?

가. 0.2 　　　　　　　　　　　　　나. 0.5
다. 0.8 　　　　　　　　　　　　　라. 1

[해설] dB = 20log(에코높이의 비)

6_ 종파가 아크릴에서 철강재로 결사 입사할 때 종파의 임계각은 약 얼마인가? (단, 아크릴에서 종파속도는 2600㎧이고, 철강재에서 종파속도는 6000㎧이다.)

가. 26도 　　　　　　　　　　　　　나. 36도
다. 46도 　　　　　　　　　　　　　라. 52도

[해설] 스넬의 법칙을 이용한다.

7_ 수침법에서 탐촉자의 근거리음장 효과를 없애려면 어떻게 하여야 하는가?

가. 탐촉자 크기가 큰 것을 사용한다. 　　나. 탐촉자 주파수를 증가시킨다.
다. 적절한 물거리를 사용한다. 　　　　라. 초점 탐촉자를 사용한다.

[해설] 근거리 음장을 줄일 수 있는 방법은 수침법을 쓰거나, 쐐기사용 등 초음파를 시험체 표면으로 입사 시까지의 거리를 늘려주는 방법을 사용한다. 하지만 음파의 감쇠는 생각해야 한다.

8_ 다음 중 초음파탐상시험에서 불감대에 영향을 미치는 인자가 아닌 것은?

가. 펄스 반복 주파수 　　　　　　　　나. 검사 주파수
다. 펄스 길이 　　　　　　　　　　　라. 피검체에서의 음속

[해설] 불감대는 근거리음장과 관련이 있다.

해답 　4. 가　5. 가　6. 가　7. 다　8. 가

9_ 용접부의 텐덤탐상에 대한 다음 설명 중 옳은 것은?

가. 텐덤법은 2개의 탐촉자를 사용하므로 1탐촉자법에서와 같은 탐상불능 영역은 없다.
나. 텐덤법은 후판의 루트 용입부족의 검출에 적합하다.
다. 텐덤법은 개선 융합부족의 검출에 적합하다.
라. 텐덤법은 판두께가 두꺼울수록 굴절각을 크게 하면 결함 검출능은 높아진다.

[해설] 탐상면에 수직인 평면상 결함의 검출에 이용된다.

10_ 적산효과(superimpose effect)에 대한 설명으로 옳은 것은?

가. 재료내에서 종파가 횡파로 변환한 초음파에 의해 생긴 것이다.
나. 수직탐상 시 저면에코 보다 뒤에 나타난 결함에코가 누적되어 크게 나타나는 현상이다.
다. 적산효과가 나타났을 때 결함의 평가는 결함에코간의 진폭을 비교하여 평가한다.
라. 적산효과는 잔류 에코의 일종으로 고려된다.

[해설] 작은결함이 내재된 강판을 수직탐상시 B1보다 뒤에 나타난 F가 경로는 같으나 전달 순서가 다른 2개 이상의 초음파로 인하여 에코가 누적되어 F1보다 커지는 현상이다.

11_ 초음파탐상기를 이용하여 두께측정을 할 때 초기조정에 필요한 것이 아닌 것은?

가. 영점 조정   나. 시간축 조정
다. 게인 조정   라. 펄스폭 조정

[해설] GAIN 조정기는 에코의 증가 또는 감쇠의 역할을 한다.

12_ 주파수 2.25㎒, 진동자의 직경 10㎜의 탐촉자로 강재를 검사할 때 초음파 빔의 분산각은 약 얼마인가? (단 강재의 음속은 5900㎧이다.)

가. 12.66도   나. 14.76도
다. 16.76도   라. 18.66도

[해설] 빔 분산각(∅) = 70×음속(V)/{주파수(F)×진동자의 직경(D)}

[해답] 9. 다 10. 나 11. 다 12. 라

13_음향 이방성이 있는 재료를 초음파탐상 할 때의 설명으로 틀린 것은?

가. 강재 중에서 초음파의 음속이나 감쇠 등의 초음파전파특성이 탐상방향에 따라 다른 재료를 음향이방성을 갖는 재료라 부른다.

나. 압연강판과 같이 주 압연방향(L방향)과 이것에 직각인 방향(C방향)사이에 초음파 전파특성이 현저히 다른 재료에는 음향 이방성에 대한 점검이 필요하다.

다. 음향 이방성을 갖는 재료의 탐상에는 공칭 굴절각이 70도인 탐촉자를 사용한다.

라. 음속비의 측정에 의해 음향 이방성을 점검할 경우 음속비가 1.02를 넘을 때 음향 이방성이 있는 것으로 간주한다.

[해설] 초음파의 진행방향에 따라 초음파의 전파속도와 가른 음향 특성을 나타내는 재료의 음향특성을 **音響異方性**이라 한다.

14_수직탐상에 의한 초음파탐상시험 시 주의해야 할 내용으로 옳은 것은?

가. 고 분해능 탐촉자를 사용하면 조직이 미세한 재료의 탐상에는 임상에코가 많이 나타난다.

나. 감쇠가 심한 재료에는 낮은 주파수가 적합하다.

다. 탐상면에 가까운 결함 검출에는 직경이 크고, 낮은 주파수가 적합하다.

라. 탐상면이 거칠 때에는 높은 주파수를 선택한다.

[해설] 가. 는 조직이 클수록 임상에코가 많고, 다. 는 탐상면에 가까운 결함은 주파수가 높고 진동자의 크기가 작은 탐촉자가 좋고, 라. 는 탐상면이 거칠 때에는 주파수가 낮아야 한다.

15_다음 중 교류가 흐르는 코일을 전도체에 가까이 하면 코일 주위에 발생된 자계가 도체에 작용하여, 도체를 관통하는 자속의 변화를 방해하려는 기전력 변화를 이용한 검사방법은 무엇인가?

가. 전류관통법   나. 축통전법

다. 와류탐상검사법   라. 자분탐상코일법

[해설] 渦電流란? 교류와 같이 시간에 따라 변하는 자장 내에 있는 도체에 전자유도로 생기는 맴돌이 전류를 말하며, 이것은 도체 내에서 Jule 열을 발생하면서 전류의 손실을 일으킨다.

해답 13. 다 14. 나 15. 다

16_다음 중 초음파탐상 시 탐상결과에 미치는 영향이 가장 적은 것은?

가. 시험체의 표면이 거친 경우
나. 결정 입자의 크기가 큰 경우
다. 시험편의 두께가 일정한 경우
라. 시험체의 탐상 표면과 저면이 평행하지 않은 경우

17_내부결함 검출에 대한 설명으로 옳은 것은?

가. 내부결함 검출에 적합한 방법은 주로 자분탐상시험과 와전류탐상시험 등이다.
나. 직접촬영법에 의한 방사선투과시험법은 건전부와 결함부에서 굴절차로 생기는
필름상의 농도차를 이용한다.
다. 펄스반사법에 의한 초음파탐상시험은 결함에 의한 초음파의 반사현상을 이용한다.
라. 방사선투과시험은 면상시험이 주 검출 대상이다.

[해설] 가.는 UT와 RT이고, 나.는 방사선의 통과거리(시험체의 두께)에 따른 필름의 농도차이고, 라.는 방사선의 진행
방향과 평행한 결함이 잘 나타난다.

18_초음파 탐상 시 피검재의 표면 거칠기가 감도 및 분해능 저하의 원인이 된다. 이를 줄이기
위한 방법으로 옳지 않은 것은?

가. 표면을 매끄럽게 한다.
나. 탐상기의 게인을 올린다.
다. 초음파 출력이 낮은 탐촉자를 사용한다.
라. 탐촉자에 표면 보호막을 사용하여 검사체와의 접촉을 개선한다.

[해설] 표면이 거친 경우에는 거칠기를 감소시켜주거나 주파수를 낮은 탐촉자를 사용하면 된다.

19_다음 탐촉자 중 진동자의 두께가 가장 두꺼운 것은?

가. 1㎒탐촉자   나. 2.25㎒탐촉자
다. 5㎒탐촉자   라. 10㎒탐촉자

[해설] 공진이 일어나는 진동자의 두께t = V/2F이다.

해답 16. 다 17. 다 18. 다 19. 라

20_ 어떤 시험체를 대상으로 초음파탐상검사를 실시할 때, 동일한 주파수라면 횡파가 종파보다 작은 결함을 탐지하는데 유리하다. 그 이유는?

가. 횡파의 파장이 종파에 비해 짧기 때문
나. 횡파는 종파에 비해 분산각이 작기 때문
다. 횡파가 종파에 비해 감쇠가 작기 때문
라. 횡파의 음압이 종파에 비해 크기 때문

[해설] 현재까지는 λ /10의 크기까지의 결함을 구할 수 있다.

제2과목 초음파탐상검사

21_ A스캔장비의 스크린에서 저면반사파의 강도(음압)를 나타내는 것은?

가. 반사파의 폭　　　　　　　나. 반사파의 밝기
다. 반사파의 거리　　　　　　라. 반사파의 높이

[해설] 종축의 에코의 높이로 결함의 크기를 알 수 있고, 횡축의 에코의 위치는 거리를 알 수 있다.

22_ 다음 중 초음파 탐상기의 송신부의 기능은?

가. 송신의 초음파 펄스를 만든다.　　나. 송신 펄스의 증폭을 행한다.
다. 송신의 전압 펄스를 만든다.　　　라. 전기로부터 초음파를 만든다.

[해설] 송신부는 전압을 높게 하여 탐촉자로 보내는 역할을 한다.

23_ 초음파탐상검사를 원리에 의해 분류할 때, 이에 해당되지 않는 것은?

가. 펄스반사법　　　　　　　나. 투과법
다. A주사법　　　　　　　　라. 공진법

[해설] 다.는 표시방법에 의한 분류이다.

해답　20. 가　21. 라　22. 다　23. 다

24_ 초음파탐상검사 시 탐촉자의 진동자 두께와 주파수와의 관계를 옳게 설명한 것은?

가. 두께와는 전혀 무관하다.
나. 얇을수록 높은 주파수를 발생한다.
다. 두꺼울수록 높은 주파수를 발생한다.
라. 종파는 두꺼울수록, 횡파는 얇을수록 높은 주파수를 발생시킨다.

[해설] 공진이 일어나는 진동자의 두께(t) = 음속(V)/{2×주파수(F)}이다.

25_ 수침법에서 경사진 시험편을 검사할 때 시편은 어떻게 놓아야 하는가?

가. 전체에 걸쳐 수위가 일정하도록 한다.
나. 물거리가 최대가 되도록 한다.
다. 표면에서 입사각이 15도가 되도록 탐촉자를 고정시킨다.
라. 표면에서 입사각이 5도가 되도록 탐촉자를 고정시킨다.

[해설] 물거리가 일정해야만 초음파를 수직으로 입사시킬 수 있다.

26_ 다음 중 굴절각 70도에서 판두께 15㎜의 빔진행거리에 대한 설명으로 옳은 것은?

가. 1skip 빔진행거리는 약 50㎜이다.
나. 1skip 빔진행거리는 약 90㎜이다.
다. 1skip 빔진행거리는 약 100㎜이다.
라. 1skip 빔진행거리는 약 120㎜이다.

[해설] 0.5 skip 빔진행거리(W0.5) = 시험체의두께 (t)/cos 굴절각(θ)의 공식을 사용한다.

27_ 시험체 두께가 t인 강재에 대하여 전몰 수직 수침초음파탐상검사를 할 때 최소한의 물거리로 가장 적당한 것은?

가. t 이상   나. 1/2t 이상
다. 1/3t 이상   라. 1/4t 이상

[해설] 물의 음속이 강재의 음속의 약 1/4이다.

해답 24. 나 25. 가 26. 나 27. 라

28_스크린 상에 높이가 낮은 지시파가 아주 많이 나타났을 때(Hash현상) 그 원인은 대개 무엇에 의한 것인가?

　　가. 균열　　　　　　　　　　　　나. 큰 개재물
　　다. 시험편 재질의 입자가 조대　　라. 기공

　　[해설] 시험체의 입자의 크기는 초음파의 진행에 영향을 미친다.

29_단조품의 초음파탐상검사에 적용되는 저면에코방법에 대한 설명으로 옳은 것은?

　　가. 표면 거칠기의 보정이 필요하다.
　　나. 시험체 곡률의 보정이 필요하다.
　　다. 충분한 저면에코가 얻어지는 형태에서만 적용이 가능하다.
　　라. 결함의 길이 측정이 어렵다.

　　[해설] 저면에코를 이용한 방법이므로 저면에코의 높이가 중요하다.

30_관재의 탐상을 직접 탐촉법으로 수행하는 방법의 설명으로 틀린 것은?

　　가. 탐촉자 전면에 아크릴 슈를 관재의 곡면과 동일하게 가공해 부착한다.
　　나. 관지름이 200㎜가 넘는 경우에는 탐촉자를 탐촉면의 곡면에 맞출 필요가 없다.
　　다. 탐상면과 탐촉자 전면 사이의 틈에 흐르는 물로 채워 검사한다.
　　라. 탐촉자의 접촉면을 시험재 곡면에 맞춘다.

　　[해설] 500㎜가 넘는 관지름의 경우는 평판과 같은 조건으로 검사한다.

31_펄스반사식 초음파 탐상기에서 시간축을 만들어내는 부분은 어느 곳인가?

　　가. 펄스발생기　　　　　　　　　나. 소인회로
　　다. 수신기　　　　　　　　　　　라. 동기장치

　　[해설] 세로축이며 거리와 시간을 나타낸다.

　　　　　　　　　　　　　　　　　　　해답　28. 다　29. 다　30. 나　31. 나

32_종파속도가 5920㎧인 강재를 수직탐상 할 때, 빔진행거리 25㎜의 위치에서 결함A가 검출되고, 빔진행거리 50㎜의 위치에서 결함B가 검출되었다. 다음 중 설명이 옳은 것은?

가. 시험체 표면에서 결함A까지의 거리와 같다.

나. 감쇠에 의해 종파의 속도가 변화하므로 시험체 표면에서 결함 B까지의 거리는 결함A까지의 거리와 같다.

다. 시험체 표면에서 결함A까지의 거리는 시험체 표면에서 결함B까지의 거리의 1/2이다.

라. 감쇠에 의해 종파속도가 변화하기 때문에 시험체 표면에서 결함B까지의 거리는 결함A까지의 거리의 4배 이상 먼 곳에 있다.

[해설] 같은 시험체에서의 같은 음속은 변하지 않는다.

33_용접부의 경사각탐상에 관란 설명으로 옳은 것은?

가. 내부 용입불량과 측면 루트부의 용입불량은 결함의 크기가 같으면 에코높이는 거의 같게 된다.

나. 같은 탐상면에서 탐상하면 모든 용접부의 결함은 1회 반사법보다 직사법이 에코높이가 더 높게 나타난다.

다. 면상결함은 초음파가 결함에서 입사각이 변하면 에코높이는 현저하게 변화한다.

라. 용합불량은 형상이 복잡하기 때문에 에코높이는 균열 보다 매우 크게 나타난다.

[해설] 결함은 초음파빔의 진행방향과 수직을 이룰 때 가장 잘 나타난다.

34_수직탐촉자와 비교했을 때, 경사각 탐촉자 만이 갖는 특유한 성능에 해당하는 것은?

가. 감도   나. 분해능
다. 접근한계길이   라. 불감대

[해설] Approach distance-사각탐촉자의 입사점으로부터 탐촉자 밑면의 선단까지의 길이를 말하며, 용접비드에 얼마만큼 접근할 수 있는가를 표시한다.

해답 32. 다 33. 다 34. 다

35_그림과 같이 수침법으로 시험체를 검사하여 도면과 같은 탐상도형이 CRT에 나타났다. 시험체 내부결함의 반사지시는 CRT상에서 어느 것인가? e

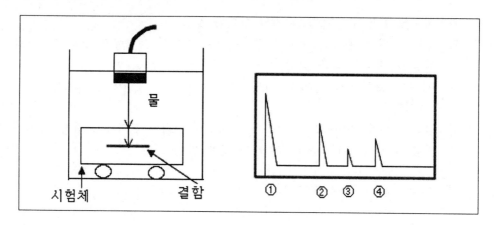

가. ①

나. ②

다. ③

라. ④

[해설] ①-T, ②-S1, ③-F, ④B1 or S2

36_거리증폭 보상(DAC) 회로의 역할은? ㄴ

가. 탐상기의 증폭 오차를 감소시키는 것이다.

나. 시험체내에서의 감쇠에 대한 보상회로이다.

다. CRT화면의 시간에 대한 보상회로이다.

라. 시험체에서의 거리와 CRT화면의 시간을 동조시키는 것이다.

37_지름이 작고 긴 봉강을 길이 방향에서 종파로 초음파 탐상검사를 할 때 1차 저면반사파와 2차 저면반사파 사이에 나타나는 간섭 파형은 무엇 때문에 일어나는가? 4

가. 잡음

나. 전기적 간섭 신호

다. 표면파

라. 파형변이

[해설] 지름이 작은 봉강의 벽에 맞은 초음파는 파형의 변화를 줄 수 있기 때문에 1차 저면반사파 이후에 발생이 될 수 있다.

해답 35. 다 36. 나 37. 라

38_경사각 탐상에 있어서 A1시험편을 이용하여 A1감도를 측정하려고 한다. 그림에서 어느 부분을 이용하는가?

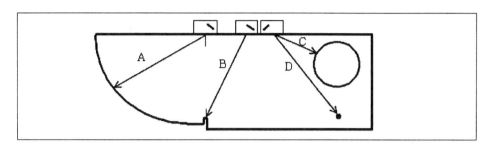

가. A
나. B
다. C
라. D

해설 사각탐촉자 자체의 감도를 표시하는 것으로 굴절각에 거의 관계없이 평가할 수 있다. STB-A1의 100R 면을 사용해서 측정한다.

39_[그림]과 다음의 [절차] 내용은 무엇에 대한 설명인가?

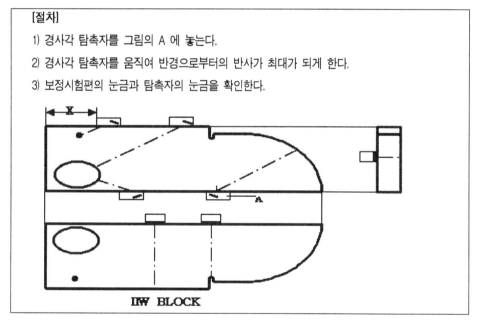

[절차]

1) 경사각 탐촉자를 그림의 A 에 놓는다.

2) 경사각 탐촉자를 움직여 반경으로부터의 반사가 최대가 되게 한다.

3) 보정시험편의 눈금과 탐촉자의 눈금을 확인한다.

IIW BLOCK

가. 굴절각 측정
나. 분해능 측정
다. 거리진폭 교정
라. 입사점 측정

해답 38. 가 39. 라

40_탐촉자의 진동자 재질중 물에 녹기 쉬워, 수침법 사용 시 방수에 주의해야 하는 것은?

가. 수정

나. 지르콘티탄산납

다. 황산리튬

라. 니오브산리튬

[해설] ① Quarts
- 장점 : 기계적 전기적 화학적으로 안정성이 우수하다. 액체에 용해되지 않는 불용성이다. 수명이 매우 길고 단단하며 내마모성이 좋다.
- 단점 : 송신효율이 여러 진동자 재질 중 가장 나쁘다. 진동 양식의 간섭을 받는다. 낮은 주파수에서 고전압에 요구된다.
② Lithium sulphate
- 장점 : 수신 효율이 가장 좋은 재질이다. 음향 임피던스가 낮아 수침용으로 적당하다. 내부 댐핑이 커 분해능 증가시킬 수 있고 수명이 길다.
- 단점 : 깨지기 쉽다. 수용성이라 수침용으로 사용 시 방수처리를 해야 한다. 165℉ (74℃) 이하에서 사용해야 하는 온도 제한이 있다.
③ Barium titanate
- 특징 : 순수 티탄산 바륨 퀴리점은 130℃ 정도이고 실제 사용 온도는 80℃ 정도에서 순수한 것은 거의 만들지 않고 Ca 가 Pb를 더 첨가하나 것이나 지르콘 티탄산 납을 쓰며 지르콘 티탄산 납은 일명 PZT라고도 하며 티탄산납과 지르콘산 납을 약 반반씩 섞은 것으로서 큐리 점이 약 350℃ 에 달해 고온용으로도 사용된다.
- 장점 : 송신 효율이 가장 좋은 재질이다. 낮은 전압에서 작동되며 습기 등의 영향이 없다.
- 단점 : 내마모성이 낮아 수명이 짧다. 약간의 진동 양식의 간섭을 받는다.
④ Lead metaniobate
- 장점 : 내부 댐핑이 높아 고분해능형 탐촉자로 적합하다.
- 단점 : 깨지기 쉬워 고주파수에는 부적당하다.
⑤ Lithium niobate;초고온용으로 1200℃에서도 압전효과. 분해능이 떨어진다.

제3과목 초음파탐상관련 규격 및 컴퓨터 활용

41_강 용접부의 초음파 탐상 시험방법(KS B 0896)에서 규정된 경사각 탐촉자의 공칭주파수와 진동자의 공칭치수가 아닌 것은?

가. 2MHz, 14×14mm

나. 2MHz, 20×20mm

다. 5MHz, 10×10mm

라. 5MHz, 20×20mm

[해설] 주파수가 5MHz의 진동자는 크기가 10×10mm와 14×14mm가 있다.

해답 40. 다 41. 라

42_초음파탐상 시험용 표준시험편(KS B 0831)에 의한 G형 표준시험편의 사용목적에 해당되지 않는 것은?

가. 탐상감도의 조정　　　　　　나. 탐상기의 종합 성능 측정
다. 수직 탐촉자의 특성 측정　　라. 경사각 탐촉자의 특성 측정

[해설] 재질은 고탄소크롬베어링강, 니켈크롬몰리브덴강(SNCM439), 후판, 극후판, 조강, 단조품등의 수직탐상 시 탐상감도 조정과 탐상장치의 성능 측정을 한다.

43_강 용접부의 초음파탐상 시험방법(KS B 0896)에 의해 적용할 수 있는 모재 두께의 하한치는 몇 ㎜인가?

가. 4　　　　　　　　　　　　나. 6
다. 8　　　　　　　　　　　　라. 10

44_강 용접부의 초음파 탐상시험방법(KS B 8096)에 따라 텐덤 탐상하는 경우 탐상장치의 조정 및 점검시기는?

가. 작업시간 4시간 이내마다　　나. 작업시간 6시간 이내마다
다. 작업시간 8시간 이내마다　　라. 작업시간 1주일 이내마다

45_강 용접부의 초음파탐상 시험방법(KS B 0896)에 따라 탐상시험 시 사용하는 경사각 탐촉자의 입사점 및 굴절각을 조정 및 점검하는 시기는?

가. 작업개시시 및 작업시간 4시간 이내마다
나. 작업개시시 및 작업시간 8시간 이내마다
다. 작업종료시 및 작업시간 10시간 이내마다
라. 작업종료시 및 작업시간 12시간 이내마다

해답　42. 라　43. 나　44. 가　45. 가

46_ 아크 용접 강관의 초음파탐상 검사방법(KS D 0252)에 규정된 자동탐상에 의한 탐상형식이 아닌 것은?

가. 갭법

나. 수침법

다. 공진법

라. 직접 접촉법

[해설] 탐상형식에는 수침법, 갭법, 직접접촉법이 있다.

47_ 초음파탐상장치의 성능 측정방법(KS B 0534)에서 분해능 시험편으로 사용하지 않는 것은?

가. RB-RA

나. RB-RB

다. RB-RC

라. RB-RE

[해설] 원거리분해능(RB-RA, RB-RB), 근거리분해능(RB-RC), 경사각탐상의 분해능(RB-RD)

48_ 강 용접부의 초음파 탐상 시험방법 (KS B 8096)에 규정된 H선과 L선의 dB차이는 얼마인가?

가. 6 dB

나. 10 dB

다. 12 dB

라. 20 dB

[해설] DAC의 구분선은 6dB의 차이를 가지고 H, M, L선이 있고, Ⅰ, Ⅱ, Ⅲ, Ⅳ영역으로 구분된다.

49_ 보일러 및 압력용기의 용접부에 대한 초음파탐상검사(ASME Sec. V, Art.4)에 따른 수동탐상시험 주사 속도(mm/s)는 특별한 규정이 없는 경우 최고 얼마로 제한하고 있는가?

가. 152

나. 304

다. 476

라. 608

해답 46. 다 47. 라 48. 다 49. 가

50_ 다음은 보일러 및 압력용기의 용접부에 대한 초음파 탐상검사 (ASME Sec. V, Art.4)에 따라 수직탐상 할 때 설정하는 거리진폭교정곡선의 절차에 대한 설명으로 틀린 것은?

가. 기본 교정시험편의 구멍에서 나오는 진폭 중 가장 높은 지점을 찾는다.

나. 가장 높은 진폭이 나오는 구멍에서 최대 응답을 주는 위치에 탐촉자를 위치시킨다.

다. 전스크린 높이의 80%가 되도록 감도를 조정한다.

라. 가장 높은 지점의 지시값과 다른 한 구멍의 최대 지시값의 1/2되는 부분을 스크린에 표시, 선으로 연결한다.

[해설] ① 최대 진폭을 나타내는 측면 드릴구멍으로부터 최대 응답을 나타내는 곳에 탐촉자를 위치시킨다.
② 지시가 전 스크린 높이의 80%(±5%)가 되도록 감도(소인조정기)를 조절한다.
③ 또 다른 측면드릴구멍으로부터 최대지시를 나타내는 곳에 탐촉자를 위치시킨다.
④ 스크린에 지시의 피크를 표시한다.
⑤ 세 번째 측면 드릴구멍으로부터 최대지시를 나타내는 곳에 탐촉자를 위치시키고, 스크린에 피크를 표시한다.

51_ 압력용기용 알루미늄 합금판에 대한 초음파탐상시험(ASME Sec. V, Art.23 SB 548)에서 검사 후 합격된 제품에는 어떤 글자의 도장을 찍는가?

가. A
나. P
다. U
라. O

[해설] 합격된 판을 식별표시하기위한 각인

52_ 뉴스그룹으로서 특정 주제에 대한 정보를 주고 받는 일종의 게시판 형식의 인터넷 서비스는?

가. BBS
나 Gopher
다. Usenet
라. Telnet

해답 50. 라 51. 다 52. 다

53_ 건축용 강판 및 평강의 초음파탐상시험에 따른 등급분류와 판정기준 (KS D 0040)에 따라 강판을 탐상할 경우 탐상부위로 옳은 것은?

가. 200㎜피치의 압연 방향 선을 탐상선으로 한다.

나. 200㎜피치의 압연 방향과 수직인 선을 탐상선으로 한다.

다. 200㎜피치의 압연 방향 선을 탐상선으로 한다.

라. 200㎜피치의 압연 방향과 수직인 선을 탐상선으로 한다.

[해설] 탐상부위는 원칙적으로 200㎜피치의 압연방향의 선을 탐상선으로 한다. 다만, 자동탐상장치의 탐촉자 이송 기구가 강판의 압연방향과 직각인 경우에는 200㎜피치의 판나비 방향의 선을 탐상선으로 한다.

54_ 보일러 및 압력용기에 대한 대형단강품의 초음파탐상검사(ASME Sec. V, Art.23 SA 388)에서 두께가 두꺼운 단조품을 탐상 시 직접 접촉방법 일 때 허용되는 검사표면의 최대 표면거칠기는 얼마인가?

가. 1㎛

나. 3㎛

다. 6㎛

라. 12㎛

[해설] 외면가공의 표면거칠기는 단강품 도면에 달리 나타나거나 주문서 또는 계약서에 달리 언급하지 않는 한 6㎛를 초과해서는 안 된다.

55_ 보일러 및 압력용기의 용접부에 대한 초음파탐상검사(ASME Sec. V, Art. 4)에서 규정하고 있는 탐상장치의 스크린높이 직선성은 교정된 스크린 높이의 20~80%에서 전 스크린높이의 몇 %이내의 직선성을 나타낼 수 있어야 하는가?

가. ±5%

나. ±10%

다. ±15%

라. ±20%

[해설] 기본교정시험편 $\frac{1}{2}$T 및 $\frac{3}{4}$T 양쪽구멍으로부터의 지시가 두 지시사이의 진폭 비 2:1이 되도록 사각 탐촉자를 교정시험편위에 놓는다. 보다 높은 쪽 지시가 전 스크린 높이의 80%가 되도록 감도를 조정하여 탐촉자를 움직이지, 않고 높은 쪽의 지시가 전 스크린 높이의 100%에서 20%까지 10%씩 감도를 조절하고, 연속적으로 설정하여 각 설정 값에서 낮은 쪽의 지시를 읽는다. 읽은 값은 높은 쪽 진폭의 50%이고 전 스크린 높이의 5% 이내이어야 한다.

해답 53. 가 54. 다 55. 가

56_보일러 및 압력용기의 재료에 대한 초음파탐상검사(ASME Sec. V, Art. 5)에서 규정하고 있는 탐상장치의 점검과 교정시기가 잘못 설명된 것은?

가. 검사의 시작전후 　　　　　　　　　나. 검사자가 교체되었을 때
다. 장치기능의 오류가 의심될 때 　　　라. 탐상장치는 적어도 8시간마다 점검

[해설] 교정점검은 기본 교정시험편에서 최소한 한 개의 기본반사체 모의 장치를 이용하여 각 시험 또는 일련의 유사한 시험의 종료 시, 시험하는 동안 매 4시간마다 및 시험요원이 교체될 때 실시해야 한다.

57_제어프로그램 중 다양한 종류의 데이터 포맷과 파일을 체계적으로 관리해 주는 프로그램은?

가. 감시 프로그램 　　　　　　　　　　나. 작업관리 프로그램
다. 문제처리 프로그램 　　　　　　　　라. 데이터관리 프로그램

58_서로 다른 네트워크 구조 및 프로토콜 간을 연결해 주는 장치는?

가. 방화벽 　　　　　　　　　　　　　　나. 하이퍼텍스트
다. 계정 　　　　　　　　　　　　　　　라. 게이트웨이

59_도메인의 분류 중 교육기관을 의미하는 것은?

가. com 　　　　　　　　　　　　　　　나. gov
다. edu 　　　　　　　　　　　　　　　라. net

60_사용자로 하여금 모아놓은 여러 개의 검색엔진들 중 원하는 검색엔진 하나를 선택해서 검색할 수 있는 것은?

가. 메타 검색엔진 　　　　　　　　　　나. 키워드형 검색엔진
다. 디렉토리형 검색엔진 　　　　　　　라. 로봇 에이전트형 검색엔진

해답　56. 라　57. 라　58. 라　59. 다　60. 가

MEMO

2008년 1회 초음파(UT)탐상검사 산업기사

제1과목 초음파탐상시험원리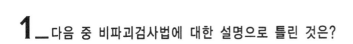

1_다음 중 비파괴검사법에 대한 설명으로 틀린 것은?

가. 내부 결함의 검출에 적합한 방법은 방사선투과시험과 초음파탐상시험이다.
나. 초음파탐상시험에서는 초음파의 진행방향에 평행한 방향의 결함을 검출하기 쉽다.
다. 표층부 결함의 검출에는 자분탐상시험과 와전류탐상시험이 적당하다.
라. 용접부의 기공을 검출하기에 가장 좋은 시험법은 방사선투과시험이다.

[해설] 초음파는 반사에 의해 결함이 검출되고 방사선은 투과된 방사선의 양에 따라 결함이 검출된다.

2_침투탐상시험에서 사용되는 침투액의 오염에 가장 일반적인 대상은?

가. 금속부스러기　　　　　　　　나. 기름
다. 세척제　　　　　　　　　　　라. 물

[해설] 침투탐상검사에서 가장 일반적으로 쓰는 것이 오염원이다.

해답 1. 나　2. 라

3_ 다음 중 자분탐상시험에서 관찰되는 의사지시에 관한 설명으로 틀린 것은?

가. 탈자 후 재자화시키면 없어지는 경우도 있다.
나. 시험체의 단면적이 급변하는 곳에 나타나기 쉽다.
다. 프로드 접촉부에서는 주로 방사상의 형태로 나타난다.
라. 낮은 전류로 사용하는 경우 자화케이블 근처에 나타나기 쉽다.

[해설] 의사 지시 모양의 판별법 ① 자기펜 자국은 탈자 후 재시험하면 자분 모양이 사라진다. ② 전류 지시는 전류를 작게 하거나 잔류법으로 재시험하면 자분 모양이 사라진다. ③ 표면 거칠기 지시는 시험면을 매끈하게 하여 재시험을 하면 자분 모양이 사라진다. ④ 재질 경계 지시는 매크로 시험, 현미경 시험 등 자분 탐상 시험 이외의 방법으로 확인할 수 있다.

4_ 와전류탐상시험에서 시험주파수 선정시 고려해야 할 요소와 가장 거리가 먼 것은?

가. 표피효과
나. 코일임피던스 특성
다. 프로브의 속도
라. 프로브의 형태

[해설] $f = 1/(\pi\delta^2\mu\sigma)$, f는 주파수, δ는 침투깊이, μ는 투자율, σ는 전도율이다.

5_ 알루미늄에서 표면파가 발생하도록 쐐기를 설계할 때 입사각은 약 얼마인가? (단, 알루미늄에서 횡파속도는 3100㎧, 쐐기에서의 종파속도는 2700㎧이다.)

가. 48°
나. 57°
다. 61°
라. 75°

[해설] 입사각이 제2임계각일 때이다.

6_ 초음파탐상시험에서 주어진 재질의 음향임피던스는?

가. 밀도에 정비례하고 속도에 반비례한다.
나. 밀도에 반비례하고 속도에 정비례한다.
다. 밀도와 속도에 반비례한다.
라. 밀도와 속도의 곱이다.

[해답] 3. 라 4. 라 5. 다 6. 라

7_ 두 개의 송, 수신 탐촉자를 사용하여 초음파탐상을 수행할 때 가장 효율적인 조합은?

가. 수정의 송신기, 티탄산바륨의 수신기　　　나. 티탄산바륨의 송신기, 황산리튬의 수신기
다. 황산리튬의 송신기, 티탄산바륨의 수신기　라. 티탄산바륨의 송신기, 수정의 수신기

[해설] 송신효율이 높은 것- 세라믹(ceramic), 지르콘티탄산납(PET), 티탄산바륨(BaTiO₃).
　　　수신효율이 높은 것- 황산리튬(LiSo₄).

8_ 불감대 영역(Dead Zone)이란?

가. 근거리 음장내에 있는 탐상불능 영역　　나. 빔분산의 외측 영역
다. 송신펄스와 저면에코사이의 영역　　　　라. 원거리 음장과 근거리 음장사이의 영역

[해설] 송신펄스폭으로 인해 탐상이 불가능한 범위

9_ 물질 내를 전파하는 초음파의 굴절각을 계산하는데 이용되는 법칙은?

가. 프라운 호퍼의 법칙　　　　　나. 스넬의 법칙
다. 프레스넬장의 법칙　　　　　라. 샤를의 법칙

[해설] $V1/\sin \alpha = V2/\sin \beta$ 이다.

10_ 초음파탐상 시 시험편의 양 표면에 탐촉자를 두고 검사하는 방법은? (단, 한 쪽은 송신, 다른 한 쪽은 수신이다.)

가. 접촉법　　　　　나. 판파법
다. 투과법　　　　　라. 표면파법

[해설] 원리에 의한 분류로는 펄스 반사법, 투과법, 공진법이 있으며 펄스반사법과 공진법은 반사파를 이용하고, 투과법은 투과된 파를 이용한다.

[해답]　7. 나　8. 가　9. 나　10. 다

11_ 원거리 음장영역에서 초음파 빔의 에너지 집중은?

가. 빔의 폭에 비례한다.
나. 빔의 중심에서 최대가 된다.
다. 빔의 외곽에서 최대가 된다.
라. 빔의 외곽 및 중심에서 동일하게 나타난다.

[해설] 빔의 투과력은 원거리 음장에서 지수 함수적으로 감소하고, 빔의 중심에서 최대가 된다.

12_ 용접부의 덧붙임이 편평하게 표면처리 된 용접부에서 횡균열의 검출에 가장 적합한 주사방법은?

가. 상하주사   나. 경사평형주사
다. 좌우주사   라. 용접선상주사

[해설] 경사각탐상에서 횡 균열(가로터짐) 등의 결함을 검출하기 위하여 덧살이 삭제된 용접부 및 열 영향부 위에 탐촉자를 놓고, 초음파 빔을 용접선 방향으로 향하게 하고, 이것을 용접선 방향으로 이동하며 실시하는 주사방법으로 평행주사라고도 한다.

13_ 초음파탐상시험에서 대비시험편에 관한 설명 중 가장 옳은 것은?

가. 인공결함으로 평저공만을 사용한다.
나. 대비시험편에 녹이 발생하지 않도록 방청유 등을 도포하여 관리하는 것이 좋다.
다. 시험대상물과 동일한 재료만으로 제작해야 한다.
라. 대비시험편과 표준시험편의 사용 목적은 항상 동일하다.

[해설] 초음파탐상검사는 시험편의 관리가 중요하다.

14_ 초음파탐상기의 성능점검 사항과 가장 거리가 먼 것은?

가. 증폭 직선성   나. 초음파 빔 강도
다. 시간축 직선성   라. 분해능

[해설] 증폭 직선성, 시간축 직선성, 분해능, 감도여유, 동작안정성이 있다.

해답   11. 나   12. 라   13. 나   14. 나

15_다음은 비파괴시험의 실시목적에 대해 기술한 것이다. 옳은 것은?

가. 비파괴시험은 재료나 부품, 구조물 등을 파괴하는 것도 포함하며, 결함이나 내부구조 등을 조사하는 시험이다.

나. 비파괴시험으로 결함을 검출하는 경우 결함의 합·부 기준을 명확히 하고, 적절한 시험방법과 시험조건을 선정하지 않으면 안된다.

다. 비파괴시험의 주목적은 대량 생산의 향상에 있다.

라. 비파괴시험에서 원리적인 차이는 검출 정도(精度)에 영향을 미치지 않으므로 어떤 방법을 이용할 것인가에 대해서는 검토하지 않는다.

[해설] 가.는 파괴시험이며, 다.는 정확한 신뢰성향상이고, 라.는 원리적인 방법에는 3가지로 펄스반사법과 투과법, 공진법이 있다.

16_다음 중 동일 조건으로 검사하여 원거리음장 영역에 존재하는 금속 내부의 원형평면 결함의 결함지시가 가장 큰 것은?

가. 결함 면적 3㎟이고, 검사체 표면으로부터 10㎜ 지점

나. 결함 면적 6㎟이고, 검사체 표면으로부터 20㎜ 지점

다. 결함 면적 9㎟이고, 검사체 표면으로부터 30㎜ 지점

라. 결함 면적 12㎟이고, 검사체 표면으로부터 40㎜ 지점

[해설] 중심 축 상의 음압은 면적에 비례하고 거리에 반비례한다. 또한 거리가 멀어지면 감쇠가 심해진다.

17_동일한 시험조건 하에서 봉 형 강재 등의 수직탐상 시 측면에서 모드변환이 발생하여 가상지시가 나타날 수 있는 확률이 가장 작은 주파수는?

가. 1㎒   나. 3㎒

다. 4㎒   라. 5㎒

[해설] 빔 분산각이 작아지면 지향성이 좋아져서 가상지시가 나타날 확률이 적다.

[해답] 15. 나 16. 가 17. 라

18_ 표면이 거칠거나 표면형상이 곡면인 경우, 탐촉자의 불완전한 접촉이나 접촉매질의 두께 등에 의해 발생하는 손실 또는 감쇠는?

　가. 전달손실　　　　　　　　　　나. 확산손실
　다. 반사손실　　　　　　　　　　라. 산란감쇠

[해설] 수직탐상 및 사각탐상에 있어서, 탐촉자로부터 시험체에 초음파가 입사할 때 탐상면의 거칠기와 접촉 매질의 음향임피던스에 의해 입사된 초음파의 강도가 변화하며, 또 반대로 탐촉자에 전해지는 초음파의 강도도 변화한다. 매끄러운 평면 탐상면에 탐촉자를 직접 접촉시킨 경우를 기준으로 그 외의 경우 에코높이 저하의 정도를 전달손실(傳達損失)로 나타낸다.

19_ 수침법에서 초음파가 입사각 13.1°로 강재에 전달되었다면 강재 내에 존재하는 음파로 옳은 것은?

　가. 표면파만 존재한다.
　나. 종파, 횡파 모두 존재한다.
　다. 횡파는 존재하나 종파는 존재하지 않는다.
　라. 종파는 존재하나 횡파는 존재하지 않는다.

[해설] 스넬의 법칙에서 임계각을 알아본다.

20_ 펄스반사법에서 초음파가 탐촉자로부터 발생한 후 저면에 반사되어 수신될 때까지의 소요 시간이 10μs라면 이 시험체의 두께는? (단, 이 시험체의 초음파 종파속도는 6000㎧이다.)

　가. 7.5㎜　　　　　　　　　　나. 15㎜
　다. 30㎜　　　　　　　　　　라. 60㎜

[해설] 두께 = 속도×시간의 값을 두께/2로 한다.

[해답] 18. 가　19. 나　20. 다

제2과목 초음파탐상검사

21_그림과 같이 국부 수침법에 의해 강재를 경사각탐상 할 때 강재 중에 횡파 굴절각 45도로 전파시키기 위해서는 입사각을 몇 도로 하면 되는가? (단, Ci는 1480㎧, Cs는 3230㎧이다.)

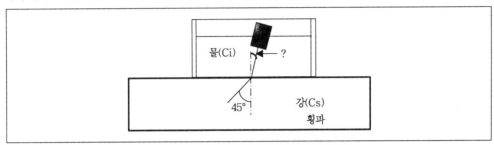

가. 18.9   나. 24.8

다. 34.6   라. 54.7

[해설] 스넬의 법칙을 이용한다.

22_강 용접부를 [보기]와 같이 경사각탐상할 때 탐상순서를 올바르게 나타낸 것은?

[보기]	① 굴절각측정	② 감도조정	③ 입사점의 측정 및 측정범위의 조정
	④ 거친탐상 및 정밀탐상	⑤ 합부판정	⑥ 등급분류

가. ②-①-③-④-⑥-⑤   나. ③-①-②-④-⑥-⑤

다. ③-①-②-④-⑤-⑥   라. ③-②-①-④-⑥-⑤

[해설] 실습에 관한 사항이다.

23_다음 중 판재의 용접부에서 융합선(Fusion Line)을 따라 존재하는 불연속의 검출에 일반적으로 가장 효과적인 방법은?

가. 표면파를 이용한 경사각 접촉법   나. 종파를 이용한 수직 접촉법

다. 표면파를 이용한 수침법   라. 횡파를 사용한 경사각법

[해설] LF는 횡파를 사용시 결함을 효과적으로 찾을 수 있다.

[해답] 21. 가   22. 나   23. 라

24_ 시험편 표면과 평행한 내부결함을 검출하는데 용이한 초음파탐상시험법은?

    가. 경사각 탐상법   나. 수직 탐상법

    다. 탠덤(Tandem)법   라. TOF(time of flight)법

[해설] 결함이 초음파빔에 수직일 때 결함이 가장 잘 검출된다.

25_ 두께가 14.3mm인 강용접부를 70° 굴절각으로 탐상하려 한다. 1.2스킵(skip)에 해당하는 빔거리(beam path)는 얼마인가?

    가. 36mm   나. 50mm

    다. 94mm   라. 100mm

[해설] $W0.5 = t/\cos 70°$ 이므로 W1.2는 W0.5×2.4로 계산한다.

26_ 다음 중 똑같은 크기의 결함이 있는 경우 초음파탐상시험에서 가장 발견하기 쉬운 결함은?

    가. 이종 물질의 혼입   나. 시험재 내부의 구형의 결함

    다. 초음파 진행 방향에 수직인 균열   라. 초음파 진행 방향에 평행인 결함

27_ 탐촉자의 진동자 재질로 수정을 사용할 때 수정의 특성으로 틀린 것은?

    가. 불용성이다.   나. 송신효율이 좋다.

    다. 큐리점(curie point)이 높다.   라. 기계적, 전기적으로 안정하다.

[해설] *Quarts → 장점 : 기계적 전기적 화학적으로 안정성이 우수하다. 액체에 용해되지 않는 불용성이다. 수명이 매우 길고 단단하며 내마모성이 좋다.

        → 단점 : 송신효율이 여러 진동자 재질 중 가장 나쁘다. 진동 양식의 간섭을 받는다. 낮은 주파수에서 고전압에 요구된다.

해답   24. 나   25. 라   26. 다   27. 나

28_ 용접부에 대한 경사각탐상시 어떤 결함이 검출되었다. 이 결함을 진자주사하였더니 결함에 코가 변하지 않고, 목돌림주사하였더니 결함에코가 급격히 변하였다. 이때 추정되는 결함 의 종류는?

가. 단일기공 나. 용입불량
다. 언더컷 라. 균열

[해설] 결함의 형상이 둥근 형태이다.

29_ 초음파탐상시험시 결함의 길이를 측정하는 방법이 아닌 것은?

가. 게이트(gate)법 나. AVG선도(AVG diagram)법
다. 문턱값(threshold value)법 라. 6데시벨 드롭(6dB drop)법

[해설] gate는 결함을 쉽게 찾아내기 위해 필요한 것이다.

30_ 다음 중 다른 진동모드로 변환이 가장 쉬운 파의 종류는?

가. 종파 나. 횡파
다. 판파 라. 표면파

[해설] 초음파는 수정의 X-cut 진동자에서 종파가 발생 되고 파형 변이에 의해서 횡파가 발생되며, 횡파가 임계각에 다다르면 표면파가 발생되고 표면파 파장의 1/3파장 이하로 시험체 두께가 되면 표면파가 발생된다.

31_ 다음 중 용접부의 초음파탐상시험시 결함의 종류 판별에 가장 영향이 먼 인자는?

가. 결함의 형상 나. 결함의 위치
다. 반사파의 크기 라. 시험체의 두께

[해답] 28. 가 29. 가 30. 가 31. 라

32_ 초음파탐상시 결함크기와 관련하여 수행하는 전이손실(transfer loss)에 관한 설명으로 틀린 것은?

가. 빔거리에 의한 감쇠는 보정해야 한다.
나. 시험체의 표면상태 등의 영향을 보상해 주는 방법이다.
다. 에코의 최대높이에서 50% 될 때까지 탐촉자의 이동거리를 보정한다.
라. 시험체 및 시험편에서의 감쇠량을 측정한다.

[해설] 결함의 길이 측정에는 에코의 최대높이에서 50%될 때까지 탐촉자의 이동거리를 측정하는 6dB drop법 있다.

33_ 수침법 초음파탐상용 탐촉자에 사용되는 음향렌즈의 중요한 특성이 아닌 것은?

가. 조립하기에 용이할 것   나. 음향감쇠가 매우 작을 것
다. 물에서 굴절율이 작을 것   라. 물과 진동자의 음향임피던스가 유사할 것

[해설] 곡면에 의한 굴절률은 정해져 있다.

34_ 다음 중 강용접부의 경사각탐상에 관한 설명으로 옳은 것은?

가. 내부 용입불량의 검출에는 탠덤탐상법이 적합하다.
나. 내부 용입불량의 검출에는 V투과법이 적합하다.
다. 측면 용입불량의 검출에는 탠덤탐상법이 적합하다.
라. 블로우홀의 검출에는 탠덤탐상법 및 V투과법이 적합하다.

[해설] 탠덤탐상법은 시험체의 표면에 수직인 결함의 검출에 사용한다.

35_ 초음파 탐상장치의 스크린표시방법 중 시험체의 평면을 표시하는 방식은?

가. A-scope 표시   나. B-scope 표시
다. C-scope 표시   라. D-scope 표시

해답   32. 다   33. 다   34. 가   35. 다

36_ 5Z10N 탐촉자를 사용하여 측정범위를 250㎜에 조정한 후 탐촉자를 5Z10×10A70 탐촉자로 교체, 측정범위를 100㎜로 탐상하려고 할 때 필요한 조작에 대한 설명 중 맞는 것은?

가. 영점만 재조정한다.

나. 그대로 탐상하여도 좋다.

다. 영점은 그대로 하고 측정범위만 재조정한다.

라. 측정범위 조정에 필요한 모든 과정을 다시 한다.

[해설] 원칙적으로 탐촉자를 교체하면 모든 과정을 다시 조작해야 한다.

37_ 용접덧살을 제거하지 않은 오스테나이트계 스테인리스강 용접부를 검사하기에 가장 좋은 탐촉자는?

가. 횡파수직탐촉자　　　　　　　나. 횡파경사각탐촉자

다. 종파수직탐촉자　　　　　　　라. 종파경사각탐촉자

[해설] 용접부는 경사각으로 탐상이 좋고 결정입자가 크면 파장이 긴 것이 좋다.

38_ 초음파가 두 매질의 경계를 통과할 때에 다음 중 투과율이 가장 큰 것은?

가. 철강 → 알루미늄　　　　　　나. 알루미늄 → 공기

다. 공기 → 알루미늄　　　　　　라. 물 → 철강

[해설] 투과율은 음향임피던스에 의해 결정되며, 음향임피던스는 물질의 밀도×음속이고 음향임피던스의 차가 작아야 투과율이 높다.

39_ 전기에너지와 기계에너지를 상호변환해 주는 성질을 지니고 있어서 일반적으로 초음파 탐촉자에 널리 사용되는 소자는?

가. 압전소자　　　　　　　　　　나. 자왜소자

다. 광전소자　　　　　　　　　　라. 광음향소자

해답　36. 라　37. 라　38. 가　39. 가

40_ 검사자로서 초음파탐상검사를 하기 위한 준비자세 중 관계가 먼 것은?

가. 합부판정에 대한 사항을 숙지하여야 한다.
나. 장비의 검교정 상태를 확인하여야 한다.
다. 결함의 유무가 제품에 미칠 영향을 고려하여 판정한다.
라. 개선 각도나 용접방법 등에 대한 정보를 수집한다.

제3과목 초음파탐상관련 규격 및 컴퓨터 활용

41_ 강 용접부의 초음파탐상 시험방법(KS B 0896)에서 경사각탐상 시 초음파가 통과하는 부분의 모재는 필요에 따라 미리 수직탐상을 하여 탐상에 방해가 되는 홈을 미리 검출해야 하는데 이때 탐상감도는 어떻게 해야 하는가?

가. 건전부의 제1회 바닥면 에코높이가 50%가 되게 한다.
나. 건전부의 제1회 바닥면 에코높이가 80%가 되게 한다.
다. 건전부의 제2회 바닥면 에코높이가 50%가 되게 한다.
라. 건전부의 제2회 바닥면 에코높이가 80%가 되게 한다.

42_ 강 용접부의 초음파탐상 시험방법(KS B 0896)의 경사각 탐촉자 성능 점검주기에서 입사점, 탐상굴절각, 탐상감도 등은 작업개시 시에 조정하며 또한 이것들은 작업시간 몇 시간이내 마다 점검하도록 규정하고 있는가?

가. 4시간 이내   나. 5시간 이내
다. 6시간 이내   라. 8시간 이내

[해설] 작업시간 4시간 이내마다 점검하여 조정시에 조건이 유지되고 있는지를 확인한다.

43_ 강 용접부의 초음파탐상 시험방법(KS B 0896)에서 인접한 구분선 작성의 감도차는?

가. 2 dB   나. 6 dB
다. 9 dB   라. 12 dB

[해설] 에코높이 구분선은 6dB의 차이를 두고 작성한다.

[해답] 40. 다 41. 라 42. 가 43. 나

44_ 금속재료의 펄스반사법에 따른 초음파탐상 방법의 통칙(KS B 0817)에서 규정된 탐상도형 표시 기본기호와 설명의 연결이 서로 틀린 것은?

가. T : 송신펄스　　　　　　　　　나. F : 흠집에코

다. B : 바닥면에코　　　　　　　　라. S : 측면에코

45_ 압력용기용 강판의 초음파탐상시험(KS D 0233)에서 두께가 63.5mm인 강판 용접부에 사용 하여야 할 탐촉자는?

가. 2진동자 수직 탐촉자　　　　　　나. 경사각 탐촉자

다. 수직 탐촉자　　　　　　　　　　라. 수직 탐촉자 또는 2진동자 수직 탐촉자

[해설]

강판의 두께 (mm)	사용 탐촉자
6 이상 13 미만	이진동자 수직 탐촉자
13 이상 60 이하	이진동자 수직탐촉자 또는 수직 탐촉자
60 초과	수직 탐촉자(이진동자 수직탐촉자는 제외한다.)

46_ 알루미늄의 맞대기용접부의 초음파경사각탐상 시험방법(KS B 0897)에서 모재 두께가 30mm 일 때 흠 길이가 9mm이면 흠의 분류는? (단, B종으로 구분된다.)

가. 1류　　　　　　　　　　　　　　나. 2류

다. 3류　　　　　　　　　　　　　　라. 4류

[해설]

모재의 두께(t) 분류	구분	5 이상 20 이하			20 초과 80 이하			80을 초과하는 것		
		A종	B종	C종	A종	B종	C종	A종	B종	C종
흠의 분류	1류	−	5 이하	6 이하	t/8 이하	t/4 이하	t/3 이하	10 이하	20 이하	26 이하
	2류	−	6 이하	10 이하	t/6 이하	t/3 이하	t/2 이하	13 이하	26 이하	40 이하
	3류	5 이하	10 이하	20 이하	t/4 이하	t/2 이하	t 이하	20 이하	40 이하	80 이하
	4류	3류를 넘는 것								

[해답]　**44.** 라　**45.** 라　**46.** 나

47 _ 알루미늄의 맞대기용접부의 초음파경사각탐상 시험방법(KS B 0897)에서 흠의 지시길이가 5㎜였다면 이 흠은 몇 류에 속하는가? (단, 평가는 A평가 레벨로 하며, 모재의 두께는 45㎜이다.)

가. 1류

나. 2류

다. 3류

라. 4류

[해설] 46번 참조

48 _ 보일러 및 압력용기에 대한 초음파탐상검사(ASME Sec. V Art. 4)에 따른 용접부 탐상에서 탐상에 필요한 절차서의 필요변수에 들어가지 않는 것은?

가. 시험될 용접부 또는 재료의 종류와 형상

나. 표면조건(상태)

다. 접촉매질의 종류

라. 탐촉자의 형식, 주파수

[해설] 초음파탐상시험 절차서의 요건

요건	필수 변수	비필수 변수
두께 및 제품 형상(파이프, 판재 등)을 포함한 시험되는 용접부의 형상	●	
시험이 실시되는 표면	●	
기법(수직법, 사각법, 직접 접촉법 및/또는 수침법)	●	
재료 내에서 전달되는 파의 종류 및 각도	●	
탐촉자 형식, 주파수 및 압전소자의 크기/형상	●	
특수 탐촉자, 쐐기(wedge), 슈(show), 또는 새들(사용되는 경우)	●	
초음파탐상장치	●	
교정(교정시험편과 기법)	●	
주사 방향과 주사범위	●	
주사(수동 또는 자동)	●	
결함지시로부터 기하학적 형상을 구별하는 방법	●	
지시크기를 측정하는 방법	●	
자료 수집을 도와주는 컴퓨터(사용되는 경우)	●	
중첩주사(줄어든 경우)	●	
시험요원의 기량 요건(필요한 경우)	●	
시험요원의 자격인정 요건		●
표면조건(시험편표면, 교정시험편)		●
접촉매질: 상품명 및 형식		●
자동경고 및/또는 기록장치(적용하는 경우)		●
기록될 최소 교정 자료를 포함한 기록(예, 장치설정 값)		●

[해답] **47.** 가 **48.** 다

49_보일러 및 압력용기에 대한 초음파탐상검사(ASME Sec. V Art. 4)에 따라 용접부에 대한 시스템 교정 중에서 경사각빔에 대해 교정 또는 측정해야 할 대상이 아닌 것은?

가. 거리 범위 교정
나. 탐촉자 이동속도 측정
다. 거리-진폭 교정
라. 기본 교정시험편의 표면노치로부터 에코진폭 측청

[해설] 사각빔 교정-거리 범위 교정, 거리-진폭, 기본 교정시험편의 표면노치로부터 에코진폭 측정이며 전자식 거리-진폭교정 장치가 사용되는 경우, 기본 교정시험편으로 부터의 주 대비 응답은 시험에서 실시할 거리 범위에 걸쳐 동등해야 한다. 응답 균등화 선은 전 스크린 높이의 40~80% 사이로 한다.

50_보일러 및 압력용기의 재료에 대한 초음파탐상검사(ASME Sec. V Art. 5)에서 볼트재의 수직빔 검사교정에 쓰이는 A형 시험편의 평저공의 위치는?

가. 시험편의 끝부분의 D/5
나. 시험편의 끝부분의 D/4
다. 시험편의 중심선
라. 시험편의 끝부분의 D/3

[해설] A형 교정시험편

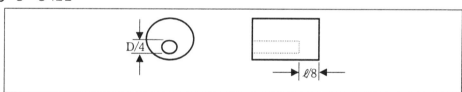

51_보일러 및 압력용기의 재료에 대한 초음파탐상검사(ASME Sec. V Art. 5)에 따라 지시진폭이 거리진폭곡선의 몇 %를 초과하는 모든 불완전부를 조사하는가?

가. 20%
나. 40%
다. 50%
라. 60%

해답   **49.** 나 **50.** 나 **51.** 가

52_ 보일러 및 압력용기에 대한 초음파탐상검사(ASME Sec. V Art. 23 SA-577)의 강판 경사 각빔에 대한 경사각탐상기준에서 격자선을 따라 탐촉자를 주사할 때 결함이 검출되면 그 부위를 중심으로 얼마의 넓이를 100% 시험하여야 하는가?

가. 3.35in^2 나. 6.65in^2

다. 8.85in^2 라. 12.25in^2

[해설] 기록된 각 불연속의 위치에서 불연속부를 중심으로 하여 그 불연속부를 포함하는 225㎟의 정방형 전체를 100% 시험한다. 주 압연방향과 수직하고 평행한 두 방향으로 시험을 실시한다.

53_ 보일러 및 압력용기에 대한 초음파탐상검사(ASME Sec. V Art. 4)에서 용접부에 대한 초음 파탐상검사시 시험편의 곡률 반지름이 100㎜일 때, 사용되어질 수 있는 보정블록의 곡률 반지름은?

가. 80㎜   나. 120㎜

다. 200㎜   라. 250㎜

[해설] 시험편의 지름이 508㎜ 이하인 제품은 곡면 기본 교정시험편을 기본 교정시험편 지름의 0.9~1.5배인 곡률 범위의 시험을 위해 사용될 수 있다.

54_ 압력용기 제작규정(ASME Sec. Ⅷ Div. 1)에 따라 초음파탐상결과를 판정하고자할 때 결함의 길이에 관계없이 불합격 처리되는 결함은?

가. 균열   나. 기공

다. 슬래그   라. 블로우홀

[해설] crack은 어떤 경우에도 불합격 처리한다.

55_ 초음파탐상시험용 표준시험편(KS B 0831) 중에서 경사각 탐촉자의 굴절각 측정에 이용되는 것은?

가. STB-N1   나. STB-A2

다. STB-G V3   라. STB-A7963

[해설] 경사각 탐촉자의 굴절각 측정용 시험편은 STB-A1, A3, A31, A32, A7963이 있다.

[해답]   52. 다   53. 나   54. 가   55. 라

56_ 웹서비스에서 제공되는 여러 가지 자원들에 대한 주소를 나타내는 것은?

가. JAVA 나. URL
다. HTML 라. XML

57_ 도메인네임을 구성하는 영역 중 최상위 도메인의 종류와 그에 해당하는 기관명으로 옳지 않은 것은?

가. edu-교육기관 나. org-연구기관
다. net-네트워크기관 라. gov-정부기관

58_ 컴퓨터에서 속도가 빠른 CPU와 속도가 느린 주기억장치 사이에 위치하여 동작속도를 빠르게 해주는 메모리는?

가. 캐시 메모리 나. 가상 메모리
다. 플래시 메모리 라. 자기코어 메모리

59_ 인터넷에 접속하기 위해 사용하는 웹 브라우저가 아닌 것은?

가. 쿠키(Cookie) 나. 모자이크(Mosaic)
다. 넷스케프(Netscape) 라. 인터넷 익스플로러(Internet Explorer)

60_ 전자우편의 송·수신을 담당하며, 서버와 클라이언트 간에 메일을 전달하는 역할을 하는 것은?

가. DNS 나. PPP
다. POP 라. FTP

해답 56. 나 57. 나 58. 가 59. 가 60. 다

MEMO

2006년 1회 초음파(UT)탐상검사 기능사

1_ 다음 중 경계면에서 음파가 전반사하므로 제2매질에 굴절파가 존재하지 않는 것은?

　가. 제1매질－아크릴, 제2매질－강
　나. 제1매질－강, 제2매질－아크릴
　다. 제1매질－물, 제2매질－강
　라. 제1매질－강, 제2매질－공기

2_ 경사각탐촉자에 플라스틱 쐐기를 붙이는 1차적 기능, 즉 근본적인 이유는?

　가. 시험시 손에 잡기 쉽게 하기 위해서
　나. 내마모성을 좋게 하기 위해서
　다. 초음파를 시험체에 경사지게 전달하기 위해서
　라. 탐촉자를 견고하게 만들기 위해서

3_ 초음파탐상시험의 수직탐상에 대해 기술한 것이다. 올바른 것은?

　가. 수직탐상의 목적은 결함의 발생 원인을 조사하는 것이며 결함의 크기나 치수를 조사할 필요는 없다.
　나. 결함이 없으면 CRT 상에는 저면에코 만이 나타난다.
　다. 저면에 의한 다중반사 도형으로부터 시험체의 밀도를 알 수 있다.
　라. 표면결함에 의한 다중반사 도형으로부터 시험체 중의 초음파감쇠의 정도를 알 수 있다.

해답　1. 라　2. 다　3. 나

4_ 공진법에 대한 다른 명칭은?

　가. 펄스반사법　　　　　　　　　나. 투과법
　다. 연속파법　　　　　　　　　　라. 표면파법

5_ 횡파의 특성에 대한 설명 중 잘못된 것은?

　가. 파의 진행방향과 입자의 진동방향이 수직이다.
　나. 속도는 종파의 약 1/2정도이다.
　다. 액체와 기체에는 존재하지 않는다.
　라. 횡파의 속도는 표면파 속도의 90%정도이다.

6_ 교정된 A-scan 탐상기 스크린에 시험체의 끝부분을 나타내는 지시는?

　가. Hash　　　　　　　　　　　　나. 송신펄스
　다. 주 Bang　　　　　　　　　　라. 저면 반사

7_ 내부결함 검출을 위한 비파괴시험에 대해 기술한 것으로 올바른 것은?

　가. 방사선투과시험은 방사선의 조사방향에 평행하게 있는 결함의 검출에 우수하다.
　나. 초음파탐상시험은 일반적으로 블로우홀(Blow hole)과 같은 구형 결함의 검출에 우수하다.
　다. 초음파 탐상시험에는 균일면에 가능한 한 평행하게 초음파가 부딪히도록 탐상조건의 선정에 주의할 필요가 있다.
　라. 초음파탐상시험은 라미네이션이나 경사진 균열 등을 검출하기가 어렵다.

8_ 누설검사시의 기압과 관련하여 1기압과 다른 내용은?

　가. 760㎜Hg　　　　　　　　　　나. 1013mbar
　다. 980kg/㎠　　　　　　　　　라. 760Torr

해답　4. 다　5. 라　6. 라　7. 가　8. 다

9__브라운관상에 나타나는 구간을 시간적으로 이동시키는 것으로 손잡이와 측정범위를 조정하는 음속손잡이에 의해 시간축의 일부분을 확대 시킬 수 있는 것은?

가. 펄스폭 손잡이   나. 소인지연 손잡이
다. 영점조정 손잡이   라. 이득조정 손잡이

10__방사선투과시험시 공업용으로 쓰이는 X선 발생장치의 초점의 크기는 대략 얼마인가?

가. 0.2㎜   나. 2.5㎜
다. 10㎜   라. 20㎜

11__초음파탐상시험시 접촉 매질을 사용하는 이유 중 가장 중요한 사항은?

가. 시험재의 부식을 방지하기 위해
나. 탐촉자의 움직임을 원활히 하기 위해
다. 탐촉자 보호막의 마모를 방지하기 위해
라. 탐촉자와 시험재 사이에 공기층을 없애기 위해

12__초음파의 진동 양식에 따른 탐상법이 아닌 것은?

가. 수직 탐상법   나. 비접촉 EMAT 탐상법
다. 경사각 탐상법   라. 유도 초음파 탐상법

13__탐촉자를 구성하고 있는 요소 중 압전재료 뒷면에 부착한 흡수재의 기능으로 옳지 않은 것은?

가. 흡수재는 압전재료의 배변으로 반사되는 초음파 에너지를 흡수한다.
나. 흡수재는 크리스탈의 댐핑양을 적절히 조정해준다.
다. 흡수재는 되돌아 반사해 오는 펄스를 전기적 신호로 전환시켜 준다.
라. 흡수재는 압전물질이 요동하지 못하도록 고정시켜 주는 역할을 한다.

해답   9. 나   10. 나   11. 라   12. 나   13. 다

14_초음파가 제1매질과 제2매질의 경계면에서 진행할 때 파형변환과 굴절이 발생한다. 이때의 제2임계각이란?

　가. 굴절된 종파가 정확히 90°가 되었을 때
　나. 굴절된 횡파가 정확히 90°가 되었을 때
　다. 제2매질 내에 종파와 횡파가 같이 존재하게 된 때
　라. 제2매질 내에 종파와 횡파가 존재하지 않을 때

15_물질에서 초음파의 감쇠현상을 일으키는 주된 요소는?

　가. 탄성율　　　　　　　　　　나. 접착력
　다. 결정립 크기　　　　　　　　라. 자화곡선

16_자분탐상시험 원리에 대해 기술한 것이다. 올바른 것은?

　가. 철강재료 등의 강자성체는 자화되면 알루미늄 등의 비자성체에 비해 많은 자속을 발생한다.
　나. 자속은 자기의 흐름으로 비자성체 중에는 매우 흐르기 쉬우나 강자성체 중에는 흐르기 어렵다.
　다. 자속이 흐르고 있는 자로의 도중에 결함이 존재한다면 그곳에는 기체나 비금속 개재물 등의 강자성체가 포함되어 있기 때문에 자속이 흐르기 어렵다.
　라. 표면 또는 표면직하에 있는 결함에서는 자속이 결함을 피하는 것처럼 퍼지며 흐르고 표층부의 자속이 비자성체 표면상의 공간에 결함누설자속이 된다.

17_초음파탐상시험시 시험체면과 탐촉자 사이에 물과 같은 액체를 채워 일정거리를 유지하면서 검사하는 방법은?

　가. 접촉법　　　　　　　　　　나. 수침법
　다. 투과법　　　　　　　　　　라. 표면파법

해답　　14. 나　15. 다　16. 가　17. 나

18_초음파탐상 감쇠계수(Attenuation coefficient)의 단위는?

가. dB / sec
나. dB / ℃
다. dB / m
라. dB / ㎡

19_초음파탐상시험법에 대한 설명이 잘못된 것은?

가. 주강품 검사에는 고주파수를 사용하는 것이 좋다.
나. 용접부 탐상에는 경사각탐촉자를 사용하는 것이 좋다.
다. 두께가 두꺼운 시험체는 저주파수를 사용하는 것이 좋다.
라. 접촉매질은 시험체의 특성에 따라 적당한 것을 사용한다.

20_경사각탐상에서 "탐촉자로 부터 나온 초음파빔의 중심축이 저면에서 반사하는 점 또는 탐상표면에 도달하는 점"이란 무엇인가?

가. 스킵점
나. 교축점
다. 입사점
라. 큐리점

21_경사각탐상에 사용하는 플라스틱 쐐기와 진동자와의 각도는 검사체내에서의 각도와 어떤 관계가 있는가?

가. 검사체의 재질에 따라 달라진다.
나. 검사체내에서의 각도보다 크다.
다. 검사체내에서의 각도보다 작다.
라. 검사체내에서의 각도와 같다.

22_시험체의 두께를 측정할 수 있는 초음파탐상시험으로 묶여진 것은?

가. 펄스 반사법, 공진법
나. 펄스 반사법, 관통법
다. 연속파법, 투과법
라. 표면파법, 공명법

해답 18. 다 19. 가 20. 가 21. 나 22. 가

23_ 초음파탐상시험에서 가능한 한 아주 작은 크기의 불연속까지도 검출하기 위한 방법은?

　가. 가능한 한 아주 낮은 주파수를 사용한다.
　나. 가능한 한 아주 높은 주파수를 사용한다.
　다. 통과법을 사용한다.
　라. 크기가 작은 탐촉자를 사용한다.

24_ 대상품 표면이 비교적 넓고 얇은 결함일 때 침투탐상시험에 대한 설명으로 잘못된 것은?

　가. 침투액의 침투력이 강할 필요성은 크지 않다.
　나. 유화시간은 중요하지 않다.
　다. 현상시간을 길게 할 필요는 없다.
　라. 침투시간이 비교적 짧아도 된다.

25_ 두 매질의 접촉면에서 동일 파의 입사각과 반사각의 크기를 비교할 때 그 관계를 옳게 설명한 것은?

　가. 반사각은 항상 입사각의 1/2배 정도이다.
　나. 반사각은 항상 입사각의 2배 정도이다.
　다. 반사각은 입사각의(루트) 2배 정도이다.
　라. 반사각과 입사각은 동일하다.

26_ KS B 0817의 초음파탐상시험방법 통칙에서 초음파 탐상기의 조정은 어느 시기에 하는가?

　가. 탐상기의 스위치를 켜고 5분 이상 경과 후
　나. 탐상기의 스위치를 켜기 전
　다. 탐상기의 스위치를 켜고 난 직후
　라. 탐상기의 감도를 확인 후

해답　23. 나　24. 나　25. 라　26. 가

27_ KS B 0896에 따른 초음파탐상시험 내용이다. 다음 중 틀린 것은?

가. 두께 6mm 이상의 페라이트계 강의 완전 용입 용접부에 적용한다.
나. 초음파탐상을 수동으로 실시하는 경우를 규정한다.
다. 펄스반사법을 사용한다.
라. 강관의 제조 공정 중의 이음 용접부에 적용한다.

28_ KS B 0896에 따른 초음파탐상시 시 텐덤탐상의 경우 적용 판두께 범위 규정은?

가. 10mm 이상
나. 12mm 이상
다. 15mm 이상
라. 20mm 이상

29_ KS B 0896에 따라 판두께가 15mm인 맞대기 용접부를 탐상한 결과 M검출 레벨에서 흠의 최대에코높이가 제Ⅱ영역에 해당하고 흠의 길이는 2mm인 것이 1개만 검출되었다. 이 용접부의 시험결과의 분류는?

가. 1류
나. 2류
다. 3류
라. 4류

30_ KS B 0896의 경사각탐상에서 탐촉자를 접촉시키는 부분의 판두께가 75mm 이상으로 주파수 2㎒, 진동자 치수 20×20mm의 탐촉자를 사용하여 탐상할 때 흠지시길이 측정방법으로 바르게 설명한 것은?

가. 에코높이의 20%를 초과하는 범위의 탐촉자 이동거리를 측정한다.
나. 에코높이의 75%를 초과하는 범위의 탐촉자 이동거리를 측정한다.
다. 최대 에코높이가 L선을 초과하는 범위의 탐촉자 이동거리를 측정한다.
라. 최대 에코높이의 1/2(-6dB)을 넘는 탐촉자의 이동거리를 측정한다.

해답 27. 라 28. 라 29. 가 30. 라

31_KS D 0233에 따라 압력용기용 강판을 초음파탐상시험할 때 탐상은 원칙적으로 언제 실시하도록 규정하고 있는가?

가. 강판의 성형 공정 중에
나. 강판의 제조 공정 전에
다. 강판 제조의 최종 공정에서
라. 강판 제조의 최초 공정 중에

32_KS B 0896에서 강 용접부의 초음파탐상시험 결과의 분류에 관한 설명 중 틀린 것은?

가. 판두께가 다르면 같은 크기의 흠이라도 영역에 따라 흠의 분류가 달라진다.
나. 2방향에서 탐상한 경우에 동일한 흠의 분류가 다를 때는 상위 분류를 채용한다.
다. 판두께 18㎜ 이하, 탐상영역이 M검출 레벨의 경우 Ⅲ영역에서의 결과의 분류 시 흠 크기 6㎜ 이하는 1류로 한다.
라. 흠의 분류시 3류를 넘는 것은 4류로 한다.

33_KS B 0831에 의한 G형 STB시험편의 검정조건 및 방법에서 측정 횟수에 대한 규정으로 맞는 것은?

가. 검정용 표준시험편과 시험편에 대하여 각 1회 실시
나. 검정용 표준시험편과 시험편에 대하여 각 2회 실시
다. 검정용 표준시험편과 시험편에 대하여 각 3회 실시
다. 검정용 표준시험편과 시험편에 대하여 각 4회 실시

34_KS B 0896에서 판두께가 70㎜인 맞대기 용접부를 탐상시 에코높이가 Ⅳ영역이고 지시길이가 18㎜인 흠이 발견되었다면 이의 흠 분류는?

가. 1류　　　　　나. 2류
다. 3류　　　　　라. 4류

해답　31. 다　32. 나　33. 나　34. 나

35_KS B 0817에 규정한 기록 및 보고 내용에 포함되어야 하는 사항 중 누락해도 되는 항목은?

가. 시험체에 관한 것   나. 시험조건에 관한 것
다. 검사용어에 관한 것   라. 탐상기의 성능에 관한 것

36_KS B 0896의 경사각탐촉자 성능 중 진동자의 공칭치수가 10×10mm이고, 공칭주파수가 5MHz 일 때 불감대의 길이로 규정하고 있는 것은?

가. 15mm 이하   나. 10mm 이하
다. 8mm 이하   라. 5mm 이하

37_KS B 0896(강 용접부의 초음파탐상 시험방법)에 따라 원둘레 이음 용접부를 탐상할 경우, 시험체의 곡률반지름이 100mm일 때 다음 중 대비시험편으로 사용할 수 있는 곡률 반지름으로 맞는 것은?

가. 250mm   나. 200mm
다. 150mm   라. 80mm

38_KS B 0896에 따라 강용접부를 초음파탐상 시험할 때 경사각탐상에서 평가의 대상으로 하는 홈은 M검출 레벨의 경우 규정된 탐상감도로 조정하여 최대 에코높이가 다음 중 어느 선을 넘는 홈으로 규정하고 있는가?

가. M선   나. N선
다. L선   라. O선

39_KS B 0534 초음파탐상장치의 성능 측정방법에 따라 수직탐상을 할 경우 수직탐상의 근거리 분해능 측정에 사용되는 시험편은?

가. RB-RA형   나. RB-RB형
다. RB-RC형   라. STB-A형

해답   35. 라   36. 가   37. 다   38. 가   39. 다

40_ KS B 0550의 비파괴시험 용어 정의 중 텐덤 탐상법의 설명으로 올바른 것은?

　가. 경사각탐촉자 2개를 앞뒤로 배치하고 한쪽을 송신용으로, 다른 쪽을 수신용으로
　　　해서 사용하는 방법
　나. 탐촉자를 용접선에 평행하게 이동시키는 주사방법
　다. 탐촉자를 용접선에 직각 방향으로 이동시키는 주사방법
　라. 탐촉자를 회전시켜 초음파 빔의 방향을 변화시켜 주는 주사방법

41_ 컴퓨터 하드웨어 구성에서 보조기억장치로 볼 수 없는 것은?

　가. 하드 디스크　　　　　　　　　나. CPU
　다. CD-ROM　　　　　　　　　　라. 플로피 디스크

42_ 인터넷 홈페이지를 설계할 때 가장 우선적으로 고려할 대상은?

　가. 다양한 이미지 사용　　　　　　나. 사용자에게 흥미 있는 내용
　다. 전 페이지의 통일된 디자인　　　라. 정보 수집 및 관리 체계의 일원화

43_ 다음 중 컴퓨터 전문가가 아닌 것은?

　가. 사용자　　　　　　　　　　　나. 프로그래머
　다. 시스템분석가　　　　　　　　라. 데이터베이스 관리자

44_ 괄호에 들어갈 단어로 옳게 짝 지워진 것은?

> '네트워크상에서 정보 및 자료를 제공하는 컴퓨터를 (㉠)라고 하며, 반대로 정보를 제공받는 컴
> 퓨터는 (㉡)라고 한다.'

　가. ㉠-호스트, ㉡-서버　　　　　나. ㉠-서버, ㉡-클라이언트
　다. ㉠-클라이언트, ㉡-서버　　　라. ㉠-클라이언트, ㉡-호스트

해답　40. 가　41. 나　42. 라　43. 가　44. 나

45_ 컴퓨터에서 다음 중 방화벽 기능을 수행하는 서버는?

가. 웹 서버
다. FTP 서버

나. 클라이언트
라. 프락시 서버

46_ 청동에 대한 설명으로 틀린 것은?

가. 인장강도 및 연신율이 크다.
다. 내마모성이 있다.

나. 내식성이 크다.
라. 기계적 성질은 좋으나 주조성이 나쁘다.

47_ 면심입방격자의 단위격자에 속해 있는 원자의 수는?

가. 2
다. 6

나. 4
라. 8

48_ 노멀라이징 열처리의 가열 방법에 대한 설명으로 틀린 것은?

가. 급속히 가열한다.
나. 국부적인 가열을 피한다.
다. 강재의 크기에 따라 적당한 가열 시간을 유지한다.
라. 필요 이상의 고온가열이나 장시간 가열을 하지 말아야 한다.

49_ 상율(phase Rule)과 무관한 인자는?

가. 자유도
다. 상의 수

나. 원소 종류
라. 성분 수

50_ 열간가공을 끝맺는 온도를 무엇이라 하는가?

가. 피니싱 온도
다. 변태온도

나. 재결정온도
라. 용융온도

해답 45. 라 46. 라 47. 나 48. 가 49. 나 50. 가

51_ 강에 Cr을 첨가하였을 때 가장 큰 장점은?

가. 전기특성, 연신율 양호 　　　　나. 내마모성, 내식성 증가
다. 내열성, 내부응력 향상 　　　　라. 뜨임취성, 변형강도 증대

52_ 열처리에 있어서 담금질하는 목적은?

가. 재질을 연하게 한다. 　　　　나. 연성을 크게 한다.
다. 재질을 경하게 한다. 　　　　라. 금속의 조직을 조대화시킨다.

53_ 충격시험에서 나타나는 특성으로 틀린 것은?

가. 동적인 시험이다.
나. 취성파괴를 일으키는 일도 있다.
다. 시편의 노치효과를 많이 받고 하중속도에 영향이 크다.
라. 정적하중에 대한 시험이다.

54_ 강대금(steel back)에 접착하여 바이메탈 베어링으로 사용하는 구리(Cu)-납(pb)계 베어링합금은?

가. 화이트메탈(white metal) 　　　　나. 바비트메탈(babbit metal)
다. 켈멧(kelmet) 　　　　라. 백동(cupronickel)

55_ 단위포의 한 모서리의 길이는?

가. 결정질 　　　　나. 공간격자
다. 격자상수 　　　　라. 결정립

56_ 다음 중 변태점 측정방법이 아닌 것은?

가. 경도 　　　　나. 열 변화
다. 전기저항 　　　　라. 자성변화

해답　51. 나　52. 다　53. 라　54. 다　55. 다　56. 가

57_ 다음 금속의 특성으로 틀린 것은?

　가. 상온에서 고체이다.
　나. 전연성이 풍부하고 소성변형이 잘 안된다.
　다. 전기 및 열의 양도체이다.
　라. 금속 특유의 광택이 있다.

58_ 텅스텐 전극을 사용하여 모재를 가열하고 용접봉으로 용접하는 방법은?

　가. MIG 용접　　　　　　　나. TIG 용접
　다. 서브머지드 용접　　　　　라. 스폿 용접

59_ 저항용접의 3대 요소가 아닌 것은?

　가. 용접전류　　　　　　　　나. 가압력
　다. 통전시간　　　　　　　　라. 용접전압

60_ 아크전류가 200A, 아크전압이 25V, 용접속도가 15cm/min인 경우 용접길이 1cm 당 발생하는 용접입열은 몇 J/cm인가?

　가. 15000　　　　　　　　　나. 20000
　다. 25000　　　　　　　　　라. 30000

해답　57. 나　58. 나　59. 라　60. 나

MEMO

2006년 4회 초음파(UT)탐상검사 기능사

1__ 초음파탐상시험시 진동자의 직경이 일정할 때 주파수가 증가함에 따라 빔(beam)의 분산각?

가. 감소한다.　　　　　　　　　　나. 증가한다.

다. 변하지 않는다.　　　　　　　　라. 지수함수적으로 증가하다가 일정해진다.

2__ 비파괴검사법 중 침투탐상시험에 대한 특성 설명으로 잘못된 것은?

가. 불연속 또는 균열의 깊이를 정확하게 측정할 수 있는 방법이다.

나. 큰 부품의 일부분씩을 탐상시험할 수 있는 방법이다.

다. 표면의 개구(開口) 결함을 찾는데 효과적인 방법이다.

라. 침투물질의 종류나 적용 방법에 따라 민감도가 변할수 있다.

3__ A 스코프(Scope) 초음파탐상기로 작은 불연속에서 얻을 수 있는 지시의 최대 높이를 무엇이라 하는가?

가. 탐상기의 분해능　　　　　　　나. 탐상기의 감도

다. 탐상가의 투과력　　　　　　　라. 탐상기의 선별도

4__ 누설검사에 활용되는 다음 단위 중 1기압과 다른 것은?

가. 760mmHg　　　　　　　　　나. 760Torr

다. 950kg/cm²　　　　　　　　　라. 1,013mbar

해답　1. 가　2. 가　3. 나　4. 다

5_ 초음파탐상기 송신부의 주파수 스펙트럼을 조정 하므로서 탐촉자와 송신 케이블 사이의 상태를 최적화하는 탐상장치의 조절 부분을 무엇이라 하는가?

가. 증폭 조정기　　　　　　　　　나. 수신기
다. 펄스 조정기　　　　　　　　　라. 동시작용장치

6_ 초음파탐상시험시 시험체의 거리를 신속히 측정하기 위해 탐상기의 스크린상에 눈금으로 나눈 것을 무엇이라 하는가?

가. 송신 Pulse　　　　　　　　　나. 시간축
다. Marker　　　　　　　　　　라. Sweep line

7_ 어떤 재질에서의 초음파의 속도가 4.0×10^3 m/sec이고 탐촉자의 주파수가 5MHz이면 파장은 얼마인가?

가. 0.08㎜　　　　　　　　　　나. 0.8㎜
다. 0.04㎜　　　　　　　　　　라. 0.4㎜

8_ 금속재료의 초음파탐상시험시 그 재료 내부의 결정입자 크기가 클 경우 시험에 미치는 영향이 아닌 것은?

가. 초음파의 침투력이 감소한다.
나. 저면 반사파의 크기가 감소한다.
다. 잡음신호가 많이 발생한다.
라. 초음파의 속도가 감소한다.

9_ 용접부의 초음파탐상시 탐촉자 면에 마모가 되지 않도록 폴리우레탄 등으로 막을 사용할 때 일반적 현상이 아닌 것은?

가. 감도가 높아진다.　　　　　　나. 시험재 표면과 밀착성이 좋아진다.
다. 입사점이 변한다.　　　　　　라. 굴절각이 변한다.

해답　5. 다　6. 다　7. 나　8. 라　9. 가

10_초음파탐상시험에 대한 분류가 잘못 설명된 것은?

가. 탐촉자의 형태에 따라 펄스반사법, 투과법, 공진법 등으로 분류한다.
나. 탐상도형의 표시 방식에 따라 A, B, C 스코프 등으로 분류한다.
다. 초음파 진동방식에 따라 수직, 경사각, 표면파, 판파 탐상법 등으로 분류한다.
라. 접촉방법에 따라 직접 접촉법과 수침법 등으로 분류한다.

11_초음파탐상시험에서 일반적으로 결함 검출에 가장 많이 사용하는 방법은?

가. 펄스반사법   나. 투과법
다. 공진법   라. 주파수 해석법

12_초음파탐상시험에 사용되는 접촉매질의 이상적인 음향임피던스는?

가. 탐촉자의 음향임피던스보다 적어야 한다.
나. 탐촉자의 음향임피던스보다 커야 한다.
다. 시험체의 음향임피던스에 근접되어야 한다.
라. 시험체의 음향임피던스의 1/2정도여야 한다.

13_초음파탐상시험에서 진동자의 모형은 일반적으로 육각형이 많이 사용되며, X-cut와 Y-cut으로 나눈다. X-cut은 결정체를 X-축에 대해 수직으로 절단하고, Y-cut은 Y-축에 수직으로 절단한다. 이때 X-cut와 Y-cut이 만드는 파는?

가. X-cut이 만드는 파 : 횡파
　　Y-cut이 만드는 파 : 종파
나. X-cut이 만드는 파 : 종파
　　Y-cut이 만드는 파 : 횡파
다. X-cut이 만드는 파 : 표면파
　　Y-cut이 만드는 파 : 판파
라. X-cut이 만드는 파 : 판파
　　Y-cut이 만드는 파 : 표면파

해답　　10. 가　11. 가　12. 다　13. 나

14_ 초음탐상시험에서 분해능(resolution)이란?

가. 인접해 있는 2개의 결함을 분리해 낼 수 있는 능력
나. 결함의 크기를 결정하는 능력
다. 에코의 반사를 증폭하는 능력
라. 두꺼운 부분의 중심에 있는 결함을 탐지하는 능력

15_ 분할형 수직 탐촉자를 이용한 초음파탐상시험의 특징에 관한 설명으로 틀린 것은?

가. 시험체 표면에서 가까운 거리에 있는 결함의 검출에 적합하다.
나. 펄스반사식 두께측정에 이용한다.
다. 시험체 내의 초음파 진행 방향과 평행한 방향으로 존재하는 결함 검출에 적합하다.
라. 송수신의 초점은 시험체 표면에서 일정거리에 설정 된다.

16_ 다른 비파괴검사법과 비교하였을 때 와전류탐상시의 장점에 대한 설명이 아닌 것은?

가. 시험을 자동화할 수 있다.
나. 비접촉법으로 할 수 있다.
다. 시험체의 도금두께 측정이 가능하다.
라. 형상이 복잡한 것도 쉽게 검사할 수 있다.

17_ 압전탐촉자 중 극성 자기 탐촉자에 대한 설명으로 맞는 것은?

가. 자연계에 존재하는 자기적 성질을 갖는 진동자를 사용한 탐촉자이다.
나. 압전크리스탈 탐촉자에 비해 송신효율이 낮다.
다. 수정, 황산리튬, 티탄바륨 등의 진동자가 사용된다.
라. 압전크리스탈 탐촉자에 비해 높은 온도에서 사용이 가능하다.

18_ 초음파탐상시험 시 결함의 평면을 파악하기 위해서는 어느 표시방식이 적절한가?

가. A 스캔표시
나. B 스캔표시
다. C 스캔표시
라. 디지털 표시

해답　14. 가　15. 다　16. 라　17. 라　18. 다

19_방사선 투과사진의 명암도(콘트라스트)에 영향을 주는 인자 중 시험물 명암도(피사체콘트라스트)와 관련한 인자가 아닌 것은?

가. 시험체의 두께차 나. 사란방사선
다. 방사선의 선질 라. 현상 조건

20_초음파 경사각탐상시험에서 접근한계 거리(길이)란?

가. 탐촉자와 STB-A2 시험편이 접근할 수 있는 한계거리
나. 탐촉자가 검사체에 가까이 갈 수 있는 한계거리
다. 탐촉자와 STB-A1 시험편이 접근할 수 있는 한계거리
라. 탐촉자의 밑면 앞부분에서 입사점까지의 거리

21_초음파탐상시험시 잡음(Noise) 에코를 제거하는 일반적인 방법은?

가. 펄스 반복주파수를 ON(켠다)한다.
나. 게인 손잡이를 높여 준다.
다. 리젝트 손잡이를 ON(켠다)한다.
라. 일전시간이 지나면 자연적으로 없어진다.

22_형광침투탐상시험시 탐상면에 자외선을 쪼이면 결함부분에 남아 있는 형광침투액이 빛을 발한다고 한다. 이때 탐상면에 쪼이는 자외선의 파장은 몇 Å인가?

가. 5,900 나. 3,650
다. 6,350 라. 4,650

23_초음파탐상기에서 입력과 출력의 정비례 관계를 나타내는 탐상기의 성능은?

가. 증폭의 직선성 나. 시간축의 직선성
다. 원거리 분해능 라. 감도 여유값의 측정

해답 19. 라 20. 라 21. 다 22. 나 23. 가

24_ 두께 50㎜ 이하의 단조 강과 같이 결정립 상이 다소 미세한 재질에 대한 탐상 주파수로 다음 중 적절한 것은?

가. 25㎒ 나. 5㎒
다. 2.25㎒ 라. 1㎒

25_ 다음 중 두께 15㎜인 강판의 탐상면에서 깊이 7.6㎜ 부분에 탐상면과 평행하게 위치해 있는 결함을 검사하는 가장 효과적인 초음파탐상시험법은?

가. 종파에 의한 수직탐상 나. 횡파에 의한 경사각탐상
다. 표면파 탐상 라. 판파 탐상

26_ 강 용접부의 초음파탐상시험 방법(KS B 0896)에 대한 설명으로 틀린 것은?

가. 두께 6㎜ 이상의 페라이트계 강의 완전 용입부에 대하여 펄스반사법을 사용한 초음파탐상시험에 대한 규정이다.
나. 강관의 제조공정 중 이음 용접부에 대한 초음파탐상시험에 적용한다.
다. 용접부의 탐상은 특별한 지정이 없는 한 초음파 빔을 용접선 방향에 대하여 수직으로 향한 1탐촉자 경사각법으로 한다.
라. 용접부의 탐상은 특별한 지정이 없는 한 직접 접촉법으로 실시한다.

27_ 강 용접부의 초음파탐상시 시험방법(KS B0896)에 규정된 내용 중 탐상을 한 후의 '기록'에 해당되지 않는 것은?

가. 탐상 부분의 상태 및 손질 방법 나. 사용한 탐촉자, 성능 및 점검 일시
다. 시험기술자의 서명 및 자격 라. 기후 조건 및 용접 모양

28_ 강 용접부의 초음파탐상시험 방법(KS B 0896)에 의한 홈 분류시 2방향 이상에서 탐상한 경우에 동일한 홈의 분류가 2류, 2류, 3류, 2류로 나타났을 때 최종 등급은?

가. 1류 나. 2류
다. 3류 라. 4류

해답 24. 나 25. 가 26. 나 27. 라 28. 다

29_ 알루미늄 맞대기용접부의 초음파 경사각탐상 시험 방법(KS B 0897)에 규정한 1탐촉자법에 대한 설명으로 잘못된 것은?

가. 흠의 위치는 최소 에코높이를 표시하는 입사원 위치에서 표시한다.
나. 미세한 블로홀 및 이것과 비슷한 흠의 검출을 필요로 하지 않는 경우는 A 또는 B 평가레벨을 지정한다.
다. 에코높이가 A 평가레벨 이하로 B 평가레벨을 넘는 것은 B종 흠으로 구분한다.
라. 모재 두께가 40㎜를 넘고 80㎜ 이하인 경우 양면 양쪽에서 직사법에 의해 탐상한다.

30_ 초음파 탐촉자의 성능 측정 방법(KS B 0535)에 따른 다음 조건의 탐촉자 표시 방법은?

> [조건] ○ 수정진동자의 지름 30mm
> ○ 보통의 주파수 대역으로 공칭주파수 2㎒
> ○ 수직탐촉자

가. 2B30N   나. 2Q30A
다. 2Q30N   라. 2Z30A

31_ 강 용접부의 초음파탐상시험 방법(KS B 0896)에 규정한 탐상기에 필요한 기능의 설명이 잘못된 것은?

가. 탐상기는 1탐촉자법, 2탐촉자법 중 어느 것이나 사용할 수 있는 것으로 한다.
나. 탐상기는 적어도 2㎒ 및 5㎒의 주파수로 동작하는 것으로 한다.
다. 게인 조정기는 1스텝 5㏈ 이하에서, 합계 조정량이 10㏈ 이상 가진 것으로 한다.
라. 표시기는 표시기 위에 표시된 탐상 도형이 옥외의 탐상작업에서도 지장이 없도록 선명하여야 한다.

32_ 강관의 초음파탐상 검사 방법(KS D 0250)에 따른 탐상에서 다음 중 탐상형식에 해당되지 않는 것은?

가. 수침법   나. 갭법
다. 커플법   라. 직접 접촉법

해답 29. 가 30. 다 31. 다 32. 다

33_ 금속재료의 펄스반사법에 따른 초음파탐상시험 방법 통칙(KS B 0817)에 따른 에코높이 및 위치의 기록에 대한 설명이 잘못된 것은?

가. 에코높이는 표시기 눈금의 풀스케일에 대한 백분율(%)로 기록한다.

나. 에코높이는 미리 설정한 기준선 높이와의 비를 데시벨(dB) 값으로 기록한다.

다. 에코높이는 미리 설정한 에코 높이를 구분하는 영역의 부호로 기록한다.

라. 에코의 위치는 탐상도형 상의 바닥면으로부터 거리로 기록한다.

34_ 초음파 탐촉자의 성능 측정 방법(KS B 0535)에서 지정한 탐촉자의 형식에 따라 침수용 탐촉자를 표시할 때 그 기호는?

가. N 　　　　　　　　　　　　　　나. A

다. W 　　　　　　　　　　　　　　라. I

35_ 강 용접부의 초음파탐상시험 방법(KS B 0896)에서 탐촉자에 필요한 기능의 설명으로 잘못된 것은?

가. 시험주파수는 공칭 주파수의 90~120%의 범위 내로 한다.

나. 입사점의 측정을 쉽게 하기 위해 경사각탐촉자의 양쪽에는 1mm 간격으로 가이드 눈금이 붙어 있는 것으로 한다.

다. 경사각탐촉자의 진동자의 공칭 치수는 원칙적으로 공칭주파수 2MHz에서는 10×10, 14×14, 20×20mm의 공칭치수의 것을 쓴다.

라. 수직탐촉자의 진동자는 사각으로 하며, 원칙적으로 공칭주파수 5MHz에서는 10×10, 14×14mm의 공칭치수의 것을 쓴다.

36_ 강 용접부의 초음파탐상시험 방법(KS B 0896)에 정의한 DAC 범위란?

가. DAC를 적용하는 최소의 빔 노정 범위를 말한다.

나. DAC의 기점을 시간축 위에 표시하는 범위를 말한다.

다. DAC의 기점에서 주어져 있는 최대 보상량의 한계의 빔 노정까지의 범위를 말한다.

라. DAC 곡선의 에코높이와 빔 노정과의 관계를 직선에 가까운 것으로 가정하여 경사값으로 나타낸 범위이다.

해답 　33. 라 　34. 라 　35. 라 　36. 다

37_ 강 용접부의 초음파탐상시험 방법(KS B 0896)에 의한 흠 분류시 L 검출레벨에서 에코높이의 영역구분이 II이다. 판두께 64mm 인 맞대기 용접부의 흠 분류가 2류라면 흠의 지시길이는 몇 mm 이하로 규정하고 있는가?

가. 18mm

나. 20mm

다. 30mm

라. 60mm

38_ 알루미늄의 맞대기 용접부의 초음파 경사각탐상시험 방법(KS B 0897)에서는 두께 몇 mm 이상의 알루미늄 및 알루미늄합금 판의 완전 용입 맞대기 용접부에 대하여 펄스 반사법을 사용한 초음파탐상시험에 대하여 규정하고 있는가?

가. 5mm

나. 10mm

다. 12.5mm

라. 25mm

39_ 금속재료의 펄스반사법에 따른 초음파탐상시험 방법 통칙(KS B 0817)에서 감도의 조정에 사용한 표준시험편 또는 대비시험편, 시험체의 탐상면에 대한 감도보정의 설명으로 올바른 것은?

가. 곡률, 표면의 성상, 감쇠 등의 요인에 따라 시험결과에 차이가 있는 경우 차이를 측정하여 감도 보정치로 한다.

나. 수직법에 의한 측정시 V주사로 차이를 측정하여 감도 보정치로 한다.

다. 경사각법인 경우 바닥면 다중에코에 의해 차이를 측정하여 감도보정치로 한다.

라. "알루미늄 용접부의 초음파탐상시험 방법"(KS B 0897)에 따라 감도보정을 한다.

40_ 강 용접부의 초음파탐상시험 방법(KS B 0896)에 의한 시험결과의 분류 방법에서 흠 에코높이의 영역과 흠의 지시길이에 따른 흠의 분류시, 동일하다고 간주되는 깊이에서 흠과 흠의 간격이 큰 쪽의 흠 지시길이와 같거나 그것보다 짧은 경우의 분류는?

가. 각각의 독립 흠군으로 간주하고, 짧은 쪽 길이를 기준한다.

나. 각각의 돌립 흠군으로 간주하고, 긴 쪽 길이를 기준한다.

다. 연속 결함으로 간주하고, 두 흠 길이 각각을 합한 것을 연속한 길이로 한다.

라. 동일한 흠군으로 간주하고, 그것들을 간격까지 포함시켜 연속한 흠으로 다룬다.

해답 37. 다 38. 가 39. 가 40. 라

41_ 인터넷을 통하여 파일을 송수신하기 위한 통신규약(protocol)은?

가. Tlnet　　　　　　　　　　　나. IP
다. TCP　　　　　　　　　　　　라. FTP

42_ 도메인 네임(Domain Name)에 대한 설명으로 옳지 않은 것은?

가. 네트워크의 이름이 될 수 있다.
나. 도메인 네임은 서로 중복될 수 있다.
다. 도메인은 도메인 서버에서 IP로 바꿔서 사용된다.
라. 컴퓨터이름, 기관이름, 기관성격, 국가로 표현된다.

43_ 다음 중 마이크로컴퓨터용 운영체제가 아닌 것은?

가. OS/2　　　　　　　　　　　나. VAX
다. WINDOWS　　　　　　　　　라. UNIX

44_ 다음 중 프로그램 저작권 침해 및 불법 복사 행위가 아닌 것은?

가. 특정 소프트웨어를 구입한 뒤 사본을 만들어 친구에게 주는 행위
나. 출처가 불편치 않은 소프트웨어를 구입하거나 무료로 사용하는 행위
다. 소프트웨어 패키지에 접근 가능한 사용자 수를 초과하여 사용하는 행위
라. 하드디스크가 파괴되는 경우를 대비하여 플로피 디스크에 복사해 두는 행위

45_ 컴퓨터 바이러스에 관련된 설명 중 바르지 못한 것은?

가. 컴퓨터 바이러스는 컴퓨터 하드 부분의 기능을 완전히 마비시킬 수도 있다.
나. 백신 프로그램은 바이러스가 출현할 때만 실행해야 한다.
다. 컴퓨터 바이러스는 예방에 힘써야 한다.
라. 플로피 디스켓도 반드시 바이러스 체크를 한 후에 사용해야 한다.

해답　41. 라　42. 나　43. 나　44. 라　45. 나

46_ 다음 중 항온열처리방법으로 옳은 것은?

가. 노말라이징　　　　　　　　나. 오스템퍼링
다. 풀림　　　　　　　　　　　라. 뜨임

47_ 두랄루민의 주요성분 원소로 옳은 것은?

가. Al-Cu-Mg-Mn계 합금　　　나. Zn-Pb-Mg-Mn계 합금
다. Al-Zn-Cr-Mn계 합금　　　라. Zn-Fe-Cr-Mn계 합금

48_ 염욕 열처리에서 가장 저온도용 염욕제는?

가. KCI　　　　　　　　　　　나. Na_2CO_3
다. $BaCl_2$　　　　　　　　　라. $NaNo_2$

49_ 티타늄탄화물(Tic)과 Ni 또는 Co 등을 조합한 재료를 만드는데 응용하며, 세라믹과 금속을 결함하고 액상 소결하여 만들어진 절삭공구로 사용하는 고 경도 재료는?

가. 서멧　　　　　　　　　　　나. 두랄루민
다. 고속도강　　　　　　　　　라. 인바

50_ 금속의 결정격자구조가 아닌 것은?

가. FCC　　　　　　　　　　　나. DCB
다. BCC　　　　　　　　　　　라. HCP

51_ 하나의 원소가 온도에 따라 두 가지 이상의 결정구조를 가지는 경우 각각의 상을 무엇이라 하는가?

가. 동소체　　　　　　　　　　나. 결정입계
다. 천이금속　　　　　　　　　라. 변태입자

해답　46. 나　47. 가　48. 라　49. 가　50. 나　51. 가

52_ 그림과 같은 조밀 육방 격자에서 배위수는?

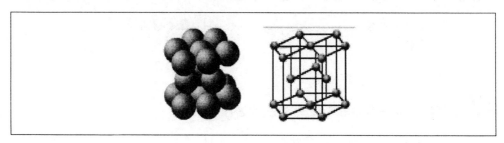

가. 2개   나. 4개
다. 8개   라. 12개

53_ 금속적 성질과 비금속적 성질을 같이 나타내는 것을 무엇이라 하는가?

가. 아금속   나. 중금속
다. 연석금속   라. 경금속

54_ 반자성체에 속하는 금속은?

가. Co   나. Fe
다. Au   라. Ni

55_ 방사선 투과 검사의 안전성 확보를 위한 장치(기구)로 볼 수 없는 것은?

가. 포켓도시메타   나. 필름뱃지
다. 서베이미터   라. 투과도계

56_ 다음 시험방법 중 탄소강의 탄소함유량을 측정하기 위한 가장 간단한 방법은?

가. 피로시험   나. 불꽃시험
다. 크리프 시험   라. 방사선투과시험

해답   52. 라 53. 가 54. 다 55. 라 56. 나

57_ 백선철을 900~1,000℃로 가열하여 탈탄시켜 만든 주철은?

가. 칠드 주철

나. 백심가단 주철

다. 편상흑연 주철

라. 합금주철

58_ 보기 용접기호를 설명한 것으로 올바른 것은?

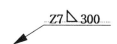

가. 필렛 부위를 점(spot)용접

나. 필렛 용접으로 목 두께는 7㎜

다. 화살표 반대방향에 목 길이 7㎜로 용접

라. 용접길이는 7㎜씩 용접피치는 300㎜로 단속용접

59_ 다음 중 아크 용접에서 역극성(DCRP)의 특징 설명으로 올바른 것은?

가. 모재 용입이 깊다.

나. 비드 폭이 좁다.

다. 용접봉의 용융(녹음)이 느리다.

라. 박판, 주철, 고탄소강, 합금강, 비철금속의 용접에 쓰인다.

60_ 가스 용접에서 용제를 사용해야 하는 이유를 설명한 것으로 가장 적합한 것은?

가. 금속의 산화물이 생겨서 용착금속의 융합이 불량해 지므로

나. 불꽃에 영향을 주어 모재의 성분에 민감한 반응을 주므로

다. 산화물을 혼입시켜서 결정이 비교적 미세한 용착금속을 얻을 수 있으므로

라. 용접봉의 성분이 그대로 용착금속의 성분으로 되지 않으므로

해답　57. 나　58. 다　59. 라　60. 가

MEMO

2007년 1회 초음파(UT)탐상검사 기능사

1_ 다른 비파괴검사법과 비교하였을 때 침투탐상시험의 단점에 대한 설명으로 옳은 것은?

가. 비금속 표면에 사용할 수 없다.
나. 금속내부 결함에 사용할 수 없다.
다. 크기가 큰 제품에는 사용할 수 없다.
라. 원자번호가 큰 금속의 표면에는 사용할 수 없다.

2_ 다음 중 1초당 2.5×10^7 사이클과 같은 것은?

가. 25KHz   나. 250KHz
다. 25MHz   라. 25μHz

3_ 다음과 같은 조건으로 알루미늄 검사체를 수직탐상할 때 초음파빔의 분산각을 35°로 하면 탐촉자 직경은 최대 약 몇 mm로 해야 하는가?

[조건] *사용주파수 1MHz, *알루미늄에서 초음파의속도는 6.5×105cm/s, *sin35° = 0.57로 계산한다.

가. 11.4   나. 13.4
다. 25.2   라. 27.7

4_ 초음파탐상검사에서 사용되는 탐촉자의 분해능에 대한 설명으로 옳은 것은?

가. 탐촉자의 직경에 비례한다.   나. 대역폭(band width)에 비례한다.
다. 펄스(pulse)의 폭에 비례한다.   라. 탐촉자의 두께에 비례한다.

해답   1. 나 2. 다 3. 나 4. 나

5_ 초음파 탐상기에서 단위 시간에 발생하는 펄스의 수를 무엇이라 하는가?

　가. 펄스의 길이　　　　　　　　나. 펄스 회복시간

　다. 공명주파수　　　　　　　　라. 펄스 반복주파수

6_ A-주사 기본표시에서 가로(횡)축은 무엇을 나타내는가?

　가. 에코의 높이　　　　　　　　나. 탐촉자의 움직인 거리

　다. 반사체의 크기　　　　　　　라. 경과시간

7_ 공업용 초음파탐상시험에서의 실용적인 초음파의 범위는?

　가. $50Hz \sim 10KHz$　　　　　　나. $500KHz \sim 10MHz$

　다. $5MHz \sim 50MHz$　　　　　라. $50MHz$ 이상

8_ 초음파탐상시험시 탐촉자에 음향렌즈를 부착시키면 어떤 결과가 나타나는가?

　가. 감도와 분해능은 높아지나 침투력은 작아진다.

　나. 감도와 침투력은 커지나 분해능은 나빠진다.

　다. 침투력은 커지나 감도와 분해능은 저하한다.

　라. 침투력과 분해능은 커지나 감도는 나빠진다.

9_ 근거리음장 한계거리(Xo)에 대한 식으로 올바른 것은?(단, D : 원형 진동자의 지름, λ : 시험체 내에서의 파장, V : 시험체 내에서의 파의 속도, n : 진동수)

　가. $D2/4\lambda$　　　　　　　　나. $D\lambda/2nV$

　다. $4n\lambda/D$　　　　　　　　라. $2n\lambda/D$

해답　5. 라　6. 라　7. 나　8. 가　9. 가

10_초음파탐상 시험방법 중 직접 접촉법에 대한 설명으로 옳은 것은?

　가. 빔의 투과력을 감소시킨다.
　나. 휴대성이 좋지 않다.
　다. 균일한 음향전달이 어렵다.
　라. 고주파수 탐상으로 국한되어 있다.

11_CRT(또는 LCD) 표시기에 나타난 탐상면에코와 저면반사 에코사이의 거리를 다음 중 무엇이라 하는가?

　가. 펄스 진폭　　　　　　　　　　나. 탐촉자가 움직인 거리
　다. 불역속의 두께　　　　　　　　라. 시편의 두께

12_초음파 경사각탐상시 직사법으로 할 때 결함까지의 깊이를 구하는 식은? (단, 굴절각은 θ 로 한다.)

　가. 빔진행거리×cot θ　　　　　나. 빔진행거리×sin θ
　다. 빔진행거리×tan θ　　　　　라. 빔진행거리×cos θ

13_수침법에서 탐촉자가 평평한 입사표면에 대해 수직임을 증명할 수 있는 것은?

　가. 입사표면으로부터의 최대반사
　나. 다중 송신하는 물의 제거
　다. 적절한 파장
　라. 초기펄스의 최대 진폭

14_다음 중 바퀴형(wheel) 탐촉자로 탐상할 수 없는 초음파 탐상시험방법은?

　가. 수직탐상　　　　　　　　　　나. 경사각탐상
　다. 표면파탐상　　　　　　　　　라. 쉐도우탐상

해답　10. 다　11. 라　12. 라　13. 가　14. 라

15_ 공진법에서는 어떤 형태의 초음파를 주로 사용하는가?

가. 연속파 나. 펄스파
다. 표면파 라. 레일리파

16_ 다음 중 초음파탐상 검사시 많은 수의 작은 지시들(임상에코)을 나타내는 결함은?

가. 수축관(shrinkage cavity)
나. 큰 비금속개재물(lnclusion)
다. 다공성 기포(porosity)
라. 균열(crack)

17_ eV(electron volt)란 단위의 이름은?

가. 1V의 전위차가 있는 전자가 받는 에너지의 단위
나. 물질과 파장의 단위
다. Lorentz 힘의 단위
라. 원자질량 단위로서 정지하고 있는 전자 1개의 질량

18_ 비파괴검사방법 중 체적검사를 할 수 있는 것은?

가. 자분탐상검사 나. 침투탐상검사
다. 방사선투과검사 라. 육안검사

19_ 다음 중 주로 액체 내에만 존재할 수 있는 파는?

가. 표면파 나. 종파
다. 횡파 라. 판파

해답 15. 가 16. 다 17. 가 18. 다 19. 나

20_ 초음파탐상시험에서 펄스폭과 분해능과의 관계를 바르게 설명한 것은?

가. 펄스폭과 분해능은 같은 의미이다.
나. 펄스폭이 작을수록 분해능이 좋아진다.
다. 펄스폭이 클수록 분해능이 좋아진다.
라. 펄스폭과 관계없이 분해능이 항상 일정하다.

21_ 수침법에서 20㎜의 물거리는 강재 두께가 몇 ㎜일 때 저면에코가 스크린 화면에서 같은 위치에 나타나는가? (단, 강재의 음속은 5900㎧, 물에서의 음속은 1475㎧이다.)

가. 20㎜   나. 40㎜
다. 60㎜   라. 80㎜

22_ 비파괴검사로 접착상태 검사(bonded joint test)를 실시하고자 할 때 다음 설명 중 틀린 것은?

가. 금속과 금속 접착에 이용된다.
나. 금속과 비금속 접착에 이용된다.
다. 다중 반사법을 사용한다.
라. 초음파탐상검사로 측정할 수 없다.

23_ 초음파 탐상기의 화면에 2개의 에코 A, B가 있다. 이때 A, B 에코의 높이의 비가 10배 차이가 난다면 이를 dB로 환산하면 몇 dB 차이가 나는가?

가. 10   나. 20
다. 100   라. 200

해답 　20. 나　21. 라　22. 라　23. 나

24_ 두께가 두꺼운 강판 용접부에 존재하는 결함을 검출하기 위한 가장 효과적인 초음파탐상 시험방법은?

가. 횡파를 이용한 경사각 탐상법
나. 종파를 이용한 수직 탐상법
다. 판파를 이용한 수직 탐상법
라. 표면파를 이용한 수직 탐상법

25_ 초음파가 물에서 알루미늄 판으로 12°의 입사각으로 입사하면 알루미늄 판 내에서의 굴절각 sin θ값은? (단, 물속에서의 음파의 속도는 1500%, 알루미늄 내에서 횡파의 속도는 3000%, sin 12° = 0.2로 계산 하도록 한다.)

가. 0.1   나. 0.2
다. 0.3   라. 0.4

26_ 강용접부의 초음파탐상 시험방법(KS B 0896)으로 탐상할 때 에코높이 구분선을 작성하는 경우 구분선 H선과 L선의 dB 차이는 얼마로 하는가?

가. 6   나. 12
다. 15   라. 18

27_ 비파괴시험 용어(KS B 0550)에서 초음파탐상시험에 대한 설명이 틀린 것은?

가. 초음파란 200KHz 이상인 음파를 말한다.
나. 송신펄스란 초음파 펄스를 발생하기 위해 탐촉자의 진동자에 인가하는 전기펄스를 말한다.
다. 펄스란 아주 짧은 시간 동안만 계속되는 신호를 말한다.
라. 에코란 시험체의 흠집·바닥면·경계면 등에서 반사되어 수신된 펄스 및 그것이 탐상기의 표시기에 나타난 지시를 말한다.

해답   24. 가   25. 라   26. 나   27. 가

28_ 금속재료의 펄스반사법에 따른 초음파탐상 시험방법 통칙(KS B 0817)에 규정한 시험 방법에 대한 설명이 틀린 것은?

가. 접촉매질은 각종 액체, 풀 상태, 겔 상태인 것을 쓴다.

나. 리젝션은 원칙적으로 사용하지 않는다.

다. 감도의 조정방법으로 시험편방식을 사용할 수 있다.

라. 펄스 반복주파수는 가능한 한 높게 설정하여야 한다.

29_ 초음파탐상 시험용 표준시험편(KS B 0831)에서 STB-G계열의 시험편인 V2, V3, V5, V8, V15-1, V15-1.4, V15-2, V15-2.8, V15-4 및 V15-5.6 중에서 인공 흠의 직경이 2mm인 시험편은 몇 개인가?

가. 1 나. 3

다. 4 라. 5

30_ 강용접부의 초음파탐상 시험방법(KS B 0896)에서 규정한 초음파탐상기에 필요한 성능을 설명한 것 중 옳은 것은?

가. 증폭 직선성은 이론값과 측정값의 편차가 ±3%의 범위 내로 한다.

나. 시간축의 직선성은 오차가 ±2%의 범위 내로 한다.

다. 수직탐상의 감도 여유값은 20dB 이상으로 한다.

라. DAC회로가 내장된 탐상기의 경사값의 조정은 0.48~4.8dB/mm(횡파)의 범위에서 할 수 있는 것으로 한다.

31_ 초음파탐상용 표준시험편(KS B 0831)에 의한 A1형 STB 시험편의 검정에 사용하는 탐촉자의 주파수는?

가. 1MHz 나. 2.25MHz

다. 5MHz 라. 10MHz

해답 28. 라 29. 라 30. 가 31. 다

32_ 강용접부의 초음파탐상 시험방법(KS B 0896)에서 사용하는 경사각탐촉자에 대한 성능점검으로 작업개시 및 작업시간 8시간 이내마다 점검해야 할 사항은?

가. 빔 중심축의 치우침　　　　　나. A1, A2감도
다. 원거리 분해능　　　　　　　　라. 불감대

33_ 초음파 탐촉자의 성능 측정방법(KS B 0535)에 규정된 탐촉자의 표시가 "B3M10×10A45AL"일 때 맨 앞 B의 의미는?

가. 광대역의 의미인 주파수 대역폭
나. 압전소자 일반의 진동자 재료
다. 수직탐촉자를 의미하는 형식
라. 단위가 "도"로 표시되는 굴절각

34_ 강용접부의 초음파탐상 시험방법(KS B 0896)에 따른 시험결과의 분류 방법에 대한 설명으로 틀린 것은?

가. 경사평행주사로 검출된 흠의 결과의 분류는 기존 분류에 한 급 하위 분류를 채용한다.
나. 동일 깊이에 있어서 흠과 흠의 간격이 큰 쪽의 흠의 지시 길이보다 짧을 경우는 동일 흠 군으로 본다.
다. 흠과 흠의 간격이 양자의 흠의 지시 길이 중 큰 쪽의 흠의 지시 길이보다 긴 경우는 각각 독립한 흠으로 본다.
라. 분기주사 및 용접선 위 주사에 의한 시험 결과의 분류는 당사자 사이의 협정에 따른다.

35_ 강용접부의 초음파탐상 시험방법(KS B 0896)에 규정된 경사각 탐촉자의 공칭주파수가 2MHz 와 5MHz일 때 사용되는 진동자의 공칭치수(㎜)로 틀린 것은?

가. 2MHz : 20×20　　　　　나. 5MHz : 25×25
다. 2MHz : 14×14　　　　　라. 5MHz : 10×10

해답　32. 가　33. 가　34. 가　35. 나

36_ 초음파탐상용시험용 표준시험편(KS B 0831)에 의한 N1형 STB 시험편에 검정용으로 사용되는 탐촉자는?

가. 5MHz 수침 탐촉자   나. 굴절각 70° 경사각 탐촉자
다. 굴절각 45° 경사각 탐촉자   라. 2MHz 수직 탐촉자

37_ 초음파 탐촉자의 성능 측정방법(KS B 0535)에서 규정한 탐촉자의 기호 "N5Q20N"에서 "20N"의 설명으로 올바른 것은?

가. 진동자의 지름이 20mm인 직접 접촉용 수직탐촉자
나. 진동자의 지름이 20mm인 직접 접촉용 경사각탐촉자
다. 넓은 주파수 대역으로 공칭주파수가 20MHz
라. 공칭주파수가 20MHz인 직접 접촉용 수직탐촉자

38_ 강용접부의 초음파탐상 시험방법(KS B 0896)에 따라 모재두께가 각각 22mm, 15mm인 맞대기 용접부를 탐상한 결과 흠의 최대에코 높이가 제 Ⅲ영역에 해당하고 흠의 길이는 10mm 인 것으로 측정되었다. 이 흠을 Ⅲ영역의 일부인 다음 표를 이용하여 분류 하였을 때 올바른 것은?

분류 \ 판두께	18mm 이하	18 초과 60mm 이하
1류	6mm 이하	t/3mm 이하
2류	9mm 이하	t/2mm 이하
3류	18mm 이하	tmm 이하
4류	3류를 넘는 것	

가. 1류   나. 2류
다. 3류   라. 4류

39_ 알루미늄 맞대기용접부의 초음파경사각 탐상시험방법(KS B 0897)에 따른 1탐촉자법에서 흠이 발견되어 최대에코가 지정된 평가레벨을 초과했을 때 다음 중 A종으로 판정할 수 있는 것은?

가. "기준레벨-12dB"을 넘는 것   나. "기준레벨-18dB"을 넘는 것
다. "기준레벨-24dB"을 넘는 것   라. "기준레벨-30dB"을 넘는 것

해답 36. 가 37. 가 38. 다 39. 가

40_ 강용접부의 초음파탐상 시험방법(KS B 0896)에 따라 판 두께가 25㎜인 시험체를 수직탐상을 할 경우 흠의 지시 길이를 구하는 방법의 설명으로 맞는 것은?

　가. 최대 에코높이가 나타나는 위치를 중심으로 그 주위를 주사하여 에코높이가 L선을 넘는 탐촉자 이동거리(긴 지름)로부터 구한다.

　나. 최소 에코높이가 나타나는 위치를 중심으로 그 주위를 주사하여 에코높이가 M선을 넘는 탐촉자 이동거리(긴 지름)로부터 구한다.

　다. 최대 에코높이가 나타나는 위치를 중심으로 그 주위를 주사하여 최대 에코높이의 1/2(-6㏈)을 넘는 탐촉자 이동거리(긴 지름)로부터 구한다.

　라. 최소 에코높이가 나타나는 위치를 중심으로 그 주위를 주사하여 최대 에코높이의 1/4(-12㏈)을 넘는 탐촉자 이동거리(긴 지름)로부터 구한다.

41_ 내부 네트워크에 대한 외부로 부터의 불법적인 접근을 방어 보호하는 장치로 외부의 접근을 체계적으로 차단하는 것을 무엇이라고 하는가?

　가. 해킹　　　　　　　　　　　나. 펌웨어

　다. 스토킹　　　　　　　　　　라. 방화벽

42_ 새로운 전자메일이 왔을 경우에 조회할 수 있는 기능을 가진 프로토콜로서, 메일 서버 컴퓨터에 설치되어 있는 윈도우즈용 메일 프로그램을 이용해 메일을 주고 받을 때 사용하는 프로토콜은?

　가. TCP/IP　　　　　　　　　나. SMTP

　다. IMAP　　　　　　　　　　라. POP

43_ 한 대의 컴퓨터에서 동시에 여러 작업을 수행하는 것은?

　가. 로그인(log-in)　　　　　　나. 멀티미디어(multimedia)

　다. 멀티태스킹(multi-tasking)　　라. 플러그 앤 플레어(plug and play)

해답　40. 가　41. 라　42. 라　43. 다

44_우리 정부의 "교육인적자원부" 인터넷 주소로 맞는 것은?

가. http://www.moe.go.kr 　　　나. http://www.moe.co.kr
다. http://www.moe.ac.kr 　　　라. http://www.moe.re.kr

45_인터넷에서 특정한 웹사이트에 접속했던 기록을 보관하고 있는 것은?

가. CGI 　　　나. Cookie
다. GPS 　　　라. Ping

46_상온에서 체심입방격자에 해당되는 금속은?

가. Zn 　　　나. Pt
다. Ag 　　　라. Mo

47_섬유강화금속 복합재료의 표기로 옳은 것은?

가. FRM 　　　나. CVD
다. PVD 　　　라. NKS

48_다음 중 황동의 주성분으로 옳은 것은?

가. Cu-Sn 　　　나. Sn-Ni
다. Cu-Zn 　　　라. Zn-Sn

49_알루미늄 합금의 질별기호 중 T4의 설명으로 옳은 것은?

가. 담금질 후 냉간 가공한 것 　　　나. 담금질 후 인공시효 시킨 것
다. 담금질 후 상온시효 시킨 것 　　　라. 담금질 후 안정화 처리한 것

해답　　44. 가　45. 나　46. 라　47. 가　48. 다　49. 다

50_ AI의 표면을 적당한 전해액 중에서 양극 산화 처리하여 방식성이 우수하고 치밀한 산화 피막을 만드는 방법이 아닌 것은?

가. 수산법　　　　　　　　　　나. 황산법
다. 질산법　　　　　　　　　　라. 크롬산법

51_ 다음 중 금속의 일반적인 특성이 아닌 것은?

가. 전성 및 연성이 나쁘다.
나. 전기 및 열의 양도체이다.
다. 금속 고유의 광택을 갖는다.
라. 수은을 제외한 고체 상태에서 결정구조를 가진다.

52_ 냉간 가공한 금속재료를 가열하여 풀림하였을 때 냉간가공으로 인하여 일어난 결정입자의 내부 변형이 없어지는 과정은?

가. 재결정　　　　　　　　　　나. 회복
다. 결정립성장　　　　　　　　라. 2차 재결정

53_ 다음 중 경도시험기가 아닌 것은?

가. 만능시험기　　　　　　　　나. 브리넬시험기
다. 로크웰시험기　　　　　　　라. 비커스시험기

54_ 물과 얼음, 수증기가 평형을 이루는 3중점 상태에서의 자유도는?

가. 0　　　　　　　　　　　　나. 1
다. 2　　　　　　　　　　　　라. 3

해답　50. 다　51. 가　52. 나　53. 가　54. 가

55_ 주철의 일반적인 특징을 설명한 것 중 틀린 것은?

가. 절삭성이 좋은 편이다.　　　나. 진동의 감쇠능이 우수하다.
다. 유동성이 좋아 주조가 잘된다.　　라. 충격에 잘 견디어 깨지지 않는다.

56_ 다음 중 산화가 가장 빨리 일어나는 금속은?

가. Cu　　　　　　　　나. Fe
다. Ni　　　　　　　　라. Al

57_ 다음 중 Ni 합금이 아닌 것은?

가. 슈퍼인바　　　　　　나. 문쯔메탈
다. 엘린바　　　　　　　라. 플래티나이트

58_ 피복아크 용접봉의 피복제 역할 설명 중 잘못 된 것은?

가. 전기 전도도를 양호하게 한다.　　나. 파형이 고운 비드를 만든다.
다. 급냉을 방지한다.　　　　라. 스패터를 적게 한다.

59_ 다음 중 전기 저항용접이 아닌 것은?

가. 스폿 용접　　　　　　나. 서브머지드 용접
다. 심 용접　　　　　　　라. 프로젝션 용접

60_ 용접조건 중 용입불량의 원인이 아닌 것은?

가. 루트 간격이 넓을 때　　　나. 용접 홈 각도가 좁을 때
다. 용접속도가 너무 빠를 때　　라. 용접 전류가 낮을 때

해답　55. 라　56. 라　57. 나　58. 가　59. 나　60. 가

MEMO

2007년 2회 초음파(UT)탐상검사 기능사

1__ 주조품에 대한 초음파탐상시험이 어려운 가장 큰 이유는 무엇인가?

　가. 큰 입자 구조이므로
　나. 결함 크기가 일정하므로
　다. 극히 미세한 입자이므로
　라. 결함 방향이 일정치 않으므로

2__ 초음파탐상기 기능 중 시간축에 나타나는 전기적 잡음 신호를 제거하는데 사용되는 조절기는?

　가. 초점(Focus)조절기
　나. 리젝션(Rejection)조절기
　다. 게이트(Gate)조절기
　라. 시간축 이동 조절기(Sweep Delay control)

3__ 다음 중 매질 내의 음속을 결정하는 인자들로 구성된 것은?

　가. 주파수 및 탄성율　　　　　나. 탄성율 및 밀도
　다. 매질 두께 및 밀도　　　　　라. 조직입도(grain) 및 두께

4__ 다음 중 초음파의 수신효율이 가장 좋은 압전물질은?

　가. 황산리튬　　　　　　　　　나. 수정
　다. 산화은　　　　　　　　　　라. 티탄산바륨

해답　1. 가　2. 나　3. 나　4. 가

5_ 자연산 수정으로 탐촉자를 만들었을 때의 단점으로 옳은 것은?

　가. 큐리점이 낮아 고온에서 사용이 어렵다.
　나. 노화로 그 특성을 쉽게 잃는다.
　다. 초음파 송신효율이 낮다.
　라. 물에 잘 녹아 접촉매질로 물을 사용할 수 없다.

6_ 초음파탐상시험시 진동자의 직경은 일정한데 주파수만 증가하면 음의 지향(분산)각은 어떻게 되는가?

　가. 변함없이 일정하다.　　　　　　　나. 감소한다.
　다. 증가한다.　　　　　　　　　　　라. 감소하다가 증가한다.

7_ 다음 중 정상적인 탐상에서 불연속 부분이 CRT 스크린상에 지시의 형태로 나타나지 않는 경우가 발생하는 탐상법은?

　가. 수직법　　　　　　　　　　　　나. 표면파법
　다. 경사각법　　　　　　　　　　　라. 투과법

8_ 초음파탐상검사에서 초음파가 매질을 진행할 때 진폭이 작아지는 정도를 나타내는 감쇠계수 (Attenuation coefficient)의 단위로 맞는 것은?

　가. dB/sec　　　　　　　　　　　나. dB/℃
　다. dB/cm　　　　　　　　　　　라. dB/m^2

9_ 자분탐상시험을 프로드법으로 적용할 때 자화전류값은 무엇에 따라 결정되는가?

　가. 프로드 전극의 직경과 시험체의 두께
　나. 프로드 전극사이의 거리와 시험체 두께
　다. 프로드의 재질과 프로드 전극 사이의 거리
　라. 시험체의 총 길이와 프로드 전극 사이의 거리

해답　5. 다　6. 나　7. 라　8. 다　9. 나

10_ 경사각탐상에서 1회 반사법에서의 결함깊이(d)를 옳게 나타낸 식은? (단, d : 결함깊이, t : 검사물의 두께, w : 빔노정, y : 탐촉자-결함간 표면거리, θ : 굴절각)

가. $y \cdot \cos \theta$
나. $w \cdot \cos \theta$
다. $2t - w \cdot \cos\theta$
라. $2t - y \cdot \cos \theta$

11_ 와전류탐상시험의 장점에 대한 설명이다. 틀린 것은?

가. 두꺼운 재료의 내부검사에 적합하며 효율적이다.
나. 비접촉법으로 시험 속도가 빠르고 자동화가 가능하다.
다. 결과의 기록보존이 가능하다.
라. 고온, 고압의 조건에서도 탐상이 가능하다.

12_ 비파괴검사법 중 표면의 열린 결함 검출에 가장 효율이 높은 검사법은?

가. 중성자투과시험법
나. 방사선투과시험법
다. 초음파 탐삼시험법
라. 침투탐상시험법

13_ 초음파탐상기에서 에코 A를 20dB 올려 에코 B와 동일한 크기로 하였다. 에코A 와 에코 B의 높이 비는 얼마인가?

가. 1 : 2
나. 1 : 5
다. 1 : 10
라. 1 : 20

14_ 다음 중 고체뿐 아니라 기체나 액체 내에서도 진행할 수 있는 초음파는?

가. 판파
나. 램파
다. 종파
라. 횡파

해답　10. 다　11. 가　12. 라　13. 다　14. 다

15_ 다음 중 방사선투과검사로 판별하기 가장 어려운 결함의 경우는?

　　가. 결함의 크기　　　　　　　　　나. 결함의 종류
　　다. 결함의 깊이　　　　　　　　　라. 결함의 수

16_ 초음파탐상기에서 시간축 발생기와 송신기에 펄스전압을 걸어주어 모든 회로의 작동을 조절하는 주요 회로를 무엇이라 하는가?

　　가. 표시회로　　　　　　　　　　나. 송신회로
　　다. 마커회로　　　　　　　　　　라. 동기작동회로

17_ 한 개의 탐촉자를 이용하여 입사된 초음파가 처음 매질로 반사되어 되돌아와 시험편의 한 면만으로도 결함탐상이 가능한 초음파탐상시험법을 무엇이라 하는가?

　　가. 투과탐상법　　　　　　　　　나. 전류관통법
　　다. 펄스반사법　　　　　　　　　라. 음향방출법

18_ 초음파탐상시험시 대역폭(band width)을 감소시키면 어떻게 되는가?

　　가. 탐상장치의 감도가 증가된다.
　　나. 탐상장치의 감도가 감소된다.
　　다. 중심주파수가 높아진다.
　　라. 중심주파수가 낮아진다.

19_ 초음파가 두께 50㎜의 철강재를 통과하여 CRT상에 지시가 나타날 때까지 걸리는 시간은 (㎲)은? (단, 철강재의 종파속도는 5900㎧이다.)

　　가. 6.95　　　　　　　　　　　　나. 8.48
　　다. 16.95　　　　　　　　　　　라. 33.98

해답　15. 다　16. 라　17. 다　18. 가　19. 다

20_ 초음파탐상시험 중 펄스반사법에 의한 직접접촉법이 아닌 것은?

　가. 수침법　　　　　　　　　　나. 표면파법
　다. 경사각법　　　　　　　　　　라. 수직법

21_ 두꺼운 판용접부의 경사각탐상에서 2개의 경사각 탐촉자를 용접부의 한쪽에서 전후로 배열하여 하나는 송신용, 하나는 수신용으로 하는 탐상방법은?

　가. 진자주사법　　　　　　　　　나. 목돌림주사법
　다. 탠덤주사법　　　　　　　　　라. 경사평행주사법

22_ 초음파 탐상시험에서 직접 접촉법과 비교하여 수침법에 의한 탐상의 장점은 어느 것인가?

　가. 초음파의 산란현상이 커서 탐상에 좋다.
　나. 휴대하기가 편리하다.
　다. 저주파수가 사용되어 탐상에 유리하다.
　라. 표면 상태의 영향을 덜 받아 안정된 탐상이 가능하다.

23_ 초음파탐상기의 화면 시간축 눈금이 10칸의 등간격으로 되어있을 때 수직탐상으로 두께 60mm인 시험편의 제1회 저면 반사파가 5번째 눈금에 나타나도록 시간축을 보정하였다. 미지의 시험편 두께를 측정한 결과 제1회 저면 반사파가 시간축의 3번째 눈금에 나타났다면 이 시험편의 두께는 몇 mm인가? (단, 두 재료의 재질 및 시험방법은 모두 동일하다.)

　가. 12　　　　　　　　　　　　나. 24
　다. 36　　　　　　　　　　　　라. 48

24_ 방사선투과시험의 형광스크린에 대한 올바른 설명은?

　가. 주로 감마선을 이용할 때 사용한다.
　나. 경금속을 검사할 때 필름 감광속도를 느리게 하기 위하여 사용한다.
　다. 주로 조사시간을 단축하기 위하여 사용한다.
　라. 조사기간을 길게 하며 납(Pb) 스크린보다 값이 훨씬 저렴해서 경제적이다.

> **해답**　20. 가　21. 다　22. 라　23. 다　24. 다

25_ 다음 물질 중에서 음향 임피던스가 가장 높은 것은?

가. 철   나. 물

다. 공기   라. 알루미늄

26_ 초음파탐상장치의 성능측정 방법(KS B 0534)에서 수직탐상의 감도 여유값을 측정하기 위한 사용 기재가 아닌 것은?

가. 머신유를 접촉매질로 사용

나. STB-G V15-5.6 시험편

다. 경사각 탐촉자

라. 수직 탐촉자(비집속인 것)

27_ 초음파 펄스반사법에 의한 두께 측정 방법(KS B 0536)에서 고온 측정물의 두께 측정 시 규정하고 있는 고온 측정물이란 측정면의 온도가 몇 ℃ 이상인 것을 말하는가?

가. 40   나. 50

다. 60   라. 70

28_ 초음파 탐촉자의 성능측정 방법(KS B 0535)에 따른 강재를 5Z20×20A70의 탐촉자로 탐상하고자 한다. 강재 내로 전파되는 초음파의 파장은 약 얼마인가? (단, 강재 내 종파속도 5900㎧, 횡파속도 3230㎧이다.)

가. 0.33㎜   나. 0.65㎜

다. 1.0㎜   라. 1.2㎜

해답   25. 가   26. 다   27. 다   28. 나

29_ 건축용 강판 및 평강의 초음파탐상시험에 따른 등급분류와 판정기준(KS D 0040)에 대한 설명으로 잘못된 것은?

가. 두께 13㎜ 이하, 나비 180㎜ 이하의 평강에 대하여 규정하고 있다.

나. 탐상방식은 수직법에 따르는 펄스반사법으로 한다.

다. 접촉매질은 원칙적으로 물을 사용한다.

라. 수동 탐상기의 원거리 분해 성능은 대비시험편 RB-RA를 사용하여 측정한다.

30_ 강용접부의 초음파탐상 시험방법(KS B 0896)에서 경사각 탐상에 의한 에코높이 구분선 작정시 에코높이의 범위가 M선 초과 H선 이하는 영역구분시 어느 영역에 속하는가?

가. I   나. II

다. III   라. IV

31_ 강용접부의 초음파 탐상 시험방법(KS B 0896)에 규정된 페라이트계 강의 두께 하한치는 얼마인가?

가. 6㎜   나. 8㎜

다. 10㎜   라. 12.5㎜

32_ 강용접부의 초음파탐상 시험방법(KS B 0896)에서 탠덤탐상의 적용 판두께 범위로 맞는 것은?

가. 10㎜ 이상   나. 12㎜ 이상

다. 15㎜ 이상   라. 20㎜ 이상

33_ 초음파탐상시험용 표준시험편(KS B 0831)에서 구상화어닐링 열처리를 한 시험편은 어느 것인가?

가. N1형 STB   나. G형 STB

다. A1형 STB   라. A2형 STB

해답   29. 가   30. 다   31. 가   32. 라   33. 나

34_초음파탐상시험용 표준시험편(KS B 0831)에서 G형 STB의 검정에 사용되는 탐촉자와 접촉매질에 대한 설명 중 틀린 것은?

가. 수직탐촉자를 사용한다.

나. 진동자 재료는 수정 또는 세라믹스이다.

다. 진동자 치수는 10×10㎜이다.

라. 접촉 매질은 기계유이다.

35_탄소강 및 저합금강 단강품의 초음파탐상 시험방법(KS D 0248)에서 시험조건 중 탐촉자의 주사속도는 얼마인가?

가. 초당 150㎜ 이상   나. 초당 180㎜ 이하

다. 초당 200㎜ 이하   라. 초당 250㎜ 이하

36_강용접부의 초음파탐상 시험방법(KS B 0896)에 따라 용접 후 열처리의 지정이 있는 경우 합·부의 판정을 위한 초음파탐상시험의 실시 시기로 맞는 것은?

가. 최종 열처리 직전

나. 용접 후 수 시간 지난 열처리 직전

다. 최종 열처리 후

라. 용접 후 1차 열처리한 즉시

37_강용접부의 초음파탐상 시험방법(KS B 0896)에서 경사각 탐상에 의한 에코 높이 구분선 작성을 위하여 STB-A2를 사용하는 경우 표준구멍의 크기로 맞는 것은?

가. Ø1×1㎜   나. Ø2×2㎜

다. Ø4×4㎜   라. Ø8×8㎜

해답   34. 다   35. 가   36. 다   37. 다

38_ 알루미늄 맞대기 용접부의 초음파 경사각탐상 시험방법(KS B 0897)에 의한 탐상장치의 사용 조건으로 올바른 것은?

가. 증폭 직전성은 ±5%로 한다.
나. 시간축 직선성은 ±2%로 한다.
다. 감도 여유값은 20dB 이하로 한다.
라. 경사각 탐촉자의 공칭 주파수는 5MHz로한다.

39_ 강용접부의 초음파탐상 시험방법(KS B 0896)에서 장치의 조정 및 점검을 위한 경사각탐상 시 입사점의 측정은 어떤 시험편을 사용하는가?

가. RB-A8 대비시험편
나. A2형 표준시험편
다. RB-A4 대비시험편
라. A3형 표준시험편

40_ 초음파탐상시험용 표준시험편(KS B 0831)에 의한 A1형 표준시험편의 주된 사용 목적만으로 열거된 것은?

가. 수직 탐촉자 특성 측정, 탐상기의 종합 성능 측정
나. 경사각 탐촉자의 입사점 및 굴절각 측정, 측정 범위의 조정, 에코높이 구분선 작성
다. 경사각 탐촉자의 입사점 및 굴절각 측정, 측정 범위의 조정, 탐상 감도의 조정
라. 측정범위의 조정, 탐상기의 종합 성능 측정

41_ 다음 중 컴퓨터 운영체제의 종류가 아닌 것은?

가. UNIX
나. WINDOWS
다. LINUX
라. ACCESS

해답　38. 라　39. 라　40. 다　41. 라

42_ OSI-7계층으로 옳지 않은 것은?

가. 물리계층   나. 응용계층

다. 처리계층   라. 네트워크계층

43_ 다음 도메인 이름 중에서 기관분류가 교육기관에 속하는 사이트를 나타낸 것은?

가. http://www.univ.co.kr

나. http://www.ccc.or.kr

다. http://www.bbb.ac.kr

라. http://www.hs.go.kr

44_ 다음이 설명하고 있는 것은?

> 네트워크상에서 다른 컴퓨터의 정보를 훔치거나 시스템의 파일을 변경하거나 시스템을 파괴시키는 행위를 하는 자를 의미한다.

가. Vaccine   나. User

다. Cracker   라. Virus

45_ Windows 시스템에서 하드웨어 주변 장치를 설치할 때 사용자가 세부 사항을 설정할 필요 없이 운영체제가 자동으로 설정해 주는 기능은?

가. OLE   나. Pnp

다. OS/2   라. RISC

46_ 다음 중 용융점이 가장 높은 금속은?

가. Mn   나. Pt

다. Cr   라. W

해답   42. 다   43. 다   44. 다   45. 나   46. 라

47_ 다음 중 탄소강의 5대 원소가 아닌 것은?

가. P

나. S

다. Na

라. Si

48_ 현미경으로 조직시험을 하고자 할 때 시험재료와 부식제 연결이 잘못된 것은?

가. 철강-질산 알콜 용액

나. 구리, 황동 ,청동-질산 용액

다. Ni과 그 합금-질산 용액

라. Zn 합금-염산 용액

49_ 철(Fe)의 자기 변태점은 약 몇 ℃인가?

가. 358℃

나. 423℃

다. 768℃

라. 1120℃

50_ 로크웰 경도시험(HRC)에서 원뿔 다이아몬드형 압입자를 사용할 때 기준하중(㎏)과 시험하중(㎏)은?

가. 10, 150

나. 10, 50

다. 5, 100

라. 5, 150

51_ 다음 중 실루민의 주성분으로 옳은 것은?

가. Al+Si

나. Sn+Cu

다. Ni+Mn

라. Mg+Ag

해답 47. 다 48. 나 49. 다 50. 가 51. 가

52_ 강재에 대한 비금속 개재물 시험에서 A계로 분류되는 것은?

　가. 산화물　　　　　　　　　　나. 알루미나
　다. 질화물　　　　　　　　　　라. 황화물

53_ 공구용 합금강 재료로서 구비해야 할 조건으로 틀린 것은?

　가. 인성이 좋아야 한다.　　　　나. 내마멸성이 커야 한다.
　다. 연성이 커야 한다.　　　　　라. 경도가 높아야 한다.

54_ 순청에서 910℃ 이하의 온도에서 나타나는 결정격자는?

　가. 저심사방격자　　　　　　　나. 체심입방격자
　다. 면심입방격자　　　　　　　라. 조밀육방격자

55_ 다음 중 조미니 시험은 무엇을 알아보기 위한 것인가?

　가. 균열　　　　　　　　　　　나. 연화능
　다. 경화능　　　　　　　　　　라. 인성

56_ 오스테나이트계 스테인리스강은 18-8강이라고도 한다. 이때 18과 8은 어떤 합금 원소인가?

　가. 텅스텐, 망간　　　　　　　나. 텅스텐, 코발트
　다. 크롬, 니켈　　　　　　　　라. 크롬, 몰리브덴

57_ 실용되는 공업용 황동의 상태도에서 나타나는 상온 조직은?

　가. α 단상　　　　　　　　　　나. β단상
　다. α 및 $\alpha+\beta$상　　　　　　　라. β 및 $\beta+\delta$상

해답　52. 라　53. 다　54. 나　55. 다　56. 다　57. 다

58_ 가스용접에서의 매니폴드(manifold) 설치시의 고려사항과 가장 관계가 없는 것은?

　가. 용기의 교환주기　　　　　　　나. 순간 최대 사용량
　다. 필요한 가스용기의 수　　　　　라. 용접 토치의 팁번호

59_ 액화탄산가스 용기의 도색으로 맞는 것은?

　가. 청색　　　　　　　　　　　　　나. 녹색
　다. 회색　　　　　　　　　　　　　라. 백색

60_ 정격 2차 전류 200A, 정격 사용률 40%의 아크 용접기로 150A의 용접전류를 사용하여 용접하는 경우 허용사용률은 약 %인가?

　가. 22.5　　　　　　　　　　　　　나. 60
　다. 71　　　　　　　　　　　　　　라. 80

해답　58. 라　59. 가　60. 다

MEMO

2007년 4회 초음파(UT)탐상검사 기능사

1_ 침투탐상검사의 특성에 대한 설명으로 잘못된 것은?

　가. 큰 시험체의 부분검사에 편리하다.
　나. 거친 표면에서의 불연속 검출에 탁월하다.
　다. 표면의 균열이나 불연속을 측정하는데 더 유리하다.
　라. 서로 다른 탐상액을 혼합하여 사용하면 감도에 변화가 생긴다.

2_ 자분탐상시험시 코일의 감은 수가 10회, L/D의 비가 3인 강봉을 코일법으로 검사할 때 요구되는 전류(A)는? (단, L은 봉의 길이, D는 외경이다.)

　가. 30　　　　　　　　　　　　나. 700
　다. 1167　　　　　　　　　　　라. 1500

3_ 일반적으로 두 물질의 경계면에 수직으로 음파가 입사할 때 음파는 경계면에서 반사하는 성분과 통과하는 성분으로 나뉘어지는 비율은 경계면에 접하는 무엇에 따라 정해지는가?

　가. 불감대　　　　　　　　　　나. 근거리음장
　다. 증폭직선성　　　　　　　　라. 음향임피던스

4_ 다음 중 횡파가 존재할 수 있는 물질은?

　가. 물　　　　　　　　　　　　나. 공기
　다. 오일　　　　　　　　　　　라. 아크릴

해답　1. 나　2. 라　3. 라　4. 라

5_ 다음 중 모든 조건이 동일할 때 속도가 가장 큰 진동 모형은 어느 것인가?

　가. 횡파　　　　　　　　　　　　나. 종파
　다. 표면파　　　　　　　　　　　라. 전달파

6_ 매질 내에서 초음파의 전달속도는 무엇에 의해 가장 큰 영향을 받는가?

　가. 밀도와 탄성계수　　　　　　　나. 자속밀도와 소성
　다. 선팽창계수와 투과율　　　　　라. 침투력과 표면장력

7_ 일반적으로 물에서의 음속은 약 몇 ㎧인가?

　　가. 330　　　　　　　　　　　　나. 340
　　다. 1500　　　　　　　　　　　라. 5900

8_ 두 매질의 접촉면에서 동일파의 입사각과 반사각의 크기를 비교할 때 그 관계를 올바르게 설명한 것은?

　가. 반사각과 입사각은 동일하다.
　나. 반사각은 입사각의 $\sqrt{2}$ 배 정도이다.
　다. 반사각은 항상 입사각의 2배 정도이다.
　라. 반사각은 항상 입사각의 약 1/2 정도이다.

9_ 다음 중 티탄산바륨 진동자의 주된 특징으로 옳은 것은?

　가. 사용수명이 가장 길다.
　나. 내마모성이 우수하다.
　다. 송신효율이 우수하다.
　라. 가장 높은 온도에서 사용할 수 있다.

해답　5. 나　6. 가　7. 다　8. 가　9. 다

10_종파속도가 6km/s인 재질을 지름 12mm, 2.5MHz 탐촉자로 탐상할 때 근거리음장의 길이 (near field length)는 몇 mm인가?

　　가. 1.25　　　　　　　　　　　나. 1.50
　　다. 12.5　　　　　　　　　　　라. 15.0

11_다음과 같은 주파수의 탐촉자를 사용할 때 일반적으로 음의 감쇠가 가장 심한 탐촉자의 주파수는 어느 것인가?

　　가. 0.5MHz 탐촉자　　　　　　나. 1.0MHz 탐촉자
　　다. 2.5MHz 탐촉자　　　　　　라. 5.0MHz 탐촉자

12_초음파탐상장비 중 에코의 음압을 전압으로 변화시키는 것을 무엇이라 하는가?

　　가. 게인　　　　　　　　　　　나. 리젝션
　　다. 탐촉자　　　　　　　　　　라. 접촉매질

13_초음파탐상검사에서 수동으로 탐상면을 따라 움직이는 탐촉자의 이동을 무엇이라 하는가?

　　가. 감쇠　　　　　　　　　　　나. 주사
　　다. 공진　　　　　　　　　　　라. 운동

14_다음 중 물질 내부의 결함을 검출하기 위한 비파괴검사법으로만 나열된 것은?

　　가. 와전류탐상검사, 누설검사
　　나. 자분탐상검사, 침투탐상검사
　　다. 초음파탐상검사, 방사선투과검사
　　라. 침투탐상검사, 와전류탐상검사

해답　10. 라　11. 라　12. 다　13. 나　14. 다

15_ 압연한 판재의 라미네이션(Lamination) 검사에 가장 적합한 초음파탐상 시험방법은?

　　가. 수직법　　　　　　　　　　나. 사각법
　　다. 판파법　　　　　　　　　　라. 표면파법

16_ 저주파수의 음파를 얇은 물질의 초음파탐상시험에 주로 사랑하지 않는 가장 큰 이유는?

　　가. 불완전한 음파이기 때문에
　　나. 저주파수의 음파는 감쇠가 빨라서
　　다. 표면하의 분해능이 나쁘기 때문에
　　라. 침투력의 감쇠가 빨라 효율성이 떨어지므로

17_ 그림과 같은 경사각탐상시험에서 표면거리(y)를 구하는 식으로 옳은 것은?

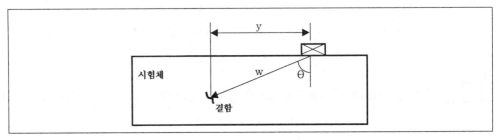

　　가. w(빔거리)×sin θ　　　　　나. w(빔거리)×cos θ
　　다. w(빔거리)×tan θ　　　　　라. w(빔거리)×cot θ

18_ 다음 중 공진법을 이용한 초음파탐상시험이 가장 적합한 경우는?

　　가. 아주 큰 기포가 있을 경우
　　나. 아주 긴 장축 단조물일 경우
　　다. 알루미늄판의 얇은 두께를 측정할 경우
　　라. 아주 작은 기포가 많이 모여 있을 경우

해답　　15. 가　16. 다　17. 가　18. 다

19_탐촉자 내의 크리스탈을 받쳐주는 댐핑(Damping : 흡음) 물질의 설명으로 옳은 것은?

　가. 에코신호를 증폭시킨다.
　나. 펄스 에너지를 증가시킨다.
　다. 펄스의 진동시간을 증가시켜 준다.
　라. 댐핑의 양이 커지면 분해능이 커진다.

20_초음파탐상검사시에 탐촉자의 주파수를 높이면 일어나는 현상으로 틀린 것은?

　가. 침투력이 낮아진다.　　　　　나. 펄스폭이 좁아진다.
　다. 투과력이 좋아진다.　　　　　라. 분해능이 좋아진다.

21_차폐되지 않은 지역에서 동위원소를 사용하여 방사선투과검사를 할 때 6m에서의 선량율이 1200m rem/h이면 24m일 때의 선량율(m rem/h)은 얼마인가?

　가. 75　　　　　　　　　　　나. 100
　다. 200　　　　　　　　　　　라. 300

22_아크릴 수지에서의 입사각이 약 얼마일 때 강재 내에서 굴절된 종파가 90°로 되어 전부 반사하는가? (단, 아크릴수지 내에서 종파속도는 2730㎧, 강재 내에서 종파속도는 5900㎧ 이다.)

　가. 24.6°　　　　　　　　　　나. 27.6°
　다. 62.0°　　　　　　　　　　라. 90.0°

23_주파수 20MHz인 탐촉자로 어떤 재질의 내부를 탐상하였을 때 음속이 2.3×105㎝/s라면 파장은 약 몇 ㎜인가?

　가. 0.32　　　　　　　　　　나. 0.26
　다. 0.12　　　　　　　　　　라. 0.06

해답　19. 라　20. 다　21. 가　22. 나　23. 다

24_ 다음 표준시험편 중 경사각 탐촉자의 입사점 및 굴절각 측정에 사용할 수 있는 것은?

가. STB-A1　　　　　　　　　　나. STB-A2

다. STB-G　　　　　　　　　　라. STB-N1

25_ 다음 중 비파괴검사의 적용에 대한 설명으로 옳은 것은?

가. 구조재 재질의 적합 여부 및 규정된 내부 결함의 합·부를 판정하기 위해서는 주로 육안 검사를 이용한다.

나. 알루미늄 합금의 재질이나 열처리 상태를 판별하기 위해서는 누설검사가 유용하다.

다. 담금질 경화층의 깊이나 막두께 측정에는 와전류탐상검사를 이용한다.

라. 구조상 분해할 수 없는 전기용품 내부의 배선상황을 조사하는데 사용된다.

26_ 초음파 탐촉자의 성능측정 방법(KS B 0535)에서 탐촉자에 "N5Z10×10A70"이라 쓰여 있을 때 의미로 옳은 것은?

가. 보통주파수 대역폭의 공칭주파수가 5MHz, 70°경사각탐촉자로 치수는 10×10㎜(높이×폭)인 각형이다.

나. 보통주파수 대역폭의 공칭주파수가 5MHz, 수직탐촉자로 치수는 10×10㎜(높이×폭)인 각형이며 70번째로 제작되었다.

다. 광대역주파수 대역폭의 공칭주파수가 10MHz, 70°경사각탐촉자로 5Z라는 재료로 제작되었다.

라. 보통주파수 대역폭의 공칭주파수가 10MHz, 수직탐촉자이며 구성재료는 5Z이다.

27_ 강관의 초음파탐상검사방법(KS D 0250)에서 수침법에 사용하는 수직탐촉자의 진동자 공칭치수는 통상적으로 지름의 몇 ㎜ 이하로 하는가?

가. 25　　　　　　　　　　　　나. 30

다. 40　　　　　　　　　　　　라. 50

해답　24. 가　25. 다　26. 가　27. 가

28_ 비파괴시험용어(KS B 0550)에 따라 경사각탐상에서 탐촉자-용접부 거리를 일정하게 하고 탐촉자를 용접선에 평행하게 이동시키는 주사 방법을 무엇이라 하는가?

가. 전후주사　　　　　　　　　　　나. 좌우주사
다. 목돌림주사　　　　　　　　　　라. 지그재그주사

29_ 금속재료의 펄스반사법에 따른 초음파탐상시험방법 통칙(KS B 0817)에서 탐상도형의 표시를 기호로 나타낸 것 중 틀린 것은?

가. T : 측면에코　　　　　　　　　나. F : 흠집에코
다. B : 바닥면에코　　　　　　　　라. S : 표면에코

30_ 알루미늄 관용접부의 초음파경사각탐상 시험방법(KS B 0521)에 따라 측정범위를 조정할 때 측정범위가 100mm라면 STB-A1의 R100mm는 알루미늄에서는 얼마의 거리에 상당하는 것으로 하는가?

가. 49mm　　　　　　　　　　　　나. 50mm
다. 98mm　　　　　　　　　　　　라. 100mm

31_ 강 용접부의 초음파탐상시험방법(KS B 0896)에서 수직탐상을 실시할 경우 시험체의 두께가 100mm 초과 150mm 이하일 때 적용하는 대비시험편은 다음 중 어느 것인가?

가. RB-4 의 No.1　　　　　　　　나. RB-4 의 No.3
다. RB-4 의 No.4　　　　　　　　라. RB-4 의 No.7

32_ 알루미늄의 맞대기 용접부의 초음파경사각탐상시험방법(KS B 0897)에서 탐상기의 사용조건을 틀리게 설명한 것은?

가. 증폭직선성은 ±3%로 한다.
나. 시간축의 직선성은 ±1%로 한다.
다. 감도 여유값은 40dB 이상으로 한다.
라. 사용조건의 확인은 장치의 사용 개시 시 및 2년마다 확인한다.

해답　28. 나　29. 가　30. 다　31. 다　32. 라

33_ 초음파탐상장치의 성능측정방법(KS B 0534)에서 증폭직선성을 시험편을 사용하여 측정하는 내용의 설명으로 잘못된 것은?

가. 탐상기의 리젝션을 "0 또는 off"로 한다.

나. 홈에코의 높이를 5% 단위로 읽고, 풀 스케일의 80%가 되도록 탐상기의 게인 조정기를 조정한다.

다. 게인 조정기로 2dB씩 게인을 저하시켜 26dB까지 계속한다.

라. 이론값과 측정값의 차를 편차로 하고 "양"의 최대편차와 "음"의 최대편차를 증폭직선성으로 한다.

34_ 알루미늄의 맞대기 용접부의 초음파경사각탐상시험방법(KS B 0897)에 다른 경사각탐촉자의 굴절각 측정에 사용하는 시험편은?

가. STB-A1　　　　　　　　나. RB-A7
다. STB-A3　　　　　　　　라. RB-A4 AL

35_ 건축용 강판 및 평강의 초음파탐상시험에 따른 등급분류와 판정기준(KS D 0040)에서 탐상시험을 할 수 있는 강판의 최소 두께로 다음 중 옳은 것은?

가. 5㎜　　　　　　　　나. 8㎜
다. 10㎜　　　　　　　라. 13㎜

36_ 강 용접부의 초음파탐상시험방법(KS B 0896)에 따라 2방향(A방향, B방향)에서 탐상한 결과 동일한 홈이 A방향에서는 2류, B방향에서는 3류로 분류되었다면 홈의 분류로 옳은 것은?

가. 1류　　　　　　　　나. 2류
다. 3류　　　　　　　　라. 4류

해답　33. 나　34. 라　35. 라　36. 다

37_ 강 용접부의 초음파탐상시험방법(KS B 0896)에 따라 판두께가 25mm인 시험체를 M 검출레벨로 검사한 결과 탐상방향에 관계없이 길이가 10mm인 흠이 검출되었다. 검출된 흠의 분류로 올바른 것은?

가. 1류   나. 2류
다. 3류   라. 4류

38_ 강 용접부의 초음파탐상시험방법(KS B 0896)에 따른 수직탐상의 측정범위의 조정에 관한 사항이다. 다음 중 옳은 것은?

가. 측정범위는 사용하는 빔노정 이내에서 최소한으로 한다.
나. 조정은 A1형 표준시험편 등을 사용하여 ±1%의 정밀도로 실시한다.
다. RB-4의 표준구멍의 에코높이가 H선에 일치하도록 게인을 조정한다.
라. 시험체가 음향이방성을 가진 경우 W반사법을 사용한다.

39_ 초음파탐상시험용 표준시험편(KS B 0831)에서 탐상감도의 조정과 측정범위의 조정에 모두 사용할 수 있는 표준시험편은?

가. G형   나. N1형
다. A2형   라. A3형

40_ 알루미늄의 맞대기 용접부의 초음파경사각탐상시험방법(KS B 0897)에서 1탐촉자법 평가 레벨의 종류가 아닌 것은?

가. A평가 레벨   나. B평가 레벨
다. C평가 레벨   라. D평가 레벨

41_ 웹(Web) 상에서 문서를 만드는데 사용되는 언어는?

가. HTTP   나. HTML
다. UML   라. Hyper Media

해답   37. 나   38. 나   39. 라   40. 라   41. 나

42_ 외부인이 자신의 공개되지 않은 자원에 접근하는 것을 막고 네트워크 내의 자원을 보호해 주는 것은?

가. Gateway   나. Firewall
다. DNS   라. Network Adapter

43_ 그림이나 사진 등을 컴퓨터에 입력시키는 장치는?

가. 광학 마크 판독기   나. 트랙볼
다. 라이트 팬   라. 스캐너

44_ NIDA(KRNIC)에서 부여하는 교육기관 관련도메인 중에서 고등학교를 의미하는 것은?

가. kg   나. es
다. ms   라. hs

45_ 최초로 인터넷의 모체가 된 컴퓨터 통신망은?

가. SNA   나. ARPANet
다. WWW   라. Intranet

46_ 다음 중 Al-Si계 합금에 관한 설명으로 틀린 것은?

가. 개량처리를 하게 되면 용탕과 모래 수분과의 반응으로 수소를 흡수하여 기포가 생성된다.
나. 용융점이 높고 유동성이 좋지 않아 넓고 복잡한 모래형 주물에 이용된다.
다. Si 함유량이 증가할수록 열팽창계수가 낮아진다.
라. 실용합금으로 10~13%의 Si가 함유된 실루민이 있다.

해답   42. 나   43. 라   44. 라   45. 나   46. 나

47_ 다음 중 과냉(super cooling)에 대한 설명으로 옳은 것은?

　가. 실내 온도에서 용융상태인 금속이다.
　나. 과열된 고체금속을 냉각할 때 과냉이라 한다.
　다. 응고점보다 낮은 온도에서 응고가 시작된다.
　라. 금속이 응고점보다 높은 온도에서 냉각될 때 고체가 형성되는 현상이다.

48_ 두랄루민은 알루미늄에 어떤 금속원소를 첨가한 합금인가?

　가. 철-주석-규소　　　　　　나. 구리-마그네슘-망간
　다. 은-아연-니켈　　　　　　라. 납-니켈-마그네슘

49_ 두 가지 이상의 금속원소가 간단한 원자비로 결합되어 성분금속과는 다른 성질을 갖는 물질을 무엇이라 하는가?

　가. 공정 2원 합금　　　　　　나. 금속간 화합물
　다. 침입형 고용체　　　　　　라. 전율가용 고용체

50_ 구상흑연주철에서 그 바탕조직이 펄라이트이면서 구상흑연의 주위를 유리된 페라이트가 감싸고 있는 조직을 무엇이라고 하는가?

　가. 오스테나이트(austenite) 조직　　나. 시멘타이트(cementite) 조직
　다. 레데뷰라이트(ledeburite) 조직　　라. 불스 아이(bull's eye) 조직

51_ 다음 중 담금질에 따른 용적변화가 가장 큰 것은?

　가. 오스테나이트(austenite)　　나. 마텐자이트(martensite)
　다. 펄라이트(pearlite)　　　　라. 소르바이트(sorbite)

해답　47. 다　48. 나　49. 나　50. 라　51. 나

52_ 고온에서 사용하는 내열강 재료의 구비조건에 대한 설명으로 가장 관계가 먼 것은?

　　가. 기계적 성질이 우수해야 한다.
　　나. 화학적으로 안정되어 있어야 한다.
　　다. 열팽창에 대한 변형이 커야 한다.
　　라. 조직이 안정되어 있어야 한다.

53_ 다음 금속재료 중 비중이 가장 낮은 것은?

　　가. 아연　　　　　　　　　　나. 마그네슘
　　다. 크롬　　　　　　　　　　라. 알루미늄

54_ 다음 중 베어링 합금의 구비조건으로 틀린 것은?

　　가. 마찰계수가 커야 한다.
　　나. 경도 및 내압력이 커야 한다.
　　다. 소착에 대한 저항성이 커야 한다.
　　라. 주조성 및 절삭성이 좋아야 한다.

55_ 순철의 자기변태점이라 하며, A2 변태점이라고도 하는 온도는 약 몇 ℃인가?

　　가. 210　　　　　　　　　　나. 723
　　라. 768　　　　　　　　　　라. 910

56_ 다음 중 충격 시험의 목적이 아닌 것은?

　　가. 재료의 충격저항을 알기 위해서　　나. 인성(toughness)을 알기 위해서
　　다. 취성(brittleness)을 알기 위해서　　라. 경도(hardness)를 알기 위해서

해답　52. 다　53. 나　54. 가　55. 다　56. 라

57_ 한 개의 원자 주위에 있는 최근접원자의 수를 배위수라 한다. 다음 중 체심입방격자(BCC)의 배위수로 옳은 것은?

가. 4개　　　　　　　　　　　　　나. 6개

다. 8개　　　　　　　　　　　　　라. 12개

58_ 미세한 입상의 용제 속에 전극와이어를 연속적으로 공급하여 용제 속에서 모재와 와이어 사이에 아크를 발생시켜 용접하는 방법으로 아크를 볼 수 없는 용접방법은?

가. 서브 머어지드 아크 용접　　　　나. 피복 아크 용접

다. 불황성가스 아크 용접　　　　　라. 탄산가스 아크 용접

59_ 용접 결함 중 언더컷의 방지대책으로 틀린 것은?

가. 높은 전류를 사용한다.

나. 용접속도를 늦춘다.

다. 짧은 아크 길이를 유지한다.

라. 모재에 적합한 용접봉을 선택한다.

60_ 가스용접에 사용되는 산소용기 취급 시 주의사항으로 잘못 된 것은?

가. 산소밸브 이동시는 밸브 보호 캡을 꼭 씌운다.

나. 용기는 뉘어 두거나 굴리는 등 충격을 주지 않는다.

다. 용기 밸브는 방청윤활유를 칠한다.

라. 사용 전 비눗물로 가스누설 검사를 한다.

해답　57. 다　58. 가　59. 가　60. 다

MEMO

2008년 1회 초음파(UT)탐상검사 기능사

1_ 초음파탐상장치에서 리젝션(rejection)손잡이를 조정하는 주목적은 무엇인가?

    가. 분해능을 나쁘게 한다.
    나. 파형을 평활하게 한다.
    다. 잡음 echo를 억제한다.
    라. 증폭 직선성을 좋게 한다.

2_ 다음 중 침투탐상시험시 잉여 침투액을 용제세척하고 현상처리 후 건조처리를 해야 하는 현상법은?

    가. 무현상법   나. 건식현상법
    다. 습식현상법   라. 속건식현상법

3_ 다음 중 대상 재질이 동일한 경우 침투력이 가장 좋은 주파수는?

    가. 1MHz   나. 2MHz
    다. 5MHz   라. 10MHz

4_ 반영구적으로 기록이 가능하고 거의 모든 재료에 적용할 수 있으나 작업자의 피폭 등 안전관리에 특히 유의하여야 할 비파괴 검사법은?

    가. 침투탐상검사   나. 초음파탐상검사
    다. 자분탐상검사   라. 방사선투과검사

해답   1. 다 2. 다 3. 가 4. 나

5_ 다음 중 표면파에 대한 설명으로 옳은 것은?

가. S파(Shear wave)라고도 하며 입장의 진동 방향이 파의 진행 방향과 수직을 이루는 파형

나. 레일리파(Rayleigh wave)라고도 하며 표면에서 약 1파장 정도의 깊이에서 표면을 따라 진행하는 파형

다. L파(Longitudinal wave)라고도 하며 파의 진행에 따라 밀한 부분과 소한 부분이 일정한 파동의 형태를 가진 파형

라. 램파(Lamb wave)라고도 하며 재질의 두께가 파장의 3배 이상인 경우에 사용되는 파동의 형태를 가진 파형

6_ 직접 접촉에 의한 경사각입사시 나타나는 현상 중 초음파 탐상에 필요한 것은?

가. 분산
나. 산란
다. 회절
라. 파의 전환

7_ 자분탐상시험에서 불연속의 위치가 표면에 가까울수록 나타나는 현상의 설명으로 가장 옳은 것은?

가. 자분모양이 희미한 상태로 된다.
나. 표면으로부터의 깊이와는 별 영향이 없다.
다. 자분모양이 더 명확하게 된다.
라. 누설자속 자장이 더 희미하게 된다.

8_ 펄스반사법으로 초음파가 탐촉자에서 발생되어 강재의 저면을 거쳐 다시 탐촉자로 돌아올 때까지 1×10^{-6}초가 소요됐다면 이 강의 두께는 몇 ㎜인가? (단, 강재 내 초음파속도는 5000㎧이며, 초음파의 진행에 따른 감쇠는 없는 것으로 가정한다.)

가. 2.5
나. 25
다. 5
라. 50

해답 5. 라 6. 라 7. 다 8. 가

9_ 다음 중 초음파의 진행 방향에 따른 탐상 방법의 분류가 아닌 것은?

가. 수직법
다. 수침법

나. 표면파법
라. 경사각법

10_ 초음파탐상검사시 투과주사법의 거친 탐상으로 결함유무를 조사할 때 통상 정밀탐상감도의 몇 배로 사용하는가?

가. 1배
다. 3배

나. 2배
라. 4배

11_ 다음은 각종 비파괴시험의 특징에 대해 기술한 것이다. 옳은 것은?

가. 미세한 표면결함의 검출에 침투탐상시험은 자분탐상 시험에 비해 검출능력이 우수하지만 강자성체 재료에만 적용이 가능하다.
나. 자분탐상시험은 완전히 표면이 열린 결함을 대상으로 하며, 침투탐상시험은 표면 바로 아래에 열려 있지 않는 결함에도 적용할 수 있다.
다. 와전류탐상시험은 도금 층의 두께나 표층부의 결함 검출에 적용할 수 있다.
라. 방사선투과시험은 초음파탐상시험보다도 인체에 대한 안전관리 상의 주의를 덜 필요로 한다.

12_ 다음 중 STB-A1 표준시험편의 주된 사용 목적이 아닌 것은?

가. 측정 범위의 조정
나. 경사각 탐촉자의 굴절각 측정
다. 탐상 감도의 조정
라. 경사각 탐촉자의 분해능 측정

해답 9. 다 10. 나 11. 다 12. 라

13_ 다음 중 초음파탐상시험에서 근거리음장의 길이와 직접적인 관계가 없는 인자는?

가. 탐촉자의 직경   나. 탐촉자의 주파수

다. 시험체에서의 속도   라. 접촉 매질의 접착력

14_ 결함크기가 초음파 빔의 직경보다 클 경우 일반적으로 어떤 현상의 발생이 예상되는가?

가. 임상에코의 발생   나. 저면에코의 소실

다. 결함에코의 증가   라. 표면의 손상

15_ 다음 중 탐촉자의 구성 요소만으로 나열된 것은?

가. 진동자, 보호막, 흡음재   나. 진동자, 보호막, 접착제

다. 진동자, 흡음재, 접착제   라. 보호막, 흡음재, 방습재

16_ 경사각초음파탐상시 음파 진행방향에 대한 결함의 방향에 따라 반사음압은 달라지게 된다. 다음 중 반사음압이 가장 커지는 경우로 옳은 것은?

가. 음파 진행방향과 결함이 수직으로 존재할 때

나. 음파 진행방향과 결함이 평행으로 존재할 때

다. 결함이 표면에 수직으로 존재할 때

라. 결함이 표면에 평행으로 존재할 때

17_ 다음 중 초음파 빔분산이 탐촉자와 관련이 있을 때 이의 설명으로 올바른 것은?

가. 탐촉자의 진동자 직경이 클수록 빔분산각은 커진다.

나. 탐촉자의 진동자 직경이 클수록 빔분산각은 작아진다.

다. 초음파의 속도가 빠를수록 빔분산각은 작아진다.

라. 초음파의 속도가 느릴수록 빔분산각은 커진다.

해답   13. 라   14. 나   15. 가   16. 가   17. 나

18_ 다음 중 침투탐상시험에서 증기세척 방법으로 세척이 가장 어려운 오염물은?

가. 먼지　　　　　　　　　　　나. 녹

다. 유지　　　　　　　　　　　라. 석유

19_ 전몰수침법에서 시험체의 제1저면반사 지시 앞에 여러 개의 제2전면반사 지시가 나타나는 것을 없애려면 어떻게 하는가?

가. 물의 온도를 낮춘다.

나. 음향 렌즈를 사용한다.

다. 물거리를 증가시킨다.

라. 낮은 주파수를 사용한다.

20_ 저면에코를 전체 스크린 높이의 40%에서 80%로 높여 탐상하고자 한다면 데시벨(dB) 양은 얼마나 조작해야 하는가?

가. 약 4dB　　　　　　　　　　나. 약 6dB

다. 약 8dB　　　　　　　　　　라. 약 12dB

21_ 다음 중 횡파가 전달될 수 없는 물질은?

가. 철강　　　　　　　　　　　나. 기름

다. 알루미늄　　　　　　　　　라. 아크릴수지

22_ 다음 중 두께 25㎜인 강판 용접부를 경사각 탐상법으로 검사할 때 1스킵(skip) 거리가 가장 긴 탐촉자는?

가. 45° 탐촉자　　　　　　　　나. 60° 탐촉자

다. 70° 탐촉자　　　　　　　　라. 75° 탐촉자

해답　18. 나　19. 다　20. 나　21. 나　22. 라

23_ A-스코프 탐상기 스크린에서 횡축과 종축이 나타내는 것을 바르게 설명한 것은?

　가. 횡축 : 전압의 크기, 종축 : 시간의 경과
　나. 횡축 : 전류의 세기, 종축 : 에코의 크기
　다. 횡축 : 에코의 크기, 종축 : 시간의 경과
　라. 횡축 : 시간의 경과, 종축 : 에코의 크기

24_ 220kV로 강과 동을 촬영한 투과 등가계수가 각각 1.0, 1.4일 때 동판 10mm를 촬영하는 것은 몇 mm 두께의 강을 촬영하는 것과 같은가?

　가. 5　　　　　　　　　　　나. 7
　다. 14　　　　　　　　　　라. 20

25_ 다음 중 재료의 내부 불연속이 진행하고 있는 경우 가장 적합한 비파괴검사법은?

　가. 방사선 투과검사　　　　　나. 음향방출검사
　다. 초음파 탐상검사　　　　　라. 침투탐상검사

26_ 강 용접부의 초음파탐상 시험방법(KS B 0896)에 따라 경사각탐상 시 탐촉자를 접촉시키는 부분의 판 두께가 75mm 이상이고 주파수가 2MHz, 진동자 치수가 20×20mm인 탐촉자를 사용하여 홈의 지시길이를 측정하는 내용으로 옳은 것은?

　가. 좌우주사 하여 에코높이가 L선을 넘는 탐촉자의 이동거리로 한다.
　나. 좌우주사 하여 에코높이가 M선을 넘는 탐촉자의 이동거리로 한다.
　다. 좌우주사 하여 에코높이가 H선을 넘는 탐촉자의 이동거리로 한다.
　라. 좌우주사 하여 에코높이가 최대 에코높이의 1/2(dB)을 넘는 탐촉자의 이동거리로 한다.

해답　23. 라　24. 다　25. 나　26. 라

27_ 알루미늄의 맞대기 용접부의 초음파 경사각탐상시험방법(KS B 0897)에서 모재의 두께가 5mm 이상 20mm 이하이고 구분이 B종일 때 홈의 지시길이에 대한 분류가 잘못된 것은?

가. 5mm 이하이면 1류
나. 7mm 이하이면 2류
다. 10mm 이하이면 3류
라. 3류를 넘는 것은 4류

28_ 강 용접부의 초음파탐상 시험방법(KS B 0896)에 따라 원둘레 이음 용접부를 탐상할 경우, 다음 중 시험체의 곡률반지름이 100mm일 때 대비시험편으로 사용할 수 있는 곡률반지름으로 적합한 것은?

가. 50mm
나. 80mm
다. 150mm
라. 200mm

29_ 알루미늄 맞대기 용접부의 초음파 경사각탐상 시험방법(KS B 0897)에 따른 시험 후 기록 사항은 시험체에 관한 사항, 시험조건에 관한 사항, 시험결과에 관한 사항, 시험기술자, 시험일 등으로 나눈다. 다음 중 시험결과에 관한 사항의 기록 내용이 아닌 것은?

가. 시험부의 모양
나. 홈의 지시 길이
다. 지정한 평가 레벨
라. 시험부의 치수

30_ 건축용 강판 및 평강의 초음파탐상시험에 따른 등급분류와 판정기준(KS D 0040)에 의거 2진동자 수직탐촉자에 의한 결함의 분류시 압연방향에 직각으로 주사한 경우 표시 기호로 ×인 결함은 어느 것인가?

가. DL선 이하인 경우
나. DL선 초과 DM선 이하인 경우
다. DM선 초과 DH선 이하인 경우
라. DH선 초과한 경우

해답 27. 나 28. 다 29. 다 30. 라

31_ 비파괴시험 용어(KS B 0550)에서 송신펄스 및 쐐기 안의 에코 때문에 탐상할 수 없는 범위를 나타낸 용어는?

가. 밴드폭
나. 불감대
다. 펄스반복거리
라. 탐상감도

32_ 강 용접부의 초음파탐상시험방법(KS B 0896)에 따른 경사각탐상에서의 에코높이 구분선 작성에 대한 설명이다. 다음 중 옳은 것은?

가. A2형계 표준시험편을 사용하여 에코높이 구분선을 작성하는 경우에는 ∅15㎜의 표준구멍을 사용한다.
나. 에코높이 구분선은 원칙적으로 실제로 사용하는 탐촉자가 아닌 것으로 사용하여 작성한다.
다. A2형계 표준시험편을 사용하여 에코높이 구분선을 작성하는 경우에는 ∅4×4㎜의 표준 구멍을 사용한다.
라. A1형계 표준시험편을 사용하여 에코높이 구분선을 작성하는 경우에는 ∅4×4㎜의 표준구멍을 사용한다.

33_ 강 용접부의 초음파탐상시험방법(KS B 0896)에 따른 노즐 이음 용접부의 탐상시험에서 빔 노정 등의 확인과 시험체 각 부위의 실체도를 그리기 위하여 사용하는 보조기구는?

가. 모형자
나. AVG선도
다. 용접게이지
라. 형떼기 게이지

34_ 강 용접부의 초음파탐상시험방법(KS B 0896)에 의해 용접부를 탐상하려고 할 때 에코높이 구분선을 작성한 다음 탐상감도를 조정하기 위한 기준선으로 H선을 정하고 이어서 M선 L선을 정한다. L선은 H선과 비교하여 몇 dB인 경우를 뜻하는가?

가. +6dB
나. -6dB
다. +12dB
라. -12dB

해답 31. 나 32. 다 33. 라 34. 라

35_ 강 용접부의 초음파탐상시험방법(KS B 0896)에 의한 결과 분류 방법에서 맞대기 용접의 맞대는 모재 판두께가 서로 다른 경우 판두께의 선정으로 옳은 것은?

가. 두꺼운 쪽의 판두께로 한다.

나. 얇은 쪽의 판두께로 한다.

다. 얇은 쪽의 판두께에 2㎜를 더한다.

라. 서로의 판두께를 더하여 평균값으로 한다.

36_ 압력용기용 강판의 초음파탐상 검사방법(KS D 0233)을 이용한 다음의 개략적인 [그림]은 무엇을 측정하는 것인가?

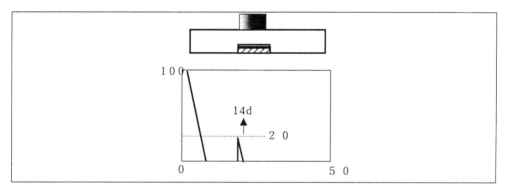

가. 수직 탐촉자의 분해능

나. 수직 탐촉자의 불감대

다. 수직 탐촉자의 감도 여유값

라. 수직 탐촉자의 증폭 직선성

37_ 알루미늄 맞대기 용접부의 초음파 경사각탐상 시험방법(KS B 0897)에서 흠의 지시길이를 측정하고자 한다. 바른 주사 방법은?

가. 최대에코를 나타내는 위치에 탐촉자를 놓고 좌우 주사를 한다.

나. 최대에코를 나타내는 위치에 탐촉자를 놓고 목진동 주사를 한다.

다. 최대에코를 나타내는 위치에 탐촉자를 놓고 전후 주사만을 한다.

라. 최대에코를 나타내는 위치에 탐촉자를 놓고 원둘레 주사를 한다.

해답 35. 나 36. 나 37. 가

38_ 강 용접부의 초음파탐상시험방법(KS B 0896)에 의한 보고서 작성시 탠덤탐상법을 적용한 경우 기록사항이 아닌 것은?

가. 탐상 불능 지역
나. 탠덤 기준선의 위치
다. 탐상 지그의 사방
라. 탠덤 기준선의 길이

39_ 아크용접 강관의 초음파탐상 검사방법(KS D 0252)과 초음파탐상장치의 성능측정 방법(KS B 0534)에 따른 자동 탐상용 탐상기의 증폭직선성 측정에서 측정값과 이상값의 플러스 마이너스의 각각의 최대 편차를 구하였다. 이때 그 편차의 합은 몇 % 이하로 하도록 규정하고 있는가?

가. 5%
나. 8%
다. 12%
라. 15%

40_ 강 용접부의 초음파탐상시험방법(KS B 0896)에 의한 경사각탐상에서 M검출 레벨의 경우에 평가의 대상으로 하는 홈의 규정으로 옳은 것은?

가. 최대 에코높이가 H선을 넘는 홈을 대상으로 한다.
나. 최대 에코높이가 L~M선 범위의 홈을 대상으로 한다.
다. 최대 에코높이가 M선을 넘는 홈을 대상으로 한다.
라. 최대 에코높이가 L선을 넘는 홈을 대상으로 한다.

41_ OSI 7계층에 해당하지 않는 것은?

가. Router 계층
나. Transport 계층
다. Session 계층
라. Data link 계층

42_ 컴퓨터와 단말기 사이, 또는 두 컴퓨터 사이에 데이터를 주고 받는데 적용되는 일련의 규약을 가리키는 것은?

가. 토폴로지
나. 대역폭
다. 프로토콜
라. 브리지

해답 38. 라 39. 나 40. 다 41. 가 42. 다

43_ 예전에는 "솜씨 좋은 프로그래머"를 의미하는데 사용되었으나 현재는 "컴퓨터 시스템 내에 침입하는 사람들"을 가리키는 의미로 사용된다. 이를 무엇이라 하는가?

　　가. 방화벽　　　　　　　　　나. 네티즌
　　다. 해커　　　　　　　　　　라. 옵저버

44_ 디지털 신호를 아날로그 신호로, 아날로그 신호를 디지털신호로 변. 복조하는 장치는?

　　가. 모뎀　　　　　　　　　　나. 라우터
　　다. 스풀러　　　　　　　　　라. 인터럽트

45_ 웹서비스에서 제공되는 여러 가지 자원들에 대한 주소를 무엇이라 하는가?

　　가. http　　　　　　　　　　나. URL
　　다. Exporer　　　　　　　　라. Usenet

46_ 다음 중 순철에 대한 설명으로 틀린 것은?

　　가. 비중은 약 7.8이다.
　　나. 용융점은 약 1538℃이다.
　　다. 경도는 약 10~20(HB)이다.
　　라. 순철에는 전해철, 암코철 등이 있다.

47_ 비커즈 경도 시험기에서 사용되는 다이아몬드 압입자의 대면각은 몇 도인가?

　　가. 45　　　　　　　　　　　나. 90
　　다. 120　　　　　　　　　　라. 136

해답　43. 다　44. 가　45. 나　46. 다　47. 라

48_ [보기]는 금속의 특성을 설명한 것이다. 옳은 것을 모두 나열한 것은?

> [보기]
> ㄱ. Hg를 제외하고는 상온에서 고체이다.
> ㄴ. 전기 및 열의 부도체이다.
> ㄷ. 연성 및 전성이 좋다.
> ㄹ. 금속 고유의 광택이 있다.
> ㅁ. 경금속에는 Al, Mg, Li 등이 있다.

가. ㄱ, ㄴ   나. ㄱ, ㄴ, ㄹ
다. ㄴ, ㄷ, ㄹ, ㅁ,   라. ㄱ, ㄷ, ㄹ, ㅁ,

49_ 다음 중 재결정의 순서로 옳은 것은?

가. 재결정 〉 회복 〉 결정립 성장
나. 회복 〉 재결정 〉 결정립 성장
다. 핵발생 〉 재결정 〉 회복
라. 재결정 〉 핵발생 〉 회복

50_ Al – Mg계 합금에 대한 설명으로 틀린 것은?

가. 하이드로 날륨은 내식성 및 강도가 우수하다.
나. Al-Mg계의 평형상태도에서는 450℃에서 공정을 만든다.
다. Al-Mg계 합금에 Si을 0.3% 이상 첨가시 연성을 향상시킨다.
라. Al에 4~10%Mg까지 함유한 강을 하이드로 날륨이라 한다.

51_ 금속의 성질 중 질기고 강하며, 충격에 대한 저항성이 높은 성질을 무엇이라 하는가?

가. 전성   나. 소성
다. 인성   라. 취성

해답   48. 라   49. 나   50. 다   51. 다

52_ 다음 중 면심입방격자(FCC)의 결정구조가 아닌 것은?

    가. Ag   나. Al
    다. Au   라. Cr

53_ 고속도 공구강 중 SKH2는 어떤 계에 속하는가?

    가. 아연(Zn)계   나. 텅스텐(W)계
    다. 알루미늄(Al)계   라. 마그네슘(Mg)계

54_ 다음 중 전기 저항이 0(Zero)에 가까워 에너지 손실이 거의 없기 때문에 자기부상열차, 핵 자기공명 단층 영상 장치 등에 응용할 수 있는 것은?

    가. 초전도 재료   나. 제진 합금
    다. 비정질 합금   라. 형상 기억 합금

55_ 강을 A3점 또는 Acm점 이상 30~50℃의 온도로 일정한 시간 가열해서 균일한 오스테나이트로 만든 후 공기 중에서 서냉시키는 조작을 무엇이라 하는가?

    가. 담금질(Quenching)   나. 마퀜칭(Marquenching)
    다. 뜨임(Tempering)   라. 불림(Nomalizing)

56_ 고강도 알루미늄합금 중 조성이 Al-Cu-Mg-Mn인 합금은?

    가. 실루민   나. 다우메탈
    다. 두랄루민   라. 모넬메탈

해답   52. 라   53. 나   54. 가   55. 라   56. 다

57_ 다음 중 주철에 대한 설명으로 틀린 것은?

　　가. 주조성이 우수하다.
　　나. 인성이 높고 취성이 없다.
　　다. 주철관, 농기구, 피스톤, 브레이크 등에 이용된다.
　　라. 회주철과 백주철이 혼합되어 있는 경우를 반주철이라 한다.

58_ 용접봉 피복제의 작용에 대한 설명으로 틀린 것은?

　　가. 전기 절연작용을 방지한다.
　　나. 용착 금속을 보호한다.
　　다. 용착 금속의 급냉을 방지한다.
　　라. 정련된 용착 금속을 만든다.

59_ 다음 중 압접의 종류에 속하지 않는 것은?

　　가. 저항용접　　　　　　　나. 초음파용접
　　다. 마찰용접　　　　　　　라. 스터드용접

60_ 황동재료의 가스 용접시 일반적으로 가장 많이 사용되는 불꽃은?

　　가. 탄화불꽃　　　　　　　나. 중성불꽃
　　다. 산화불꽃　　　　　　　라. 표준불꽃

해답　　57. 나　58. 가　59. 라　60. 다

용접 이론

03

I. 용접의 개요

1. 용접의 원리

원자 간의 인력이 작용하도록 원자들을 보통 10^{-8}cm(1 Å)정도로 접근시켜 원자가 결합하는 것을 용접이라 한다.

① 기계적 접합법 - 볼트 이음, 리벳 이음과 같이 수시로 분해할 수 있는 것

② 야금적 접합법 - 용접, 압접, 납땜

2. 용접의 특징

(1) 장점

① 자재가 절약되고 그 결과로 무게가 가벼워진다.

② 공수가 감소되고 시간이 절약된다.

③ 제품의 성능과 수명이 향상된다.

④ 이음효율이 향상된다(용접은 100%, 리벳은 80%).

⑤ 기밀, 수밀, 유밀성이 우수하다.

⑥ 보수와 수리가 용이하다.

(2) 단점

① 품질검사가 곤란하다.

② 응력집중에 대하여 극히 민감하다.

③ 용접모재의 재질이 변질되기 쉽다.

④ 용접공의 기술에 의해서 이음부의 강도가 좌우된다.

⑤ 저온취성파괴가 발생될 우려가 있다.

⑥ 유해광선, 폭발위험이 있다.

3. 용접의 분류

(1) 용접(fusion welding)

모재와 용가재가 서로 녹은 상태에서 접합한다.
① 아크용접
② 가스용접
③ 특수용접(테르밋용접, 일렉트로슬렉용접, 전자빔용접)

(2) 압접(pressure welding)

용접할 두 모재를 부분적으로 용융시켜 압력을 가하며 접합한다.
① 전기저항
    ㉮ 겹치기용접 : 점용점(spot welding), 시임용접(seam welding), 프로젝션용접(projection welding)
    ㉯ 맞대기용접 : 플래시용접(flash welding), 퍼어커션용접(percussion welding), 업셋용접(upset welding)
② 초음파용접(ultrasonic welding)
③ 마찰용접(friction pressure welding)
④ 냉간압접(cold pressure welding)
⑤ 가스압접(gas pressure welding)
⑥ 단접(forge welding)

(3) 납땜(brazing/soldering)

모재를 용융시키지 않고 용가재만을 용융시켜 접합한다.
① 연납(soldering) : 450℃ 이하
② 경납(brazing) : 450℃ 이상
가스납땜, 노내납땜, 저항납땜, 담금납땜, 진공납땜, 유도가열납땜

II. 피복 아크 용접(SMAW)

1. 개요

피복제를 바른 용접봉과 피용접 물 사이에 발생하는 전기 아크열을 이용하여 용접, 아크열은 약 6000℃정도이며 실제로 모재에 와 닿는 온도는 1700~1800℃정도이다.

(1) 용어

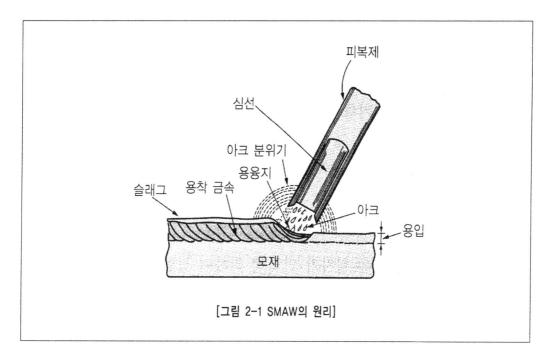

[그림 2-1 SMAW의 원리]

① 용적(globule) : 용접봉이 녹은 쇳 방울

② 용융지(molten pool) : 용융 풀, 용접봉과 모재가 녹는 쇳물부분

③ 용입(penetration) : 아크열에 의해 모재가 녹은 깊이

④ 용착(weld metal) : 용접봉이 용융지에 녹아 들어가는 것이 응고된 금속이 용착금속

⑤ 피복제(fulx) : 비금속물질로 아크발생을 쉽게 하고 용접부를 보호하며 녹아서 슬래그가 된다.

(2) 용접회로(welding cycle)

용접기 → 전극케이블 → 홀더 → 용접봉 및 모재 → 접지케이블 → 용접기

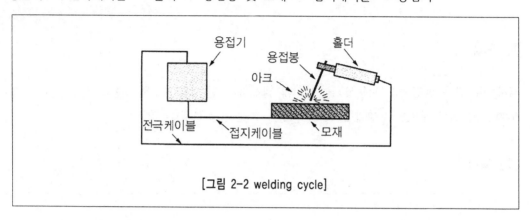

[그림 2-2 welding cycle]

2. 아크의 성질

(1) 아크

용접봉과 모재사이에 70~80V의 전압을 걸면 청백색의 강한 빛을 내는 아크 발생한다.

① (직류)전압분포

양극과 음극 부근에서의 전압강화는 전극표면이 극히 짧은 길이의 공간에 일어나는 전압 강하로 전극의 재질에 따라 변한다.

② (직류)온도분포

직류아크의 경우 양극 쪽에 발생하는 열량은 음극 쪽에 발생하는 열량에 비해 더 높아서 일반적으로 전체의 약 60~70%의 열량이 양극 쪽에서 발생한다.

(2) 극성효과

용접봉과 모재로 이루어지는 아크용접의 전극에 관련된 성질을 극성한다.

① 직류 정극성(DCSP)

㉠ 모재가 +, 용접봉이 -로 연결된 극성, 모재의 용입이 깊다.

④ 봉의 녹음이 느리다.

⑤ 비드폭이 좁다.

⑥ 일반적으로 많이 사용한다.

② 직류 역극성(DCRP)

㉮ 모재가 (-), 용접봉이 (+)로 연결된 극성, 용입이 얕다.

㉯ 봉의 녹음이 빠르다.

㉰ 비드폭이 넓다.

㉱ 박판, 주철, 고탄소강, 합금강, 비철금속의 용접에 사용한다.

③ 교류

정극성과 역극성이 연속적으로 변하여 중간 정도의 반응을 보인다.

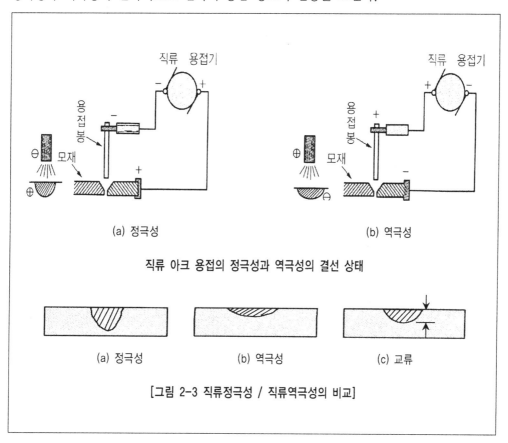

직류 용접기

직류 용접기

용접봉

용접봉

모재

모재

(a) 정극성

(b) 역극성

직류 아크 용접의 정극성과 역극성의 결선 상태

(a) 정극성

(b) 역극성

(c) 교류

[그림 2-3 직류정극성 / 직류역극성의 비교]

(3) 용접 입열(weld heat input)

외부에서 용접모재에 주어지는 열량으로 일반적으로 모재에 흡수되는 열량은 입열의 75~85%이다.

$$\text{입열 공식 : 열량}(H) = \frac{60 \times \text{아크전압}(E) \times \text{아크전류}(I)}{\text{용접속도}(v)}$$

(4) 용융속도(melting rate)

용접봉의 용융속도는 단위시간당 소비되는 용접봉의 길이 또는 무게로써 나타내는데 실험결과에 의하면 아크전압과는 관계가 없다.

용융속도 = 아크전류×용접봉 쪽의 전압강하

① 용적이행(globule transfer)

㉮ 다락형(short circuit transfer type) : 큰 용적이 용융지에 단락되어 표면 장력의 작용으로 이행되는 형식으로 맨용접봉, 박피복용접봉에서 발생한다.

㉯ 스프레이형(spray transfer type) : 미세한 용적이 스프레이와 같이 날려 이행되는 형식으로 고산화티탄계, 일미나이트계 등에서 발생한다.

㉰ 글로블러형(globular transfer type) : 비교적 큰용적이 단락되지 않고 옮겨가는 형식으로 서브머지드 아크용접과 같이 대전류 사용시에 나타나며 일명 핀치효과형이라고 한다.

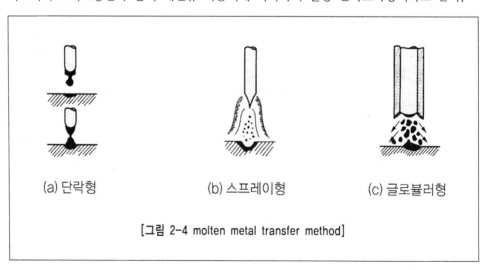

(a) 단락형　　　(b) 스프레이형　　　(c) 글로불러형

[그림 2-4 molten metal transfer method]

(5) 아크 특성

① 부특성 : 전류가 작은 범위에서 전류가 증가하면 저항이 낮아져 아크전압 감소

② 절연회복특성 : 꺼졌던 아크가 보호가스에 의해 다시 일어나는 현상

③ 아크길이 자기제어 특성 : 아크전압이 높아지면 용접봉의 용융속도가 늦어지고 아크전압이 낮아지면 용융속도가 빨라져 아크길이를 제어하는 특성

(6) 아크쏠림(magnetic blow)

① 아크쏠림, 아크블로우, 자기불림 등은 모두 동일한 말이며 용접전류에 의한 아크주위에 발생하는 자장이 용접봉에 대하여 비대칭일 때 일어나는 현상이다.

② 방지대책

㉮ 직류용접기 대신에 교류용접기를 사용한다.

㉯ 아크길이를 짧게 유지한다.

㉰ 접지점을 용접부로 멀리한다.

㉱ 긴용접선에는 후퇴법을 사용한다.

㉲ 용접부의 시·종단에 엔드탭을 사용한다.

3. 용접기(welder)

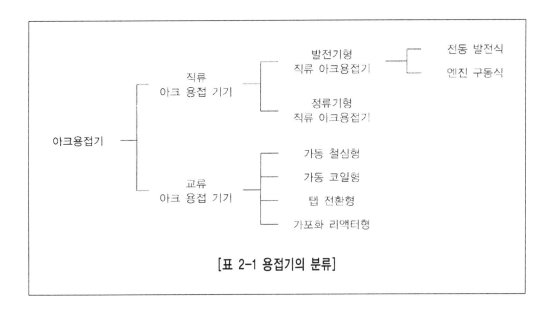

[표 2-1 용접기의 분류]

(1) 용접기 특성

① 수하특성 : 부하전류가 증가하면 단자전압이 저하하는 특성

② 정전압, 상승 특성 : 부하전류가 증가해도 단자전압이 일정 혹은 다소 높아지는 특성

③ 정전류 특성 : 아크길이에 따라 전압은 변하여도 전류는 변하지 않는 특성

(2) 직류아크 용접기

① 발전기형

㉮ 종류 : 엔진형 모터형

㉯ 완전한 직류 얻음.

㉰ 완전한 교류전원이 없는 장소임.

② 정류기형

㉮ 구조가 간단함. ㉯ 고장 적음.

㉰ 보수가 쉬움. ㉱ 소음이 적음.

㉲ 완전한 직류 못 얻음.

(3) 교류아크 용접기

1차측은 200V, 2차측은 무부하 전압이 70~80V, 자기 누설 변압기를 써서 아크를 안정시키기 위하여 수하특성

① 가동철심형 : 가동철심으로 누설자속을 가감하여 전류조정

② 가동형 코일형 : 1차, 2차 코일 중의 하나를 이동, 누설 자속을 변화하여 전류조정

③ 탭전환형 : 코일이 감긴 수에 따라 전류조정, 주로 소형

④ 가포화 리액터형 : 원격조작이 간단하고 원격제어가 된다.

(4) 교류아크 용접기의 규격

KS C 9602에 규정, AW 240에서 AW는 교류 용접기, 240은 정격 2차 전류[A]를 뜻하고 최고 2차 무부하 전압(개로 전압)은 AW 400까지는 85(V) 이하, AW 500 이상에서도 95(V) 이하로 규정한다.

(5) 역율, 효율

역율이 낮을수록 좋은 용접기이며, 역율이 높은 것은 효율이 나쁜 용접기이다.

- 정격사용율(%) = $\dfrac{\text{아크발생시간}}{(\text{아크발생시간 + 휴식시간})} \times 100$

- 허용사용율(%) = $\dfrac{(\text{정격 2차 전류})^2}{(\text{전체 용접 전류})^2} \times$ 정격사용율(%)

- 역율(%) = $\dfrac{(\text{아크전압} \times \text{전류}) + \text{내부손실}}{(2\text{차 무부하전압} \times \text{아크전류})} \times 100)$

- 효율(%) = $\dfrac{(\text{아크전압} \times \text{전류} \times 100)}{(\text{아크전압} \times \text{전류 + 내부손실})}$

(6) 부속장치

① 고주파 발생장치 : 교류 아크용접에 고주파를 병용시키면 아크가 안정되므로 작은 전류로 얇은 판이나 비철금속을 용접할 때 아크가 불안정하게 되기 쉬울 때 이용한다.

② 전격 방지 장치 : 무부하 전압이 85~95V로 비교적 높은 교류 아크 용접기를 휴지시간 동안에는 2차 무부하 전압을 25V 이하로 유지할 수 있게 하는 장치이다.

③ 핫스타트장치 : 처음 모재에 접촉하는 순간 0.2~0.3초 정도의 순간적인 대전류를 흘려서 아크의 초기안정을 도하는 장치로 일명 아크부스터라 한다.

④ 원격제어장치 : 용접기에서 멀리 떨어진 장소에서 전류와 전압을 조절할 수 있는 장치

(7) 직류용접기/교류용접기의 비교

[표 2-2 직류/교류 비교]

비교되는 항목	직류용접기	교류용접기
아크의 안정	우수	약간 불안
극성이용	가능	불가능
비피복용접봉사용	가능	불가능
무부하(개로전압)	40~60V	70~80V
전격위험	적다	많다
구조	복잡	간단
유지	약간 어려움.	쉽다
고장	회전기에 많음.	적다
역률	매우 양호	불량
가격	비싸다	싸다

소음 자기불림 방지	크다 불가능	적다 가능하다

4. 용접기구

(1) 케이블(welding cable)

유연성이 좋고 캡 타이어(가는 구리선을 꼬아서 만든) 전선을 사용한다.

(2) 필터렌즈(filter lens)

① 해로운 광선으로부터 눈을 보호한다.

② 번호가 크면 차광의 크기도 커진다.

③ 차광능력의 등급은 용접봉의 지름 및 용접 전류에 상관관계가 있다.

    ㉮ 가스용접 : 4~7번

    ㉯ 전기용접 : 11~13번

    ㉰ 특수용접 : 14번

(3) 용접봉호울더(electrode holder)

① 호울더의 종류에는 KSC 9607 규정되어 있으며 일반적으로 안전형 호울더(A형)를 많이 사용한다.

② 홀더의 규격표시는 A100호 나타내며 이때 숫자가 의미하는 것은 정격2 차전류로서 용접기의 용량을 나타내는 것이다.

5. 피복아크용접봉

용접봉(welding rod)은 용접모재 사이의 틈(gap)을 채우기 위해 필요하며, 용접부 품질을 좌우하는 중요한 것으로 일명 용가재(filler metal)라고 하며, 모재와 용접봉사이에서 아크를 발생하므로 전극봉(electrode)이라고도 한다.

(1) 심선(core weir)

① 대체로 모재와 동일한 재질의 것이 많이 쓰인다.

② 단면적 약 1~10mm이다.

③ 심선의 재질은 저탄소림드강이다.

(2) 피복제

① 피복제의 역할

㉮ 산화질화를 방지한다.

㉯ 아크를 안정시킨다.

㉰ 급냉방지, 용착금속을 보호한다.

㉱ 탈산정련작용을 한다.

㉲ 합금원소의 첨가한다.

② 피복제성분

㉮ 아크 안정제 : 규산칼륨, 규산나트륨, 산화티탄, 탄산바륨 등

㉯ 가스 발생제 : 셀룰로이드, 석회석, 마그네사이트, 녹말, 목재, 톱밥 등

㉰ 슬래그 생성제 : 산화철, 루틸, 일미나이트, 이산화망간, 석회석, 규사, 장석, 형석 등

㉱ 탈산제 : 페로망간, 페로실리콘

㉲ 고착제 : 규산소다, 규산칼리, 아교

㉳ 합금첨가제 : 페로망간, 페로실리콘, 페로크롬, 니켈, 구리

(3) 연강용 피복 아크 용접봉의 기호(KS D 70)

$$\underset{①}{\underline{\text{E}}} \qquad \underset{②}{\underline{43}} \qquad \underset{③}{\underline{\triangle}} \qquad \underset{④}{\underline{\square}}$$

① Electrode(전기 용접봉이라는 뜻)
② 용착금속의 최저인장강도 kg/mm²
③ 용접자세(0, 1 전자세, 2 아래보기 및 수평, 3 아래보기 4 전자세 또는 특정자세)
④ 피복제의 종류

(4) 연강용 피복 아크 용접봉의 특징

① E 4301 : 일미나이트계 ~ 연강, 조선, 건축(100℃에서 1시간 건조 후 사용) ~ 작업성 우수, 용착금속의 기계적 성질 양호

② E 4303 : 라임티타나이계 ~ 구조물(피복이 두껍다. 박판용접이 용이) ~ 기계적 성질 우수, 비드 외관 곱다. 얇은 용입

③ E 4311 : 고셀룰로이스계 ~ 배관공사(식물성 유기물 함유) ~ 얇은 피복제, 강한 스프레이형, 깊은 용입, 많은 스패터, 거친 비드

④ E 4313 : 고산화 티탄계 ~ 균열위험, 아크 안정적, 적은 스패터, 얇은 용입

⑤ E 4316 : 저 수소계 ~ 후판, 큰 구조물(300-350℃, 1시간 건조 후 사용) ~ 기계적 성질 안 좋음. 비드 끝 모양이 좋다.

⑥ E 4324 : 철분 산화티탄계 ~ 저합금강, 중·고 탄소강(인장강도가 크다.) ~ 적은 스패터, 고운 외관, 용입 얇다.

⑦ E 4326 : 철분 수소계 ~ 후판, 중·고 탄소강, 능률이 좋다. 적은 스패터, 고운 비드

⑧ E 4327 : 철분 산화철계 ~ 후판, 스프레이형 아크, 깊은 용입, 고운 외관

⑨ 내균열성이 큰 순서

　　저수소계 〉 일미나이트계 〉 고산화철계 〉 고셀룰로이스계 〉 고산화티탄계

(5) 보관 및 취급

① 용접봉은 건조하고 습기가 없는 장소에 보관한다.

② 보통 용접봉은 70~100℃에서 30~60분이다.

③ 저수소계는 300~350℃에서 1~2시간 건조 후 사용한다.

④ 편심율은 3% 이내인 것으로 한다.

6. 용접기법

(1) 아크길이(arc length)와 아크전압

좋은 용접을 하려면 짧은 아크를 사용하며 아크길이는 보통 심선 지름의 1배 이하(1.5~4.0mm) 정도, 아크길이가 변동하면 아크전압이 변하므로 발열량도 변화, 아크를 처음 발생시킬 때는 찬 모재를 예열하기 위해 긴 아크를 사용한다.

(2) 용접속도(welding speed)

모재에 대한 용접선 방향의 아크속도를 말하며 8~30cm/min이 적당하다.

(3) 크레이터(crater)

아크를 중단시키면 비드 끝에 생기는 움푹 들어간 곳, 불순물이나 편석이 남기 쉽고 냉각 중에 균열이 발생하기 쉬워 파괴나 부식의 원인이 되므로 반드시 채워야 한다.

III. 가스 용접(gas welding)

1. 개요

가스용접으로는 산소-아셀틸렌(oxy-acetylen welding), 산소-수소용접(oxy-hydrogen welding), 산소-프로판용접, 공기-아세틸렌용접 등이 있으며 이들 중에서 산소-아세틸렌 용접이대부분을 차지한다. 가연성 가스(아세틸렌, 수소, 도시, LP 등)와 산소와의 혼합가스의 연소열을 이용하여 용접한다.

(1) 장점

① 응용범위가 넓다.
② 운반이 편리하다.
③ 아크에 비해 유해광선 발생 저하된다.
④ 가열조절이 비교적 쉽다.
⑤ 설비비가 싸고 어느 곳에서나 설비가 쉽다.
⑥ 전기가 필요 없다.

(2) 단점

① 아크 용접에 비해 불꽃의 온도가 낮다.
② 열효율이 낮다.
③ 열 집중성이 떨어진다.
④ 폭발의 위험성이 있다.
⑤ 가열범위가 커서 응력이 크고 가열시간이 오래 걸린다.
⑥ 금속의 탄화 및 산화될 가능성이 많다.

[표 3-1 가연성가스의 최고온도 분포]

가스(용접) 종류	혼합비(산소/연료)	최고 온도(℃)
산소-아세틸렌	1.1 ~ 1.8	3430
산소-수　소	0.5	2900
산소-프 로 판	3.75 ~ 3.85	2820
산소-메　탄	1.8 ~ 2.25	2700

2. 가스

(1) 아세틸렌(C_2H_2)

무색 무취의 기체, 비중 0.91(15℃, 1기압에서 1l의 무게는 1.17g), 물에 1배, 석유에 2배, 밴젠에 4배, 알콜에 6배, 아세톤에 25배의 용해도

① 제법 : $CaC_2 + 2H_2O = C_2H_2 + Ca(OH)_2$ (1kg당 348l의 아세틸렌가스 발생)

② 아세틸렌가스의 폭발성

    ㉠ 온도 : 406~408℃ 자연발화, 505~515℃ 이상 폭발, 780℃ 이상 산소 없이 자연폭발

    ㉡ 압력 : 15℃에서 2기압의 압력을 가하면 충격진동 등에 의해서 폭발, 위험압력은 1.5 기압이다.

    ㉢ 혼합가스 : 산소 : 아세틸렌 비가 85% : 15%에서 가장 위험, 구리합금(62% 이상 구리), 은, 수은 등에 접촉 폭발

    ㉣ 외력 : 마찰, 진동, 충격에 의해 폭발

③ 카바이드(CaC_2)

카바이드는 원래는 무색, 투명한 고체이지만 제조과정에서 불순물을 포함하고 있기 때문에 회흑색이나 회갈색을 띠게 된다.

> 🌀 **카바이드를 취급할 때 주의 사항**
>
> ① 카바이드는 규격상 승인된 장소에 저장해야 한다.
> ② 카바이드는 아세틸렌가스 발생기 밖에서는 물이나 습기와 접촉시켜서는 안 된다.
> ③ 카바이드를 저장하고 있는 통 가까이에는 빛이나 인화가 가능한 어떤 것도 가져가서는 안 된다.
> ④ 카바이드나 카바이드 통은 주의해서 취급해야 하며, 통에서 카바이드를 들어낼 때는 목재공구나 모넬메탈을 사용해야 한다.

(2) 프로판(LPG)

프로판 : 산소의 혼합비는 1:45로 산소가 많이 소모되며 경제적, 쉽게 액화한다.

(3) 수소(Hydrogen)

산소 : 수소 1:2, 백심이 뚜렷이 없어 불꽃을 조절하기 어렵다, 납 용접에만 사용한다.

(4) 불꽃

백심, 속불꽃, 겉불꽃으로 구성, 백심끝 2~3mm부분이 가장 온도(3200~3500℃)가 높아 이 부분으로 용접, 산화불꽃(온도가 가장 높고 산화 탈산된다), 탄화불꽃(백심주위에 연한 제3의 불꽃), 중성불꽃이 있다.

[표 3-2 불꽃 과 피 용접금속과의 관계]

불꽃의 종류	피용접재
중성불꽃	연강, 반연강, 주철, 청동, 알루미늄, 아연, 납
산화불꽃	황동
탄화불꽃	스테인리스강, 스텔라이트, 모넬메탈등

3. 용접장치

(1) 아세틸렌용기(황색)

기체 상태로의 압축은 위험하므로 아세톤을 흡수시킨 다공질(목탄+규조토) 물질을 넣고 아세틸렌을 용해 압축, 15℃ 15.5기압으로 충전 사용한다.

$$용적(V) = 905 \times (사용 전 병 무게 - 빈 병 무게)$$

(2) 산소용기(녹색)

가스충전은 35℃, 150기압으로 충전시켜 24시간 방치 후 사용한다.

(3) 아세틸렌 발생기(acetlene gas generator)

카바이드 1kg이 물과 반응으로 475kcal의 열이 발생한다.

① 투입식 : 많은 물에 카바이드 투입, 가스조절이 용이, 온도상승, 불순가스 발생이 적다.

② 주수식 : 카바이드에 물(60℃ 주수), 연속적인 가스발생을 하기 쉽다. 과열되기 쉽다.

③ 침지식 : 카바이드 덩어리를 물에 닿게 하여 가스 발생, 이동식에 많이 사용, 온도상승, 불순가스 발생이 많다.

(4) 청정기(purifier)

발생가스의 불순물 제거, 펠트, 목탄, 코크스, 톱밥 등으로 여과한다.
① 물리적방법 : 수세법, 여과법
② 화학적방법 : 페라톨, 카탈리졸, 플링클린, 아카린(재사용 카탈리졸)

(5) 안전기(safety device)

역류, 역화, 인화시의 불꽃과 가스흐름을 차단, 토치 1개당 반드시 1개를 설치한다.

(6) 압력 조정기(pressure regulator)

산소 조정기는 산소를 $1.3kg/cm^2$ 이하로 조정하고 아세틸렌 조정기는 아세틸렌을 $0.1{\sim}0.5kg/cm^2$ 로 조정한다.

(7) 토치(torch) : 손잡이, 혼합실, 팁(tip)

① 팁의 능력에 따라

㉮ 독일식 : A형, 불변압식, 니들밸브가 없는 것으로 인화 가능성이 적다. 팁 번호가 용접가능한 모재의 두께를 표시한다(tip 번호 1번, 2번…).

㉯ 프랑스식 : B형, 가변압식, 니들밸브가 있어 유량조절이 쉽다. 팁 번호는 시간당 용접할 경우 소비되는 아세틸렌양으로 표시한다(tip 번호 100번, 200번…).

② 사용압력에 따라

㉮ 저압식 : $0.07kg/cm^2$ 이하
㉯ 중압식 : $0.07 {-} 1.3\ kg/cm^2$
㉰ 고압식 : $1.3\ kg/cm^2$ 이상

(8) 역류, 역화, 인화

① 역류(contra flow)

산소가 아세틸렌 호스 쪽으로 흘러 들어가는 현상

[방지대책]

㉮ 팁을 깨끗이 청소한다.　　　　㉯ 산소를 차단한다.
㉰ 아세틸렌을 차단한다.　　　　㉱ 안전기와 발생기를 차단한다.

② **역화**(back fire)

불꽃이 순간적으로 팁에 흡입되고 '빵'하면서 꺼졌다가 다시 나타나는 현상

[방지대책]

㉮ 용접팁을 물에 담그어 냉각시킨다.

㉯ 아세틸렌을 차단한다.

㉰ 토오치의 기능을 점검한다.

③ **인화**(flash back)

불꽃이 혼합실 까지 들어가는 현상

[방지대책]

㉮ 팁을 깨끗이 청소한다.   ㉯ 가스유량을 적당하게 조정한다

㉰ 토오치 및 각 기구를 점검한다.   ㉱ 호오스이 비틀림이 없게 한다.

④ **팁 크리너**

역류, 역화, 인화 발생 시 팁을 청소할 때 사용하는 공구로서 팁 크리너 사용시 팁의 구멍보다 약간 가는 지름의 것을 선정해서 청소한다.

(9) 호스(hose)

도관을 청소할 때 압축공기로 하며 호스크기는 안지름(내경)으로 나타낸다.

[표 3-3 아세틸렌/산소 호오스의 비교]

구분	도관의색	내압시험압력	인장강도
산소도관	흑색/녹색	90kg/㎟	20kg/㎟
아세틸렌도관	적색	10kg/㎟	2kg/㎟

4. 용접재료

(1) 용접봉(welding rod)

KS D 7005에 규정, GA46의 46은 인장강도가 $46kg/mm^2$ 이상이라는 것을 NSR은 용접한 그대로의 응력을 제거하지 않는 것, SR은 625℃정도로 풀림을 한 것, 아크용접봉의 심선과 같으나 인이나 황 등의 유해 성분이 극히 적은 저탄소강

$$D = T/2+1$$

D : 용접봉의 지름   T : 모재의 두께

(2) 용제(flux)

[표 3-4 각종금속에 적당한 용제]

금 속	용제	금속	용제
연 강	사용하지 않음.	알루미늄	염화리듐 15%, 염화칼리 45% 염화나트륨 30%, 불화칼리 7% 염산칼리 3%
반경강	중탄산소다+탄산소다		
주 철	붕사+중탄산소다+탄산소다		
동합금	붕사		

5. 작업법

(1) 전진법(fore ward method)

일명 좌진법이라고도 하며 토오치를 오른손에 용접봉을 왼손으로 잡고 토오치의 팁이 우에서 조로 이동하는 방법이다.

(2) 후진법(back hand method)

일명 우진법이라고도 하며, 토오치를 좌에서 우로 이동하는 방법이다. 60°

(3) 전진법과 후진법의 비교

[표 3-5 전진법/후진법 비교]

항목	전진법(좌진버)	후진법(우진법)
열이용률	나쁘다	좋다
용접속도	느리다	빠르다
비드모양	매끈하지 못하다(거칠다)	미려하다
홈각도	크다(80°)	작다(60°)
용접변형	크다	적다
모재두께	얇다(5mm 이하)	두껍다
산화정도	심하다	약하다.

MEMO

IV. 특수 아크 용접

1. 불활성 가스 아크 용접(inert gas arc welding)

(1) 장점

① 전자세 용접이 용이하고 고능률적이다.

② 청정작용이 있다.

③ 피복제 및 용제가 불필요하다.

④ 산화하기 쉬운 금속의 용접이 용이하고 용착부 성질이 우수하다.

⑤ 아크가 안정되고 스패터가 적으며 조작이 용이하다.

⑥ 강도, 기밀성 및 내열성이 우수하다.

㉮ **불활성 가스 텅스텐 아크 용접(GTAW)**

불활성 가스(Ar, He) 분위기에서 텅스텐봉을 전극으로 써서 가스용접과 비슷한 조작방법으로 용가제를 아크로 융해하면서 용접, 텅스텐을 거의 소모하지 않으므로 비용극식 또는 비소모식 불활성 가스 아크 용접법

ⓐ 직류 정극성(DCSP) : 모재의 깊은 용입, 비드폭이 좁고, 직경이 적은 전극에서 큰 전류를 흐르게 할 수 있다.

ⓑ 직류 역극성(DCRP) : 모재의 용입은 얕고 비드폭이 넓다. 가스이온이 모재표면에 충돌하여 산화 막을 제거하는 청정작용으로 알루미늄, 마그네슘의 용접에 적합하다.

ⓒ 교류(AC) : 아크가 불안정하므로 고주파 발생 장치부착이 필요하다.

㉯ **불활성 가스 금속 아크 용접(GMAW)**

용가재인 전극 와이어를 연속적으로 보내어 아크를 발생시키는 방법, 용극 또는 소모식 불활성 가스 아크 용접법이다.

ⓐ 특징 : 용접전원은 직류 역극성, 청정작용, 전류밀도가 높고 고능률적 아크용접의 4~6배, TIG에 비해 2배 정도이다.

ⓑ 용도 : 3㎜ 이상의 알루미늄, 스테인레스, 구리합금, 고탄소강 등이다.

2. 이산화탄소 아크 용접(CO_2 welding)

불활성 가스 금속 아크 용접법과 같은 원리나 불활성 가스 대신에 이산화탄소를 이용한 용극식 용접법이다.

(1) 특징

① 장점

⑦ 모든 자세 용접이 가능하다.

④ 전류밀도가 크므로 용입이 깊고 용접속도매우 빠르다.

⑤ 용착금속의 기계적 성질 중 특히 강도와 연신성이 우수

⑥ 가시아크이므로 시공이 편리하다.

⑩ 보호가가 저렴한 탄산가스라서 용접경비 적게 든다.

② 단점

⑦ 탄산가스를 사용하므로 작업장 환기에 유의해야 한다.

④ 비드 외관이 타 용접에 비해 거칠다.

⑤ 용착 금속의 산화가 심하여 기공 및 그 밖의 결함이 생기기 쉽다.

(2) 이산화 탄소 아크 용접법의 분류

① 솔리드와이어 이산화 탄소법

② 솔리드 와이어 이산화 탄소- 산소법

③ 용제가 들어 있는 와이어 이산화 탄소법

    ⑦ 아아코(arcos)아크법   ④퓨즈(fuse)아크법

    ⑤ NCG법   ⑥ 유니언 아크법

(3) 용도

교량, 철도차량, 건축, 전기기기, 자동차, 조선, 토목 등의 연강 용접시

3. 서브머지드 아크 용접법(submerged arc welding)

모재의 이음표면에 미세한 입상의 용제를 공급 관을 통하여 공급하고 그 용제 속에서 연속적으로 전극와이어를 공급하여 용접봉 끝과 모재사이에 아크를 발생시켜 용접하는 자동아크 용접법으로 용제 속에서 용접이 이루어 진다하여 잠호 용접법이라고도 한다.

(1) 특징

① 장점 : 빠른 용접속도, 홈각도 적어도 된다. 고운 비드, 용접이음 신뢰성이 높다. 대량생산이 가능하다.

② 단점 : 아크가 보이지 않아 용접부의 적부를 확인해서 용접할 수 없다. 아래보기 자세용접 및 수평 필릿 용접에 한정, 정밀도가 좋아야 함, 설비비가 비싸다.

(2) 용제

용접부를 대기 중에서 보호하고 아크안정, 아크의 실드, 용융금속과 금속학적 반응 등의 역할이다.

① 용융형 : 1300℃ 이상으로 용융하여 응고시킨 다음 분쇄하여 입자를 고르게 한다.

② 소결형 : 300~1000℃ 정도의 낮은 온도에서 소정의 입도로 소결한 것이다.

③ 혼성형 : 용융 + 소결

(3) 용접작업

홈각도 ±5°, 루트간격 0.8㎜ 이하, 루트면 ±1㎜이다.

(4) 용도

조선, 교량, 차량, 철골구조, 가스터빈, 대형 변압 케이스, 대형 전송기 등이다.

4. 플라즈마 제트 용접(plasma jet welding)

아크열로 가스를 가열하여 플라즈마 상으로 토치의 노즐에서 분출되는 고속의 플라즈마 제트를 이용한 용접법(열적 핀치효과 이용)이다.

(1) 장점

① 에너지 밀도가 크고 안정도 높다.

② 비드 폭이 좁고 깊은 용입이다.

③ 속도가 빠르고 적은 변형, 적은 봉소모이다.

(2) 단점

① 용접속도가 크므로 가스보호가 불충분하다.

② 모재표면이 오염되었을 때 플라즈마 아크의 상태가 변화한다.

③ 용접부 경화현상이 일어난다.

5. 일렉트로 슬래그 용접(electrode slag welding)

와이어와 용융슬래그 사이에 통전된 전류의 저항 열을 이용, 연속주조방식에 의한 단층용접

(1) 특징

① 두께의 제한이 없다(50~1000mm).

② 변형이 적다.

③ 특별한 홈 가공이 필요치 않다.

④ 능률이 높다.

(2) 용제(용융슬래그)

SiO_2, MnO, Al_2O_3 등

(3) 용도

터빈축, 후판 보일러, 드럼, 대형 프레스, 대형 고압탱크, 조선, 차량 등

6. 일렉트로 가스 용접(electrode gas welding)

슬래그 용제 대신 CO_2 또는 Ar가스를 보호가스로 사용하여 용접한다.

① 특징

⑦ 모재의 두께가 얇은 중후 판(40~50mm)용접에 효과적이다

⑭ 용접변형이 거의 없고 작업성이 양호하다.

⑭ 용접속도가 빠르다

② 용도

조선, 고압탱크, 원유탱크, 등에 널리 이용

7. 원자수소아크용접(atomic hydrogen arc welding)

2개의 텅스텐 전극 사이에 아크를 발생시키고 수소가스 유출시 열해리를 일으켜 발생되는 열을 이용하여 용접~용융온도가 높은 금속 및 비금속재료 용접(니켈, 모넬메탈, 황동 등), 고도의 기밀, 유밀을 필요로 하는 용접이다.

8. 테르밋 용접(thermit welding)

금속산화물이 알루미늄에 의하여 산소를 빼앗기는 반응인 테르밋 반응에 의해 생성되는 열을 이용~2800℃, 덧붙이기 용접에 많이 쓰임~큰 모재, 레일의 맞대기, 직경이나 환봉이다.

9. 아크 스터드 용접(arc stud welding)

볼트나 환봉, 핀 등을 직접. 강판이나 형강에 용접하는 방법이다.

10. 아크 점 용접

겹친 두 장의 강판에 아크를 0.5~5초 정도 국부적으로 융합시키는 용접이다.

11. 전자빔 용접(electron beam welding)

진공 중에서 고속의 전자빔을 형성시켜 그 전자류가 가지고 있는 에너지를 용접 열원으로 하는 용접법~기계적, 야금적 성질 양호, 적은 변형, 정밀용접 가능, 적은 용접 입열, 좁은 용접부, 깊은 용입, 활성금속 용접가능, 비싼 시설비, 두꺼운 판 용접가능, 에너지 밀도가 크다.

12. 레이저 빔 용접(laser beam welding)

강력한 에너지를 가진 집속성이 강한 단색 광선을 이용한 용접~진공이 필요치 않다. 미세 정밀 용접 및 전기가 통하지 않는 부도체 용접도 가능하다.

V. 전기 저항 용접법(electric resistance welding)

1. 원리

용접부에 대전류를 직접 흐르게 하여 이때 생기는 줄열을 열원으로 하여 접합부를 가열하고 동시에 큰 압력을 주어 금속을 접합하는 방법이다.

(1) 장점

① 용접사의 기능에 의한 우열이 적다.
② 짧은 용접시간
③ 대량 생산이 가능
④ 모재의 변형이 적다.
⑤ 가압효과로 조직이 치밀해진다.

(2) 단점

① 설비가 복잡하고 값이 비싸다.
② 급냉경화를 받게 되므로 후열처리가 필요하다.
③ 다른 금속간의 접합이 곤란하다.

(3) 주울법칙

H = 0.238 I2Rt(I 전류, R 저항, t 통전시간)

(4) 저항용접의 분류

① 겹치기용접

점용접(spot welding), 심용접(seam welding), 프로젝션용접(projection welding)

② 맞대기용접

플래시용접(flash welding), 업셋용접(upset welding), 퍼어커션용접(percussion welding)

2. 점용접(spot welding)

2개의 전극사이에 가압상태에서 전류를 통하면 접촉면의 전기저항에 의해 발열하며 이 저항열을
이용하여 용접~두께 0.4~3.0mm 얇은 판, 능률적으로 작업한다.

(1) 저항용접의 3대 요소

① 용접전류
② 통전시간
③ 가압력

(2) 장점

① 용접부의 표면에 돌기가 생기지 않는다.
② 재료의 절약된다.
③ 작업공수가 절감된다.
④ 작업속도가 빠르다.
⑤ 변형이 거의 없고, 가압효과에 의하여 조직이 치밀해진다.

(3) 점용접의 종류

① 단극식 점용접(single spot welding)
② 직렬식 점용접(series spot welding)
③ 다전극점용접(multi spot welding)
④ 맥동용접(pulsataion spot welding)
⑤ 인터랙용접(interact spot welding)

3. 심 용접(seam weldilng)

원관형 전극사이에 용접 물을 끼워 용접~수밀, 유밀이 필요한 곳이다.

(1) 통전방법

단속 통전법, 연속 통전법, 맥동 통전법

(2) 종류

① 매시 심 용접 : 겹쳐진 전폭을 가압하여 심

② 포일 심 용접 : 이음부에 같은 종류의 얇은 판을 대고 가압

③ 맞대기 심 용접 : 맞댄 면에 롤러로 통전시켜 접합

(3) 특징

① 용접 이음이 기계적으로 행하므로 강하다.

② 박판의 용기제작으로 우수한 특성을 갖는다.

③ 자동화가 쉽다.

④ 용접속도가 빠르고 능률이 좋다.

4. 프로젝션 용접(projection welding)

모재의 한쪽 또는 양쪽에 적은 돌기를 만들어 이 부분에 대전류와 압력을 가해 압접

(1) 특징

① 열용량이 다를 경우라도 양호한 열평형, 높은 신뢰도, 동시에 여러 점용접, 속도가 빠르다.

② 수명이 길고 작업능률이 좋다.

③ 거리가 작은 점용접 가능하다.

5. 업셋 용접법(upset welding)

① 가열속도가 늦고 용접시간이 길다.

② 열영향부가 넓다.

③ 불꽃 비산 없다.

④ 접합부에서 빠져 나오지 않는다.

⑤ 가격이 싸고 간단하다.

6. 플래쉬 용접법(flash welding)

① 용접강도가 크다.

② 정확하게 가공할 필요가 없다.

③ 전력이 적어도 된다.

④ 전력소비가 적다. 속도가 크다.

⑤ 업셋량이 적다.

VI. 납땜(brazing/soldering)

1. 개요

용접모재보다 융점이 낮은 금속 또는 그들의 합금을 용가재로 하여 용가재만을 용융 첨가시켜 두 금속을 이음하는 방법이다. 납땜에서는 원자 간의 상호 인력이 고체와 액체사이에서 일어난다는 점이 다른 용접과 다른 점이다.

2. 납땜의 종류

① 연납 - 납땜 용융온도 450℃ 이하(납+주석)

② 경납 - 납땜 용융온도 450℃ 이상(은납땜, 황동납땜 등)

③ 땜납은 용접모재와 성질이 비슷한 것을 선택하는 것이 좋다.

3. 용제(flux)

(1) 연납용

① 염산 : 진한 염산을 물과 1:1로 묽게 하여 사용

② 염화아연 : 흡스, 내식성강하다, 염화암모늄과 섞어 사용(함석, 구리, 청동), 제거방법은 물 → 소다 → 물

③ 염화암모니아 : 땜 인두 청정용(철, 구리), 단독으로 사용하지 않음.

④ 식물성 수지(비부식성 용제, 송진, 삼목지), 동물성 수지(부식성이 강함, 글리세린, 염화아연과 혼합사용) : 100℃부근 산화물제거, 납땜부 보호 작용, 전기부품

⑤ 인산, 염산

(2) 경납용

① 붕사 : 은납땜, 황동땜 외에는 다른 것과 혼합사용

② 붕산 : 용해도 878℃로 붕사와 혼합사용

③ 불화물, 염화물 : 용제의 유동성 증가

④ 알칼리 : 몰리브덴 합금강에 유용

(3) 경합금

염화리듐, 염화칼리, 염화나트륨, 불화수소산, 불화칼리, 불화나트륨

(4) 용제의 구비조건

① 모재의 산화피막 등 불순물을 제거 할 수 있을 것
② 깨끗한 금속면의 산화를 방지 할 수 있을 것
③ 모재와의 친화력을 높일 수 있으며 유동성이 좋을 것
④ 용제의 유효온도 범위와 납땜 온도가 일치할 것
⑤ 납때 후의 슬래그 제거가 용이할 것
⑥ 모재나 땜납에 대한 부식작용이 최소한일 것
⑦ 전기 저항 납땜에 사용되는 것은 전도체일 것

4. 납땜방법

(1) 인두납땜

구리제품의 인두, 세밀한 세공

(2) 침투납땜

석유통, 통조림통 납땜, 대량생산 적합

(3) 가스납땜

보통 가스불꽃은 약간 환원성, 용제는 접합면과 땜납에 발라서 사용

(4) 저항납땜

작은 물건이나 다른 종류 금속의 납땜에 적합

(5) 노내납땜

작은 물품의 대량생산에 적합

(6) 유도가열납땜

모재의 변질이나 산화가 적고 소비전력이 적게 든다. 대량생산

VII. 가스절단(gas cutting) 및 가스 가공

1. 아크 절단(arc cutting)

보통 가스절단으로는 곤란한 금속 등에 많이 쓰이나 가스절단에 비해 절단면이 곱지 않다.

(1) 탄소아크 절단(carbon arc cutting)

탄소 또는 흑연 전극봉과 금속사이에서 아크를 일으켜 금속의 일부를 용융제거하는 절단법이다.
① 직류정극성(교류) 사용한다.
② 대전류를 필요(산화방지위해 표면에 구리도금), 300A 이상의 경우는 수냉식 홀더 사용한다.

(2) 금속아크 절단(metal arc cutting)

탄소 전극봉 대신 특수 피복제를 입힌 전극봉 사용한다.
① 피복봉 : 절단 중 3~5㎜ 보호통을 만듦(모재의 단락방지, 아크의 집중 높임).
② 피복제 : 발열량이 많고 산화성이 풍부한 것

(3) 플라즈마제트 절단(plasma jet cutting)

① 고온의 플라즈마(15,000~30,000℃)를 이용한다.
② 금속재료나 내화물 절단, 작동가스(아르곤+수소의 혼합가스 사용), 공기 또는 질소 사용할 때 환기장치 설치한다.

(4) TIG 절단

비철금속재료 절단(알루미늄, 마그네슘, 구리 및 그 합금, 스테인레스 강 등)

(5) MIG 절단

절단부를 불활성 가스로 포위하고 금속전극에 대전류를 흐르게 하여 절단(산화에 강한 금속의 절단)

2. 아크 에어 가우징(arc air gouging)

① 탄소아크절단에 압축공기를 같이 사용한다.

② 용접부의 홈파기, 용접 결함부의 제거, 절단, 구멍 뚫기이다.

③ 강판 주강, 주물, 스테인레스 강, 경합금, 황동주물에 사용한다.

(1) 가스 가우징이나 치핑에 대한 장점

① 작업능률이 높다(가스 가우징의 2~3배).

② 조작이 간단하고 소음이 없다.

③ 모재에 나쁜 영향을 주지 않는다.

④ 속도가 빠르고 가열범위가 좁다.

⑤ 변형이나 균열이 없다.

(2) 가스 절단

강 또는 합금강의 절단에 널리 이용되며 비철금속에는 분말가스 또는 아크절단이 이용한다. 약 900~1000℃로 될 때까지 예열한 후 팁의 중심에서 고압의 산소를 불어내어 철의 연소와 산화철의 용융과 동시에 절단한다.

① 절단장치

절단 토치의 팁은 절단하는 두께에 따라 임의의 크기의 것으로 교환할 수 있게 되어 있다.

㉮ 가스토치~저압식, 중압식

ⓐ 동심형 팁 : 프랑스식, 전후좌우, 곡선 자유롭게 절단한다.

ⓑ 이심형 팁 : 독일식, 팁이 있는 방향만 절단, 작은 곡선 등의 절단곤란, 직선절단 능률적, 절단면이 곱다.

ⓒ 절단 산소 분출구 : 직선형(팁의 공작이 용이), 다이버젠트형(공작이 곤란, 고속절단)

② 절단속도에 미치는 영향 - 산소압력, 산소의 순도, 모재의 두께, 모재의 온도, 강의 재질, 팁의 모양이다.

3. 산소-프로판(LP)가스 절단

(1) 산소

LP = 4.5 : 1로 절단용 팁은 가스의 분출속도를 늦추고 예열불꽃의 구멍을 크게 수를 늘려 잘 꺼지지 않게 하며 슬리브를 약 1.5mm정도 가공면보다 길게 하여 둘러싼다.

[표 6-1 아세틸렌/프로판가스의 비교]

아세틸렌	프로판
점화하기 쉽다. 중성불꽃을 만들기 쉽다. 절단개시까지 시간이 빠르다. 표면영향이 적다. 박판절단 시 빠르다.	절단상부 기슭이 녹는 것이 적다. 절단면이 미세하며 깨끗하다. 슬래그 제거가 쉽다. 포갬 절단속도가 아세틸렌보다 빠르다. 후판 절단시에 아세틸렌보다 빠르다.

4. 가스가공법

(1) 가스가우징

강재의 표면에 둥근 홈을 파내는 방법이다.

① 팁 : 슬로우 다이버젠트로 설계, 끝은 구부러져 있다.

② 속도 : 절단 때의 2~5배 속도로 작업할 수 있다.

③ 상당한 숙련이 필요, 홈 깊이와 홈 나비는 1:1-1:3, 작업의 좋고 나쁨은 팁의 구조에 따라 다름(그림 참조).

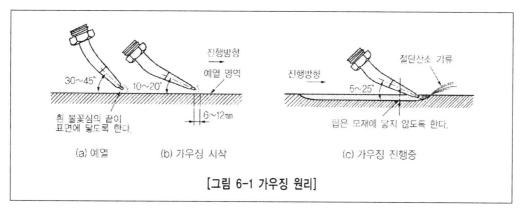

[그림 6-1 가우징 원리]

(2) 스카핑

강괴, 강판, 슬래그, 기타 표면의 균열이나 주름, 주조결함 탈탄층의 표면 결함을 불꽃가공에
의해 제거하는 방법이다.

① 토치 : 가우징 토치에 비해 능력이 크다.

② 팁 : 슬로우 다이버젠트로 설계이다.

③ 용삭홈 모양 : 수동용(원형), 자동용(4각)

④ 속도 : 냉간재의 경우(5-7m/min), 열간재의 경우(20m/min)

5. 특수 가스 절단

(1) 분말절단

① 주철, 고합금강, 동, 알루미늄 등이다.

② 가스절단이 곤란한 금속절단부에 철분이나 용제의 미세한 분말을 압축공기나 압축질소로
자동 연속적으로 분출 절단하는 것이다.

(2) 수중절단

① 침몰선의 해체, 교량의 개조 등에 사용한다.

② 수중에 넣기 전에 점화해 작업 중에는 불을 끄지 않도록 하는 것, 점화할 때 가스를 내기
전에 점화 팁을 가깝게 한 다음 가스를 천천히 방출한다.

(3) 산소창 절단

① 산소호스에 연결된 밸브가 있는 구리 관에 안지름 3.3~6㎜, 길이 1.5~3㎜정도의 강관을
틀어박은 장치이다.

② 모재의 시작점과 끝을 적열하고 산소를 천천히 방출시키면서 모재에 눌러 붙여서 산소와
모재의 화학반응에 의한 절단한다.

③ 용광로, 평로의 구멍의 천공, 두꺼운 판의 절단, 주강의 슬래그 덩어리, 암석의 천공 등에
사용한다.

VIII. 용접 시공

1. 일반적 준비

① 모재의 재질을 확인한다.

② 용접기의 선택한다.

③ 용접사의 선임한다.

④ 지그(부품을 조립하는데 사용하는 도구)결정한다.

> cf) **포지셔너** : 용접물을 용접하기 쉬운 상태로 놓기 위한 것이다.
> **용접 고정구** : 용접제품의 치수를 정확하게 하기 위해 변형을 억제하는 역할을 하는 것이다.

2. 조립순서

① 수축이 큰 맞대기 이음을 먼저하고 필릿 용접한다.

② 큰 구조물에서는 구조물의 중앙에서 끝을 향하여 대칭으로 용접진행, 가접시 약간 가는 용접봉 사용한다.

3. 홈 확인 및 보수

(1) 홈가공

피복아크용접의 홈각도 : 54~70°

(2) 피복아크용접

간격 16mm 이하일 때 한쪽, 양쪽 덧붙임, 6~16mm일 때 두께 6mm정도의 뒷받침, 16mm 이상 판의 전부 또는 일부(300mm)를 대체한다.

(3) 필릿용접

간격 1.5mm 이하 다리 길이로 용접, 1.5~4.5mm 그대로 용접하거나 넓혀진 만큼 다리길이, 4.5mm 이상 라이너를 넣든지 300mm 이상을 잘라내어 대체한다.

(4) 서브머지드 아크

루트간격 0.8㎜ 이하, 루트면 7~16㎜

4. 잔류응력 제거법

(1) 응력제거 열처리

용접물 전체를 로 중에서 국부적으로 600~650℃ 가열하여 일정시간 유지한 다음 200~300℃까지 서냉하는 방법이다.

(2) 저온응력 완화법

용접선을 중심으로 하여 폭 150㎜되는 부분을 150~200℃로 가열하고 바로 냉각하는 방법이다.

(3) 피닝법

용접부를 해머로 가볍게 때려 표면에 소성변형을 주어 수축힘 완화한다.

(4) 기계적 처리

잔류응력이 큰 경우 미끄럼 변형, 압축응력이 큰 경우 압축하여 수축시키는 방법이다.

5. 변형방지법

(1) 억제법

모재를 가접하거나 지그를 사용하여 변형발생 억제(잔류응력 발생할 우려)

(2) 역변형법

모재를 용접 전에 변형의 방향과 크기를 예측하여 반대방향으로 굽혀 놓고 용접(시험편, 박판)

(3) 도열법

동편이나 물에 적신 석면 등을 받쳐 열을 흡수하는 방법

(4) 대칭법

비드를 좌·우 대칭으로 배열함으로서 변형방지

(5) 후퇴법

용접 전 길이를 적당하게 나누어 각 구간 용접방향을 전체 용접방향에 대해 후진하는 방법

6. 변형교정법

① 박판의 점 수축법
② 형재의 직선 수축법,
③ 가열 후 해머작업,
④ 후판에 대하여 가열 후 압력을 가하고 수냉하는 방법
⑤ 롤러 가공,
⑥ 피닝
⑦ 절단하여 변형 후 재용접이다.

7. 결함

결함	원인	방지책
기공 (블로우 홀)	■봉에 습기가 있을 때 ■용착부가 급냉 ■아크길이, 전류의 부적당 ■모재 속에 S이 많을 때	■봉과 모재 건조 ■예열 및 후열 ■전류조정과 길이 짧게 ■저수소계 용접봉 사용
슬래그 섞임	■슬래그 제거 불완전 ■운봉속도는 빠르고 전류가 낮을 때	■슬래그 제거 철저히 ■운봉 속도와 전류 조정
용입불량	■전류가 낮을 때 ■홈각도와 루트간격이 좁을 때 ■용접속도가 빠르거나 느릴 때	■전류를 적당히 높임. ■각도와 루트간격 넓게 ■속도를 적당히 조절
언더컷	■용접전류가 높을 때 ■운봉이 잘못되었을 때	■전류를 약하게 ■운봉에 주의

	■부적당한 용접봉 사용시	■적합한 용접봉 사용
오버랩	■전류가 낮을 때 ■운봉이 잘못되었을 때 ■속도가 늦을 때	■전류를 높임 ■운봉에 주의 ■속도를 알맞게
균열	■용접부에 H_2가 많을 때 ■C, P, S 많을 때 ■모재의 이방성 ■이음의 급냉 수축 ■용접부에 기공이 많을 때	■저수소계 용접봉 사용 ■재질에 주의 ■예열, 후열 충분히 ■기공방지에 주의
선상조직 은점	■냉각속도가 빠를 때 ■모재에 C, S 많을 때 ■H_2가 많을 때 ■용접속도가 빠를 때	■예열과 후열 ■재질에 주의 ■저수소계 용접봉 사용 ■용접속도를 느리게

IX. 용접 설계

용접설계는 그림을 참조하여 용접이음의 종류와 기호를 익혀두길 바라며 안전율 응력식 정도를 숙지하기 바란다(용접기호는 KS B 0052 참조).

🔵 안전율

용접 구조물에서 사용 응력과 재료의 허용 응력과의 사이에 적당한 균형을 유지할 수 있는 인자가 필요하게 된다. 이러한 관련성을 나타내는 지수를 안전율(안전계수 : Safety factor)이라 하고 다음과 같이 계산한다.

$$안전율(S) = \frac{허용\ 응력}{사용\ 응력} = \frac{인장\ 강도(극한\ 강도)}{허용\ 응력}$$

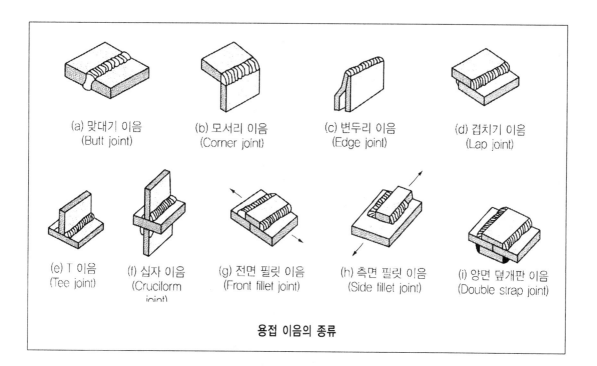

(a) 맞대기 이음
(Butt joint)

(b) 모서리 이음
(Corner joint)

(c) 변두리 이음
(Edge joint)

(d) 겹치기 이음
(Lap joint)

(e) T 이음
(Tee joint)

(f) 십자 이음
(Cruciform joint)

(g) 전면 필릿 이음
(Front fillet joint)

(h) 측면 필릿 이음
(Side fillet joint)

(i) 양면 덮개판 이음
(Double strap joint)

용접 이음의 종류

용접 이음의 기본 기호

번 호	명 칭	도 시	기 호
1	양면 플랜지형 맞대기 이음 용접[1]		八
2	평면형 평행 맞대기 이음 용접		‖
3	한쪽면 V형 맞대기 이음 용접		V
4	한쪽면 K형 맞대기 이음 용접		V
5	부분 용입 한쪽면 V형 맞대기 이음 용접		Y
6	부분 용입 한쪽면 K형 맞대기 이음 용접		Y
7	한쪽면 U형 홈 맞대기 이음 용접 (평행면 또는 경사면)		Y
8	한쪽면 J형 맞대기 이음 용접		Y
9	뒷면 용접		⌣
10	필릿 용접		◺

1) 판의 맞대기 이음 용접에서 완전히 용입되지 않는 경우에는 〈표 5〉와 같이 용입 깊이 S를 지시한 2번과 같은 기호로 표시한다.

번 호	명 칭	도 시	기 호
11	플러그 용접 : 플러그 또는 슬롯 용접		⊓
12	스폿 용접		○
13	심 용접		⊖
14	급경사면(스팁 플랭크) 한쪽면 V형 홈 맞대기 이음 용접		⋁
15	급경사면 한쪽면 K형 맞대기 이음 용접		⋁
16	가장자리 용접		‖‖
17	서페이싱		⌒⌒
18	서페이싱 이음		=

번 호	명 칭	도 시	기 호
19	경사 이음		//
20	겹침 이음		⊃

대칭적인 용접부의 조합 기호(예)

명 칭	도 시	기 호
양면 V형 맞대기 용접 (X형 이음)		X
양면 K형 맞대기 용접		K
부분 용입 양면 V형 맞대기 용접 (부분 용입 X형 이음)		X
부분 용입 양면 K형 맞대기 용접 (부분 용입 K형 이음)		K
양면 U형 맞대기 용접 (H형 이음)		X

용접 이음의 보조 기호

용접부 및 용접부 표면의 형상	기 호
a) 평면(동일 평면으로 다듬질)	──
b) 凸형	⌒
c) 凹형	⌣
d) 끝단부를 매끄럽게 함	⤵
e) 영구적인 덮개 판을 사용	M
f) 제거 가능한 덮개 판을 사용	MR

보조 기호의 적용 예

명 칭	도 시	기 호
한쪽면 V형 맞대기 용접 – 평면(동일면) 다듬질		▽
양면 V형 용접 凸형 다듬질		⋈
필릿 용접 – 凹형 다듬질		
뒤쪽면 용접을 하는 한쪽면 V형 맞대기 용 접 – 양면 평면(동일면) 다듬질		
뒤쪽면 용접과 넓은 루트면을 가진 한쪽면 V형(Y 이음) 맞대기 용접 – 용접한 대로		
한쪽면 V형 다듬질 맞대기 용접 – 동일면 다듬질		[1]
필릿 용접 끝단부를 매끄럽게 다듬질		

1) 기호는 ISO 1302에 따름 : 이 기호 대신 ⌐기호를 사용할 수 있음.

MEMO

금속 이론

04

I. 금속재료 개요

1. 금속의 특성

① 고체상태에서 결정구조를 갖는다.
② 전기 및 열을 잘 전달하는 양도체이다.
③ 전성 및 연성이 크므로 변형하기 쉽다.
④ 금속 특유의 광택을 갖는다.
⑤ 비중이 크다.
⑥ 수은을 제외한 모든 금속은 상온에서 고체이다.

2. 합금(alloy)

유용한 성질을 얻기 위해 한 금속 원소에 다른 금속 및 비금속을 첨가하여 얻은 금속이다.

(1) 제조방법

① 두 원소를 용융상태에서 융합
② 압축소결에 의한 합금
③ 고체상태에서 확산을 이용하여 부분적으로 합금(침탄 등)

(2) 순금속과 합금의 비교

구분	순금속	합금
용융점	일반적으로 합금보다 높다.	합금되면 일반적으로 저하된다.
열 및 전기 전도도	전도율이 높다.	순금속보다 저하된다.
가단성	전연성이 풍부하다.	소성변형 능력이 떨어진다.
가주성	합금보다 떨어진다.	일반적으로 증가한다.
강도, 경도	합금보다 약하다.	순금속보다 증가한다.
열처리	합금보다 떨어진다.	순금속보다 쉽다.
내식성, 내마모성	합금보다 작다.	순금속보다 크다.

3. 금속의 성질

(1) 비중(specific gravity)

① 표준기압 4℃에서 어떤 물질의 질량과 같은 체적의 물의 질량과의 비

② 비중 4.5를 기준으로 하여 그 이상을 중금속(Cu, Fe 등의 대부분), 그 이하를 경금속(Al, Mg, Na 등)

③ 실용금속상 가장 가벼운 것 : Mg(1.74)

④ 비중이 가장 큰 금속(Ir : 22.8), 가장작은금속(Li : 0.53)

(2) 선팽창계수(coefficient heat expansion)

① 온도가 1℃ 올라가는데 따른 팽창율

② 선팽창계수가 큰 금속(Cd, Pb, Mg, Sn), 작은것(Ir, Mo, W)

③ 팽창계수가 적은 인바, 초인바 등의 합금은 시계부품, 정밀측정자 등으로 사용, (-)치의 선팽창계수의 Fe-Pt합금

(3) 용융점(melting point)

① 금속을 가열하여 액체가 되는 온도

② 상온에서 Hg(-38.87℃)는 액체, W는 금속중 용융점이 가장 높은 3410℃

(4) 전기전도율(electric conductivity, 도전율)

① 불순물이 적고 순도가 높은 금속일수록 열이나 전기를 잘 전달(순금속)합금)

② 전기전도율은 Ag을 100으로 했을 경우 다른 금속과의 비율로 나타낸다.

Ag 〉Cu 〉Au 〉Al 〉Mg 〉Zn 〉Ni 〉Fe 〉Pb 〉Sb

(5) 비열(specific heat)

물질 1g의 온도를 1℃ 높이는데 필요한 열량

Mg 〉Al 〉Mn 〉Cr 〉Fe 〉Ni 〉Cu 〉Zn 〉Ag 〉Sn 〉Sb 〉W

(6) 자성(magnetic)

① 강자성 : Fe, Ni, Co나 이들의 합금, 자석에 강하게 끌리고 자석에서 떨어진 후에도 자성을 띠는 물질

② 상자성 : K, Pt, Na, Al 등, 자석을 접근하면 먼 쪽에 같은 극, 가까운 쪽에는 다른 극

③ 반자성 : Bi, Sb 등, 상자성과 반대

④ 비자성 : Au, Ag, Cu 등, 자성을 나타내지 않는 물질

(7) 강도(strength)

금속의 강하고 약함으로 외력에 대해 저항하는 힘, 인장강도, 압축강도, 전단강도

(8) 경도(hardness)

금속표면의 딱딱한 정도, 일반적으로 인장강도에 비례

(9) 전성(malleability)

금속을 눌렀을 때 넓어지는 성질

$$Au \rangle Ag \rangle Pt \rangle Al \rangle Fe \rangle Ni \rangle Cu \rangle Zn$$

(10) 연성(ductility)

금속을 잡아 당겼을 때 늘어나는 성질

$$Au \rangle Ag \rangle Al \rangle Cu \rangle Pt \rangle Pb \rangle Zn \rangle Ni$$

(11) 인성(toughness)

충격에 대하 재료의 저항, 일반적으로 전·연성이 큰 것이 잘 견디며 주철과 같이 강도가 적고 경도가 큰 것은 인성이 적다.

(12) 이온화(ionization)

이온화 경향이 클수록 화학반응을 일으키기 쉽고 부식이 잘된다.

K > Ca > Mg > Al > Mn > Zn > Cr > Fe > Cd > Co > Ni > Sn > Pb

(13) 탈색력

Au < Ag < Pt < Zn < Cu < Fe < Mg < Al < Ni < Sn

4. 금속의 결정구조

① **체심입방격자구조**(Body Centered Cubic lattice)

입방체의 각 모서리에 8개와 그 중심에 1개의 원자가 배열되어 있는 단위포의 결정구조

② **면심입방격자구조**(Face Centered Cubic lattice)

입방체의 각 모서리에 8개와 6개 면의 중심에 1개씩의 원자가 배열되어 있는 결정구조

③ **조밀육방격자구조**(Close-Packed Hexagonal lattice)

육각기둥의 모양으로 되어 있으며 6각주 상하면의 모서리와 그 중심에 1개씩의 원자가 있고 6각주를 구성하는 6개의 3각주 중 1개씩 띄어서 3각주의 중심에 1개씩의 원자가 배열되어 있는 결정구조

결정구조	원자수	배위수	충진율	근접원자간거리	금속	성질
BCC	2	8	68%	$\sqrt{3}\,a/2$	Fe, W, Cr, Mn, Na, Mo	강도가 크고 융점이 높다. 전·연성이 작다.
FCC	4	12	74%	$\sqrt{2}\,a/2$	Au, Ag, Pb, Al, Pt, Ni, Cu	전기전도도가 크다. 전·연성이 크다.
CPH	2	12	74%	$a\ ,\sqrt{a^2/3+4}$	Mg, Co, Zn, Be, Cd, Zr	결합력이 적다. 전·연성이 불량하다.

5. 금속의 응고

(1) 응고과정

결정핵 생성 → 결정핵 성장 → 결정립계 형성 → 결정입자구성

(2) 응고조직

① 과냉 : 융점이하로 냉각하여도 액체 또는 고용체로 계속되는 현상(Sb, Sn은 과냉도 ↑)

② 수지상 : 응고과정에서 결정핵이 성장할 때 Qy족한 부분이 생기면 그 부분은 핵성장이 촉진되어 연이어 성장하는데 이러한 나뭇가지 모양의 성장을 말한다.

③ 주상정 : 주형에 접촉된 부분부터 중심을 향하여 가늘고 긴 결정이 성장하여 중심부로 방사(라운딩, 냉각속도를 느리게 함으로 예방)

④ 편석 : 주상정의 경계에 모여 메지고 취약하게 하는 불순물

⑤ 고스트라인 : 편석이 있는 강괴를 압연하여 판, 봉, 관으로 만들 때 편석부분이 늘어나 긴 띠 모양을 이룬 것

⑥ 라운딩 : 편석을 막기 위하여 주형의 모서리 부분을 둥글게 하는 것

6. 금속의 변태

① 동소변태 - 같은 원소이지만 고체상태내에서 결정격자의 변화가 생기는 것(동소체)

② 자기변태 - 원자의 배열 즉 결정격자의 변화는 생기지 않고 자기의 크기만 변화하는것

③ 동소변태와 자기변태

구분	동소변태	자기변태
정의	어느 온도에서상의 변화를 일으키는 변태	어느 온도에서 자기 성질의 변화를 일으키는 변태
원자변화	원자 배열(결정격자)의 변화	원자 내부의 변화
성질변화	같은 물질이 다른 상으로변화	강자성이 상자성 또는 비자성으로 변화한다.
변화상태	일정온도에서 급격히 비연속적으로 발생한다.	일정 온도범위 내에서 점진적이고 연속적인 변화가 발생한다
Fe 변태점	910℃에서 BCC → FCC 변한다. 1400℃에서 FCC → BCC 변한다	768℃에서 자성 변화 (강자성 → 상자성)

④ 변태점 측정

    ㉠ 열분석법(thermal analysis)   ㉡ 열팽창법(thermal expansion analysis)

    ㉢ 전기저항법(electric resistance analysis)   ㉣ 자기반응법 (magnetic analysis)

    ㉤ 시차열 분석법(differential analysis)   ㉥ 비열법(specific analysis)

    ㉦ X-ray 분석법

⑤ 열전대의 종류와 사용온도

종류	기호	사용 온도
백금-백금로듐	PR	1600℃
크로멜-알루멜	CA	1200℃
철 -콘스탄탄	IC	900℃
구리-콘스탄탄	CC	600℃

7. 금속의 변형과 재결정

① 탄성변형 - 외력이 제거됨에 따라 원 상태로 돌아오는 변형

② 소성변형(plastic deformation) - 외력이 지나치게 클 때에 변형이 복귀하지 못하고 영구적으로 변형

③ 슬립(Slip) - 외력에 의해 변형될 때 일정면에 따라 미끄러지는데 이 미끄럼을 말함, 슬립면은 원자밀도가 가장 조밀한 면에서 일어나고 슬립방향은 원자 간격이 가장 작은 방향에서 일어난다.

④ 쌍정(Twin) - 소성변형시 변형전과 변형후의 원자배열이 대칭적인 배열, 원자의 이동이 원자 간격보다 작으므로 큰 영구변형은 슬립에 의해 일어난다.

⑤ 전위(Dislocation) - 금속의 결정격자에 결함이 있을 때 외력에 의해 결함이 이동되는 것

⑥ 가공경화 - 변형에 의한 응력이 축적됨에 따라 경도가 증가하는 현상

⑦ 냉간가공에 의해 가공경화 된 금속의 열처리과정

- 회복 : 내부응력이 감소하는 단계
- 재결정 : 내부응력이 없는 새로운 결정의 핵 생성, 변형전의 결정립이 작을수록 재결정 온도는 낮다. 결정립의 크기는 재결정전의 존재한 변형량이 클수록 미세하다.
- 결정성장 : 재결정의 성장

금　　속	Fe	Al	Cu	Ni	W	Mo	Zn	Pb
재결정온도	450	290	200	600	1000	900	18	-3

8. 평형상태도

① 자유도 : 계에 나타난 상을 변경시키지 않고 임의로 변화될 수 있는 변수의 수

$$F = n-P+2(n : 성분수, \quad P : 상수)$$

② 고용체 : 고체상태에서나 액체상태에서 한 성분금속에 다른 성분의 금속이 융합되어 하나의 상을 이룬 것(치환형, 침입형, 규칙격자형)

③ 금속화합물 : 친화력이 클 때 2종 이상의 금속원소가 간단한 원자비로 결합되어 성분금속과 다른 독립된 화합물을 만들 때

④ 공정형 : 용해된 상태에서는 균일한 용액으로 완전히 융합되지만 응고후 고체상태에는 성분금속이 각각 결정으로 분리되어 동시에 정출되는 것(용액 ↔ A결정+B결정)

⑤ 공석형 : 고체상태내에서 공정형 상태도와 같은 반응을 함(ɣ결정 ↔ α고용체+B)

⑥ 포정형 : 액체상태에서는 두 금속이 완전히 융합하나 고체상태에서는 어느 일부분만 융합하는 경우(α고용체+용액 ↔ ɣ고용체)

⑦ 편정형 : 일종의 용액에서 고상과 다른 종류의 용액을 동시에 생성하는 반응(액상 ↔ 고상(순 A)+액상(B))

9. 재료의 시험

(1) 조직시험

① 육안시험

파면검사(재료의 성분, 열처리 판단), 육안조직검사(가공방법의 양부, 조직 및 성분의 불균일, 내부결함의 유무 판단), 설퍼프린트법(유황의 분포상태를 검출) 등이 있다.

② 현미경 조직검사

시험편 채취 → 시험편 연마 → 정마 → 부식 → 관찰

재료	부식제
철강	피크린산알콜 용액, 질산알콜 용액
Cu 및 그 합금	염화 제2철 용액
Ni 및 그 합금	질산초산 용액
Al 및 그 합금	수산화나트륨 용액, 불화수소산

(2) 강도시험

① 만능시험기 : 인장강도, 압축강도, 연신율, 단면수축율, 굽힘 등 측정

② Hooke의 법칙 $\sigma = E\varepsilon$(σ : 응력, E : 영률, ε : 연신율)

③ 인장강도 $\sigma = P_{max}/A_o$(P_{max} : 최대하중, A_o : 원단면적)

(3) 경도시험

① 브리넬 경도 $H_B = \dfrac{2P}{\pi D(D - \sqrt{D^2 - d^2})}$ (D : 강구의 지름, d : 들어간 지름)

하중시간은 15~30초, 얇은 재료나 침탄강, 질화강 등의 표면을 측정하기에는 부적당

② 로크웰 경도 B스케일의 경우 : HRB = 130~500h

C스케일의 경우 : HRC = 100-500h

B스케일은 특수강구(1.588mm), C스케일은 꼭지각 120°인 다이아몬드 원뿔의 압입자

③ 비커즈 경도 H_v = 1.854P/d_2(d : 다이아몬드 압입자국의 대각선 길이)

136°인 사각뿔 다이아몬드의 압입자 사용, 단단한 재료나 연한 재료, 얇은 재료나 침탄, 질화층 같은 엷은 부분의 경도로 정확히 측정, 압입부의 흔적이 적으므로 경화재료에는 부적당

④ 쇼어 경도 H_s = 10000h/65h_o

일정 높이에서 자유 낙하시켜 낙하체가 시험편에 부딪쳐 튀어 오르는 높이에 의해 측정 시험편에 자국이 생기지 않으므로 완성된 기어나 압연, 롤 등에 사용

(4) 충격시험

시험편에 충격적인 하중을 가해 시험편의 파괴시의 충격값을 구하는 동적시험이다. 샤르피 충격시험과 아이조드 충격시험

$$E = WR(\cos \beta - \cos \alpha)$$

(W : 해머무게, R : 해머중심에서 축 중심까지 거리)

$$충격값(U) = E/A$$

(α : 해머의 낙하 전 올려진 각도, β : 파괴 후 각도)

(5) 피로시험

하중이 계속적으로 반복 작용하면 파괴하중보다 더 작은 하중으로 파괴되는 피로파괴를 측정하는 시험

(6) 크리프시험

고온에서 시간의 경과에 따라서 외력에 비례한 만큼 이상의 변형이 일어나는 크리프현상을 측정하는 시험

II. 순철

1. 철강의 제조

(1) 제선공정

원료(철광석, 용제, 연료) → 용광로(고로) : 선철(약 93% Fe)

(2) 제강공정

① 전로제강

㉮ 연료비가 절약, 연속조업에 의한 대량생산, 강질은 좋지 않다.

㉯ 산성 내화제를 사용하는 산성법은 P, S의 제거가 곤란하여 선철내에 P, S의 함량이 적어야 한다.

㉰ 염기성내화물(MgO)을 사용하는 염기성법은 P, S의 함량이 많은 선철도 조업가능

② 평로제강

지맨스-마틴 법, 축열식 반사로, 선철과 고철의 혼합물을 용해, 현재 생산되고 있는 강철의 대부분이 이 방법에 의한 것, 산성법, 염기성법이 있다.

③ 전기로제강

온도가 높고 자유로이 조절가능, 합금원소를 정확히 첨가하여 좋은 강을 얻을 수 있다. 전력비가 많이 들고 탄소전극의 소모가 많다.

④ 도가니 및 유도로

정련을 목적으로 하는 것이 아니고 단순히 녹여서 순도가 높은 강 또는 합금을 제조, 도가니 크기는 1회 용해할 수 있는 구리의 중량으로 표시

(3) 강괴제조

제강로에서 정련된 용강은 레이들에 받아 탈산제를 첨가하여 탈산 후 금형에 주조하여 강괴로 제조

① 킬드강 : 강한 탈산제(Fe-Si, Fe-Mn, Al 등)으로 완전히 탈산한 강, 기포가 없으나 중앙 상단에 수축관이 생성되고 이 수축공은 가공전에 잘라내야 한다. 고급강

② 림드강 : 불완전 탈산강이고 수축관이 생기지 않아 강괴 전부를 사용하나 내부에 많은 기로 형성, 보통 일반압연강재

③ 세미킬드강 : 킬드강과 림드강의 중간 정도 탈산

2. 순철(Pure Iron)

① 순도가 약 99.8% 이상의 철, 비중 7.87이며 전연성이 풍부하고 용접성이 좋으나 강도 및 경도가 너무 작다. 투자율이 높기 때문에 변압기, 발전기용 박철판으로 사용한다.

② 순철의 변태

A_2변태(768℃) 　　　 A_3변태(910℃) 　　　 A_4변태(1400℃)

α-Fe(bcc, 강자성) $\rightarrow$ α-Fe(bcc, 상자성) $\rightarrow$ γ-Fe(fcc) $\rightarrow$ δ-Fe(bcc)

cf) 순철에서는 A_0, A_1변태가 없다.

III. 탄소강(Carbon steel)

탄소강은 0.03-1.7%의 탄소함량을 갖는 철합금이며 Mn, Si, P, S 등의 원소가 함유된다.

1. Fe-C계 상태도

(1) 포정점

1492℃에서 0.1%C의 δ고용체와 0.51%C의 액상이 반응하여 0.16%C의 γ고용체가 형성

$$\delta(0.1\%C) + L(0.51\%C) \leftrightarrow \gamma(0.16\%C)$$

(2) 공정점

1130℃에서 4.3%C의 조성을 가진 액상이 γ고용체(1.7%C)와 Fe_3C(6.67%C)로 동시에 정출

$$L(4.3\%C) \leftrightarrow \gamma(1.7\%C) + Fe_3C(6.67\%C)$$

(3) 공석점

723℃에서 0.8%C의 γ고용체가 0.02%C의 α고용체와 Fe_3C로 동시에 석출되는 반응

$$\gamma(0.8\%C) \leftrightarrow \alpha(0.02\%C) + Fe_3C(6.67\%C)$$

cf) 0.8%C의 강을 공석강, 0.02-0.8%C의 강을 아공석강, 0.8-1.7%C의 강을 과공석강

2. 탄소강의 조직

(1) 페라이트(Ferrite)

α-Fe~전연성이 매우 풍부한 조직으로 철강조직 중 가장 전연성이 크다.

(2) 오스테나이트(Austenite)

C를 고용한 γ-Fe~비자성체, 인성이 풍부하며 가공하기 쉽다.

(3) 시멘타이트(Cementite)

금속간화합물 Fe_3C~철강조직 중 가장 경도가 높다.

(4) 펄라이트(Pearlite)

α-Fe와 Fe_3C의 혼합 공석조직~표준조직 중 가장 강인성이 크다.

(5) 레데뷰라이트(Ledeburite)

723℃ 이상에서 존재하는 γ-Fe

3. 탄소강의 5대 원소

(1) 규소(Si)

강의 인장강도, 경도를 높여주고 연신율, 충격값을 감소, 냉간가공성을 해침.

(2) 망간(Mn)

연신율을 감소시키지 않고 강도를 증가, MnS생성하여 고온취성 방지

(3) 황(S)

Fe와 화합하여 저융점화합물인 FeS를 형성, 고온취성을 일으킴, Mn으로 방지

(4) 인(P)

Fe와 화합하여 Fe_3P의 편석대인 고스트라인 형성, 상온취성을 일으킴.

(5) 탄소(C)

흑연으로 존재시에는 재질이 연하고 약하여 절삭성이 좋지만 Fe_3C로 존재시에는 재질이 단단하고 메지며 절삭이 어려움.

(6) 기타

H_2는 헤어크랙을 일으키고 O_2는 고온취성의 원인이며 N_2는 석출경화로 시효경화됨. Cu는 강도와 경도를 향상시키고 내식성을 증대시키지만 냉간가공을 떨어뜨림.

4. 탄소강의 성질

(1) 물리적 성질

탄소량의 증가에 따라 비중, 열팽창계수, 열전도도, 온도계수는 감소하나 비열, 전기저항, 항장력
은 증가한다.

(2) 기계적 성질

① C에 량 : 함량이 증가하면 인장강도와 경도 증가, 연신율과 충격값 감소, 공석점(0.8%)
이상이 되면 시멘타이트가 망상조직으로 되어 경도는 증가하나 인장강도는 감소한다.

② 온도 : 200~300℃에서 인장강도와 경도가 최대가 되고 연신율이 최소가 되는 청열취성이
나타나고 이런 현상이 저온취성이라는 영하온도에서도 일어난다.

5. 탄소강의 가공

(1) 고온가공(Hot working)

재결정온도 이상(공석점 온도 이상)에서 가공하는 것, 상온가공에 비해 가공성이 좋지만 고온
으로 인해 표면이 산화되고 부피변화가 생길 수 있다.

(2) 상온가공(Cold working)

재경정온도 이하에서 가공하는 것, 여리고 취약해지므로 풀림에 의한 연화가 필요하다.

6. 탄소강의 종류

(1) 구조용 탄소강

일반구조용강(0.15~04%C)은 철도, 차량, 교량 및 일반구조물, 기계구조용강(0.4~0.6%C)은 기
계부품

(2) 판용강

후판은 성분이나 성질이 구조용강, 박판은 탄소함량이 0.12% 이하로 다소 특수

(3) 선제강

연강선제(0.06~0.25%C)는 철선, 철망 등, 경강선제(0.25~0.8%C)는 인발가공하여 만들어진다. 피아노선(0.55~0.95%C)은 강인한 소르바이트조직으로 스프링, 와이어로프

(4) 쾌삭강

보통강보다 P, S의 함량을 많게 하거나 Pb, Se, Zr을 첨가

(5) 스프링강

소르바이트조직(0.4~1.12%C)으로 P, S의 양이 적은 양질의 킬드강

(6) 레일강

마모를 적게 하기 위해 강인하고 경도가 높아야 한다. 탄소함량(0.35~0.6%)

(7) 탄소공구강

고탄소강(0.6~1.5%C)이 쓰이며 C량이 많은 것은 경도가 크고, 적은 것은 점성이 크다.

(8) 주강

가공이 곤란한 경우, 주철로는 강도가 부족할 때 강을 주형에 주입하여 사용

IV. 강의 열처리와 표면경화

1. 열처리개요

열처리란 고체 금속을 적당한 온도로 가열한 후 적당한 속도로 냉각시켜서 그 기계적 성질을 향상 및 개선하는 조작

변태	온도(℃)	반응
A0	210	시멘타이트의 자기변태, Curie Point
A1	723	공석변태, 오스테나이트 ↔ 펄라이트
A2	768	철의 자기변태
A3	910	α -Fe ↔ γ -Fe
A4	1400	γ -Fe ↔ δ -Fe
Acm	723~1145	과공석강의 시멘타이트가 고용, 석출
Ae		평형상태하에서 일어나는 변태

(1) 항온냉각변태곡선

오스테나이트상태에서 A_1점 이하의 일정온도까지 급냉하여 이 온도에서 항온 유지할 때 일어나는 변태를 나타낸 곡선으로 C곡선, TTT곡선이라고도 한다.

(2) 연속냉각변태곡선

오스테나이트상태에서 여러 가지 속도로 연속냉각한 때에 각종 냉각속도에 의한 오스테나이트의 변형개시 및 종료를 나타낸 곡선으로 CCT곡선이라 한다.

2. 담금질(소입, Quenching)

강을 A_1~A_3변태점 이상의 고온인 오스테나이트 상태에서 급냉하여 A_1변태가 저지되어 경도와 강도를 증가시키는 조작

(1) 오스테나이트(Austenite)

고탄소강을 수중에 급냉하였을 때 나타나는 조직의 일부이며 전부 오스테나이트로 되는 일은 없다. 강인하며 비자성체

(2) 마르텐사이트(Martensite)

오스테나이트에 고용되었던 탄소가 페라이트에 억지로 고용된 과포화 고용된 조직, 경도가 열처리 조직 중 최고이지만 취성이 있다. 강자성체이며 내식성이 크고 비중은 오스테나이트나 펄라이트보다 작다.

(3) 트루스타이트(Troostite)

마르텐사이트 조직보다 냉각속도를 조금 적게 하여 α-Fe와 시멘타이트가 극히 미세하게 혼합되어 있는 조직, 강도와 경도는 마르텐사이트보다 조금 작으며 인성과 연성이 다소 있고 큰 경도와 약간의 충격값을 요하는 부분에 쓰인다.

(4) 소르바이트(Sorbite)

트루스타이트보다 냉각속도를 조금 적게 하여 트루스타이트보다 조대한 조직. 트루스타이트보다 연하나 펄라이트보다는 경도 및 강도가 크다. 철강조직 중 가장 강인성이 큰 조직

(5) 베이나이트(bainite)

마르텐사이트와 트루스타이트의 중간상태 조직, 열처리에 따른 변형이 적고 강도가 높고 인성이 크다. 마르텐사이트에 비해 시약에 잘 부식

(6) 담금질 질량효과

질량이 큰 재료는 내부가 급냉되지 못하므로 온도차가 생겨 외부는 경화하여도 내부는 경화하지 않는 현상, 경화능 측정방법에는 주로 조미니법

(7) 담금질 팽창

오스테나이트가 마르텐사이트로 변화할 때는 γ고용체가 α고용체로 변화하는 것이므로 대단히

팽창되며 α고용체로부터 고용 탄소가 Fe_3C로 변할 때는 수축하게 된다.

마르텐사이트 〉 트루스타이트 〉 소르바이트 〉 펄라이트 〉 오스테나이트

3. 뜨임(소려, Tempering)

담금질 후 A_1변태점 이하로 재가열하여 경도는 다소 작아지나 인성을 증가시켜 강인한 조직으로 만드는 열처리

(1) 뜨임취성

뜨임조작시 때로는 충격값이 저하하는 경우가 있다. 저온뜨임취성(300℃)은 방지할 수 없으므로 이 온도에서의 뜨임은 피해야 하지만 제1, 2차 뜨임취성(450-525-600℃)은 Ni-Cr강에 나타나는 특이한 현상으로 소량의 Mosk W을 첨가하면 방지된다.

(2) 뜨임색

200℃	220℃	240℃	260℃	280℃	290℃	300℃	320℃	350℃	400℃
엷은 황색	황색	갈색	자주색	보라색	짙은 청색	청색	엷은 회청색	청회색	회색

(3) 심냉처리(Sub-Zero Treatment)

담금질한 강을 영하의 온도로 냉각하여 잔류오스테나이트를 마르텐사이트로 변태시켜 주는 처리이다.

4. 불림(소준, Normalizing)

A_3-A_{cm}변태점 이상 30~50℃의 온도범위로 일정시간 가열해서 미세하고 균일한 오스테나이트로 만든 후 공기 중에서 서냉시키면 미세한 α-고용체와 시멘타이트의 표준조직이 되어 기계적 성질이 향상된다. 이러한 열적 처리를 말한다.

5. 풀림(thens, Annealing)

담금질과 반대로 열처리에 의한 경화나 가공경화된 재료의 경도를 저하시켜 연하게 하고 내부응력

을 제거시키며 고온가공으로 불균일하고 거칠어진 조직을 균일하고 미세화시키는 열처리

(1) 완전풀림

열처리에 의하여 경화된 재료의 완전 연화를 목적으로 A_1-A_3 변태점 이상 30~50℃범위로 일정시간 가열한 다음 노냉으로 서서히 냉각시키는 열처리

(2) 저온풀림

응력제거풀림, 주조, 단조, 냉간가공 후에 존재하는 내부응력제거, 500~600℃로 가열 후 서냉하는 풀림

(3) 확산풀림

황화물의 편석을 제거하는 목적, 1100~1150℃로 가열하며 안정화 풀림

6. 항온 열처리(Isothermal heat treatment)

연속적으로 냉각하지 않고 열욕 중에 담금질하여 그 온도에서 일정시간 항온 유지하였다가 냉각하는 열처리(온도-시간 그래프를 잘 기억해 둘 것)

(1) 항온풀림(Isothermal annearling)

노우즈보다 조금 높은 온도까지 열욕에 냉각시켜 그 온도에서 항온변태

(2) 항온담금질(Isothermal quenching)

① 오스템퍼 : 노우즈와 Ms점 중간온도의 열욕에 냉각시킨 후 일정시간 유지, 베이나이트 조직을 형성
② 마르퀜치 : Ms점보다 다소 높은 온도의 열욕에 담금질 한 후 뜨임하는 방법
③ 마르템퍼 : Ms선이하의 열욕에서 항온유지한 후 공냉하는 방법
④ Ms퀜치 : Ms점보다 약간 낮은 온도의 열욕에 담그질한 후 급냉하는 방법

(3) 항온뜨임

뜨임에 의하여 2차 경화 되는 고속도강이나 다이스강 등의 뜨임에 이용

7. 강의 표면경화

내부를 강인하게 표면은 경도를 높여 내마모성을 부여하는 것

(1) 물리적 표면경화

① 화염경화법 : 산소-아세틸렌 불꽃을 사용하여 강 표면을 급히 가열하고 물을 분사하여 급
냉시켜 표면만 경화하는 방법
② 고주파경화법 : 표면에 고주파 유도전류에 의해 표면을 급히 가열한 후 물을 분사하여 급
냉하는 방법

(2) 침탄법

저탄소강(0.2%)의 표면에 탄소를 침투하여 표면만 고탄소강으로 한 다음 열처리하여 표면만
경화시키는 방법, 침탄하지 않을 부분은 구리도금

① 고체 침탄법 : 침탄제로 목탄, 코크스, 골탄 등인 고체 이용하고 침탄촉진제로 탄산바륨
($BaCO_3$), 탄산나트륨(Na_2CO_3) 등을 사용하여 침탄시킨다.
② 액체침탄법 : 침탄제로 시안화칼륨(KCN), 시안화나트륨(NaCN) 등을 침탄촉진제로 염화나
트륨, 염화칼륨, 탄산나트륨 등을 사용하여 침탄, 시안화법, 청화법이라고도 한다. 침탄과
질화가 동시에 진행된다.
③ 기체침탄법 : 침탄제로 메탄, 에탄, 프로판 등을 사용

(3) 질화법

가열된 강에 질소를 침투시켜 Fe_4N과 Fe_2N의 질화철을 만든다.

부분	침탄법	질화법
경 도	낮다	높다
열 처 리	반드시 필요하다	필요없다
소용시간	짧다	길다
변 형	크다	작다
고온경도	낮아진다	낮아지지 않는다
사용재료	제한이 적다	질화강이라야 한다

(4) 기타

① 초경침투법 : WC와 같은 초경 탄화물을 소결 부착

② 숏 피닝법 : 강이나 주철제의 작은 볼을 고속으로 분사하여 표면층을 가공경화

③ 방전경화법 : 방전현상을 이용하여 강의 표면을 침탄, 질화시키는 방법

(5) 금속침투법

모재와 다른 종류의 금속을 확산침투시켜 합금 피복층을 얻는 방법

① 세라다이징 : Zn을 재료표면에 침투시키는 방법, 내식성 향상과 표면경화층을 얻음.

② 크로마이징 : Cr을 침투, 내식, 내열성 및 내마모성이 향상

③ 칼로라이징 : Al을 침투, 내식성 향상

④ 실리코나이징 : Si를 침투, 내산성을 향상

⑤ 보로나이징 : B를 침투, 표면경도를 향상

V. 특수강

1. 특수원소

(1) 니켈

펄라이트가 미세하게 되고 페라이트가 강인해지며 저온취성이 생기지 않는다.

(2) 크롬

담금질성을 개선하는 효과가 니켈보다 우수, 강도증가, 내식성, 내마모성, 내열성향상

(3) 망간

담금질성 향상에 가장 효과적인 원소, 0.1%이상 첨가되면 취성이 증가, 고온취성(적열메짐) 방지 효과

(4) 몰리브덴

고온경도를 개선하며 인성이 양호해지고 특히 뜨임취성을 방지

(5) 텅스텐, 코발트

고온에서도 인장강도와 경도가 저하되지 않아 고온절삭성을 크게 한다.

2. 특수강의 상태도와 조직

(1) 오스테나이트 구역 확대형

Ni, Mn 등, 오스테나이트의 변태온도를 저하하는 한편 변태속도를 느리게 하여 오스테나이트 구역을 확대하는 원소

(2) 오스테나이트 구역 폐쇄형

Cr, W, Mo, V 등, 오스테나이트의 변태온도가 상승되나 변태속도는 점차로 느리게 된다.

(3) 자경성

오스테나이트 구역 확대형 원소는 변태속도를 감소시킴에 의해 오스테나이트구역 폐쇄형 원소는 탄화물을 형성하고 탄소의 확산을 막으며 냉각변태를 감소시킴에 의해 임계냉각속도를 감소시켜 경화능을 증가시킨다.

(4) 수인법

고Mn강이나 18-8스테인레스 강 등과 같이 첨가원소가 다량인 것은 변태온도가 더욱 저하되어 있으므로 서냉시켜도 그 조직이 오스테나이트로 된다. 이러한 것들은 1000℃에서 수중에 급냉시켜서 완전한 오스테나이트로 만드는 것이 오히려 연하고 인성이 증가되어 가공하기가 용이하다. 이러한 열처리법을 수인법.

3. 구조용 특수강

(1) 강인강

탄소강보다 강도가 크고 인성이 커야 한다. Ni, Cr, Mo, W, V, Ti 등 첨가
① 니켈강 : 인장강도, 탄성한도를 증가시키며 연신율을 그다지 감소시키지 않음(보통 1.55.0% Ni). 자동차, 선박, 교량 등에 사용되고 자경성이 크다.
② 크롬강 : 탄소강과 기계적 성질이 비슷한 자경성이 커서 열처리 후에 강도, 내마모성이 양호, 볼트, 축, 기어 등
③ 니켈-크롬강 : Ni와 Cr강의 장점을 조합해서 만든 특수강. 강인하고 점성이 크며 담금질 효과도 커서 널리 사용, 주괴제조시 수지상이나 백점, 뜨임취성이 생기기 쉽다.
④ 니켈-크롬-몰리브덴강 : 구조용 특수강 중 가장 우수하고 대표적인 강(Ni-Cr강에 05% 이하의 Mo첨가), 강한 소르바이트 조직, 병기재료, 크랭크축, 기어 피스톤 등
⑤ 크롬-몰리브덴강 : Cr강에 0.15~0.35% Mo첨가, Mo의 첨가로 뜨임취성이 없고 용접이 쉬우며 열간가공이 쉽고 특히 고온강도가 큰 장점, 고압터빈, 압연 롤 등
⑥ 저망간강 : 고장력강 또는 듀콜강이라고도 하며 인장강도가 크며 용접성이 우수, Mn의 첨가량은 1.0~2.5%정도로 상온에서 펄라이트 조직이 되어 펄라이트 강이라고도 함.
⑦ 고망간강 : 고탄소강에 10-14%의 Mn을 합금시킨 강으로 헤드필드강이라고도 하며 상온에서 오스테나이트 조직이므로 오스테나이트 망간강이라고도 한다. 수인법으로 열처리하고 인성 및 내마모성이 매우 커 철도레일의 교차점이나 칠드롤 불도져 등에 사용

(2) 스프링강(SPS)

고탄소강(0.5~1.0%C) 및 Si-Cr강, Cr-V강, Mn강 등의 특수강이 열간가공으로 만들어지며 강철선, 피아노선, 띠강 등은 냉간가공

4. 특수공구재료

(1) 합금공구강(STS)

① 절삭용 합금공구강 : 경도를 크게 하고 절삭성을 좋게 하기 위하여 탄소량을 높이고 Cr, W, V 등을 첨가한 공구강, Cr강, W강, W-Cr강
② 내충격용 합금공구강 : 내충격이 필요한 공구는 인성이 커야 하므로 절삭용 공구에 비해 탄소량이 낮고 Cr, W, V 등을 첨가해야 한다.

(2) 고속도강(SKH)

절삭공구강의 대표적인 강으로 하이스(HSS)라고도 한다.
① W계 고속도강 : 18%W-4%Cr-1%V로 된 18-4-1형과 14-4-1형이 있다.
② Co계 고속도강 : 고온경도증가로 강력한 절삭공구로 적당하며 고급 고속도강이라 한다. 단점은 단조가 곤란하며 균열이 생기기 쉽다.
③ Mo계 고속도강 : Mo 5-8%를 첨가시킨 고속도강

(3) 스텔라이트

스텔라이트는 강이 아니고 Co를 주성분으로 합금으로 단련이 불가능하므로 금형에서 주조한 것을 필요한 형상으로 연마하여 사용하는 주조경질 합금, 열처리를 하지 않으며 600℃ 이상에서는 고속도강보다 경도가 크므로 절삭능력이 좋으나 충격에 약하다. 밀링커터, 드릴, 다이스 등

(4) 소결 초경합금

금속 탄화물의 분말에 결합제의 분말을 혼합하여 분말야금법으로 제조한 공구강, 결합제로는 Co, 미디아, 비디아, 마볼로이, 텅갈로이 라는 상품명

5. 특수용도 특수강

(1) 쾌삭강

S, Pb 또는 흑연을 첨가시킨 강

(2) 스테인레스강(SUS)

Cr 및 Ni을 다량 첨가하여 내식성을 크게 향상시킨 강으로 녹이 슬지 않는다고 하여 불수강이라고도 한다.

① 크롬계 스테인레스강 : 유기산이나 질산에도 침식되지 않으나 황산, 염산에는 침식되기 쉽다.

② 크롬-니켈계 스테인레스강 : 크롬계 스테인레스강보다 내식성, 내산성이 현저히 크며 오스테나이트 조직으로 비자성체, 18-8 스테인레스강

(3) 내열강(HRS)

고온에서 장시간 견딜 수 있는 재료, 페라이트 내열강, 페라이트 내열강 중에서 Si를 첨가하여 내산성의 저하를 보충한 실크롬강, 18-8 스테인레스강에 Ti, Mo, Ta, W 등을 첨가한 오스테나이트 내열강 등

(4) 불변강

① 온도가 변하더라도 열팽창계수 및 탄성계수가 변하지 않는 강

② 인바, 초인바, 엘린바(거의 변화가 없다), 플래티나이트(유리 및 백금과 거의 동일, 유리와 금속의 봉착재료)

6. 기타 특수강

(1) 규소강

발전기, 변압기 등에 사용, 대표적인 종류가 샌더스트로서 Fe-Si-Al계 합금

(2) 자석강

KS강, MK강, MT강, OP강, 알코니 등

(3) 베어링강

내충격, 탄성한도 및 피로한도가 큰 강, 고탄소크롬베어링강재

(4) 게이지강

블록게이지, 와이어게이지 등 정밀기구에 사용

MEMO

VI. 주철

탄소량이 1.7~6.67%인 철합금으로 주형에 주입하여 주물로 만들 수 있는 것을 말한다.

▶ 장점

① 주조성이 우수하여 크고 복잡한 형태의 부품도 쉽게 만들 수 있다.

② 내마모성이 우수하다.

③ 압축강도가 크다.

④ 주철내의 흑연에 의해 내식성이 탄소강에 비해 우수하다.

▶ 단점

① 인장강도가 매우 작다.

② 취성이 매우 크다.

③ 소성가공이 불가능하다.

1. 마우러 조직도

주철에 흑연이 많을 경우에는 파단면이 회색을 띠는 회주철이 되며 흑연의 양이 적고 대부분의 탄소가 시멘타이트의 화합탄소로 존재할 경우에는 그 파면이 흰색을 띠는 백주철로 된다. 회주철과 백주철이 혼합된 조직을 반주철이라고 한다.

① 마우러 조직도 - 주철에서 Si는 흑연의 정출 또는 석출에 큰 영향을 준다. C와 Si의 양에 따른 주철의 조직관계를 표시한 대표적인 조직도

② 흑연 생성 촉진 원소 - Si, Ni, Al 등

③ 연 생성 방해 원소 - Cr, S, Mn 등

2. 주철의 성질

(1) 기계적 성질

주철의 인장강도는 흑연의 형상, 분포상태 등에 따라 좌우된다. 경도는 페라이트주철 〈 펄라

이트주철 〈 합금주철 〈 백주철의 순서이고 충격치는 C와 Si의 양이 증가하면 흑연이 많아져서 점차 저하하지만 페라이트 조직의 주철이 펄라이트 주철보다 충격치가 높다.

(2) 화학성분

① C : 주철 중에 시멘타이트 또는 흑연의 상태로 존재, 흑연은 냉각속도가 느릴수록 또는 Si의 양이 많을수록 많아지며 흑연의 양이 많아지면 주철은 무르고 강도가 낮으나 그 분포상태 및 형상이 미세할수록 강도가 높아진다.

② Si : Si는 주물의 유동성을 좋게 하고 주물의 두께가 얇을수록 냉각속도가 빠르고 C가 시멘타이트로 되기 쉬우므로 얇은 주물일수록 Si를 다량 첨가해야 한다.

③ P : P가 첨가되면 유동성이 매우 좋아지지만 많으면 스테다이트라는 조직이 되어 주철을 단단하고 여리게 하여 해롭다.

④ Mn : 흑연의 생성을 방해하는 원소이므로 소량 첨가

⑤ S : 주물의 유동성을 나쁘게 한다.

(3) 주철의 성장(growth of cast iron)

주철을 600℃ 이상의 온도에서 가열 및 냉각을 반복하면 부리가 증가하여 과열되고, 균열 및 수명이 단축되는 현상을 주철의 성장이라 한다.

① 주철 성장원인

㉮ cementitedml 흑연화에 의한 팽창

㉯ ferrite 중에 고용된 Si의 산화에 의한 팽창

㉰ A1변태에서 부피 변화로 인한 팽창

㉱ 불균일한 가열로생기는 균열에 의한 팽창

㉲ 흡수된 가스에 의한 팽창

② 주철성장 방지책

㉮ 조직을 치밀하게(흑연화 미세화)하고, 산화하기 쉬운 Si 대신에 내산화성이 Ni로 치환한다.

㉯ Cr(V, W, Mo등)등을 첨가하여 Fe3C의 흑연화를 방지한다.

㉖ 편상(flake)을 구상으로 하고 탄소함유량을 저하 시킨다.

③ 주철의 흑연화(graphitizing)

㉮ Fe_3C는 고온에서 불안정 상태로 존재하므로 450~600℃에서 Fe과 흑연으로 분해하기 시작하여 750~800℃에서 $Fe_3C \rightarrow 3Fe + C$로 완전히 분해되는 것을 시멘타이트의 흑연화라 한다.

㉯ 흑연화 촉진원소 : Si, Al, Ti, Ni, Ca, Sb, Cu, P, W, Zr,

㉰ 흑연화 방해원소 : S의 존재하의 Ce, La, Se

3. 주철의 종류

(1) 보통주철

편상흑연과 페라이트의 조직, 주조가 쉽고 가격이 저렴

(2) 고급주철

기지조직을 펄라이트로 하고 흑연을 미세화시며 인장강도와 충격값을 향상, 랜쯔주철, 엠멜주철, 미히나이트주철, 코르살리주철 등, 미히나이트주철은 저탄소, 저규소의 용융주철에 Ca-Si 분말을 첨가하여 흑연을 미세하고 균일하게 분포시킨 것(접종)

(3) 합금주철

① 합금원소 : Cr은 흑연화를 방지하고 탄화물을 안정, Ni는 비자성인 오스테나이트 주철로 얇은 부분의 칠(Chill)방지, Mo는 흑연을 미세화, Ti는 강탈산제, V는 흑연과 펄라이트를 미세화, Cu는 내식성 및 내마모성을 향상시키는 역할을 한다.

원소명	Si	Al	Ni	Cu	Mn	Mo	Cr	V
흑연화 값	1	0.5	0.3-0.4	0.35	−0.25	−0.35	−1	−2

② 기계구조용 합금주철 : Ni주철, 소량의 Cr 및 Mo을 첨가, 자동차용 엔진의 크랭크축

③ 내마모용 주철 : Ni-Cr주철은 마르텐사이트조직, Ni, Cr외에 Mo, Cu 등을 첨가한 침상 어시큘러 주철은 흑연과 베이나이트 조직으로 된 내마모용 주철

④ 내열 및 내산 주철 : Ni를 다량 함유한 오스테나이트계는 니레지스트주철, 니크로실랄주
철, 노마그주철 등이 있고 내산, 내열성이 높고 비자성체이고 고크롬주철은 풀림상자나
노재용으로 사용되며 듀리론, 코로실론 등이 있으며 고규소주철은 내산주철로 유명하며
실랄주철이 있다.

(4) 구상흑연주철

주철내의 흑연을 구상화함으로써 연성을 부여한 주철로 연성주철, 노듈러주철 또는 강인주철
이라 한다. 실린더라이너, 크랭크 축, 압연롤, 주철관, 피스톤링

종류	발생원인	성질
cementite형 (시멘타이트가 석출한 것)	① Mg의 첨가량이 많을 때 ② C, Si 특히 Si가 적을 때 ③ 냉각 속도가 빠를 때	① HB : 220 이상 ② 연성이 없다.
pearlite형 (기지가 펄얼라이트)	① cementite형과 ferrite형의 중간 발생 원인	① 인장강도 : 60~70kgf/㎟ ② 연신율 : 2%정도 ③ HB : 150~240
ferrite형 (페라이트가 석출한 것)	① C, Si특히 Si가 많을때 ② Mg가 적당할 때 ③ 냉각 속도가 느리고 풀림을 하였 을 때	① 연신율 : 6-20% ② HB : 150~200 ③ Si가 3% 이상이면 취약하다.

(5) 칠드주철

규소가 적은 용융주철에 소량의 Mn을 첨가하여 금형에 접촉된 부분은 급냉되고 단단한 백주
철 층인 칠층을 형성시킨 주철

(6) 가단주철

백주철을 장시간 가열탈탄시키거나 흑연화시켜 가단성을 부여한 주철
① 흑심가단주철 : 백주철을 장시간 풀림처리하여 시멘타이트를 분해시켜 입상으로 석출시킨
주철로 시멘타이트가 분해되어 흑연과 오스테나이트가 되며 자동차부품, 이음류, 캠, 차량
의 프레임 등에 이용되며 강재의 대용물로도 쓰인다.
② 백심가단주철 : 장시간 탈탄시켜 제조한 주철로 흑심보다 강도는 높으나 연신율이 작으며

자동차부품, 방직기 부품 등에 쓰인다.

③ 펄라이트가단주철 : 흑연화를 완전히 하지 않고 제 1단 흑연화가 끝난 후 약 800℃에서 일정시간 유지 후 급냉하여 펄라이트가 적당히 남게 하여 인장강도가 크며 연신율은 다소 감소된 주철로 다소 강도가 높은 기어, 밸브, 공구 등에 쓰임.

MEMO

VII. 비철금속재료

1. 구리(銅, copper)

① 전기, 열의 양도체이다.
② 유연하고 전연성이 좋으며 가공이 쉽다.
③ 화학적 저항력이 커서 부식에 강함.
④ Zn, Sn, Ni, Ag등과 쉽게 합금을 함.

(1) 구리의 성질

① 물리적 성질

전기 전도성이 좋다(비중 : 8.96. 융접 : 1083˚).

② 화학적 성질

내식성에 있어서 Cu는 좋고 대기중에서 부식속도가 느리며 표면은 약간 흑색 피막이 덮여 있다.

③ 기계적 성질

㉮ 인장강도 : 22.7~24.1Kg/㎟
㉯ 연신율 : 49~60%
㉰ 상온가공시 인장강도 증가하며 연신율 감소
㉱ 가공한 재료를 풀림시

100~150˚ = 약간 연화
150~250˚ = 재결정이 이루어짐.
350˚ = 거의 가공전 상태로 되돌아감.
600~950˚가 가장 완전한 풀림온도다.

2. 황동(brass)

① Cu와 Zn의 합금 및 다른 원료를 첨가한 합금
② Zn의 함유량이 낮은 것 : 미술공예품, 장식품에 사용
③ Zn의 함유량에 따라 구분됨.

(1) 황동의 성질

① 황동의 빛깔은 Zn의 함유량에 따라 변화함.
② 최대의 연신율 : 30% Zn부근에서
③ 인장강도 최대치 : 45% Zn부근에서
④ 50% 이상 아연은 여려서 구조용에 부적합
⑤ 화학적 부식에 대한 저항력이 크고 고온에서 별로 산화하지 않으며 산화 피막이 탈락하지 않는다.
⑥ 화학적 성질
   ⑦ 탈아연 부식 : 불순한 물, 부식성 물질이 녹아있는 수용액의 작용에 의해 황동의 탈아연 현상(염소를 사용한 수도관)
     ☞ 방지책 : 아연 30% 이상의 α황동을 쓰거나 1% 정도의 sn첨가
   ⑭ 자연균열 : 응력부식 균열로 잔류응력에 기인되는 현상이며 자연 균열을 일으키는 원소는 수은, 암모니아, 산소, 탄산가스
     ☞ 방지책 : 도료 및 Zn도금 잔류응력제거
   ⑭ 고온탈아연 : 고온에서 탈아연되는 현상 표면이 깨끗할수록 심하다.
     ☞ 방지책 : 황동표면에 산화물 피막 형성

(2) 황동의 종류

① **7.3황동 : α고용체**

   ⑦ Cu 70%, Zn 30% 합금 연성이 풍부하다.
   ⑭ 상온 가공이 가능하며 판, 선, 관 등에 사용됨.
   ⑭ 열간가공은 곤란함.
   ⑭ 강도, 경도를 증가하며 연신율은 작아짐.
   ⑭ 용도 : 자동차용 방열기, 탄피, 장식품

② **6.4황동(Muntz metal) : α+β황동**

㉮ Cu 60%, Zn 40%의 합금

㉯ 강도를 필요로 하는 부분에 사용

㉰ 고온가공에 용이하다.

㉱ 용도 : bolt,nut, 대포탄피, 열간단조품

㉲ 인장강도는 크나 연신율이 작아 냉간가공이 나쁘며 500~600℃로 가열시 유연성이 회복되므로 열간가공에 적당함.

③ **톰백(tombac) Zn 8~20%**

㉮ Cu 80%, Zn 20%의 합금 황금색의 색채(zn소량첨가)

㉯ 연성이 크므로 장식용, 전기밸브에 사용된다.

㉰ 5% zn황동 : 화폐 메달

④ **특수황동**

황동에 Pb, Sn, Si, Fe, Mn, Al 등을 첨가시켜 기계적성질 또는 절삭성을 개량하기 위해서 만든 황동

㉮ **연황동(lead brass) : 쾌삭황동**

㉠ 황동에 Pb을 3% 정도 첨가

㉡ 황동에 Pb 첨가시 결정경계에 석출하여 강도 연신율 감소

㉢ 절삭성을 양호

☞ 용도 : 강도가 필요하지 않는 시계용 기어 등 정밀가공을 요하는 부품에 사용되고 있다.

㉯ **주석황동(tin brass)**

㉠ 황동에 약 1%의 Sn(주석)을 첨가

㉡ 목적 : 내식성 개량

㉢ 에드미럴티(admiralty brass)황동 : 7.3황동에 주석 1% 첨가

㉣ 네이벌(naval brass) : 6.4황동+주석 1%

㉤ 내식성이 양호하므로 스프링 선박 기계용

⑭ **델타메탈(delta metal) : 철황동**

　㉠ 6.4황동에 Fe 1~2% 첨가한 것

　㉡ 내식성과 강인성이 증가되고 광산 기계, 선박용 기계, 화학기다.

⑮ **강력황동(high brass)**

　㉠ 6.4황동에 Mn, Al, Fe, Ni, Sn 등을 첨가 강도를 크게 만든 황동

　㉡ 열간 단열성과 내식성이 좋고 강도가 크다.

　㉢ 용도 : 주조, 가공용 선박용 프로펠라축 펌프축 피스톤에 적합

보 충

종류	성분	명칭	용도
톰백 (tombac)	Cu 95% Zn 5%	gilding metal	동전, 메달용
	Cu 90% Zn 10%	commercial brass	톰백의 대표적인 것으로 다이프드오잉용 메달, 뺏지용
	Cu 85% Zn 15%	red brass	내식성이 크므로 건축, 소켓용
	Cu 80% Zn 20%	low brass	전연성이 좋고 색깔이 아름답다. 악기용
7.3황동	Cu 70% Zn 30%	cartridge brass	가공용 구리 합금의 대표적인 것으로 판, 봉용
6.4황동 문츠메탈	Cu 60% Zn 40%	muntz metal	인장강도가 가장 크며 열교환기, 열간 단조용
연황동 (쾌삭 황동)	6.4황동+pb 1.5~3.0%	(free cutting brass)	피삭성이 좋아 시계의 기어용
애드미럴티 황동	7.3황동+ Sn 1%	admiralty brass	내식성 개량
네이벌 황동	6.4황동+ Sn 1%	naval brass	내식성이 좋아 선반 부품, 열교환기용

(3) 황동의 특징

① 주조성과 가공성이 매우 우수하다.

② 내식성이 우수하다.

③ 압연단조가 가능하다.

④ 기계적 성질이 좋다.

⑤ 인장강도는 Zn 40% 부근에서 최대이다.

3. 청동형 합금(bronze)

(1) 인청동(phosphon bronze)

① Cu-Sn에 0.05~0.5%의 P(탈산제)를 첨가

② 탄성 내마모성 내식성이 좋으므로 가공용 주물용에 사용된다.

③ 유동성이 좋고 경도가 증가한다(P 첨가시).

④ 내마모성과 탄성이 요구된 판, 봉, 선, 펌프부품 기어 선박 등.

(2) 연청동

① 청동에 Pb을 3.0~2.6% 포함된 것

② 베어링으로 사용됨.

③ Pb은 Cu와 합금을 만들지 않고 축과 잘 미끄러져 윤활작용을 돕고 청동 부분은 하중을 받치는 역할을 함.

(3) 켈밋(kelmet)

① Cu에 30% Pb를 합금시킨 것

② 납청동에서는 청동부분의 강도가 커서 고속 회전시에는 축이 상하기 쉬우나 이 점을 개량하기 위하여 구리와 납의 합금인 켈밋(kelmet)이라는 베어링 합금을 고속회전부에 붙여 사용

③ 열전도도가 좋고 마찰계수가 작음.

④ 베릴륨청동 : Cu-Cd계, Cu-Ag, Cu-Si, Cu-Mn 등

🔘 **오일리스 베어링**

구리 주석 흑연 분말을 가압하여 성형하고 700~750℃의 수소기류 중에서 소결하여 만든 소결합금

(4) 니켈청동

① 양은(German silver) 또는 백동이라 불리움.

② Ni 15~20%, Zn 20~30% 나머지는 Cu를 함유함.

③ 니켈은 황동의 내식성을 향상시키나 다량의 니켈은 내열성, 강도(스프링 특성 우수)

④ 장식품, 기계부품, 전류 조절용 저항, 내열성 전기접점, 온도 조절용 바이메탈(Bimetal)

(5) 구리 니켈계 합금

① 구리-니켈 합금에 소량의 규소 첨가

② 탄소합금 또는 콜손(Colson)합금이라 함.

③ 강도 : kg/㎟

④ 전기 전도도가 높으며 전선 및 스프링용으로 사용

(6) 베릴륨 청동(Be-bronze)

① 2~3%의 베릴륨을 첨가한 합금

② 뜨임 시효 경화성이 있어서 내식성 내열성 내피로성이 좋음.

③ 인장강도 : 133kg/㎟

④ 용도 : 베어링 고급스프링

(7) 알루미늄청동

① Al을 8~12% 함유하는 합금

② 기계적 성질, 내식성, 내열성우수

③ 주조성, 단조성 용접성이 나빠 Fe, Mn, Ni, Si, Zn 등을 첨가시켜 특수 알루미늄 청동으로 만듬.

④ 560℃에서 β → α+x 의 공석변태를 하여 서냉취성을 일으킴.

⑤ 서냉취성의 방지 원소 : Mn

⑥ Al청동+Ni, Fe, Mn 등을 첨가 : 특수 Al 청동 제조

(8) 규소청동(Silcon bronze)

① Cu에 탈산을 목적으로 Si(4.7%)를 첨가한 청동

② 4.7% 정도까지 상온에서 구리에 녹아 인장강도증가 내식성 내열성 향상

③ 규소동 : Si량 0.03~0.3%

④ 에버듀류

㉮ Si량 3~4% Mn 1~2% 함유

㉯ Si량 강력하며 내식성이 강하여 화학 공업용으로 사용

⑤ 실진청동

㉮ Si량 3.2~5% Zn량 9~16%

㉯ 내식성이 강하고 주조성 우수

㉰ 터어빈 날개 선박용부품

(9) 화폐용 청동

① Sn 3~8% 함유

② 주조성을 좋게 하기 위하여 Zn 1%배합

③ Pb 1~3% 함유하면 절삭성 향상됨.

(10) 미술용 청동

① Zn첨가 : 유동성을 좋게 하고 선명한 모양을 나타내기 위하여 첨가

② Pb첨가 : 가공 후 주조성을 쉽게 하도록

③ 동상 : Sn = 2~8%, Zn = 1~2%, Pb = 1~3%, 나머지 Cu

④ 종·방울 : Sn 20%정도(너무 여리지 않을 정도의 단단한 것)

> ◎ 포금(gun metal)
>
> • 대포의 몸체를 만들어 사용하였으므로 포금이라 한다.
> • Sn 약 10%의 청동에 Zn 약 1~9%을 첨가한 합금을 포금(gun metal)이라 하고 기계부품 밸브콕 등의 주물에 이용된다.

4. 니켈 합금

(1) 니켈

① 물리적 성질

㉮ 비중 8.9, 용융점 1453℃, 면심입방격자이고 가공성이 풍부

ⓝ 자기변태점 : 353℃

ⓑ Ni은 내식성이 매우 풍부한 금속으로서 공기 중에서 매우 안정

ⓓ 자연균열은 전혀 보이지 않고 물이나 바닷물에 대해서도 안정

ⓜ 염류에 대해서는 산화성이 강한 염류 외에는 상당히 안정

(2) 니켈합금

① Ni-Cu합금

㉮ 큐우프로 니켈(Cupronickel)

㉠ Ni 20%의 합금

㉡ 가용성이 매우 좋고 내식성 양호

㉢ 용도 : 콘덴서, 튜브 등

㉯ 콘스탄탄(constantan, ferry, eureka)

㉠ Ni 40~45%합금

㉡ 전기저항이 높고 온도계수가 낮다.

㉢ 내산성, 내열성 가공성이 좋다.

㉣ 콘스탄탄은 철 구리와 쌍을 만들면 그 값이 온도 변화에 대하여 대체로 비례한다.

㉤ 용도 : 온도 측정용 열전대로 쓰인다.

㉰ 모넬 메탈(momel metal)

㉠ Ni = 65~70%, Fe = 1.0~3.0%, 나머지는 Cu로 된 합금

㉡ 내식성과 내마모성이 우수하며, 주조와 단련성이 잘되어 화학 공업용으로 널리 사용된다.

㉢ 모넬메탈+Al 2.75% or Si 3~4%를 첨가하면 시효경화가 된다. 주로 강도와 내식성이 필요한 부분에 사용된다.

㉣ 용도 : 전기 저항성, 증기터빈의 날개, 스프링 등에 사용한다.

㉤ R모넬 : 유황(S)을 0.035%첨가해 피삭성을 개선시킨 것

㉥ K모넬 : Al을 2.75%첨가 강도를 증가시킨 것

㉦ H모넬은 Si량 3%을 첨가시켜 강도를 증가

  ㉑ 어드밴스(constantan)

   ㉠ Ni : 44%, Cu : 54%, Mn : 1%

   ㉡ 전기저항의 값이 크며 상온에서의 온도 변화가 있어도 전기변화에 영향이 거의 없다.

   ㉢ 용도 : 정밀한 전기기계의 저항선

② Ni-Fe합금

 철에 니켈 10~40%를 첨가한 합금은 열팽창 계수가 대단히 작다.

 ㉮ 합금의 종류 : 인바아, 초인바아, 엘린바아, 플래티나이트 등

 ㉯ 니켈 50~85% 함유 합금

 ㉰ 합금의 효과 : 약한 자장에서 높은 강도를 얻음.

 ㉱ 합금의 종류 : 퍼어멀로이, 초퍼어멀로이

③ Ni-Cr합금

 ㉮ 특징 : 내열, 내식 및 전기저항이 크다.

 ㉯ 인코넬(inconel) : Ni+Cr 13~21%+Fe 6.5%

 ㉰ 하이텔로이(hastelloy) : Ni+Cr+Fe+Mo

 ㉱ ㉯, ㉰ 등은 내식성이 우수하여 내열용으로 사용함.

 ㉲ 크로멜(chromel) : Ni+Cr+소량의 Mn+Si

 ㉳ 크로멜의 용도 : 열전쌍으로 사용

④ 내식용, 내열용 Ni합금

 ㉮ 내식 합금으로 Al 4.5%, Ni 94%의 시효성 합금

 ㉯ 열처리온도 : 590℃

 ㉰ 인장강도 : 125~150kg/㎟

⑤ 인코넬(In conell : Ni-Cr-Fe합금)

 내열 내식합금으로 Ni 72~80%

5. 알루미늄

(1) Al합금의 특징

① 비중 : 2.69

② 용융점 : 660℃

③ 1827년 발견된 Si 다음으로 지구상에 많이 존재함.

④ 광석 = 보오크사이트를 사용하여 제련

⑤ 주조가 쉽고 금속과 잘 합금되며 냉간 및 열간용이

⑥ 대기중 내식력이 강함.

⑦ 용도

㉮ Al판 : 자동차 항공기 가정용기 화학용기

㉯ Al박 : 약품 포장류

㉰ Al봉 : 전기재료 콘덴서

㉱ Al분말 : 녹 방지 도료 폭약제조 등

(2) Al의 성질

① 유동성이 작고 수축률이 크며 가스의 흡수와 발산이 많으므로 순수한 Al의 주조는 곤란하다.

② 주조성의 개선방법 : 구리 아연등 합금으로 사용

③ 공기 중 얇은 산화막 형성으로 내부를 보호역활

④ 유기산 : 잘 침식되지 않으므로 화학 공업에 이용

⑤ 무기산 : 염산, 황산 등의 무기산에 약함.

⑥ 알칼리 수용액 : 더욱 약하여 바닷물에는 심하게 침식됨.

(3) 알루미늄의 열처리

① 열처리의 분류

㉮ 풀림처리(annealing treatment)

㉯ 시효처리

㉠ 용체화 처리

  ⓛ 급냉

  ⓒ 뜨임

(4) 알루미늄 합금

① 가공용 알루미늄 합금

종류		특징	용도
내식용 Al합금	Al-Mn계 Al-Mn-Si계 하이드로날륨 (hydronalium)	열처리를 하지 않고 가공 경화시켜 강도를 얻는다.	차량, 선반송전선
		Al-Mg계의 합금으로 대표적인 내식성 합금	
고강도용 Al합금	Al-Cu계	시효 경화로 강도를 크게 한다.	항공기, 자동차 보 디, 리벳
	듀랄루민 (dralumin)	Al-Cu-Mg-Mn계 합금으로 $CuAl_2$ Mg_2Si 등의 금속간 화합물의 시효 경화에 의하여 강도를 크게 함. 초듀랄민은 듀랄루민에 Mg양을 많게 한 것이다.	
	Al-Zn-Mg	강도 : 50~60kg/㎟, 시효경화로 강도를 크게 한다.	
내열합금	Y합금	Al-Cu-Ni과 Mg의 합금으로 Ni은 재결정 온도를 높게 하고 Cu, Mg은 시효경화성을 갖게 한다.	피스톤, 실린더용
	로오렉스 (Lo-Ex)	Al-Si계에 Cu, Mg, Ni을 1% 첨가한 것이며 열팽창이 적다.	

① 시효경화

4.0% 정도의 Al합금을 약 550℃에서 담금질(용체화 처리)한 후 148℃에서 10~14일간 뜨임해서 경도와 강도가 증가하는 것

㉮ 시효경화(age hardening : 열처리중 시간의 경과와 더불어 성질이 변화되는 현상

㉯ 자연시효(natural aging) : 대기중 진행

㉰ 인공시효(artifical aging) : 담금질 재료를 160℃ 정도의 온도에 가열하면 시효현상을 촉진

② 주조용 알루미늄 합금

- 순수한 Al은 내식성이 강한 반면 강도가 작다.
- 항공기 자동차 등의 구조재료나 기관 재료는 가볍기 때문에 강력한 Al합금 사용

⑦ Al-Cu합금

    ㉠ 주조성 내열성 연신율 기계적 성질 절삭성 양호

    ㉡ 열간에서는 메짐현상 발생과 수축에 의한 균열

    ㉢ 용도 : 4% Cu합금-연기관 8%, Cu합금-자동차 부품, 12% Cu합금-자동차피스톤, 실린더 기화기 방열기 등

    ㉣ Cu증가와 함께 인장 강도 항복점이 상승하고 연신율이 떨어진다.

    ㉤ 라우탈(Lautal) : Cu, 4~5%, Si, 3~5%, Mn 0.5%의 Al합금

㉯ Al-Si합금

    ㉠ 실루민(silumin) : 공정형으로 공정점 부근의 성분

    ㉡ 주조성은 좋으나 절삭성은 좋지 않고 약하다.

    ㉢ 실루민은 주조시 냉각속도가 느리며 Si의 결정이 크게 발달하여 기계적 성질 불량함.

    ㉣ 개량처리 : ㉢항의 대책으로써 주조시 0.05~0.1%의 금속 나트륨을 첨가하여 주입하면 Si가 미세한 공정으로 되어 기계적 성질이 개선됨.

    ㉤ 실루민 γ = Mg 1% 이하를 첨가하여 시효의 효과를 얻는 방법

    ㉥ 로우엑스(Lo-Ex) : 내연기관의 피스톤에 사용

㉰ Al-Mg합금

    ㉠ 하이드로날륨(hydronalium)Mg을 함유하는 Al 합금

    ㉡ 주조용 : Mg 12% 이하 사용

    ㉢ 내식성이 크고 절삭성도 좋은 합금이지만 용해될 때 용탕표면에 생기는 산화 피막 때문에 주조가 곤란하고 내압주물로서 부적당하다.

㉱ 와이 합금(Y-alloy) : 고온 강도가 크다.

    ㉠ 영국에서 개발됨.

    ㉡ Cu 4%+Ni 2%+Mg 1.5%+Al 92.5%의 합금

    ㉢ 열처리 : 510~530℃에서 더운물에 냉각시킨 다음 약 4일간 상온 시효시킴.

    ㉣ 인공 시효 처리시 : 100~150℃에서 시행함.

    ㉤ 용도 : 내연기관의 실린더 피스톤 실린더헤드

㉲ 다이 캐스트용 Al합금

    ㉠ 유동성이 좋은 재료가 필요함.

      ⓛ Al과 Al+Cu계 합금이 사용됨.

      ⓒ Mg을 함유하면 유동성이 나빠짐.

      ⓔ 인장강도 : 20kg/㎟

③ **단련용 알루미늄 합금**

  ㉮ **두랄루민**

    ㉠ 단조용 Al의 대표적인 합금

      ⓐ Cu : 3.5~4.5%

      ⓑ Mg : 1~1.5%

      ⓒ Si : 0.5%

      ⓓ Mn : 0.5~1%

    ㉡ 주물로는 제조가 어렵다.

    ㉢ 합금의 특성 : 주물의 결정조직을 열간가공에 의하여 완전히 파괴하고 이것을 고온에서 물에 급냉후 시효변화를 일으킴.

    ㉣ 용도 : 항공기, 자동차 부품(무게 중요시)

  ㉯ **초 두랄루민**

    ㉠ 두랄루민+Mg 0.5~1.5% 높인 것

    ㉡ 열처리후 시효 경화 완료 인장강도 : 48kg/㎟

    ㉢ 단조 가공성은 두랄루민보다 약간 저하

    ㉣ 용도 : 항공기 구조재, 리벳, 기계구조재 등

  ㉰ **단련용 Y합금**

    구리와 마그네슘을 함유하기에 시효경화성이 있으며 니켈을 함유하기에 300℃에서 점성이 있으며 300~450℃에서 단조할 수 있고 460~480℃에서 압연이 가능하다.

  ㉱ **내식성 알루미늄 합금**

    ㉠ 하이드로 날륨 : Al+Mg계

    ㉡ 알민(almin) : Al+Mn계

    ㉢ 알드레이(aldrey) : Al+Mg+Si계

    ㉣ ㉠항 : 바닷물과 알칼리에 대한 내식성이 강하고 용접성이 우수하며 인장강도, 피로한도가 온도의 영향을 받지 않는 우수한 재료

⑭ **복합재(clading)**

고력 Al은 합금은 강하나 내식성이 나쁘고 내식성이 좋은 합금은 시효성이 없거나 또는 적어서 강도가 약하기 때문에 고력 합금의 표면에 내식성이 좋은 합금이나 알루미늄판을 붙여 사용할 수 있다. 이것을 클랫(clad)이라 한다. 표제의 두께는 5~10% 정도로 압착하여 접착시킨다.

◈ **알루미늄 소결합금**

대표면에 산화 피막으로 덮인 미세한 분말을 압축 성형하여 500~600℃에서 소결한 다음 이것을 열간 압출하고 압축 등의 가공을 가하여 여러 가지 형태로 변형하면 각 분말 입자의 Al 기지 중에 수 %~수십 %의 Al2O3가 미세하게 분산된 강화합금이 된다.

▣ 특징 : 열간에서 강도의 저하가 적으며 내식성이 크고 열 및 전기의 전도성의 저하가 적다.

6. 마그네슘

① 비중은 1.74이다.

② Mg의 순도는 99.7~99.9%이다.

③ 포함된 불순물은 Al, Fe, Ni, Si, Cu, Ca 등이다.

④ Mg의 물리적 성질 중 특이한 점은 실용되는 금속 재료 가운데 가장 가벼운 금속재료이다(Al에 비해 35%).

⑤ 화학적 성질 중 내식성은 아주 떨어지고 또 산화되기 쉽다. 특히 해수에 대한 내식성이 나쁘다.

⑥ 순도가 높은 Mg은 공기 중에서 상당히 안정된다.

⑦ 내식성을 저하시키는 불순물은 Fe, Cu, Ni 등이다

(1) Mg, 합금

① 합금 원소로는 Al, Zn, Mn, Ag, Ca, Cd, Sn, Cu, Th, Zr, Ce 및 Be 등이다.

② 실용 합금으로서는 Mg-Al계, Mg-Zn계, Mg-R·E계 및 Mg-Th계 합금으로 대별한다.

③ Mg합금은 일반적으로 엘렉트론(Elektron) 또는 도우메탈(Dow metal)이라 한다.

⑦ Mg-Al합금

㉠ 인장강도 : Al 6%에서 가장 크다.

㉡ 연신율, 단면수축율 : 4% 최고가 된다.

ⓒ Al 4~6%가 가장 우수하다.

ⓔ 강도를 증가시키고 주조조직을 미세하게 하여 강도를 상승 시키기 위하여 소량의 Mn을 첨가한다.

ⓜ 다우메탈(Dow-metal) : Al 7% 이상 함유 425℃로 가열하여 급냉하면 특수 조직이 되어 그 전후의 담금질 한 재료에 비하여 기계적 성질이 좋은 상태

④ Mg-Al-Zn 합금

ⓐ 엘렉트론(Elektron) : 이 합금의 대표적인 것

ⓑ 성분 : Mg 90% 이상, Al+Zn 10% 이하

ⓒ 이 계는 주조조직의 미세화로 주물용으로 사용함.

ⓓ 용도 : 내연기관의 피스톤, 봉, 관, 형봉 등

⑤ Li을 포함하는 합금

Li의 비중은 Mg보다 훨씬 적으므로 중량 감소 효과도 있으나 이 합금은 내식성이 나쁘며 기계적 성질도 좋지 않다.

(2) Mg의 용해 주조 및 열처리

① 용해-강제 또는 주철제 도가니를 이용

② 주조-사형, 금형, 다이캐스트 등을 이용

③ 열처리

7. 아연합금

(1) 아연(Zn)

① 아연은 섬아연광을 원공으로 정련한다.

② 방법에는 전해법과 증류법이 있다.

③ Zn은 침탄도금 또는 전기도금 그 밖에 다이캐트용주물용, 전신용, Al합금, Cu합금 등의 합금성분 등으로 이용된다.

④ 물리적 성질 : 녹는점, 끓는점이 모두 낮다.

⑤ 결정구조 : 조밀육방격자

⑥ 재결정온도 : 5~25°로서 낮기 때문에 상온가공이 가능하다.

⑦ 자마크계합금 : Al 4%를 포함하는 합금

(2) 아연합금

① 다이캐스트용 아연 합금

㉮ 주로 Zn-Al합금이 사용된다.

㉯ 이 합금에서는 이용되는 Zn의 순도가 대단히 높아야 하고 불순물로서 Fe, Pd, Cd, Sn 등의 허용량 이 미량으로 엄격히 정해져 있다.

아연합금 다이캐스트의 기계적 성질

종류	기호	인장시험		충격치	경도
		인장강도	연신율		
1종	ZDC 1	33	7	16	91
2종	ZDC 2	29	10	14	82

② 침탄도금용

㉮ Zn : 40~470℃로 유지된 용융 Zn중에 강판, 강선 또는 주철을 담근다.

㉯ Zn 중에는 소량의 Al, Sn, Sb, Cd 등을 첨가하여 도금된 Zn표면의 광택이나 결정의 크기, 침탄시 및 Zn의 손실 등을 조절한다.

③ 전신용 합금

㉮ 전신재는 압연, 압출, 일발 등에 이용한다.

㉯ Zn의 순도 : 99.8~99%

㉰ 가공범위 온도 : 120~225℃가 적당하다.

㉱ 용도 : 일반용, 건전지용, 인쇄용으로 사용된다.

④ 베어링용 합금

㉮ Sn이나 Pb베어링 합금보다 일반적으로 단단하다.

㉯ 청동의 베어링 합금 대신 하중이 큰 베어링용으로 사용한다.

㉰ 배빗메탈(Babbit metal) : Sn을 기지로 한 Whitemeta l이라 하며 저속기관의 베어링에

사용한다.

8. 주석 및 납 합금

(1) 주석

① 변태온도 : 18℃

② 백주석 : 18℃ 이상

    ㉮ 강도 : 2~4kg/㎟

    ㉯ 연신율 : 35~40%

    ㉰ 전성이 풍부하고 내식성이 크므로 철에 도금하여 양철을 만든다.

    ㉱ 용도 : 선박, 식기, 장식구, 표면 부식 방지

③ 회주석

    ㉮ 온도 : 18℃ 이하

    ㉯ 회색분말

(2) 활자합금

① Sb 3~20%, Sn 2~10% 나머지는 Pb의 범위

② 경도, 내마모성이 요구되는 곳에 사용

(3) 땜용 합금

① 연납-Sn 61.9%, Pb 38.1%의 공정으로 만든다.

② 경납-연납에 비해 융점이 높다.

9. 희금속

① 희금속이란 지금속(地金屬)에 함유량이 적은 것

② 함유량이 많아도 현재의 단계로서 산출량이 적은 것을 말한다.

(1) Be 및 그 합금

① 물리적 성질 : 비중1.848, 녹는점 1277℃

② 결정구조 : 조밀육방격자

③ 용도 : 시효성 Cu합금의 합금성분으로서 전기용접용, 점용접용전극, 전극용스프링 등에 Al 및 Mg 합금의 산화 방지용으로 쓰인다.

(2) In 및 그 합금

① 비중이 7.31, 녹는점 156.2℃, 끓는점 2000℃

② 결정구조 : 면심입방격자의 순백색 금속

③ 용도 : 베어링 합금, 땜납용합금, 유리봉착용합금 치과용합금 등 성분

(3) Zr 및 그 합금

① 내식성이 특히 우수하다.

② 600℃ 이상에서 쉽게 열간가공 되고 공기 중에서 산화물이 생성되거나 또는 공기에 의한 오염을 방지하기 위하여 Cu나 Fe로서 피복한다.

③ 용도 : 핵연료 피복제, 원자로재료, 전자관재료 등이다.

(4) Si 및 Ge

반도체 재료, 치과용 합금으로 이용된다.

(5) Cr, Mo, W 및 그 합금

① Mo

㉮ Mo는 MoO_2, MoO_3 등의 산화물을 생성하여 상온에서도 산화가 진행되나 500℃를 넘으면 격렬하게 된다. N_2, H_2와는 작용하기 힘들다.

㉯ C 또는 분해하여 C를 생성하는 화합물로서 Mo_2C, MoC 등의 카아바이드를 만든다.

㉰ 산화성의 산인 왕수(王水)나 HNO_3에 침식된다.

㉱ 용도 : 미사일용

② W

㉮ W는 상온에서 안정하나 고온에서는 산화물, 탄화물을 만든다.

㉯ 산 및 알칼리에 대하여 상당히 안정하다.

㉰ 용도 : 카아바이트 공구 X선 관구용이다.

용접·금속 문제

05

용접 · 금속 문제 - 2006년 기사

1_ 주조성이 좋고 크리프 특성이 좋아 제트엔진(Jet engine) 등의 구조용 재료로 가장 많이 사용되는 합금은?

가. Al합금
나. Mg합금
다. Ni합금
라. Zn합금

[해설] 마그네슘합금에 Mg+Al+Zn계 엘렉트론이 대표로 내연기관의 피스톤에 많이 사용되며, 주물로서 비강도는 알루미늄 금소보다 우수하므로 항공기, 자동차 부품, 전기기기 등에 쓰인다.

2_ 내마모성이 필요한 곳에 널리 사용되는 것으로 표면은 단단하고 내부는 인성이 있는 주철재료로 압연용 롤, 차륜 등의 내마모 기계부품에 이용하는 주철은?

가. 칠드주철
나. 흑심가단주철
다. Al주철
라. Ni주철

[해설] 칠드주철은 용융 상태에서 금형에 주입하여 접촉면을 백주철로 만든 것으로 표면은 경도가 커서 내마모성이 있으면서도 내부는 유연하여 내충격성이 있는 주물로서 용도는 각종 용도의 롤러, 기차바퀴 등에 많이 쓰인다.

3_ 알루미늄 합금의 종별 기호 다음에 첨부하는 질별기호 중 담금질 후 인공 시효 경화시킨 것을 나타내는 기호는?

가. To
나. T2
다. T6
라. T10

[해설] 알루미늄의 열처리기호에는 F(제품 그대로), O(풀림한 재질), H(가공 경화한 재질), W(담금질 처리 후 경화가 진행 중인 재료), T2(풀림한 재질 : 주조품에만 사용), T3(담금질 처리 후 상온가공 경화를 받은 재질), T4(담금질 처리 후 상온 시효가 완료된 재질), T5(담금질 처리를 생략하고 인공시효를 시킨 재료), T6(담금질 처리 후 인공시효 경화시킨 재료), T7(담금질 처리 후 안정화 처리를 받은 재료), T8(담금질 처리 후 상온 가공 경화, 인공 시효한 재료), T9(담금질 처리 후 인공 시효 하여 상온 가공 경화를 받은 재질), T10(고온 가공에서 냉각한 다음 냉간 가공하고 다시 인공 시효 경화 처리한 재료)

ANSWER : 1 다 2 가 3 다

4_ BCC 결정 구조에서 격자 정수를 a라 할 때 근접 원자간 거리는?

가. $(\sqrt{2})a$
나. $2a$
다. $(\sqrt{3/2})a$
라. $(\sqrt{3})a$

[해설] BCC(체심입방격자)로 입방체의 8개에 구석에 1개씩의 원자와 입방체 중심에 1개의 원자가 있는 것을 단위포로 한 결정격자를 말한다.

5_ 청동의 주성분은?

가. Cu+Mu
나. Cu+Zn
다. Cu+Sn
라. Cu+Fe

[해설] 청동은 구리와 주석의 합금으로 황동보다 내식성이 좋고 내마모성과 주조성이 우수하여 무기, 불상, 기계부품, 선박용, 미술공예에 사용된다.

6_ 스프링강의 가장 좋은 결정 조직은?

가. 페라이트(ferrite)
나. 시멘타이트(cementite)
다. 미디움펄라이트(midum pearlite)
라. 오스테나이트(austenite)

[해설] 페라이트와 시멘타이트의 혼합조직이다.

7_ 가스침탄 법에 관한 설명 중 틀린 것은?

가. 가스로는 천연가스, 도시가스 및 프로판가스 등을 사용할 수 있다.
나. 표면의 광택을 유지하면서 처리할 수 있다.
다. 작업이 간단하고, 침탄이 균일하게 되며 표면 탄소 농도의 조절이 가능하다.
라. 침탄성 가스가 분해되면서 생긴 석출탄소가 침탄되며, 이때 생긴 CO_2는 침탄성을 향상시킨다.

[해설] 가스침탄법(gas carburizing)은 침탄온도는 1000~1200℃가 많이 사용되며, 침탄깊이와 시간은 900~950℃에서 3~4시간으로 1mm정도이며 침탄촉매로 쓰이는 원소는 Ni이다.

ANSWER : 4 다 5 다 6 다 7 라

8_ 침탄 후 시행하는 열처리로서 1차 담금질의 목적은?

가. 침탄층의 경화   나. 중심부의 연화

다. 침탄층의 조직 미세화   라. 중심부 조직 미세화

[해설] 침탄경화과정은 침탄처리 → 저온처리(구상화) → 1차담금질(조대입자미세화) → 2차담금질(표면경화) → 뜨임처리
(기계적 성질개선)

9_ 강에서 Cold shortness의 원인이 되며 고스트라인을 일으켜 파괴의 원인이 되는 것은?

가. C   나. P

다. S   라. Mn

[해설] 저온취성은 고스트라인, 청열취성을 일으키는 원소는 인(P)이다.

10_재료가 영구히 파괴되지 않는 응력 중 최대의 것은?

가. 크리프 한도   나. 항복응력

다. 에릭센 값   라. 피로한도

[해설] 피로한도(fatigue limit) 영구적으로 재료가 파괴되지 않는 응력 중에서 최대의 하중값이다.

11_Al을 주성분으로하는 합금에 대한 설명으로 틀린 것은?

가. Al에 Cu, Si, Mg등을 첨가하면 기계적 성질이 우수해진다.

나. 시효처리하여 기계적 성질을 개선할 수 있다.

다. 항공기, 자동차 부품 등 경량부품에 널리 사용된다.

라. Al도 변태점이 있기 때문에 강에서처럼 열처리에 따라 기계적 성질을 크게 변화
시킬 수 있다.

[해설] 온도의 증가에 따라 강도 감소, 열율이 증대(400~500℃에서 극대)된다.

ANSWER : 8 라 9 나 10 라 11 라

12_ 열팽창 계수가 대단히 적고, 내식성이 좋으므로 측량적, 바이메탈 등에 사용되는 합금은?

가. Fe-36% Ni(Invar)　　　　　　나. Cu-20% Ni(Cupronickel)

다. Cu-60% Ni(Monel metal)　　　라. Fe-78.5% Ni(Permalloy)

[해설] 인바(invar)는 Ni(36%)+C(0.2%)+Mn(0.4%)의 Fe-Ni계 합금으로 내식성이 우수하며 줄자, 시계추, 바이메탈용에 사용된다.

13_ 철강조직 중에서 확산(擴散)을 수반하는 상변화에 의하여 생성된 조직이 아닌 것은?

가. 펄라이트　　　　　　　　　　나. 베이나이트

다. 마텐자이트　　　　　　　　　　라. 트루스타이트

[해설] 마르텐자이트(martensite) 침상조직으로 부식저항이 크고 경도와 인장강도가 대단히 크며 취약하다.

14_ 강을 침탄 이후 침탄부를 경화시키기 위한 조작 방법으로 가장 적합한 것은?

가. Ac1 온도 이하에서 가열 후 수중에서 담금질

나. Ac1 온도 이상에서 가열 후 수중에서 담금질

다. 풀림(annealing)

라. 뜨임(tempering)

[해설] 침탄과정은 침탄처리 → 저온처리 → 1차담금질 → 2차담금질 → 뜨임처리 순서로 한다.

15_ 다음 합금원소 중에서 강의 경화능을 감소시키는 합금원소는 무엇인가?

가. Co　　　　　　　　　　　　　나. Si

다. Mn　　　　　　　　　　　　　라. Cr

[해설] 경화능(hardenability)을 향상시키는 원소는 B, Mn, Mo, Cr이 있고 질량효과가 작으면 경화능이 크며 담금질성을 나쁘게 하는 것은 S, V, Co, W, Cd, Pb 등이다.

ANSWER : 12 가　13 다　14 나　15 가

16_ 색상이 미려하고 연성이 커서 장식용으로 많이 쓰이는 아연이 5~20% 포함된 구리합금은?

　가. 포금　　　　　　　　　　　　나. 델타메탈

　다. 문쯔메탈　　　　　　　　　　라. 톰백

[해설] 톰백(Tombac)은 Zn 5~20%의 저 아연합금으로 전연성이 좋고 색이 금에 가까우므로 모조금, 박으로 하여 금 대용으로 사용된다.

17_ Ni 4~8%의 martensite 조직의 것으로 보통 Cr을 첨가해서 백주철로 사용하는 주철은 무엇인가?

　가. 칠드(chilled)주철　　　　　　나. 가단주철

　다. Ni-hard주철　　　　　　　　라. 미해나이트(meehanite)주철

[해설] 내마모성주철 Ni+Cr주철이 대표이며, Martensite 주철로 HB 600~700이다.

18_ 구리의 성질을 설명한 것 중 맞는 것은?

　가. 결정주조는 상온에서 BCC이다.

　나. 전기와 열의 부도체이다.

　다. 화학적 저항력이 작아서 부식이 잘 된다.

　라. 구리 중의 불순물은 냉간가공보다 열간가공시에 큰 영향을 미친다.

[해설] 구리는 염수에 부식되고 또 암모늄에 침식되며, 수소 메짐이 발생한다.

19_ 강에서 첨가원소 W(텅스텐)이 미치는 효과에 대한 설명 중 틀린 것은?

　가. Fe 중에 용해되어 결정입자를 미세화 하며 강한 복탄화물을 형성한다.

　나. W은 강의 경도를 증가시키며 경화효과는 Cr강보다 양호하다.

　다. W은 잔류 자기 유지력이 크므로 영구자석용에 적당하다.

　라. 저온 강도가 크므로 고온재료에 사용하기 곤란하다.

[해설] 텅스텐의 융점이 3410℃이다.

ANSWER : 16 라　17 다　18 다　19 라

20_ 강의 담금질(Hardenability)을 측정하는 시험은?

가. 초단파 시험 　　　　　　　　　 나. 자기이력 시험

다. 전자유도 시험 　　　　　　　　　 라. 조미니 시험

[해설] 담금질성은 일정한 담금질 조건일 때 담금질에 의해 경화되는 깊이를 측정하는 시험방법으로 조미니 시험법을 많이 사용한다.

21_ 용접부에 생기는 잔류 응력을 제거하려면 다음 중 어떤 처리를 하면 가장 좋은가?

가. 풀림을 한다. 　　　　　　　　　 나. 불림을 한다.

다. 담금질을 한다. 　　　　　　　　　 라. 뜨임을 한다.

[해설] 잔류응력을 제거하는 방법으로 용착 금속량의 감소, 용착법(비석법), 용접순서의 설정, 적당한 포지셔너, 적당한 예열, 후열(풀림) 처리한다.

22_ 맞대기 이음에 있어서 용접이 진행됨에 따라서 간격이 벌어진다든지, 좁혀진다든지 하는 변형에 가장 적합한 용어는?

가. 회전변형 　　　　　　　　　 나. 세로굽힘변형

다. 좌굴변형 　　　　　　　　　 라. 각변형(가로굽힘변형)

[해설] 용접변형의 분류는 면내의 수축변형(횡수축, 종수축, 회전변형), 면 외의 변형(횡굴곡, 종굴곡, 좌굴변형)이 있으며 맞대기 이음에서 회전변형이 많이 발생한다.

23_ 용접부에서 구조상의 용접 결함이 아닌 치수상의 결함인 것은?

가. 균열 　　　　　　　　　 나. 용접부 크기의 부적당

다. 융합 불량 　　　　　　　　　 라. 비금속 개재물

[해설] 용접결함(weld defect)을 분류하면 치수상 결함, 구조상 결함, 성질상 결함 등으로 분류되며 치수에 영향을 미치는 결함은 용접부 크기 부적당, 변형(뒤틀림, 수축)이다.

ANSWER : 20 라　21 가　22 가　23 나

24_ 아크전압이 20V, 아크전류는 150A, 용접속도가 15cm/min일 때 용접 입열은 몇 Joule/cm 인가?

가. 12,000
나. 24,000
다. 2,000
라. 45,000

[해설] 용접 입열(weld heat input)이란 외부에서 용접부에 주어지는 열량으로 H = 60EI/V = 12000J/Cm

25_ 다음 중 저항용접이 아닌 것은?

가. 프로젝션(projection)용접
나. 플라스마(plasma)용접
다. 퍼커션(percussion)용접
라. 플래시(flash)용접

[해설] 저항용접은 저항열을 이용하여 용접하는 방법으로 맞대기 이음(플래시, 업셋, 퍼커션), 겹치기(점, 심, 돌기)가 있다.

26_ 알루미늄 합금용접에 일반적으로 불활성가스 아크용접을 하는 이유로 가장 적합한 것은?

가. 팽창계수가 적기 때문이다.
나. 비열 및 열전도도가 크므로 단시간에 용접온도를 높여야 한다.
다. 고온강도가 나쁘며 용접변형이 작기 때문이다.
라. 비중이 가볍기 때문이다.

[해설] 알루미늄의 용접성이 대단히 불량하다. 그 이유는 비열과 열전도도가 크고, 용융점이 산화알루미늄(2050℃), 순수알루미늄(660℃), 알루미늄의 비중이 산화알루미늄의 비중보다 가볍고, 용접 후의 변형이 크며, 용융응고시에 수소가스를 흡수하여 기공 발생되기 쉽다.

27_ 산소-아세틸렌 용접불꽃의 설명으로 틀린 것은?

가. 중성불꽃에서는 산소와 아세틸렌의 공급량이 같다.
나. 환원불꽃은 아세틸렌의 공급이 너무 많을 때이다.
다. 산화불꽃은 산소의 공급량이 과다할 때이다.
라. 온도가 가장 높은 불꽃은 탄화불꽃이다.

[해설] 중성불꽃(1:1불꽃), 산화불꽃(산소과잉불꽃), 탄화불꽃(아세틸렌과잉불꽃)이 있다.

ANSWER : 24 가 25 나 26 나 27 라

28_ 브레이징 이음매 부분에 미리 솔더를 놓고 가열하여 행사는 브레이징으로 정의되는 용접 용어는?

    가. 침적 브레이징(dip brazing)   나. 단계적 브레이징(step brazing)
    다. 예치 브레이징(preplaced brazing)   라. 면 메김 브레이징(face-brazing)

[해설] 브레이징(Brazing)은 모재를 용융시키지 않고 용가재만을 녹여 접합하는 방법이다.

29_ 일반적인 연강용 피복 아크 용접봉의 피복제 역할이 아닌 것은?

    가. 용착금속의 응고와 냉각속도를 빠르게 한다.
    나. 용착금속(Weld Metal)의 탈산 및 정련작용을 한다.
    다. 용융점이 낮은 적당한 점성을 가진 가벼운 슬래그(slag)를 만든다.
    라. 중성 또는 환원성 분위기를 만들어 대기 중 산소나 질소의 침입을 방지하고 용 착금속을 보호한다.

[해설] 용착금속의 냉각속도를 느리게 하고 용착금속을 보호한다.

30_ 탄산가스 아크용접에 와이어 팁과 모재 사이(돌출길이)가 길 때 생기는 중요한 결함에 대한 설명으로 가장 적합한 것은?

    가. 스패터가 적어진다.   나. 슬랙 혼입이 생기기 쉽다.
    다. 언더컷이 생기기 쉽다.   라. 용입 불량이 생기기 쉽다.

[해설] 와이어 돌출길이를 길게 하면 아크불안정, 스페터 많이 발생, 용입이 얕아지고, 차폐효과가 나빠지므로 기공발생, 용융속도가 크게 된다.

31_ 탄산가스 아크용접시 전진법에 비교하여 후진법을 설명한 것으로 가장 올바른 것은?

    가. 용입이 비교적 얕다.   나. 용접 비드 높이가 비교적 높다.
    다. 스패터 발생이 전진법보다 많다.   라. 용접 비드 폭이 비교적 넓다.

[해설] 후진법(back step method)은 노즐 때문에 용접선을 볼 수가 없어 정확한 용접 실행이 어렵고, 덧살이 높고 비드 폭이 좁으며, 용입이 깊고, 스패터 발생이 적고, 안정된 용접비드형상을 얻기가 곤란하다.

ANSWER : 28 다   29 가   30 다   31 나

32_ 주철 모재에 연강봉의 용접봉을 사용하면 반드시 파열이 생기는데 그 원인과 가장 관계가 적은 것은?

가. 탄소의 함유량이 다르기 때문
나. 강의 주철의 용융점이 다르기 때문
다. 강의 주철의 팽창계수가 다르기 때문
라. 전기 전도도가 다르기 때문

33_ 정격 2차 전류가 300A, 정격 사용율이 40%인 아크 용접기에서 200A로 용접시의 허용 사용율은?

가. 17.8[%]   나. 60[%]
다. 90[%]   라. 100[%]

[해설] 허용사용률(%) = (정격 2차 전류)^2/(실제용접전류)^{2}x정격사용률(%) = (300)^2/(200)^{2}x40(%) = 90%

34_ 스테인레스 가의 TIG 용접과 MIG 용접에 관한 일반적인 설명으로 틀린 것은?

가. 보호가스로는 아르곤 가스를 사용한다.
나. 직류 정극성을 사용하면 깊은 용입을 얻을 수 있다.
다. 3mm 이하의 박판에는 TIG 용접보다 MIG용접이 더 많이 사용된다.
라. 피복 아크용접시 일반적으로 역극성이 사용된다.

[해설] 3mm 이하 판 두께에서는 아르곤 용접이 효과적이고 그 이상 두께에서는 MIG 용접으로 하는 것이 좋다.

35_ KS 피복아크 용접봉 기호 중 저수소계 용접봉인 것은?

가. E 4301   나. E 4303
다. E 4316   라. E 4326

[해설] 저수소계용접봉(hydrogen electrode)은 타 용접봉에 비해서 수소의 함량이 1/10정도이며 내 균열성이 우수한 용접봉이다.

ANSWER : 32 라 33 다 34 다 35 다

36_ 불활성가스 텅스텐 아크 용접기로 알루미늄을 용접할 경우 전극봉의 돌출길이가 보호 효과나 작업성에 중요한 영향을 미치는데, 다음 이음 중 아르곤 보호가스량이 가장 많이 필요로 하는 이음은?

가. T형 필렛 용접시 전극의 돌출길이를 6.5㎜로 용접하였다.

나. 맞대기용접시 전극의 돌출길이를 5㎜로 용접하였다.

다. 모서리용접시 전극의 돌출길이를 1.5~3㎜로 용접하였다.

라. 겹치기용접시 전극의 돌출길이를 6.5㎜로 용접하였다.

[해설] 전극돌출길이는 아래보기용접(4~5㎜), 모서리용접(2~3㎜), 수평 필렛 용접(5~6㎜) 적당하다.

37_ 직류 아크의 전압분포에 대한 설명으로 올바른 것은?

가. 아크발생 중 전압강하는 양극의 전 구간에서 일정하다.

나. 아크길이는 전류세기와 비례한다.

다. 아크기둥의 전압강하는 피복제의 종류와 관계없다.

라. 아크길이를 일정하게 하면 전압은 전류의 증가에 따라 약간 증가한다.

[해설] 양극전압강하는 전극 면이 극히 짧은 길이의 공간에 일어나는 전압강하로서 그 값은 주로 전극 물질의 종류에 따라 결정되며 아크길이나 아크전류에는 거의 관계없이 일정하다.

38_ 다음 그림에서와 같이 모서리 이음, T이음 등에서 볼 수 있는 결함으로 가의 내부에 모재 표면과 평행하게 층상으로 발생하는 결함은?

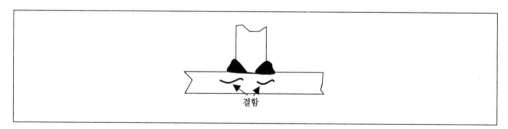

결함

가. 라멜라 테어(Lamellar tea)

나. 토 균열(Toe crack)

다. 라미네이션(Lamination)

라. 루트 균열(Root crack)

[해설] 주로 열영향부에 생기는 결함으로 저온균열이며 원인은 수소가 그 원인이다.

ANSWER : 36 다 37 라 38 가

39_피복 아크용접에서의 아크길이와 아크전압과의 관계 설명으로 가장 적합한 것은?

가. 아크 길이가 길어져도 아크 전압은 일정하다.
나. 아크 길이가 길어지면 아크 전압은 증가한다.
다. 아크 길이가 짧아지면 아크 전압은 증가한다.
라. 아크 길이와 아크 전압은 서로 관계가 없다.

[해설] 아크길이(arc length)가 길어지게 되면 전류는 감소하지만 전압은 증가하고 스페터가 많이 발생하고 기공도 발생한다.

40_피복 아크 용접봉 피복제의 작용 설명으로 올바른 것은?

가. 용융점이 높이 점성의 슬랙을 만든다.
나. 용접금속의 응고 및 냉각속도를 빠르게 한다.
다. 슬랙의 제거를 어렵게 하여 깨끗한 용접면을 만든다.
라. 용접금속에 합금원소를 첨가하여 기계적 성질을 좋게 한다.

[해설] 피복제역할은 산화질화방지, 아크의 안정, 냉각속도를 느리게 하고, 합금원소첨가, 탈산정련작용한다.

41_Mg-Al계 합금에 소량의 Zn과 Mn을 첨가한 마그네슘 합금은?

가. 에렉트론(elektron)합금
나. 헤스테로이(hastelloy)
다. 모넬(monel)
라. 자마크(zamak)

[해설] 엘렉트론이 대표이고 Mg 90% 이상이고, Al+Zn이 10% 이하이며 내연기관 피스톤에 많이 쓰인다.

42_강 내에 존재하는 황(S)에 의하여 나타나는 취성현상을 어떤 취성이라 하는가?

가. 고온취성
나. 뜨임취성
다. 청열취성
라. 저온취성

[해설] 적열취성 황이 많은 강에서 가열하며 S용해되어 강의 결정 사이의 응집력을 파괴하고 고온에서 단조 압연시 균열이 생긴다.

ANSWER : 39 나 40 라 41 가 42 가

43_ 고강도 알루미늄 합금인 두랄루민의 주요 구성 원소는?

가. Al-Cu-Mn-Mg   나. Al-Ni-Co-Mg

다. Al-Ca-Si-Mg   라. Al-Zn-Si-Mg

[해설] 두랄루민(duralumin)의 조성은 Al+Cu(4%)+Mg(0.5%)+Mn(0.5%)이며 시효경화 처리한 대표적인 합금이며 용도는 항공기, 자동차등 무게를 중요시하는 재료에 사용한다.

44_ 로우엑스(Low-Ex) 합금의 설명으로 옳은 것은?

가. 내마모성이 좋다.

나. 열팽창 계수가 크다.

다. 고온 강도가 낮다.

라. 합금조성은 Al-1%Si-12%Cu-15%Mg-1.8%Ni이다.

[해설] 로우엑스합금의 조성은 Ni(2.0-2.5%), Cu(1.0%), Mg(1.0%), Si(12-1%)를 첨가한 Na처리한 합금으로 내열성이 우수하며, 열팽창계수, 비중이 작고, 내마모성이 좋고 고온강도가 크며 피스톤용에 쓰인다.

45_ 순철의 평행상태도에서 온도가 상승함에 따라 γ-Fe $\leftrightarrows$ δ-Fe로 바뀔 때의 변태를 무엇이라 하며, 이때의 온도는 몇 ℃인가?

가. A_1 변태, 약 723℃   나. A_2 변태, 약 768℃

다. A_3 변태, 약 910℃   라. A_4 변태, 약 1400℃

[해설] 동소변태라고 하며 그 온도는 1400℃이다.

46_ Al-Mg-Si계 합금의 시효석출 과정으로 옳은 것은?

가. GP영역 → θ 안정상 → θ' 중간상 → 과포화고용체

나. 과포화고용체 → GP영역 → θ' 중간상 → θ 안정상

다. θ 안정상 → θ' 중간상 → GP영역 → 과포화고용체

라. θ' 중간상 → θ 안정상 → 과포화고용체 → GP영역

ANSWER : 43 가 44 가 45 라 46 나

47_ 강의 표면에 Al을 침투시켜 내 Scale 성을 증가시키는 것을 목적으로 하는 표면경화처리는?

　가. 크로마이징　　　　　　　　　　나. 실리콘나이징

　다. 보로나이징　　　　　　　　　　라. 칼로라이징

[해설] 금속침투법(Metallic cementition)에는 세라다이징(Zn침투 : 내식성), 크로마이징(Cr침투 : 내식성, 경질), 켈러라이징(Al침투 : 고온산화방지, 내열성), 실리코나이징(Si침투 : 내식, 내열성), 보로나이징(B침투 : 내식성, 경질) 등이 있다.

48_ 다음의 원소들 중에서 응고할 때 수축하지 않고 오히려 팽창하는 원소는?

　가. Bi　　　　　　　　　　　　　　나. Sn

　다. Al　　　　　　　　　　　　　　라. Cu

49_ 금속초미립자의 특성으로 옳은 것은?

　가. 금속초미립자는 융점이 금속덩어리보다 낮다.

　나. 저온에서 열저항이 매우 커서 열의 부도체이다.

　다. 활성을 강하나 화학반응은 일으키지 않는다.

　라. Fe계 합금 초미립자는 금속덩어리보다 자성이 약하다.

[해설] 초미립자(Ultra fine particles)는 금속, 세라믹스, 플라스틱 등의 지름 100만분의 1mm에서 1만분의 1mm정도 아주 미세한 입자 수개 또는 수천 개의 원자로 이루어진 것

50_ 다음은 스테인리스강에 대한 설명으로 틀린 것은?

　가. Cr과 Ni은 스테인리스강의 기본적인 합금원소이다.

　나. 오스테나이트계 스테인리스강은 자성이 강하다.

　다. 조직에 따라서 오스테나이트계, 마텐자이트계 및 페라이트계 스테인리스강으로 분류한다.

　라. 탄화뮴($Cr_{23}C_6$)은 오스테나이트 입계에 석출하여 입계부식의 원인이 된다.

[해설] 오스테나이트계 스테인리스강은 자성이 없고 부식에 강하다.

ANSWER : 47 라　48 가　49 가　50 나

51_ Fe-C 평형 상태도에서 공정 조직을 무엇이라 하는가?

가. 페라이트(Ferrite)　　　　　　나. 펄라이트(Pearlite)

다. 레데뷰라이트(Ledebulite)　　　라. 오스테나이트(Austenite)

[해설] 2.0%C의 r-고용체와 6.68%C의 시멘타이트와의 공정조직으로 주철에 나타난 공정점의 조직이다.

52_ 함유 베어링(oilless bearing)의 제조방법으로 옳은 것은?

가. 전착법(電着法)　　　　　　　나. 박야금법(薄冶金法)

다. 분말야금법(紛末冶金法)　　　　라. 일방향응고법(一方向凝固法)

[해설] 분말야금법(powder metallurgy)은 금속분말을 가압 성형하여 굳히고, 가열하여 소결함으로써 목적하는 형태의 금속제품을 얻는 방법이다.

53_ 특수강인 엘린바(elinvar)를 설명한 것 중 옳은 것은?

가. 열팽창계수가 아주 크다.

나. 규소계 합금 금속이다.

다. 구리가 다량 함유되어 있어 전도율이 좋다.

라. 초음파 진동소자, 계측기기, 전자장치 등에 사용한다.

[해설] 엘린바는 Fe52%+Ni36%+Cr12% 합금으로 상온에서 탄성계수가 거의 변하지 않으며 정밀기계, 시계태엽용에 사용한다.

54_ 고망간강(하드필드강)이 내마모성을 갖는 주요 원인으로 옳은 것은?

가. 고탄소, 고망간에 의하여 강력한 페라이트 조직을 갖기 때문이다.

나. 오스테나이트가 마텐자이트로 변태하여 고온에서 크리프 저항이 대단히 크기 때문이다.

다. 고탄소에 의하여 마모성이 강한 탄화물(MgC)이 형성되기 때문이다.

라. 가공경화가 가능한 오스테나이트 단상조직을 갖기 때문이다.

[해설] 고망간강은 Mn(10-14%) 함유하며 조직은 Austenite이고, 인성이 높아 내마성이 우수하며, 고온취성이 생기므로 1000~1100℃에서 수인법으로 quenching하고 용도는 분쇄기, 로울러에 쓰인다.

ANSWER : 51 다　52 다　53 라　54 라

55_ BCC 금속의 한 변에 길이가 a, 단위격자의 소속 원자수가 2, 배위수가 8, 근접원자간 거리가 $\frac{\sqrt{3}}{2}a$일 때 충진율(%)은?

가. 56%
나. 68%

다. 74%
라. 82%

[해설] 체심입방격자(BCC)는 입방체 8개 구석에 각 1개씩의 원자와 입방체 중심에 1개의 원자가 있는 것을 단위포로 한 결정격자를 말한다.

56_ 다음 중 표면경화법에 속하지 않는 것은?

가. 노말라이징
나. 고주파 담금질

다. 침탄법
라. 질화법

[해설] 표면경화법에는 물리적인 방법(화염경화법, 고주파경화법, 하아드페이싱, 쇼트피이닝), 화학적인 경화법(침탄법, 질화법, 청화법, 침유법, 금속침투법)이 있다.

57_ 냉간가공(cold working)에 대한 설명으로 옳은 것은?

가. 항복점 연신을 나타내는 강을 항복점 이상으로 냉간 가공하게 되면 항복점과 항복점 연신이 없어진다.
나. 전위밀도가 감소하여 강도가 약해진다.
다. 냉간가공으로 생긴 잔류응력이 재료 내에 압축응력으로 작용하면 피로강도가 나빠진다.
라. 냉간가공은 재결정 온도 이상에서 가공한 것을 말한다.

[해설] 소성가공에는 재결정 온도 이하에서 하는 가공을 상온가공, 재결정 온도 이상에서 하는 가공을 열간가공이라고 한다.

58_ 내식성 알루미늄합금에 어떤 원소가 첨가되면 내식성을 악화시키지 않고 소량만으로도 강도를 개선할 수 있는가?

가. Fe
나. Ni

다. Cu
라. Mg

 ANSWER : 55 나 56 가 57 가 58 라

59_ 비정질합금(非晶質合金)의 특성으로 옳은 것은?

가. 고온에서는 결정화하여 전혀 다른 재료가 된다.
나. 균질한 재료이고, 결정이방성이 있다.
다. 전기저항이 작고, 온도의 의존성이 크다.
라. 강도는 낮고, 연성은 크며, 가공경화를 일으킨다.

[해설] 비정질합금은 금속을 기체나 액체의 상태로부터 결정구조를 갖지 않을 정도의 급냉 응고시키기 위하여 진공중에서 진공 증착법, 액체 급냉법이 행해지고 있다.

60_ 다음 중 경화능을 향상시키는 원소의 영향이 큰 순서대로 나열된 것은?

가. Cu 〉 Mn 〉 B 〉 Cr   나. Cr 〉 Cu 〉 B 〉 Mn
다. B 〉 Mn 〉 Cr 〉 Cu   라. Mn 〉 Cr 〉 Cu 〉 B

[해설] 경화능이란 일정한 담금질 조건일 때 담금질에 의해 경화되는 깊이를 말하며 담금질 향상 원소는 B, Mn, Mo, Cr이 있고 질량효과가 작으면 경화능이 크다.

61_ 진공 중 용접하므로 불순 가스에 의한 오염이 적고, 활성금 속의 용접 및 용융점이 높은 텅스텐, 몰리브덴의 용접이 가능한 것은?

가. 가스 용접   나. 플라즈마 아크 용접
다. 잠호 용접   라. 전자빔 용접

[해설] 전자빔 용접(electron beam welding)은 고진공 중에서 고속의 전자빔을 모아서 그 에너지를 접합부에 조사하여 그 충격열을 이용하는 용접법이다.

62_ 철분절단에서 철분은 몇 메시(mesh)정도를 사용하는가?

가. 약 20   나. 약 50
다. 약 200   라. 약 1000

[해설] 철분절단에서 200메시 정도의 철분 또는 이것에 알루미늄 분말을 배합한 미세분말을 공급하고 철분의 연소열로 절단부의 온도를 높여 산화물을 용융제거하는 절단방법이다.

ANSWER : 59 가 60 나 61 라 62 다

63_ 가스용접에서 스테인리스강, 스텔라이트, 모넬메탈 등의 용접에 사용되며, 금속 표면에 침탄 작용을 일으키기 쉬운 가스 불꽃은?

가. 아세틸렌 과잉 불꽃
나. 중성 불꽃
다. 약한 산화 불꽃
라. 산소 과잉 불꽃

[해설] 가스용접에서 불꽃의 종류에 따라 중성 불꽃(연강), 산화 불꽃(황동), 탄화 불꽃(스텔라이트, 스테인리스강, 모네메탈)이 있다.

64_ 피복 아크 용접봉의 피복제 주요 역할이 아닌 것은?

가. 아크의 발생을 쉽게 하고 안정시킨다.
나. 용착 금속의 탈산 정련 작용을 한다.
다. 모재의 수분 제거 작업을 한다.
라. 슬래그를 제거하기 쉽게 하고, 파형이 고운 비드를 만든다.

[해설] 피복제의 역할은 산화질화방지, 급냉방지, 합금원소의 첨가, 어려운 용접자세를 쉽게 해 주고, 전기절연작용을 한다.

65_ 피복 금속 아크 용접봉의 용융속도에 관한 설명으로 맞는 것은?

가. 용융속도는 아크 전류에 반비례한다.
나. 용융속도는 아크 전류에 비례한다.
다. 용융속도는 아크 전압에 반비례한다.
라. 용융속도는 아크 전압에 비례한다.

[해설] 용융속도(melting rate)는 단위시간당 소비되는 용접봉의 길이 또는 무게로써 나타내며 용융속도는 전류에만 비례하고, 용접봉의 지름에는 관계없다.

66_ 내용적 40ℓ의 산소용기에 140kgf/㎠의 산소가 들어있다. 1시간당 350ℓ를 사용하는 토치를 쓰고 이때의 혼합비가 1:1의 중성화염이면 이론적으로 약 몇 시간이나 사용하겠는가?

가. 16
나. 20
다. 32
라. 46

[해설] 40×140 = 5600/350 = 16시간

ANSWER : 63 가 64 다 65 나 66 가

67_서브머지드 아크 용접에 사용되는 와이어(wire) 표면에 구리 도금하는 이유로 가장 적합한 것은?

가. 콘택트 팁과 전기적 접촉을 좋게 하고 녹이 발생하는 것을 방지한다.
나. 용착 금속의 균열을 방지하기 위해서이다.
다. 용접 속도를 증가시키기 위해서이다.
라. 비드 형상을 좋게 하기 위해서이다.

[해설] 와이어 표면은 접촉팁과의 전기적 접촉을 원활하게 하기 위하여 구리 도금을 하며 녹 방지 역할도 한다.

68_용접 후 수축변형을 최소화하기 위한 방법이 아닌 것은?

가. 용접 시간을 최소화한다.
나. 용접 패스 수를 최소화한다.
다. 중심축을 기준으로 용접부를 균형되게 한다.
라. 각 패스의 용접 길이를 길게 하면서 용접을 계속한다.

[해설] 용접 후 수축변형을 방지하기 위하여 용접 길이를 짧게 하는 것이 좋다.

69_제품의 한 쪽 또는 양 쪽에 돌기를 만들어 이 부분에 용접 전류를 집중시켜 압접하는 용접법은?

가. 프로젝션 용접　　　　나. 액동 용접
다. 업셋 용접　　　　　　라. 퍼커션 용접

[해설] 전기저항 용접(electric resistance welding)은 저항열을 이용해서 용접하는 방법으로 맞대기이음 용접(플래시, 업셋, 퍼카션), 겹치기이음 용접(점, 심, 돌기용접)이 한 쪽 또는 양 쪽에 돌기를 내어 용접하는 프로젝션 용접법이다.

70_오스테나이트계 스테인리스강을 1시간 정도 가열하여 고용화 처리하여 급냉할 때 가장 적합한 고용화 처리 온도는?

가. 약 700~750℃　　　나. 약 750~850℃
다. 약 850~920℃　　　라. 약 1000~1050℃

[해설] 용체화 처리는 1050℃가 적당하고 유지 시간은 25mm/h이다.

ANSWER : 67 가　68 라　69 가　70 라

71_ 다음 산소용기에 각인되어 있는 기호 중 TP가 의미하는 것은?

가. 내압시험압력　　　　　　　　나. 최고충전압력

다. 용기중량　　　　　　　　　　라. 내용적

[해설] 산소용기의 각인에는 용기제작사명, 제조업자의 기호 및 제조번호, 내용적(V), 용기중량(W), 내압시험압력(TP), 최고충전압력(FP)이 각인되어 있다.

72_ 다음 용접 방법 중 저항 용접법인 것은?

가. 심 용접　　　　　　　　　　나. 테르밋 용접

다. 스터드 용접　　　　　　　　라. 경납 땜

[해설] 전기저항 용접(electric resistance welding)은 저항열을 이용해서 용접하는 방법으로 맞대기 이음 용접(플래시, 업셋, 퍼카션), 겹치기 이음 용접(점, 심, 돌기용접)이 있다.

73_ 아크 용접에서 직류 용접기의 정극성에 대한 설명으로 가장 적합한 것은?

가. 모재의 용입이 얕다.

나. 용접봉의 녹음이 빠르다.

다. 비드폭이 넓다.

라. 용접봉을 (-)극, 모재를 (+)극에 연결한다.

[해설] 정극성(DCSP)은 모재(+), 용접봉(-)로 전원연결하고, 용입이 깊고, 비드폭이 좁으며, 용접봉녹음이 느리고, 용접속도가 느리고, 후판용접할 때 적당하다.

74_ 교류 용접기를 사용할 때 무부하 전압이 80V, 아크 전압이 30V, 아크 전류가 300A라면 역률은 약 몇 %인가? (단, 내부손실 4KW임.)

가. 36　　　　　　　　　　　나. 54

다. 90　　　　　　　　　　　라. 150

[해설] 역률(%) = 출력(KW)/입력(KW)X100 = 9+4/24X100 = 54%

ANSWER : 71 가　72 가　73 라　74 나

75_ 용접전류가 200A, 아크 전압은 25V, 용접속도는 10cm/min일 때 용접길이 1cm 당의 용접입열은 몇 Joule/cm인가?

가. 4800
나. 20000
다. 30000
라. 40000

[해설] 용접입열(weld heat input) = 200×25×60/10 = 30,000j/Cm

76_ 용접 후 용접변형을 교정하기 위한 방법이 아닌 것은?

가. 피닝법
나. 역변형법
다. 얇은 판에 대한 점 수축법
라. 후판에 대한 가열 후 압력을 주어 수냉하는 법

[해설] 변형교정방법에 롤러에 의한 법, 절단에 의한 성형과 재용접, 형재에 대한 직선 수축법 등이 있으며, 역변형법은 용접하기 전에 변형을 미리 예측하여 반대쪽으로 각 (2~3도) 주어 용접하는 방법이다.

77_ 산소-아세틸렌가스 절단시 절단조건으로 설명이 잘못된 것은?

가. 모재 중 불연소물이 적을 것
나. 슬랙의 유동성이 좋고 쉽게 이탈할 것
다. 모재의 연소온도가 용융온도보다 높을 것
라. 슬랙의 용융속도가 모재의 용융속도보다 낮을 것

[해설] 스테인리스강 같은 고합금강 등은 불연소물이나 산화물의 용융온도가 슬래그의 용융점보다 낮기 때문에 일반적인 가스절단방법으로는 절단이 곤란하다.

78_ 용접에 의한 변형을 적게 하기 위하여 띄엄띄엄 용접한 다음 냉각된 용접부 사이를 용접하는 것을 뜻하는 것은?

가. 슬롯 용접
나. 필렛 용접
다. 단속 용접
라. 스킵 용접

[해설] 스킵법(skip method)은 비석법이라고도 하며, 잔류응력을 최소화 할 수 있는 용착법이다.

ANSWER : 75 다 76 나 77 라 78 라

79_불활성 가스 아크 용접법에 대한 설명 중 틀린 것은?

가. 불활성 가스 아크용접에서는 불활성 가스의 연소열을 이용한다.

나. TGI 용접에서는 텅스텐 전극을 사용한다.

다. MIG 용접에서는 금속 전극을 사용한다.

라. 불활성 가스로서는 Ar, He 등이 사용된다.

[해설] 불활성 가스 용접(inert gas welding)은 아르곤, 헬륨 가스와 같은 고온에서도 금속과 반응하지 않은 불활성 가스 분위기 속에서 텅스텐 전극봉 또는 와이어와 모재와의 사이에서 아크를 발생하여 그 열로 용접하는 방법이다.

80_아크 용접기의 구비조건에 대한 설명으로 틀린 것은?

가. 역률은 나쁘고 효율은 좋아야 한다.

나. 사용 중에 온도 상승이 작아야 한다.

다. 전류 조정이 용이하고 일정한 전류가 흘러야 한다.

라. 아크 발생과 유지가 용이하고 아크가 안정되어야 한다.

[해설] 일반적으로 역률이 높으면 효율이 좋은 것으로 생각되나 역률이 낮을수록 좋은 용접기이며, 역률이 높은 것은 효율이 나쁜 용접기이다.

81_다음 설명 중 틀린 것은?

가. 슬립면은 전위가 이동하는 면으로 원자 밀도가 가장 조밀한 면이다.

나. 슬립방향은 전위가 이동하는 방향으로 원자 밀도가 가장 조밀하다.

다. 슬립계란 슬립면과 슬립방향의 조합이다.

라. 면심입방정의 슬립계의 수는 48개이다.

[해설] 슬립(slip)은 재료에 외력을 작용할 때 어떤 방향으로 결정이 미끄러져 이동하는 현상이며 면심입방정은 미끄러지는 면이 (111:면)이며 방향은 (110:방향)이다.

ANSWER : 79 가 80 가 81 라

82_ 강의 담금질에 따른 용적변화가 가장 큰 조직은?

가. 마르텐자이트   나. 펄라이트

다. 오스테나이트   라. 페라이트

[해설] 마르텐자이트(martensite)은 침상조직으로 부식저항이 크고 경도와 인장강도가 대단히 크며 취약하다.

83_ Y- 합금에 대한 설명으로 옳은 것은?

가. Al-Zn 합금에 소량의 Mg과 Mn을 첨가한 내열성합금이다.

나. Al-Cu 합금에 소량의 Mg과 Ni를 첨가한 내열성합금이다.

다. Al-Si 합금에 소량의 Mg과 Pb을 첨가한 내열성합금이다.

라. Al-Fe 합금에 소량의 Mg과 Sn을 첨가한 내열성합금이다.

[해설] Y합금은 대표적인 내열용 알루미늄합금이며 내열기관, 실린더, 피스톤, 실린더 헤드에 쓰인다.

84_ 실루민합금에 대한 설명으로 옳지 않은 것은?

가. Al-Si계 합금으로서 규소가 약 10~14%정도 함유되어 있다.

나. 시효경화성으로 열처리 효과가 크다.

다. 극소량(0.05~0.1%)의 Na, Si 등을 첨가하면 조직이 미세하게 된다.

라. 개량처리 때의 Na량은 Mg%가 많을수록 적게 Si%가 높을수록 많게 한다.

[해설] 실루민(silumin)은 알펙스라고도 하며 Al-Si계의 대표이며 개질처리하며 경도가 낮고 인성이 크고 절삭성은 나쁘다.

85_ 티타늄의 기계적 성질로 틀린 것은?

가. 불순물에 의한 영향이 크다.

나. 300℃ 근방에서 강도저하가 있다.

다. 소성변형에 대한 제약을 받지 않는다.

라. 전신재에서 접합조직에 따라 이방성이 나타난다.

[해설] 티탄늄(titanium)의 기계적 성질은 인장강도 56kg/㎟, 비중 3.6, 항복 49kg/㎟, 연신율 20%이다.

 ANSWER : 82 가 83 나 84 나 85 다

86_ 그림 Al-4%Cu 합금의 시효시간에 따른 경도변화를 나타내고 있다. 다음 설명 중 틀린 것은?

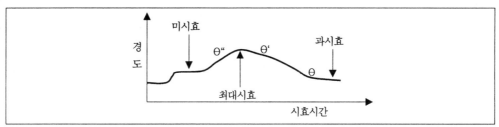

가. θ"상은 기지와 정합계면을 이루고 있다.

나. θ상은 평형상으로 기지와 부정합계면을 이루고 있다.

다. 미시효 조건에서는 전위가 석출물을 자르고 이동할 수 있다.

라. θ상이 석출한 조건에서는 전위가 석출물을 자르고 지나갈 수 있다.

87_ 불꽃시험 중 유선의 관찰대상이 아닌 것은?

가. 색깔   나. 길이

다. 밝기   라. 비중

[해설] 불꽃검사방법에는 그라인더 불꽃검사법, 분말 불꽃검사법, 메입시험, 페렛트시험 등이 있다.

88_ 철강 있어서 열간 취성의 원인이 되는 원소는?

가. 탄소   나. 길이

다. 황   라. 망간

[해설] 열간취성(hot shortness)은 적열취성이라고도 하며 황의 원인으로 발생되는 취성이다.

89_ 강의 경화능 시험법으로 옳은 것은?

가. 조미니 시험   나. 초음파탐상 시험

다. 설퍼프린트 시험   라. 자분탐상 시험

[해설] 강의 경화능(담금질성)은 일정한 담금질 조건일 때 담금질에 의해 경화되는 깊이를 측정을 알고자 할 때 조미니 시험을 많이 사용한다.

ANSWER : 86 라   87 라   88 다   89 가

90_ 모넬 메탈을 설명한 것 중 옳은 것은?

가. Ni에 Al을 첨가하여 주조성을 높인 합금이다.

나. Ni(60~70%)에 Cu를 첨가하여 내식성, 내마모성을 향상시킨 합금이다.

다. R-monel은 소량의 Si를 넣어 강도를 향상시키고 절삭성을 개선한 합금이다.

라. 일명 백동이라 하며 가공성과 절삭성을 개선한 합금이다.

[해설] 모넬메탈은 Ni(65~70%)+Fe(1~3%)+Cu(나머지)계 합금으로 화학공업용이다.

91_ Al 합금의 열처리에서 사용되는 T6처리란?

가. 담금질한 후 인공시효   나. 담금질한 후 뜨임

다. 담금질한 후 노말라이징   라. 담금질한 후 풀림

[해설] 알루미늄의 열처리 기호에는 F(제품 그대로), O(풀림한 재질), H(가공 경화한 재질), W(담금질 처리 후 경화가 진행 중인 재료), T2(풀림한 재질 : 주조품에만 사용), T3(담금질 처리 후 상온가공 경화를 받은 재질), T4(담금질 처리 후 상온 시효가 완료된 재질), T5(담금질 처리를 생략하고 인공시효를 시킨 재료), T6(담금질 처리 후 인공시효 경화시킨 재료), T7(담금질 처리 후 안정화 처리를 받은 재료), T8(담금질 처리 후 상온가공경화, 인공시효한 재료), T9(담금질 처리 후 인공시효하여 상온가공경화를 받은 재질), T10(고온가공에서 냉각한 다음 냉간가공하고 다시 인공시효 경화처리한 재료)

92_ 주철은 현미경 조직에서 탄소의 분포상태에 따라 분류하게 된다. 이때 현미경 주직으로 관찰될 수 없는 조직은?

가. 백주철   나. 회주철

다. 반주철   라. 흑주철

[해설] 현미경 조직으로 탄소의 분포상태에 따라 회주철, 백주철, 반주철로 나눈다.

93_ 0.8%의 공석강을 마퀜칭 처리하였을 경우 나타나는 조직은?

가. 투루스타이트   나. 베이나이트

다. 레데뷰라이트   라. 마텐자이트

[해설] Marquenhing(마퀜칭)은 수중 담금질 한 것보다 다소 경도가 낮으나 내외부가 거의 동시에 martensite 조직으로 변한다.

ANSWER : 90 나 91 가 92 라 93 라

94_ 오스테나이트계 스테인리스강의 입계부식 방지 대책으로 옳은 것은?

가. Cr 탄화물을 100~200℃로 가열하여 오스테나이트기지에 용체화처리 후 서냉한다.
나. 탄소량을 0.1% 이상 높게 유지한다.
다. Cr 탄화물의 입계석출을 억제시키기 위하여 0.2% 이상의 P를 첨가한다.
라. Ti, Nb의 안정화 원소를 첨가하여 안정화시킨다.

[해설] 입계부식방지대책은 탄소량을 극히 소량으로 하여 탄화물의 형성을 억제하며 Ti, Nb, V, 등의 원소 첨가, 안정화 처리(850~950℃로 2~4시간 유지 후 공냉한다), 용체화 처리는 1050℃까지 가열하여 25mm/h 유지한다.

95_ 철과 강의 5대 주요 불순 중 옳은 것은?

가. C, Cr, Mn, S, P
나. C, Si, Ni, S, P
다. C, Si, Mn, S, P
라. C, Si, Mn, Cu, P

96_ 구상 흑연 주철의 구상화 처리시 페딩현상을 방지하기 위한 조치방법으로 옳은 것은?

가. Mg처리 용탕의 방치 시간을 짧게 한다.
나. 미량의 Mg으로도 구상화에는 문제가 없다.
다. 불순물이 많은 용탕에서는 잔류 Mg량을 적게 한다.
라. Mg 처리 용탕을 주형에 주입되기 전 시간을 되도록 오래 유지한다.

[해설] 구상화제는 Ce, Mg, Fe-Si, Ca-Si, Ni-Mg 등이 있으며 종류는 시멘타트 형, 퍼얼라이트 형, 페라이트 형이 있다.

97_ 금속재료 경도시험 방법 중 압입에 의한 것이 아닌 것은?

가. 쇼어 경도 시험방법
나. 비커스경도 시험방법
다. 로크웰경도 시험방법
라. 브리넬경도 시험방법

[해설] 쇼경도(HS, shore hardness) 하중을 충격적으로 가했을 때 반발하여 튀어 오른 높이로 경도를 측정하는 방법이다.

ANSWER : 94 라 95 다 96 가 97 가

98_ WC분말과 Co분말을 압축 성형하여 약 1,400℃로 소결시키면 매우 단단한 금속이 되어 바이트와 같은 공구에 이용되는 금속은?

　　가. 초경합금　　　　　　　　　나. 고속도강
　　다. 화이트메탈　　　　　　　　라. 엘렉트론 합금

[해설] 초경합금(cemented carbide)은 공구 등에 사용되는 초경질 합금의 총칭이며 금속의 탄화물 분말을 소성해서 만든 경도가 대단히 높은 합금이다.

99_ 다음 중 노말라이징의 목적으로 틀린 것은?

　　가. 내부 응력 제거　　　　　　나. 결정립 미세화
　　다. 취성증대　　　　　　　　　라. 주조 및 과열조직의 개선

[해설] 노말라이징(normalizing)은 목적은 주조, 가열조직을 미세화, 내부 응력제거, 피삭선 개선, 결정조직, 물리적, 기계적 성질 표준화된다.

100_ Fe-C 상태도에서의 0.6% C의 탄소강의 경도를 계산하면 얼마인가? (단, ferrite의 He는 90, Pearlite의 Hb는 200이다.)

　　가. 162.5　　　　　　　　　　나. 172.5
　　다. 182.5　　　　　　　　　　라. 192.5

[해설] 압연된 강의 평균강도(σB = 20+100×C(탄소함유량) = Kg/㎟, 인장 강도와 HB의 관계는 HB = 2.8㎟σB)이다.

101_ 모재는 전혀 녹이지 않고 모재보다 용융점이 낮은 금속을 녹여 표면장력으로 접합하는 것은?

　　가. 용접　　　　　　　　　　　나. 압접
　　다. 납땜　　　　　　　　　　　라. 저항용접

[해설] 납땜(brazing/soldering)은 모재를 녹이지 않고 용가재만을 녹여 접합하는 방법으로 원리는 모세관 현상, 젖음, 확산을 이용하여 접합하는 방법이다.

ANSWER : 98 가　99 다　100 나　101 다

102_ 용접전류 300A 아크전압 35V 아크길이 3㎜ 용접속도 20㎝/min의 용접 조건으로 피복 아크용접을 실시할 경우 아크가 단위길이 1cm당 발생하는 전기적 에너지는?

　가. 7560joule/㎝　　　　　　나. 9450joule/㎝

　다. 15750joule/㎝　　　　　　라. 31500joule/㎝

[해설] 외부에서 용접부에 주어지는 열량을 용접입열(weld heat input)이라고 하며 H = 60EI/V = J/Cm이다.

103_ 다음 중 가스의 연소열을 이용하여 용접하는 것은?

　가. 원자수소 용접　　　　　　나. 산소 아세틸렌 용접

　다. 일렉트로 슬랙 용접　　　　라. 탄산가스 아크 용접

[해설] 가스의 연소열을 이용하여 용접하는 방법으로 산소 아세틸렌 용접이며 불꽃의 종류에는 산화불꽃, 중성불꽃, 탄화불꽃이 있다.

104_ 강의 용착 금속 결합 중 은점발생의 가장 큰 원인이 되는 가스로 가장 접합한 것은?

　가. O_2　　　　　　　　　　나. N_2

　다. CO_2　　　　　　　　　라. H_2

[해설] 은점(fish eye)의 발생원인은 기공 또는 틈, 비금속 개재물의 주위에 수소가 모여서 취화를 일으켜 외력에 의해 그 부분만이 늘어나지 않고 파단되기 때문에 발생한다.

105_ 서브머지드 아크용접에서 용접부에 생기기 쉬운 결합으로 기공은 비드중앙에 발생하는 일이 많다. 방지대책으로 적합하지 않은 것은?

　가. 후럭스를 잘 건조하여 습기를 제거한다.

　나. 용접심선과 이음부의 녹, 기름, 수분, 습기 등을 제거한다.

　다. 콤포지션을 잘 건조하여 습기를 제거한다.

　라. 용접속도를 증가시켜 용융금속 응고를 빠르게 한다.

[해설] 용접와이에 구리도금을 하는 이유는 녹을 방지하고 전기적 접촉을 원활하게 하여 양호한 용접부를 얻기 위함이다.

ANSWER : 102 라　103 나　104 라　105 나

106_ 원형판 전극 사이에 피용접물을 끼워 전극에 압력을 가하며 전극을 회전시켜 연속적으로 점용접을 반복하는 용접법은?

가. 스포트 용접법 나. 프로젝션 용접법
다. 심 용접법 라. 플래시 버트 용접법

[해설] 전기저항용접으로 심용접 방법이며 파이프, 켄젝작에 많이 이용되며 기밀, 수밀, 유밀이 우수한 용접법이다.

107_ 다음 중 전기 저항용접의 종류에 속하지 않는 것은?

가. 업셋 용접 나. 퍼커션 용접
다. 포일심 용접 라. 테르밋 용접

[해설] 전기저항용접은 저항열($H = 0.24I^2Rt$)을 이용하여 용접하는 방법이며, 저항용접의 분류는 이음형상에 따라 맞대기 이음(플래시, 업셋, 퍼카션), 겹치기 이음(점, 심, 돌기용접)이 있다.

108_ 용접 홈의 안의 용접 또는 필릿 용접시 전류가 너무 낮아 아크열이 홈의 일부분까지 충분히 용융시키지 못했을 때 생기는 결함은?

가. 오버 랩 나. 용입 불량
다. 언더 컷 라. 슬래그 혼입

[해설] 용입부족(incomplete penetration)은 용접전류가 낮을 때, 용접속도가 빠를 때, 운봉각도가 부적당할 때 발생하는 결함이다.

109_ 다음 중 불활성 가스 아크용접에서 청정작용이 가장 강력한 것은?

가. He 가스로서 DCSP 나. He 가스로서 DCRP
다. Ar 가스로서 DCSP 라. Ar 가스로서 DCRP

[해설] 알루미늄을 용접할 때 알루미늄표면에 산화알루미늄(융접 2050℃)을 벗겨내는 작용을 청정작용(cleaning action)이라고 한다.

ANSWER : 106 다 107 라 108 나 109 라

110_ 교류 아크 용접기에서 AW 300이란 표시가 뜻하는 것은?

가. 2차 최대 전류 300A
나. 정격 2차 전류 300A
다. 최고 2차 무부하 전압 300A
라. 정격 사용률 300A

[해설] 용접기 용량을 나타내는 것으로 정격 2차 전류를 나타낸다.

111_ AW 300의 아크 용접기로 200[A]의 용접전류를 사용하여 10시간 용접했다. 이 경우 허용 사용율은 약 몇 %인가? (단, 용접기의 정격 사용율은 45%이다.)

가. 101.2
나. 837
다. 61.4
라. 614

[해설] (정격2차전류)^2/(실제의 용접전류)^2×정격사용률(%) = 101.25%

112_ 용접시 발생하는 잔류응력이 구조물에 미치는 영향이 아닌 것은?

가. 취성파괴
나. 피로강도
다. 부식
라. 재결정 온도

[해설] 잔류응력은 응력이 집중되어 취성파괴 및 부식 등을 발생시키는 요인이 된다.

113_ 피복금속 아크 용접부에서 정극성에 관한 설명으로 옳은 것은?

가. 용접봉의 용융이 늦고 모재의 용입이 깊어진다.
나. 용접봉 용융 속도가 빠르고 모재의 용입이 얕아진다.
다. 용접봉의 용융 속도에는 극성과는 관계없다.
라. 용접봉의 용융속도, 용입 모두 극성과는 관계가 없다.

[해설] 직류용접에서 극성을 이용하여 용접을 하며 직류정극성(DCRP)의 특징은 용입이 깊고 비드폭이 좁고 용접봉의 녹음이 느리며, 전원연결은 용접봉(-), 모재(+)로 연결하여 용접하는 방법이다.

ANSWER : 110 나 111 가 112 라 113 가

114_ 수중절단에 가장 많이 사용하는 가스는?

가. 수소

나. 아르곤

다. 헬륨

라. 탄산가스

[해설] 수중절단(under water cutting)은 물에 잠겨있는 침몰선 해체, 교량의 교각제조, 댐, 항만 등의 공사에 사용되며 아세틸렌은 수중에 사용할 경우 압력이 높아지면 폭발의 위험이 있기 때문에 수소가스가 많이 사용된다.

115_ 다음 중에서 대전류 용접이 가능하고 열효율이 가장 높은 용접은?

가. 피복 아크 용접

나. 서브머지드 아크 용접

다. 불활성 가스 아크 용접

라. 탄산가스 아크 용접

[해설] 서브머지드 아크 용접(submegred arc welding)은 대전류를 이용하며, 용제(flux) 속에서 용접이 진행되어 용접이 되어지는 상황을 전혀 확인할 수 없다고 하여 잠호 용접이라고 한다.

116_ 아세틸렌가스에 포함하고 있는 불순물의 영향이 아닌 것은?

가. 석회 분말은 용착금속을 약하게 하고 역류 역화의 원인이 된다.

나. 인화수소, 황하수소는 용접부의 강도를 저하시키고 용접장치를 부식시킨다.

다. 질소 등 기타 불순물은 아세틸렌 불꽃의 온도를 높여 작업능률을 향상시킨다.

라. 인은 결정립의 미세화를 저지시킨다.

[해설] 아세틸렌가스는 순수한 것은 무미, 무취이며, 용접용 아세틸렌가스는 불순물(인화수소, 황화수소, 유화수소 등)이 포함되어 있어 악취가 난다.

117_ 가스용접 작업시 역화에 대한 대책으로 틀린 것은?

가. 아세틸렌을 차단한다.

나. 팁을 물로 식힌다.

다. 토치의 기능을 점검한다.

라. 안전기에 물을 빼고 다시 사용한다.

[해설] 역화(back fire)는 토치의 취급이 잘못될 때 순간적으로 불꽃이 토치의 팁 끝에서 빵빵 또는 탁탁 소리를 내면서 불길이 들어갔다가 곧 정상이 되든가 완전히 불길이 꺼지는 현상을 말한다.

ANSWER : 114 나   115 가   116 라   117 가

118_ TIG용접에서 알루미늄 후판의 용접 전원으로 가장 적합한 것은?

가. ACHF 전원　　　　　　　　나. DCSP 전원

다. DCFP 전원　　　　　　　　라. 모든 전원이 적합

[해설] 알루미늄은 표면에 산화 알루미늄을 제거해야만 용접이 가능하므로 고주파 교류를 사용하는 것이 좋다.

119_ 1차 입력 전원이 24.2[KVA]인 피복 아크 용접기를 1차 전원전압 220[V]에 접속하고자 할 경우 퓨즈용량으로 가장 적합한 것은?

가. 220[A]　　　　　　　　　나. 200[A]

다. 110[A]　　　　　　　　　라. 100[A]

[해설] 24.2kVA/220V = 24200/220 = 110A

120_ 가스용접 중에 모재가 용융 상태로 되면 공기 중의 산소나 질소가 접촉되어 산화 및 질화 작용이 대단히 심하게 되는데 다음 금속 중에서 가스용접할 때 용제를 사용하지 않아도 되는 용접금속은?

가. 주철　　　　　　　　　　나. 연강

다. 구리합금　　　　　　　　라. 알루미늄

[해설] 연강은 용제를 사용하지 않아도 용접이 가능하며 주철(탄산나트륨 15%, 붕사 15%, 중탄산나트륨 70%), 구리합금(붕사 75%, 염화리튬 25%), 알루미늄(염화나트륨 30%, 열화칼륨 45%, 염화리튬 15%, 프루오르화칼륨 7%, 황산칼륨 3%) 용제를 사용한다.

ANSWER : 118 가　119 다　120 나

MEMO

용접 · 금속 문제 – 2007년 기사

1_ 다음 중 Cu-Zn합금에 관한 설명으로 옳은 것은?

가. α의 결정형은 면심입방격자이며, β의 결정형은 체심입방격자이다.

나. 공업용 사용하는 황동은 Zn이 최대 60% 이상 함유 한다.

다. 황동에서는 α, β, γ, δ, ε, η, θ의 7개 상이 상태도에 나타난다.

라. Cu에 Zn이 35%를 넘으면 β상이 나오므로 경도와 강도가 낮아진다.

[해설] r+β상(체심입방격자)이고, 아연함유는 30%가 최대이며 인장강도는 Zn(45%)부근 최대, 아연의 함량에 따라 동적색, 황색이며 연하고 인성이 크며 주조품에서 풀림 쌍정이 일어난다.

2_ 베어링용 합금 중에서 고하중 고속전용 베어링으로 적합하며 주석계 화이트 메탈이라 불리우는 합금은?

가. 오일나이트(oilite) 나. 바이메탈(bimetal)

다. 반메탈(bahn metal) 라. 베빗메탈(babbit metal)

[해설] 배빗메탈은 주석, 안티몬 및 구리를 주성분으로 할 경우 화이트 메탈로 불리며 용도는 주로 내연기관용 베어링, 고온고압에 잘 견디고 점성이 강하며 고속, 고하중용 베어링 재료로 사용한다.

3_ 6 : 4 황동에 Sn을 넣은 것으로 복수기판, 용접봉 등에 이용되는 것은?

가. Admiralty metal 나. Naval brass

다. Albrac bronze 라. hard brass

[해설] 네이벌 황동은 4-6Sn을 첨가한 황동을 말하며 Sn이 함유되어 있기 때문에 강도가 커짐과 동시에 내식성이 커져서 함선의 축, 기어, flange, 볼트 등에 쓰인다.

ANSWER : 1 라 2 라 3 나

4_ 가공용 알루미늄합금의 질별 기호로 틀린 것은?

가. F : 제조한 그대로의 것 나. O : 노멀라이징한 것
다. H : 가공 경화한 것 라. T : 열처리한 것

[해설] O는 풀림한 재질(압연한 것에만 사용한다.)

5_ 오스테나이트계 스테인리스강의 응력 부식균열을 방지하기 위한 대책으로 틀린 것은?

가. 고 Ni의 재료를 사용한다.
나. 음극방식(양극으로는 Al을 용사한다)을 한다.
다. 압축응력을 없애기 위해 담금질 열처리한다.
라. 사용 환경 중의 염화물 또는 알칼리를 제거한다.

[해설] 응력부식균열(stress corrosion cracking)은 재료, 인장응력이 존재, 부식 환경의 3가지 요인이 상호 작용하여 발생한다.

6_ 재료에 어떤 일정한 하중을 가하고 어떤 온도에서 긴 시간동안을 경과함에 따라 그 스트레인을 측정하여 각종 재료의 역학적 양을 결정하는 시험은?

가. 피로시험 나. 전단시험
다. 인장시험 라. 크리프시험

[해설] 크리프(creep)시험은 고온에서 시간의 경과에 따라서 외력에 비례한 만큼 이상의 변형이 일어나는 현상을 creep 현상이라고 한다.

7_ 100배로 확대된 다결정 금속재료의 내부조식 사진에서 평방인치당 결정립자의 수가 128개일 때 이 금속 재료의 ASTM 결정입도는?

가. 2 나. 4
다. 6 라. 8

[해설] 결정입도(grain size)는 오테나이트의 결정 입도를 나타내려면 서냉법, 담금질법, 침탄법, 고온산화법 등이 있고 ASTM의 표시법에서는 배율 100을 확대($25mm)^2$했을 때, 즉 $625mm^2$에서 입자의 수 1개를 입도 번호 1로 하고 있다.

ANSWER : 4 나 5 다 6 라 7 라

8_ 다음 중 주철을 접종 처리하는 가장 큰 이유는?

가. 기지조직을 조대화하기 위해서
나. 흑연형상의 개량을 방지하기 위해서
다. 결정의 핵생성을 촉진하고 조직 및 성질을 개선하기 위해서
라. 주철에서 chill화를 촉진하기 위해서

[해설] 접종(inoculation)은 흑연의 핵을 미세화고, 균일하게 분포하도록 하기 위하여 규소나 Ca-Si분말을 첨가하여 흑연의 핵 생성을 촉진시키는 방법이며 접종제에는 C, Si, Ca, Al이 있다.

9_ 원단면적이 20㎡인 시편을 최대하중 3000kg으로 인장하였을 때, 파단직전의 단면적이 18㎡이었다. 이때의 단면 수축율은 약 얼마인가?

가. 10%   나. 11%
다. 12%   라. 13%

[해설] 단면 수축율(%) = 20-18/20×100 = 10%

10_ 주조용 알루미늄 합금과 그에 따른 명칭이 틀린 것은?

가. Al-Cu-Mg-Ni 합금 : 두랄루민   나. Al-Si계 합금 : 실루민
다. Al-Mg계 합금 : 하이드로날륨   라. Al-Si-Cu계 합금 : 라우탈

[해설] Al-Cu-Mg-Ni 합금은 내열용 합금으로 Y합금이라 하며, Al-Cu-Mg-Mn합금은 두랄루민이다.

11_ 다음 열전대 중 가장 높은 온도를 측정할 수 있는 것은?

가. 백금-백금·로듐   나. 철-콘스탄탄
다. 크로멜-알루멜   라. 구리-콘스탄탄

[해설] 백금-백금·로듐(1600℃), 크로멜-알루멜(1200℃), 철-콘스탄탄(900℃), 구리-콘스탄탄(600℃)

ANSWER : 8 다 9 가 10 가 11 가

12_ 다음 중 탄소강에서 상온취성의 원인이 되는 화합물은?

가. FeS

나. Fe_3C

다. Fe_3P

라. MnS

[해설] 상온취성은 P가 많은 강에서 P는 Fe_3P로 결정입자를 조대화시키고 경도 인장강도는 증가시키나 연신율을 감소시키고 특히 상온에서 충격값이 감소되며 냉간가공시 균열이 생긴다.

13_ 다음 그림과 같은 열처리 방법은?

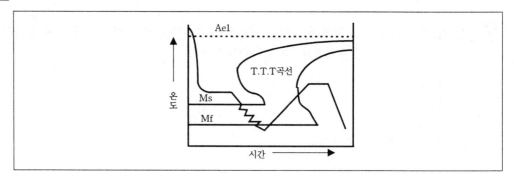

가. Austempering

나. Marquenching

다. Ausforming

라. Martempering

[해설] MS점보다 약간 낮은 온도의 염욕에 담금질하여 강의 내외부가 동일한 온도로 될 때까지 항온 유지(φ25 둥근 막대 약 5분간)한 후 수냉(유냉)한 방법이다.

14_ 다음 중 마텐자이트 변태에 대한 설명으로 틀린 것은?

가. 마텐자이트는 고용체의 단일상이다.

나. 오스테나이트와 마텐자이트 사이에는 일정한 방위관계가 있다.

다. 탄소강 및 질소강의 마텐자이트는 각각 C 및 N을 치환형으로 고용한 FCC 또는 CBT구조를 가지며, 확산 변태한다.

라. 마텐자이트 변태를 하면 표면기복이 생기며, 협동적 원자운동에 의한 변태이다.

[해설] 마르텐자이트의 변태는 부피가 팽창하며 탄소를 과포화하게 고용된 준안정 상태의 체심입방격자구조이며 가장 경하고 탄소량이 많아지면 취약하며 강자성체이며 오스테나이트보다 밀도가 작기 때문에 마르텐 자이트로 변하면서 팽창한다.

💡 ANSWER : 12 다 13 나 14 다

15_ 다음 중 탄소강에 합금원소를 첨가하는 목적으로 가장 관계가 먼 것은?

　가. 합금원소에 의한 기지의 고용강화를 위해서
　나. 내식성 및 내마모성을 향상시키기 위해서
　다. 미려한 표면 광택을 내기 위해서
　라. 고온 및 저온의 기계적 성질을 개선하기 위해서

16_ 순철을 850℃로 가열하였을 때 근접원자간 거리와 원자(Fe)충전율의 변화로 옳은 것은?

　가. 길이는 증가하고, 충전율도 증가한다.
　나. 길이는 증가하고, 충전율은 감소한다.
　다. 길이는 감소하고, 충전율은 증가한다.
　라. 길이는 감소하고, 충전율도 감소한다.

17_ Mg 합금이 구조재료로 사용될 때의 특성이 아닌 것은?

　가. 기계가공이 좋고 아름다운 절삭면이 얻어진다.
　나. 감쇠능이 주철보다 커서 우수한 소음 방지 구조재료로 사용된다.
　다. 고온에서 매우 활성적이고, 분말이나 절삭설은 발화의 위험이 있다.
　라. 소성가공성이 좋아 상온변형이 쉽다.

[해설] 마그네슘의 비중은 1.74이며 고온에서 발화하기 쉽고 염수에 대단히 약하며, 내산성이 나쁘고 내알카리성에 강하며 마그네슘에 아연 20% 첨가하면 융점이 내려간다. 부물로서 비강도는 알루미늄금속보다 우수하다.

18_ 다음 중 니켈 및 니켈 합금에 대한 설명으로 틀린 것은?

　가. 내식성이 나쁘다.
　나. 열간 및 냉간가공이 쉽다.
　다. 가공성이 좋아 선, 관 등을 만든다.
　라. Cu에 10~30% Ni을 함유한 합금을 백동이라 한다.

[해설] 내식성이 좋고 은백색의 금속이며 내산성이 강하고 전연성이 있으며, 아황산가스를 품는 공기 중에 심하게 부식된다.

 ANSWER : 15 다　16 다　17 라　18 가

19_ 온도가 일정한 조건의 3원계 금속 상태도에서 3상으로 공존할 때의 자유도는 얼마인가?

　가. 0 　　　　　　　　　　나. 1
　다. 2 　　　　　　　　　　라. 3

[해설] 자유도(dogree of freetom)은 상율에 있어서 하나의 불균일계의 경위 존재하는 상의 종류와 수를 변화시키지 않고 상호 독점하여 그의 값을 변할 수 있는 변수의 수를 말하며 그 식은 F = n+2-P(F : 자유도, n : 성분수, P : 상의 수)이다.

20_ Fe-C 평형 상태도에는 3가지의 불변반응이 존재한다. 다음 중 존재하지 않는 불변반응은?

　가. 공정반응 　　　　　　　나. 공석반응
　다. 포정반응 　　　　　　　라. 포석반응

[해설] 포석반응 (peritectoid reaction)은 포정반응에서 용융대신에 고용체가 생길 때 반응이다.
즉, 고용체+고상(B) ⇄ 고상(A)

21_ 주철용과 동 및 동합금용 피복아크용접봉의 설명 중 잘못된 것은?

　가. 구리용으로는 탈산 구리 용접봉이 사용된다.
　나. 동합금용으로는 구리합금 용접봉이 사용된다.
　다. 주철용으로 주철 또는 니켈합금을 심선으로 사용한다.
　라. 주철용 용접봉은 습기가 많은 곳에 보관하여도 무방하다.

[해설] 용접봉의 보관은 통풍이 잘되고 건조한 곳에 보관하는 것이 좋다.

22_ 주철용접 시공시의 주의사항 설명 중 잘못된 것은?

　가. 가능한 한 직선 비드를 배치한다.
　나. 가는 직경의 용접봉을 사용한다.
　다. 비드 배치는 길게 한 번에 끝낸다.
　라. 용입을 너무 깊게 하지 않는다.

[해설] 비드 배치는 짧게 해서 여러 번하는 것이 좋다.

ANSWER : 19 나　20 라　21 라　22 다

23_ 용해 아세틸렌 취급 시 주의사항으로 틀린 것은?

가. 용기 저장시에는 반드시 세워두지 말고 눕힐 것
나. 운반시 용기는 40℃ 이하를 유지하고 반드시 캡을 씌울 것
다. 저장 장소는 통풍이 양호할 것
라. 사용 후에는 반드시 0.1kgf/cm²정도의 잔압을 남겨 둘 것

[해설] 용기는 세워서 사용하고 뉘어서 사용하면 아세톤이 유출 될 염려가 있다.

24_ 가스용접에서 전진법과 비교한 후진법의 설명으로 옳은 것은?

가. 열 이용률이 나쁘다. 나. 용접속도가 빠르다.
다. 비드 모양이 보기 좋다. 라. 용접 변형이 크다.

[해설] 후진법은 열 이용률이 좋고 용접속도가 빠르며, 비드 모양이 거칠고 용접 변형이 적다.

25_ 불활성가스 금속 아크용접에서 와이어 송급기구 중 작은 지름의 연한 와이어에 가장 적합한 것은?

가. 푸시식 나. 풀식
다. 푸시 풀식 라. 더불 푸시식

[해설] 와이어 송급방식에는 푸시식(puch type), 풀식(pull type), 푸시풀식(push pull type)이 있다.

26_ 탄산가스 아크용접의 장점으로 틀린 것은?

가. 솔리드 와이어를 이용한 용접법에서는 용제를 사용할 필요가 없다.
나. 용접봉 갈아 끼는 시간이 없어 용접작업 시간을 길게 할 수 있다.
다. 가시 아크이므로 시공이 편리하다.
라. 일반적으로 바람의 영향을 크게 받지 않는다.

[해설] 일반적으로 바람의 영향을 크게 받으므로 풍속 2m/sec 이상이면 방풍막을 설치하고 용접해야 한다.

ANSWER : 23 가 24 나 25 나 26 라

27_ 탄산가스 아크용접 용극식에서 일반적으로 사용되는 보호 가스가 아닌 것은?

    가. $CO_2 + O_2$ 나. $CO_2 + Ar$

    다. $CO_2 + N_2$ 라. $CO_2 + Ar + O_2$

[해설] 용극식에서 사용되는 보호 가스는 순CO_2, 혼합가스 법(CO_2-O_2, CO_2-CO, $CO_2 + Ar + O_2$), CO_2 용제법 등이 있다.

28_ 다음 중 다층 쌓기에 이용되는 용착법이 아닌 것은?

    가. 빌드업법   나. 케스케이드법

    다. 스킵법   라. 전진 블록법

[해설] 다층용접에는 빌드업법, 케스케이드법, 전진 블록법이 있으며, 스킵법은 용착방법이다.

29_ KS D 7004에서 규정된 연강용 피복아크 용접봉 E 4316에서 16이 타나내는 뜻은?

    가. 용접봉의 최저 인장강도   나. 용접봉의 심선의 종류

    다. 용접봉의 피복제의 계통   라. 용접봉의 호칭 지름

[해설] 피복 아크용접봉 기호에서 E(전기 용접봉이라는 뜻), 43(최저 인장강도), 16(피복제계통)이다.

30_ 양호한 가스절단을 얻기 위한 조건 설명으로 틀린 것은?

    가. 드래그가 가능한 한 작을 것

    나. 슬랙의 이탈이 양호할 것

    다. 절단면 표면의 각이 예리할 것

    라. 드래그 홈이 높고 노치 등이 있을 것

[해설] 절단면이 평활하며 드래그의 홈이 작고 노치 등이 없고, 경제적인 절단이 이루어져야 한다.

ANSWER : 27 다 28 다 29 다 30 라

31_ 서브머지드 아크 용접장치에서 전극현상에 따른 종류가 아닌 것은?

가. 와이어 전극 　　　　　　　　나. 테이프 전극

다. 대상 전극 　　　　　　　　　라. 대차 전극

[해설] 서브머지드 아크용접장치에서 전극 형상에 의한 분류(와이어 전극, 테이프 전극, 대상 전극), 전극의 수에 의한 분류(다전극, 단전극), 주행 장치에 의한 분류(대차주행방식, 측면보 주행방식, 보방식, 머니퓰레이터 방식) 등이 있다.

32_ 용접 구조물의 용접순서는 수축변형에 크게 영향을 끼칠 뿐 아니라 잔류응력 및 수축응력에도 영향을 미친다. 용접 순서의 일반적인 원칙이 아닌 것은?

가. 수축량이 큰 것은 먼저 용접하고, 수축량이 적은 것은 나중에 용접한다.

나. 좌·우는 될 수 있는 대로 동시에 대칭이 되도록 용접한다.

다. 수축은 자유롭게 일어날 수 있도록 고려한다.

라. 긴 용접부는 끝단에는 중앙부로 동시에 용접한다.

[해설] 긴 용접부는 중앙에서 밖으로 향하도록 동시에 용접하는 것이 좋다.

33_ 다음 그림과 같은 수평자세 V형 홈 이음 용접에 있어서 언더컷은 어느 부분을 말하는가?

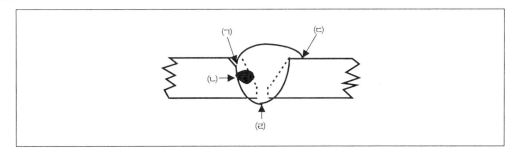

가. (ㄱ) 　　　　　　　　　　나. (ㄴ)

다. (ㄷ) 　　　　　　　　　　라. (ㄹ)

[해설] 언더컷(under cut)은 용접전류가 높을 때 용접속도가 빠를 때, 운봉각도가 부적당할 때 발생한다.

ANSWER : 31 라　32 라　33 가

34_ 가동철심 형 아크 용접기의 특성 설명으로 틀린 것은?

가. 광범위한 전류 조정이 어렵다.

나. 미세한 전류 조정이 어렵다.

다. 누설자속의 가감으로 전류를 조정한다.

라. 중간 이상 가동철심을 빼내면 누석자속의 영향으로 아크가 불안정하게 되기 쉽다.

[해설] 가동철심 형(moving core arc welder)은 누설자속을 가감하여 전류조정, 현재에 가장 많이 사용, 미세전류조정이 가능하며 광범위한 전류조정은 어렵고, 변압기원리를 이용한 용접기이다.

35_ 측면 필릿용접시 각 장을 h로 나타낼 때 이론적인 목두께 ht를 구하는 식으로 옳은 것은?

가. ht = h cos 45°

나. ht = h cos 30°

다. ht = h cos 60°

라. ht = h cos 90°

[해설] 이론 목 두께(theoretical throat thickness) : 필릿용접의 가로 단면에 내접하는 2등변 삼각형의 루트(두 변의 교점)부터 빗변까지의 수직거리를 말한다.

36_ 피복아크 용접봉에 사용되는 피복제 성분 중 아크 안정의 기능을 가지는 것은?

가. 페로크롬

나. 페로망간

다. 산화니켈

라. 큐산칼륨

[해설] 아크안제로는 산화티탄, 규산나트륨, 석회석, 규산칼륨 등이 주로 사용되며, 아크열에 의하여 이온화 되어 아크전압을 강화시키고 이에 의하여 아크를 안정시킨다.

37_ 아크 쏠림방지 대책이다. 다음 설명 중 틀린 것은?

가. 직류용접으로 할 것

나. 접지점은 용접부에서 멀리할 것

다. 짧은 아크를 사용 할 것

라. 용접부가 길 경우 후퇴 용접법을 사용할 것

[해설] 아크쏠림(magnetic blow)은 용접봉에 아크가 한 쪽으로 쏠리는 현상을 말하며, 방지대책으로는 교류용접을 할 것, 보조판을 사용할 것, 접지점을 2개를 사용할 것

ANSWER : 34 나 35 가 36 라 37 가

38_ 피복제 및 심선 중에 첨가하는 탈산제에 해당하지 않는 것은?

가. P　　　　　　　　　　　나. Mn

다. Si　　　　　　　　　　　라. Al

[해설] 탈산제는 규소철, 망간철, 티탄철, 철합금 또는 금속망간, 알루미늄 등이 사용되며 용융금속 중에 침투한 산화
물을 제거하는 탈산정련작용을 한다.

39_ 다음 용접법 중에서 저항 용접에 해당되는 것은?

가. 테르밋 용접　　　　　　　나. 원자수소 용접

다. 전자 빔 용접　　　　　　　라. 플래시 용접

[해설] 저항 용접방법에는 맞대기저항용접(플래시, 업셋, 퍼카션 용접) 겹치기 저항용접(점, 돌기, 심)이 있다.

40_ 티그 용접기 토치부품에서 가스 노즐의 재질은 일반적으로 다음 중 어느 것이 가장 적합한가?

가. 세라믹　　　　　　　　　나. 연강

다. 텅스텐　　　　　　　　　라. 고합금강

[해설] 가스 노즐(gas nozzle)은 세라믹 노즐 또는 가스 캡이라고 부르고, 재질은 세라믹(ceramic) 용접물의 재질, 용
접전류, 이음형태 사용가스 등에 따라 적당한 노즐을 선택하여야 한다.

41_ 다음 중 구상흑연 주철에 대한 설명으로 옳은 것은?

가. 인장강도는 20kg f/mm2 이하이다

나. 주조 상태에서는 흑연이 구상으로 정출한다.

다. 피로한도는 회주철에 비해 1.5~2.0배 낮다.

라. 구상흑연주철의 기지 조직은 페라이트만이 존재한다.

[해설] 구상흑연주철(Ce0.02%, Mg0.04%)시켜 균열 fqkftod을 어렵게 하고 강도 및 연성을 크게 한 주철을 말한다.
인장강도 10-15kg/㎟의 소재를 흑연구상화 처리하면 40-70kg/㎟, 연율 5-20% 정도를 주방에서 얻을 수 있
다.

ANSWER : 38 가　39 라　40 가　41 나

42_자경강(Self hardening steel)이란 무엇인가?다

가. 담금질에 의해서 경화되는 강
나. 극히 서냉 해도 경화되는 강
다. 공랭으로도 경화되는 강
라. 뜨임까지 해야 경화되는 강

[해설] 자경강은 강을 변태점 이상의 온도에서 공기 중에 방치, 냉각시켜도 담금질이 되어 경화가 가능한 강 이런 강은 Ni, Cr, Mo, Mn을 함유하는 합금강으로 다이스강이나 고속도강이 그대표적인 것이다.

43_구리의 절삭성 및 도전율을 개선시키는 원소로 가장 적합한 것은?가

가. Te   나. H
다. Ag   라. Zn

[해설] 전기전도율을 감소하는 원소는 Ti, P, Fe, Si, As 등이 있다.

44_다음 중 Muntz metal에 대한 설명으로 옳은 것은?나

가. 구리에 20%의 Zn이 첨가된다.
나. $\alpha + \beta$ 의 조직이다.
다. 상온에서 전연성이 아주 높으며, 강도는 낮다.
라. 내식성이 크므로 탈아연 부식을 일으키지 않는다.

[해설] 문쯔메탈 상온에서 전연성은 낮으나 강도는 크며 고온 가공하여 판, 봉, 기계부품, 복사기용품, 열간 단조품, 보울트, 너트 대포탄피용으로 쓰이며 내식성이 적고 탈 아연 부식을 일으키기 쉽고, 납땜, 상온가공이 어렵다.

45_다음 구리 중 진공 용해하여 0.001~0.002%의 O2함량을 가지며 유리 봉착성이 좋아 진공 관용 재료 및 전자기기 등에 이용되는 재료는?가

가. 무산소동   나. 탈산동
다. 전기동   라. 정련동

[해설] 무산소동은 산소나 P, Zn, Si, K등의 탈산제를 품지 않는 것으로 전기동을 진공 중 또는 무산화 분위기에서 정련 주조한 것으로 정련동과 탈산동의 장점을 갖추고 전기전도도가 좋고 가공성우수, 전자기용에 사용한다.

ANSWER : 42 다 43 가 44 나 45 가

46_Lead Frame 재료로서 요구되는 성질에 대한 설명으로 틀린 것은?

　　가. 리드부의 변형을 반복해도 절손하지 않을 것
　　나. 열방출성이 높은 재료(device의 고출력 화)
　　다. 펀칭 및 굽힘 가공성이 양호할 것
　　라. Si와의 열팽창차가 클 것

47_마찰계수가 적고 고온 고압에 견디며 주석을 주성분으로 하는 베어링용 합금의 Sn-Sb-Cu계 화이트 메탈은?

　　가. 켈밋　　　　　　　　　　　나. 인청동
　　다. 베빗메탈　　　　　　　　　라. 알루미늄 청동

　[해설] 배빗메탈은 그 성분비율은 여러 가지 있으나 주석 바탕에는 4-6%구리와 6-10%의 Sb이며, Pb바탕에는 0-20% Sn과 10-20%의 Sb와 1% 이하 Cu의 것 혹은 그것들의 중간합금이다. 일반적으로 이것들의 백색합금은 마찰계수가 적고, 점성이나 강도가 좋아 충격하중에 잘 견딘다.

48_표면 경화 열처리에 대한 설명으로 틀린 것은?

　　가. 고체침탄의 경우 침탄촉진제로 탄산바륨($BaCO_3$)이나 탄산나트륨(Na_2CO_3)등을 사용한다.
　　나. 액체침탄의 경우 침탄촉진제로 탄산칼륨(K_2CO_3)이나 염화칼륨(KCL)등을 사용한다.
　　다. 화염경화법은 강재의 표면을 강력한 가열력을 가진 산소-아세틸렌 불꽃을 사용하여 급속하게 가열한 후 냉각수로 급랭시켜 표면만을 경화시키는 방법이다.
　　라. 액체침탄법은 산화방지에는 효과적이나 온도조절은 용이하지 못하다.

　[해설] 액체 침탄법은 가열균일, 제품의 변형방지, 온도조절이 용이하고 산화방지로 가공시간이 절약되나 침탄제 값이 비싸고 침탄층이 얇고 발생가스가 유해하다.

ANSWER : 46 라　47 다　48 라

49_황동 가공재를 상온에서 방치하거나 저온풀림으로 얻은 스프링강재는 사용 중 시간의 경과에 따라 경도 등 제 성질이 악화되는 현상은?

가. 가공변화
나. 경년변화
다. 소성변화
라. 자성변화

[해설] 경년변화(secular change)의 원인은 가공에 의한 불균일 변형이 균일화하는데 기인하며 이변형의 불균일성은 가공도가 낮을수록 심하고 경년변화도 심하다.

50_다음 중 분말 야금법에 대한 설명으로 틀린 것은?

가. 생산성, 실수율이 높아 양산품의 제조에 적합다.
나. 최종제품의 형상으로 제조할 수 있어 절삭가공을 생략 할 수 있다.
다. 용해법으로 생기는 편석, 결정립 조대화의 문제점이 적다.
라. 제품의 정밀도가 좋지 않으며, 용융점까지의 고온이 필요하다.

[해설] 분말야금은 금속분말을 가압 성형하여 굳히고 가열하여 소결함으로서 목적하는 형태의 금속 제품을 얻는 방법이다.

51_표점거리 50mm, 직경 5mm인 봉재 시편을 인장시험 결과 최대하중 3000kgf에서 절단 되었고, 절단 후 표점거리가 55mm였을 때 인장강도(kgf/mm^2)는?

가. 140.8
나. 152.8
다. 210.1
라. 222.3

[해설] 하중/원단면적 = 3000/3.14X2.5X2.5 = 152.8kgf/mm2

52_Fe-C 평형상태도에서 나타나는 변태 중 자기변태점은?

가. A1변태
나. Acm변태
다. A$_2$변태
라. A3변태

[해설] 자기변태점은 A2(768℃)이고 큐리 포인트라고도 한다.

ANSWER : 49 나 50 라 51 나 52 다

53_「그림」과 같이 공석조성의 강을 오스테나이트 영역까지 가열한 다음, 공석온도 바로 밑의 온도까지(b점) 서냉하였을 때, 관찰되는 조직은 펄라이트이다. 이 때 펄라이트를 구성하는 페라이트와 시멘타이트의 중량 비는 약 얼마인가? (단, α –Fe의 탄소 고용도는 0.02%이다.)

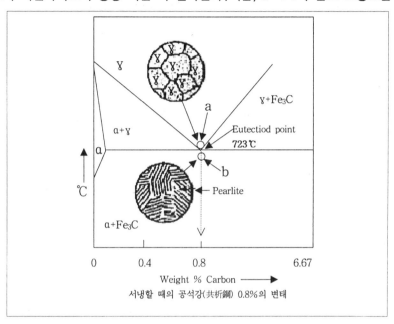

서냉할 때의 공석강(共析鋼) 0.8%의 변태

가. 페라이트 – 12%, 시멘타이트 – 88%

나. 페라이트 – 88%, 시멘타이트 – 12%

다. 페라이트 – 48%, 시멘타이트 – 52%

라. 페라이트 – 52%, 시멘타이트 – 48%

[해설] 6.67-0.8/6.67-0.02x100 = 88%(ferrite 량), 100-88 = 12%(cementite량)

54_구상흑연 주철 제조의 구상화 첨가원소로 옳은 것은?

가. Mg, Cu 나. Al, Cr

다. Cu, Mo 라. Ce, Mg

[해설] 구상화제에는 Ce, Mg, Fe-Si, Ca-Si, Ni-Mg, Mg-Si-Fe

ANSWER : 53 나 54 라

55_다음 중 압연 등과 같은 가공에 의해서만이 그 성질을 강화 개선시킬 수 있는 비 열처리형 합금계로 옳은 것은?

가. 2000 Al합금 　　　　　　　　　　나. 5000 Al합금

다. 6000 Al합금 　　　　　　　　　　라. 7000 Al합금

[해설] 비 열처리형 알루미늄 합금(1000, 3000, 4000, 5000계), 열처리 형 알루미늄합금(2000, 6000, 7000계)

56_다이캐스팅용 아연합금에 첨가되는 Mg 원소에 대한 설명으로 옳은 것은?

가. Mg의 최대 고용도는 5% 이하이다.

나. 입계부식을 억제하는 작용을 한다.

다. β --> α +β '의 변태 속도를 촉진 시킨다.

라. Mg 함량이 증가하면 용탕의 유동성을 좋게 한다.

[해설] 다이케스팅 용 알루미늄 합금의 요구조건은 유동성이 좋을 것, 열간 취성이 적을 것, 응고수축에 대한 용탕 보급성이 좋을 것, 금형에 점착하지 않을 것

57_표면경화 방법 중에서 세라다이징(sheradizing) 처리시 확산 침투시키는 금속은?

가. B 　　　　　　　　　　　　　　　나. Al

다. Cr 　　　　　　　　　　　　　　　라. Zn

[해설] 금속침투법은 피복하고자하는 재료를 가열하여 그 표면에 다른 종류의 피복 금속을 부착시키는 동시에 확산에 의해서 합금 피복층을 얻는 방법으로 Cr(크로마이징 : 내식성), Al(켈러라이이징: 고온산화방지, 내열성) B(브로나이징: 내식성), Zn(세라다이징: 내식성), Si(실리코나이징: 내식성, 내열성)

58_탄소강에 합금원소 첨가에 따른 영향으로 결정립을 조대화 시키는 원소로 알맞게 짝지어진 것은?

가. Mn, P 　　　　　　　　　　　　나. Si, P

다. Mn, S 　　　　　　　　　　　　라. Mn, Si

[해설] 탄소강의 5대 성분은 C, Mn, Si, P, S이라고 하며 결정립의 조대화 시키는 원소 규소와 인이다.

ANSWER : 55 나　56 나　57 라　58 나

59_ 비중이 6.5, 융점이 1852℃이며, 특히 농황산, 강 알카리, 염산 등에 강하여, 화학 장치용이나 원자로용 내식재료로 사용하는 금속은?

가. Ge

나. Th

다. V

라. Zr

[해설] 지르코늄은 원자량 91.22, 비중 6.52 녹는점1850℃로 티타늄과 유사한 금속이며 특성은 우수한 것은 중성자 흡수 단면이 적은 것, 내식성이 우수한 것, 가스 흡수력이 큰 것 등이다.

60_ W계 고속도공구강(high speed tool steel)에서 W의 영향으로 적합하지 않은 것은?

가. 내열성을 향상시킨다.

나. 내마모성을 향상시킨다.

다. W6C의 탄화물을 형성한다.

라. 고온에서는 결정립을 조대화시킨다.

[해설] 고속도강에서 가장 중요한 원소이며 W량이 많으면 복 탄화물 양과 내마모성이 증가하고 인성은 감소되며 절삭 능력은 W량이 많을수록 향상되나 12% 이상은 큰 변동 없고 23% 이상에서 저하 한다. 탄화물 입자가 조대하고 절삭 내구성의 영향을 주는 것은 탄소이다.

61_ 아크용접시 아크의 길이에 대한 설명으로 올바른 것은?

가. 아크의 길이는 심선의 직경 2배 이상이 좋다.

나. 아크의 길이가 너무 짧으면 용융금속에 산화나 질화 현상이 일어난다.

다. 아크 길이가 너무 짧으면 스패터링이 심하게 된다.

라. 아크 길이가 너무 짧으면 아크가 불연속이 되기 쉽고 발생되는 열량이 작게 되어 용입이 불량하게 된다.

[해설] 아크길이(arc length)는 용접봉 지름과 거의 같게 하는 것이 좋고 아크길이가 길면 스패터 발생이 많고, 산화 질화, 기공발생, 아크 흔들림, 비드가 거칠고, 전류감소 된다.

62_ 가스용접에서 불변압식(A형) 팁 번호 1번 사용시 용접 가능 한 판 두께로 가장 적합한 것은?

가. 1mm

나. 4mm

다. 10mm

라. 15mm

[해설] 독일식(A형), 불변압식이라 하며 니들밸브가 없고 팁의 번호는 용접이 가능한 모재의 두께를 표시 한다.

ANSWER : 59 라 60 라 61 라 62 가

63_직류 아크용접에서 정극성의 설명 중 틀린 것은?

가. 용접봉의 용융속도가 느리다.
나. 용접봉을 음극에 접속한다.
다. 모재의 용입이 깊다.
라. 얇은 판 용접에 적합하다.

[해설] 직류 정극성(direct current straight polarity)은 전원연결은 모재(+), 용접봉(-)하고, 용입은 깊고 비드 폭은 좁고, 용접속도 느리고, 용접봉의 녹음이 느리며, 주로 후판 용접할 때 많이 이용된다.

64_화학 반응에 의한 발열을 이용하여 시행하는 용접법은?

가. 플라즈마 용접
나. 테르밋 용접
다. 프로젝션 용접
라. 서브머지드 용접

[해설] 테르밋(thermit welding) 미세한 알루미늄 분말과 산화철의 혼합물을 도가니에 넣고 첨가제인 과산화 바류, 마그네슘 등의 혼합물을 넣어 성냥 등으로 점화하면 강력한 발열 반응을 일으켜 약 2800℃정도의 화학 반응열이 발생한다. 이때 이열을 가지고 접합하는 용접법이다.

65_다음 중 토치 대신 가늘고 긴 강관을 사용하여 절단 산소를 보내서 절단하는 것은?

가. 분말 절단
나. 산소창 절단
다. 수중 절단
라. 프로판 가스절단

[해설] 산소창 절단(oxygen lance cutting)은 산소 호스에 연결된 밸브가 있는 구리 관에 안지름 3.2-6mm, 길이 1.5-3m 정도의 강관을 이용하여 절단하는 방법이며, 주로 용광로 평로의 탭, 구멍의 천공, 두꺼운 판의 절단, 슬래그덩어리 시멘트 및 암석의 천공 등에 이용되고 있다.

66_용접부에 생긴 잔류응력을 제거하려 할 때 가장 적합한 열처리법인 것은?

가. 불림
나. 담금질
다. 풀림
라. 뜨임

[해설] 잔류응력 제거방법에는 기계적응력완화법, 저온응력완화법, 피닝법, 응력제거 플림(국부풀림, 노내 풀림) 등이 있다.

ANSWER : 63 라 64 나 65 나 66 다

67_용접부를 피닝 하는 주목적으로 가장 적합한 것은?

가. 모재의 재질을 검사한다.

나. 미세한 먼지 등을 털어 낸다.

다. 응력을 강하게 하고 변형을 크게 한다.

라. 용접부의 잔류응력을 완화하고 변형을 방지한다.

[해설] 피닝(peening)은 특수한 구면상의 선단을 갖는 해머로서 용접부를 연속적으로 타격 줌으로서 표면의 소성변형을 생기게 하는 것으로 용접에서 잔류응력제거 뿐만 아니라 변형, 균열 방지를 하기도 한다.

68_용접부의 균열이 발생하는 것과 가장 관계가 적은 것은?

가. 용접봉의 탄소와 유황의 함량

나. 용착부의 급랭

다. 잘못된 용접시공

라. 비드의 두께

[해설] 균열 발생 원인으로는 수소에 의한 균열, 외적인 힘에 의한 균열, 내적인 힘에 의한 균열, 변태에 의한 균열, 용착 금속의 화학성분에 의한 균열, 노치에 의한 균열 등이 있다.

69_아크 용접부에 생기는 서리 기둥 모양의 결함으로 대단히 취성이 많은 파면의 일종이며 현미경으로 보면 작은 기공과 비금속 개재물이 있는 것은?

가. 선상 조직

나. 마이크로 피셔

다. 루트균열

라. 은점

[해설] 선상조직(ice flow like structure)은 용접부를 파단시켰을 때 파면에 나타나는 가늘고 긴 방향성을 가진 조직으로, 이 조직은 대단히 미세한 주상정의 형태에 기인하는 것이며, 방지대책은 잘 건조시킨 저수소계용접봉을 사용하면 방지할 수 있다.

70_방사선검사에서 발견할 수 없는 용접 결함은?

가. 슬래그 섞임

나. 용입부족

다. 균열

라. 라미네이션

[해설] 라미네이션(lamination)은 초음파 탐상검사 수직 탐촉자를 이용하는 것이 결함검출 능력이 우수하다.

ANSWER : 67 라 68 라 69 가 70 라

71_ 용접결함을 분류한 것이다. 치수상 결함에서 편내 변형에 속하는 것은?

가. 회전변형

나. 세로굽힘 변형

다. 좌굴변형

라. 각변형(가로굽힘 변형)

[해설] 면내변형에는 종수축, 횡수축, 회전변형이 있고 면외 변형에는 종 굴곡, 횡 굴곡, 좌굴변형이 있다.

72_ 피복아크용접에서 피복제에 습기가 있는 저수소계의 용접봉을 사용했을 때 용접부에 발생하는 가장 중요한 결함은?

가. 유해한 가스가 발생

나. 균열 및 기공의 발생

다. 과대한 용접 변형의 발생

라. 언더컷의 발생

[해설] 저수소계 용접봉(E4316) 다른 용접봉에 비해 수소의 함량이 1/10정도이며, 무기물형용접봉으로 흡습성이 매우 크며 용접봉관리를 철저히 하여 기공이 발생하지 않도록 한다.

73_ 모재의 한쪽 또는 양쪽에 여러 개의 돌기를 만들어 이 부분에 용접전류를 집중시켜 용접하는 방식의 용접법은?

가. 롤러 점용접

나. 포일 심용접

다. 프로젝션 용접

라. 업셋용접

[해설] 돌기용접(projection welding) 용접재의 한쪽 또는 양쪽에 돌기를 만들어 이 부분에 용접 전류를 집중시켜 압접하는 방법이다.

74_ 가스용접용 아세틸렌 가스의 성질에 대한 설명으로 틀린 것은?

가. 순수한 아세틸렌 가스는 무색 무취의 기체이다.

나. 비중은 약 1.9 정도로 공기보다 무겁다.

다. 아세톤에 25배 용해된다.

라. 산소와 적당히 혼합하여 연소시키면 약 3000℃ 열을 발생한다.

[해설] 비중은 0.91로 공기보다 가벼우며 15℃ 1기압에서의 아세틸렌 1리터의 무게는 1.176g이다

ANSWER : 71 가 72 나 73 다 74 나

75_다음 용접 비드 배치법 중에서 아주 얇은 박판이나 용접후의 비틀림을 방지하는데 가장 적합한 것은?

가. 덧살 올림법
나. 케스케이드법
다. 스킵법
라. 전진 블록법

[해설] 덧살 올림법, 케스케이드법, 전진 블록법은 다층용접방법이고 스킵법은 박판 용접시 용착법으로 변형방지 및 잔류응력을 최소화 할 수 있는 용착법이다.

76_아크 전압 30V, 아크 전류 200A, 용접속도 10cm/min으로 피복아크 용접을 할 경우 발생하는 전기적 에너지는?

가. 3600J/cm
나. 36000J/cm
다. 6000J/cm
라. 60000J/cm

[해설] 용접 입열(weld heat input)은 외부에서 용접부에 주어지는 열량으로 모재에 흡수는 75-85%이며 용접 입열공식 은 다음과 같다. H = 60EI/V = [J/cm] = 60X30X200/10 = 36000[J/cm]

77_용접기의 무부하 전압 100V, 아크전압이 40V, 아크전류가 300A, 이고 내부손실이 5kW이면 용접기의 효율과 역율은?

가. 효율 70.6%, 역율 56.7%
나. 효율 56.7%, 역율 70.6%
다. 효율 53%, 역율 58.5%
라. 효율 58.5%, 역율 53%

[해설] 역률(power factor) = 소비전력(kw)/전원입력(kvA)x100, 효율(efficiency) = 출력(kw)/입력(kw)x100이며, 아크출력 = 40vx300A = 12kVA, 전원입력 = 100vx300A = 30kVA.
효율은 12/12+5.0x100% = 70.6% 역률은 12+5.0/30x100% = 56.7%
일반적으로 역률이 높으면 효율이 좋은 것으로 생각되나 역률이 낮을수록 좋은 용접기이며 역률이 높은 것은 효율이 나쁜 용접기이다.

78_땜납재의 은납의 주성분은?

가. 금, 은, 아연
나. 은, 동, 아연
다. 동, 은, 크롬
라. 아연, 주석, 납

[해설] 은납(silver solder)의 주성분은 은과 구리를 주성분으로 하고 이외에 아연, 카드뮴, 주석 니켈, 망간 등을 첨가한 것이다.

ANSWER : 75 다 76 나 77 가 78 나

79_ 불활성가스 텅스텐 아크용접(TIG)에서 청정작용 설명으로 다음 중 가장 적합한 것은?라

가. 텅스텐 전극에 의한 질화작용에 의하여 모재 표면의 산화막을 제거하는 작용

나. 정극성에서는 전자가 모재에 빠르게 충돌하기 때문에 모재에 열을 발생시키는 작용

다. 헬륨가스를 사용하는 정극성에서는 아크가 그 주변의 모재표면에 산화막을 제거하는 작용

라. 아르곤가스를 사용하는 역극성에서는 아크가 모재표면의 산화막을 제거하는 작용

[해설] 청정작용(cleaning action)이란 알루미늄이나 마그네슘의 경합금을 불활성가스 아크 용접법에 의한 직류 역극성으로 용접할 때 일어나는 현상으로 아르곤 가스 이온이 알루미늄 표면과 충돌 되면서 산화 피막을 벗겨내는 작용을 말한다.

80_ 탄산가스 아크용접에서 뒷 댐 재료의 종류가 아닌 것은?라

가. 세라믹 뒷 댐재   나. 글라스 테이프

다. 구리 뒷 댐재   라. 석면 뒷 댐재

[해설] 뒷 댐 재(backing)는 구리, 글라스테이프, 세라믹제품 등이 사용되고 있으나 일반적으로 탄산가스 아크 용접용 뒷 댐재료는 세라믹(ceramic) 제품이 많이 사용되고 있다.

81_ 열처리 효과에 의하여 재료의 내. 외부가 다르게 경화되는 현상을 무엇이라 하는가?

가. 연화풀림   나. 소성변형

다. 질량효과   라. 가공경화

[해설] 질량효과는 재료를 담금질할 때 질량이 작은 재료는 내외부의 온도차가 없으나 질량이 큰 재료는 열의 전도에 시간이 소요되는 내외부의 온도차가 생겨 외부는 경화되어도 내부는 경화 되지 않는 현상을 말한다.

82_ 강의 잔류응력이 가장 심하게 발생되지만 강의 경화가 주목적인 열처리는?

가. Quenching   나. Annealing

다. Normalizing   라. Tempering

[해설] 담금질의 목적은 경도 증대이며 이때 조직은 martensite이다.

ANSWER : 79 라 80 라 81 다 82 가

83_ 강의 변태에서 C.C.T 곡선이란?

가. TTT 곡선과 동일하다.

나. 연속냉각변태 곡선이다.

다. CAC 곡선과 같은 곡선이다.

라. 마르텐자이트 생성에만 관계되는 곡선이다.

[해설] 연속냉각을 한 오스테나이트의 변화의 조직을 나타낸 것

84_ 두랄루민(duralumin)의 기본 합금계는?

가. Pb-Mn-Si계

나. Al-Cu-Mg계

다. Al-Zn-Ni계

라. Ca-Si-Cu계

[해설] 두랄루민(Al+Cu(4%)+Mg(0.5%)+Mn(0.5%)이며 시효 경화 처리한 대표적인 합금이다.

85_ 다음 중 금속초미립자의 특성을 설명한 것으로 틀린 것은?

가. 표면적이 커서 촉매로 이용된다.

나. Cr계 합금 초미립자는 빛을 잘 흡수한다.

다. Fe계 합급 초미립자는 금속덩어리보다 자성이 강하므로 자성재료로 이용된다.

라. 저온에서 열 저항이 매우 작아서 열의 부도체이다.

[해설] 초미립자(ultra fine particles)는 금속, 세라믹스, 플라스틱 등의 지름 100만분의 1mm에서 1만분1mm정도의 아주 미세한 입자, 수개 또는 수천 개의 원자로 이루어지는 초미립자는 원자와 어느 정도의 크기를 가진 물체와의 중간적인 존재로 입자 모양 재료를 말한다.

86_ 순철에는 없고 탄소강 (Carbon steel)에 존재하는 변태는?

가. A1

나. A2

다. A3

라. A4

[해설] 순철의 변태점 A2(768℃), A3(910℃), A4(1410℃)

ANSWER : 83 나 84 나 85 라 86 가

87_다음 중 형상기억합금의 조성 성분으로 옳은 것은?

가. Mn-B   나. Co-W
다. Cr-Co   라. Ti-Ni

[해설] 특정 모양의 것을 인장 하거나 소성변형된 것이 가열에 의하여 원래의 모양으로 돌아가는 현상을 이용한 합금이다.

88_하아드필강이라고 하며, 조직은 오스테나이트이고, 가공경화성이 우수한 특수강은?

가. Ni-Cr   나. 고 Mn 강
다. Cr 강   라. Cr-Mo 강

[해설] 고 망간강 Mn을 10~14%함유하며 조직은 austenite이고 인성이 높아 내마모성이 우수하며, 고온취성이 생기므로 100~1100℃에서 수인법으로 담금질하며 용도는 분쇄기 롤러에 쓰인다.

89_오스테나이트 상태로부터 Ms 이상인 250~450℃의 염욕으로 담금질 하여 과냉 오트테나이트가 염욕 중에서 항온변태가 종료 할 때까지 항온을 유지하여 Bainite 조직을 얻기 위한 열처리법은?

가. Marquenching   나. Martempering
다. Austempering   라. Ausforming

[해설] 오스템프링은 베나이트 조직을 얻고 담금질성이 풍부하여 담금질 균열 및 변형이 적고 살이 얇고 적은 것이 적당하며, 열욕에 담금질한 상태로도 일반의 담금질과 뜨임한 것과 동일한 결과를 얻는다.

90_다음 중 접종(Inoculation)처리에 대한 설명으로 틀린 것은?

가. Chill 화를 방지한다.
나. 흑연의 형상을 개량한다.
다. 결정의 핵성성을 저하시킨다.
라. 기계적 성질을 향상시킨다.

[해설] 흑연의 핵을 미세하고, 균일하게 분포하도록 하기위하여 Si나 Ca-Si분말을 첨가하여 흑연의 핵생성을 촉진하는 방법이다. 접종제 C, Si, Ca, Al,(Ba, Zr, Mn, Ti,희토류)있다.

ANSWER : 87 라 88 나 89 다 90 다

91_다음 중 Ti에 대한 설명으로 틀린 것은?

가. 불순물에 의한 영향이 크다.
나. 300℃ 근방의 온도구역에서 경도저하가 현저하다.
다. 면심입방격자이며, 내력/인장강도의 비가 2에 가깝다.
라. 연신재에서는 섬유조직에 따른 이방성을 나타낸다.

[해설] 티탄은 비중3.6 최소인장강도 56kg/㎟, 연신율20%, 항복점49kg/㎟, 녹는점 1820℃이다. 격자구조는 조밀육방 격자 구조이다.

92_황동의 조직에 대한 설명으로 틀린 것은?

가. $\alpha + \beta$ 상은 Zn이 38% 이상이 될 때 형성된다.
나. α 상은 Cu에 Zn을 고용한 상이며, 면심입방격자이다.
다. γ 상은 Cu2Zn3의 조성을 갖는 중간상으로 고 아연합금에서는 실용성이 없다.
라. β 상은 700~800℃에서 β (불규칙격자) $\rightleftarrows \beta$ '(규칙격자)의 비연속적 변화를 일으키며 조밀입방격자를 갖는다.

[해설] 동소체로 α , β , γ ,의 고용체를 갖으며 실용에는 α 고용체와 $\alpha + \beta$ 의 2개의 상이 이용되며, Zn32.5%의 합금을 900℃에서 소입하면 α 상이 되지만 900℃에서 염빙수중에 소입하면 확산을 수반하지 않는 변태를 하여 martensite가 된다.

93_탄소강에 존재하는 원소 중 Si가 기계적 성질에 미치는 영향으로 틀린 것은?

가. 연신율을 증가시킨다.
나. 탄성한계를 증가시킨다.
다. 충격치를 저하시킨다.
라. 입자의 크기를 증대시킨다.

[해설] 0.2-0.6% 함유하며 유동성, 주조성양호, 단접성, 냉간 가공성을 해치고 충격 저항과 연신율 감소된다. 탄성한도, 경도, 강도, 결정립의 크기를 증가, 소성감소, 용접성, 결합성감소 한다.

94_다음 중 점 결함이 아닌 것은?

가. 전위
나. 원자공공
다. 격자간 원자
라. 치환형 원자

[해설] 격자 결함에서 점 결함의 종류 원자공공, 격자간의 원자, 치환형 원자가 있다.

ANSWER : 91 다 92 라 93 가 94 가

95_ 0.5%의 탄소를 포함하는 아공석강을 오스테나이트 영역으로 가열한 다음 상온까지 서냉하였을 때, 관찰되지 않는 조직은 무엇인가?

가. 마텐자이트　　　　　　　　　　나. 초석 페라이트

다. 공석 페라이트　　　　　　　　　라. 시멘타이트

해설 아공석강은 0.025-085%C 이하의 강으로 실온에서 초석 Ferrite와 pearlite로 되어 있으며, martensite 조직은 담금질 조직이다.

96_ 분산강화와 석출경화에 대한 설명으로 틀린 것은?

가. 분산강화는 미세하게 분산된 불용성 제 2상에 의해 재료를 강화시키는 방법으로 고온에서도 상당한 강도를 유지할 수 있다.

나. 석출경화용 합금은 온도가 올라가면 석출물이 성장하고 기지 내로 재 용해되기 때문에 강화 효과가 줄어들거나 없어진다.

다. Cu-Be 합금은 분산 강화형 합금으로 시효열처리에 의해 석출물이 형성되어 재료의 강도를 증가시킨다.

라. 분산강화와 석출경화에서 재료의 강도가 증가하는 이유는 분산성이나 석출상이 전위의 이동을 방해 하는 장애물로 작용하기 때문이다.

해설 분산강화란 고온 되지 않는 미립자의 분산 때문에 생기는 경화, 분산경화라고 하며, 분산경화는 석출경화와 다르며, 석출경화는 과포화 고용체에서 용질원자가 미립 석출함으로써 경화되는 현상이며, 분산 경화는 처음부터 고용되지 않는 미립자의 존재에 의한 경화이며 분산 경화용 미립자는 모체격자에 대하여 화학적으로 중성이며 단단하고 초 현미경적 미립이며 균일하게 분산하는 성질이 필요하다.

97_ 다음 중 Ni이 첨가된 황동 합금이 아닌 것은?

가. 양백　　　　　　　　　　　　　나. 양은

다. German silver　　　　　　　　라. Naval brass

해설 양은(백동, german silver)은 Ni를 함유한 황동으로 장식, 식기, 악기용에 사용되며 황동에 Ni을 첨가하면 결정립이 미세화 한다. 네이벌 황동의 조성은 구리(60%)+아연(39.25%)+주석(0.75%)이며 판, 봉으로 용접봉파이프, 선박용기계로 사용된다.

ANSWER : 95 가　96 나　97 라

98_ 다음 중 주석의 특성을 설명한 것으로 틀린 것은?

　가. 상온가공경화가 없으므로 소성가공이 쉽다.

　나. 비중은 약 10.3이고, 융점은 약 670℃ 정도이다.

　다. 무독성이므로 의약품, 식품 등의 포장용, 튜브에 사용된다.

　라. 주석은 백색주석(β -Sn)이 저온에서 변태하여 회색주석(α -Sn)으로 변화한다.

[해설] 은백색의 저 융접(231.9℃) 합금이 18℃에서α -Sn ⇄ β -Sn의 동소변태를 가지며 회주석 (- 18℃-)백주석 이다.

99_ 염소(Cl)가 함유된 물을 쓰는 관에 황동을 사용할 경우 흔히 발생하는 탈 아연부식의 방지책으로 가장 적합한 것은?

　가. Zn도금을 한다.　　　　　　나. As, Sn 등을 첨가한다.

　다. 잔류응력을 제거한다.　　　　라. 도료로 도장한다.

[해설] 탈 아연부식은 불순한 물질 또는 부식성 물질이 녹아 있는 수용액의 작용에 의해 황동의 표면 또는 깊은 곳까지 탈 아연 되는 현상으로 방지대책은 Zn30% 이하의 α -황동사용, 0.1-0.5%As, Sb 첨가, 1.0% 주석첨가

100_ 구상흑연과 편상 흑연의 중간형 태로 형성된 주철로 강도, 연성, 열전도도 등은 회주철보다 우수하며, 디젤엔진, 실린더블록 및 헤드, 자동차 브레이크, 유압밸브 등에 사용되는 주철은?

　가. CV주철　　　　　　　　　　나. 가단주철

　다. 합금주철　　　　　　　　　　라. 칠드(chilled)주철

[해설] CV주철은 구상과 편상 흑연의 중간형태의 흑연으로 형성된 조직으로 주조성이 구상 흑연주철과 회주철의 중간 주철이며 강도, 연성, 열전도도는 회주철보다 우수하며, HRC95-105, 인장강도 33-42kg/㎟ 정도이고, Fe-Si나 Fe-Mn으로 접종 처리한다.

101_ 다음 용접의 종류 중 전기저항용접에 속하지 않는 것은?

　가. 스폿 용접　　　　　　　　　나. 프로젝션 용접

　다. 심 용접　　　　　　　　　　라. 스터드 용접

[해설] 전기저항용접에는 겹치기용접(점, 심, 돌기용접), 맞대기용접(플래시, 업셋, 충격용접)법이 있다.

ANSWER : 98 나　99 나　100 가　101 라

102_ 아크 쏠림(Arc blow)의 방지대책으로 틀린 것은?

가. 직류용접을 피하고 교류용접을 사용한다.
나. 용접봉을 아크 쏠림의 반대편으로 향하게 된다.
다. 긴 용접에서는 후퇴법(Back step)으로 용접한다.
라. 접지점은 가능한 한 용접부에 가까이 접지한다.

[해설] 아크쏠림(arc blow)현상이 발생되면 아크의 불안정으로 기공, 슬래그 섞임, 용착금속의 재질변화 원인이 되며 방지대책으로 가능한 짧은 아크를 사용하고, 보조 판을 사용, 후퇴법등을 사용하여 아크쏠림을 방지 하여야 한다.

103_ 직류 피복 금속아크 용접에서 용접봉을 음극(-)에, 모재를 양극(+)에 접속한 극성은?

가. 음극성
나. 정극성
다. 역극성
라. 쌍극성

[해설] 정극성이라고 하며, 용입이 깊고 용접속도가 느리며 비드 폭이 좁고 청정작용은 없다.

104_ 정격 2차 전류가 200A, 정격 사용률이 30%인 용접기로 180A의 전류를 사용하여 용접할 경우 허용사용률은 약 몇 %인가?

가. 33
나. 37
다. 53
라. 67

[해설] (정격2차전류)2/(실제용접전류)^{2}X정격사용률(%) = $(200)^2/(180)^2$X30(%) = 37%

105_ 용접봉의 피복제에 대한 설명으로 틀린 것은?

가. 아크를 안정시킨다.
나. 합금 원소를 첨가할 수 있다.
다. 슬래그의 유동성을 작게 한다.
라. 용착 금속을 보호 한다.

[해설] 피복제의 작용은 산화질화를 방지, 탈산정련작용, 전기절연작용, 용적을 미세화하여 용착효율을 높인다.

ANSWER : 102 라 103 나 104 나 105 다

106_ 불활성 가스 금속용접의 특징 설명으로 틀린 것은?

가. 박판용접(3㎜ 이하)에는 곤란하다.

나. 바람의 영향을 받기 쉬우므로 방풍대책이 필용하다.

다. 수동 피복아크용접에 비하여 용착효율이 높아 고 능률적이다.

라. TIG용접에 비해 전류밀도가 낮아 용융속도가 느리므로 후판 용접에는 부적합하다.

[해설] 얇은 판의 용접에서 용접봉을 사용하지 않아도 좋은 용접부가 얻어지며 언더컷도 잘생기지 않는다.

107_ 프로젝션(projection)용접법의 특징 설명으로 틀린 것은?

가. 열용량이 많은 재료에 이용된다.

나. 전극 수명이 길고 작업능률이 높다.

다. 점간거리가 작은 점용접이 가능하다.

라. 작업속도가 느리다.

[해설] 용접피치를 작게 할 수 있으며, 용접속도 빠르고 외관이 아름답다.

108_ 다음 용접종류 중 압접에 속하는 것은?

가. TIG 용접　　　　　　　나. 테르밋 용접

다. 전기저항 용접　　　　　라. 일렉트로 슬래그 용접

[해설] 압접(pressure welding)에는 전기저항용접, 단접, 가스압접, 고주파 용접, 마찰용접, 초음파용접, 냉각압접이 있다. TIG용접, 테르밋용접, 일렉트로 슬래그 용접은 융접(fusion welding)에 속한다.

109_ 다음 연강용 피복아크 용접봉 중 내 균열성이 가장 우수한 용접봉 피복제는?

가. 티타니아계　　　　　　나. 저수소계

다. 고산화철계　　　　　　라. 고셀룰로스 계

[해설] E4316(low hydrogen electrode)은 내 균열성이 우수하고 다른 용접봉에 비하여 수소의 함량이 1/10정도이다.

ANSWER : 106 가　107 라　108 다　109 나

110_ 그림의 수평자세 V형 홈 이음 용접에서 용입 불량은 어느 부분인가?

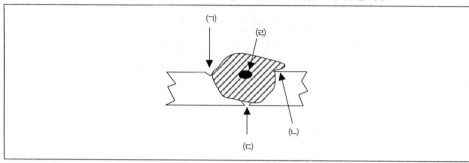

가. (ㄱ)   나. (ㄴ)

다. (ㄷ)   라. (ㄹ)

[해설] 용입부족(incomplete of penetration)은 용접전류가 낮을 때, 용접속도가 빠를 때, 루트간격이 좁을 때 발생된다.

111_ 용해 아세틸렌 사용상의 주의사항으로 잘못된 것은?

가. 용기사용 시나 저장 시에는 통풍이 잘되고 직사광선이 쬐이지 않는 장소에 둔다.

나. 가스의 사용을 중지할 때는 토치 밸브만 닫지 말고 용기 밸브도 반드시 닫는다.

다. 사용 후에는 반드시 용기의 잔압이 남지 않도록 하고 밸브를 안전하게 닫는다.

라. 운반 시 충격을 주거나 떨어뜨려서는 안 된다.

[해설] 아세틸렌 충전구가 동결 되었을 때는 온수(35℃ 이하)로서 녹이고, 용기내의 잔 압은 0.1kg/㎠ 정도로 남겨 두어야한다.

112_ 모재를 전혀 녹이지 않고 모재보다 용융점이 낮은 용가재를 녹여 모세관 현상을 이용하여 접합하는 용접법은?

가. 융접   나. 단접

다. 압접   라. 납땜

[해설] brazing(450℃ 이상), soldering(450℃) 구분되며 모재를 용융시키지 않고 용가재 만을 용융시켜 접합하는 방법으로 모세관현상, 젖음, 확산 등에 의해 접합이 이루어진다.

ANSWER : 110 다 111 다 112 라

113_ 다음의 용접부 검사방법 중 파괴검사에 속하는 것은?

가. 현미경 조직 검사
나. 방사선 검사
다. 와류 검사
라. 초음파 검사

[해설] 현미경검사는 용접부를 검사하기 위해서 샘플을 채취해야 하기 때문에 파괴검사에 속한다.

114_ 다음 중 겹쳐놓은 2개의 용접재 한쪽에 둥근 구멍 대신에 좁고 긴 홈을 만들어 놓고 곳을 용접하는 이음의 형태는?

가. 슬롯 용접
나. 비드 용접
다. 플러그 용접
라. 플레어 용접

[해설] 슬롯(slot welding)은 둥근 구멍대신에 가늘고 긴 홈을 한쪽에만 가공한 다음 그곳에 용착금속을 채우며 용접을 행하는 방법이다.

115_ 용접변형의 교정방법 중 점 가열 법을 설명한 것으로 틀린 것은?

가. 굽힘 및 말등 허리 굽힘 등에 이용한다.
나. 판의 굽힘이 생긴 부분의 가열온도는 500~600℃ 정도이다.
다. 가열점도의 지름은 20~30mm 정도이다.
라. 가열시간을 될 수 있는 한 길게 하여 열을 많이 받게 한다.

[해설] 점 가열법의 시공조건은 가열온도 500-600℃, 가열부 지름 20-30mm, 가열부 간의거리 60-80mm, 즉시 수냉 한다.

116_ 발전형 직류 아크 용접기에 비교한 정류기형 직류 아크용접기 특징 설명으로 틀린 것은?

가. 보수 점검이 어렵다.
나. 소음이 나지 않는다.
다. 취급이 간다하고 가격이 싸다.
라. 실리콘 정류기의 경우 150℃에서 폭발할 염려가 있다.

[해설] 교류를 정류하므로 완전한 직류를 얻지 못하며, 실리콘정류기의 파손 온도는 150℃ 이상이다.

ANSWER : 113 가 114 가 115 라 116 가

117_ 일반적인 강판의 가스용접 시 모재 두께 6㎜일 때에 사용 용접봉의 지름으로 다음 중 가장 적합한 것은?

가. 1㎜
나. 2㎜
다. 4㎜
라. 6㎜

[해설] 가스용접봉과 모재와의 관계식은 D = T/2+1(D : 용접봉지름, T : 판 두께) = 6/2+1 = 4

118_ 원판 전극을 회전시키면서 가압 통전하고 이음부를 따라 연속적으로 너깃(nugget)을 겹치게 용접하는 저항용접의 일종인 것은?

가. 심용접
나. 스폿용접
다. 플래시 용접
라. 프로젝션 용접

[해설] 전기 저항 열을 이용하여 용접하는 용접법으로 시임 용접(seam welding)법이며 박판의 용기제작으로 우수한 특성을 갖고 용접속도가 빠르고 자동화가 쉬운 용접법이다.

119_ 수동용접에서 용접 모재에 흡수되는 열량은 발생된 용접 입열량의 얼마 정도(몇 %)가 되는가?

가. 25~35
나. 45~55
다. 60~70
라. 75~85

[해설] 용접 입열(weld heat input)는 외부에서 용접부에 주어지는 열량을 말하며 이때 모재로 흡수되는 열량은 75-85% 정도이다. 입열 공식은 H = 60EI/VJ/cm이다.

120_ 용접에의 변형을 적게 하기 위하여 주로 박판용접에 접합한 아래 그림과 같은 용착법은?

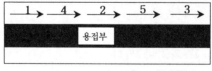

가. 대칭법
나. 전진법
다. 후진법
라. 스킵법

[해설] 스킵법(비석법 : skip method) 일명 뜀 용접이라고도 부르며 용착 방법 중에서 잔류응력을 가장 최소화 시킬 수 있는 방법이다.

ANSWER : 117 다 118 가 119 라 120 라

용접 · 금속 문제 − 2008년 기사

1_ 황동의 자연균열을 방지하기 위한 방법을 설명한 것 중 틀린 것은?

가. 도료나 아연도금을 한다.

나. 응력제거 풀림을 한다.

다. Sn이나 Si를 첨가한다.

라. Hg 및 그 화합물을 첨가한다.

해설 지연균열(season crack 시기균열)은 황동에 공기 중의 암모니아, 기타 염류에 의해 입간 부식을 일으켜 상온가공에 의한 내부응력 때문에 생기고 방지대책으로 도금, 도료 또는 180-260℃로 20-30분 동안에서 저온 풀림한다.

2_ 형상기억효과의 종류 중 전 방위 형상기억에 대한 설명으로 옳은 것은?

가. 일반적인 일방향 형상기억합금이며, 오스테나이트상의 형상만을 기억하는 현상이다.

나. 오스테나이트의 형상과 더불어 마텐자이트상이 변형되었을 때의 형상도 기억하는 현상이다.

다. 변형상태에서 사효시키면 나타나는 현상으로 온도에 따라 오스테나이트 상으로부터 중간상을 거쳐 저온 상으로 변태하며 이 때 마텐자이트 변태도 동반되는 현상이다.

라. 열탄성 마텐자이트 변태에 기인하며 초탄성에 의한 현상기억효과는 응력부하온도에 의존하는 현상으로 응력유기 마텐자이트가 외부응력이 제거되면서 오스테나이트로 변태함으로 생기는 현상이다.

해설 형상기억효과 특정한 합금제와 외부응력에 가하여 영구 변형시킨 다음 재료를 특정온도 이상으로하면 변형되기 이전의 원래 형상으로 회복되는 현상이 일어난다.

3_ 다음 중 쾌삭강(Free cutting steel)의 피삭성을 증가 시키는 합금 원소는?

가. C

나. Si

다. Ni

라. Se

해설 쾌삭강의 종류는 황 쾌삭강, 납 쾌삭강, 흑연쾌삭강, 탄소를 함유한 강에 비하면 공구 수명을 똑같이 한 경우 절삭속도를 약 2배로 할 수 있다고 한다.

ANSWER : 1 나 2 다 3 나

4_ 순철이 Ac3에서 동소 변태한 경우 이때의 격자상수는 어떻게 되는가?

　　가. 작아진다.
　　나. 커진다
　　다. 변화가 없다
　　라. 가열속도에 따라 변화한다.

　　[해설] 순철의 동소변태점 768-910℃(체심입방격자), 910 -1400℃(면심입방격자), 1400-1539℃(체심입방격자)

5_ 공석강을 A₁ 온도 이상으로 가열한 후 차차 온도를 떨어뜨리면서 각 온도에서 등온 변태하였을 때의 반응생성물질의 순서가 옳은 것은?

　　가. Pearlite 〉Upper Bainite 〉Lower Bainite〉Martensite 〉잔류 Austenite
　　나. Martensite 〉Upper Bainite 〉Lower Bainite〉Pearlite 〉잔류 Austenite
　　다. Pearlite 〉잔류 Austenite 〉Lower Bainite〉Martensite 〉Upper Bainite
　　라. Martensite 〉Lower Bainite 〉Upper Bainite 〉잔류 Austenite 〉Pearlite

　　[해설] 0.85%C의 강을 900℃까지 가열하면 austenite로 되는데 이것을 서냉 하면 공석점(723℃)에서 ferrite 와 cementite 조직으로 변한다.

6_ 다음 중 헤드필드 강의 설명으로 옳은 것은?

　　가. Austenite 계 고 Mn 강이며 , 가공경화성이 크다.
　　나. Pearlite 계 저 Mn 강이며, 가공경화성이 적다.
　　다. Austenite 계 고 Mg강이며, 가공경화성이 크다.
　　라. Pearlite계 저 Mg 강이며, 가공경화성이 적다.

　　[해설] 고 망간강이며 망간(10-14%) 함유하여 조직은 austenite 조직이고, 인성이 높아 내마모성이 우수하며 고온취성이 생기므로 100-1100℃에서 수인법으로 담금질하며, 용도는 분쇄기 로울러에 쓰인다.

7_ 용융금속을 세공을 통하여 유출시켜 그 가느다란 흐름을 압력이 걸려있는 물, 공기, 혹은 불활성 가스로 빠르게 끊어 금속분말을 제조하는 방법은?

　　가. 분사법　　　　　　　　　　나. 쇼팅
　　다. 스탬핑　　　　　　　　　　라. 그레이닝

　　ANSWER : 4 가　5 다　6 가　7 라

8_ Al의 특징을 열거한 것 중 틀린 것은?

　가. 2.7로서 가볍다.

　나. 내식성, 가공성이 좋다.

　다. 면심입방격자(Fcc)이다.

　라. 지금(地金) 중의 Fe, Cu, Mn 등의 원소는 도전율을 좋게 한다.

[해설] 알루미늄은 백색의 가벼운 금속으로 중요 성질은 비중 2.7, 도전율 열전도율우수, 가공성, 전.연성 우수, 내식성은 떨어진다.

9_ 적색을 띤 회백색의 금속으로 비중이 9.75, 용융점이 265℃이며, 특히 응고할 때 팽창하는 금속은?

　가. Ce　　　　　　　　　　　　나. Bi

　다. Te　　　　　　　　　　　　라. In

[해설] 비스무트는 적색을 띤 회백색의 금속이며 취약하여 쉽게 가루가 된다. 제약에서 사용되는 것은 99.9% 이상의 순도가 요구된다. 비중 9.75 녹는점 265℃, 브리넬경도 730이고, 열전도는 수은 다음으로 낮고 금속 중에서 반자성이 최대이다. 안티몬과 같이 용융상태에서 응고할 때 팽창하는 성질이 있다.

10_ 단면적 20㎟인 환봉을 인장시험 한 그래프이다. A점에서의 단면적은 18㎟, B점에서의 단면적은 16㎟이었을 때 인장강도(kgf/㎟)는?

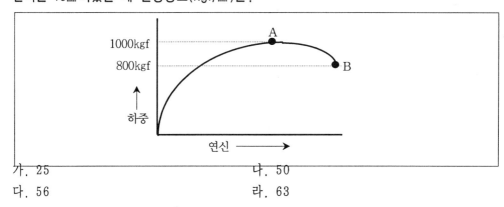

　가. 25　　　　　　　　　　　　나. 50

　다. 56　　　　　　　　　　　　라. 63

[해설] 800/16 = 50kgf/㎟

ANSWER : 8 나　9 나　10 나

11_탄소강 중에 존재하는 합금 원소가 기계적 성질에 미치는 영향을 설명한 것 중 옳은 것은?

가. Mn은 강도를 증가시키나, 연신율의 증가로 경도를 감소시키고, 고온에서 소성을 감소시켜 주조성을 좋게한다.

나. Cu는 인장강도, 탄성한계를 높이나, 부식에 대한 저항성을 감소시킨다.

다. Si는 입자의 크기를 증대시키며, 경도, 탄성한계 등을 높인다.

라. 강 중의 S는 Mn과 결합하여 MnS를 만들고 저온취성의 원인이 된다.

[해설] ① Mn(경화능, 강도, 경도, 점성, 인성, 유동성을 증가시키고, 고온에서 결정 성장 억제, 적열 메짐 방지)
② Cu(Ar1 변태점이 저하되며 강도, 경도, 탄성한도, 내식성이 증가, 025% 이하로 제한하고 Ni이 있으면 Cu의 해를 감소하나 Sn이 존재하면 그 해가 가중된다.)
③ Si(0.2-06%)함유하여 유동성, 주조성이 양호, 단접성, 냉간 가공성 해치고 충격저항과 연신율감소, 탄성한도, 경도, 강도, 결정립의 크기를 증가시킨다.

12_오스테나이트계 스테인리스 강에 대한 설명으로 틀린 것은?

가. 대표적인 조성은 18%Cr+ -8%Ni 이다.

나. 자성체이며 , BCC의 결정구조를 갖는다.

다. 오스테나이트 조직은 페라이트조직보다 원자밀도가 높아 내식성이 좋다.

라. 1100℃ 부근에서 급냉하는 고용화처리를 하여 균일한 오스테나이트조직으로 사용한다.

[해설] 내산, 내식성우수 비자성 인성양호, 가공성우수, 산과 알카리에 강하고 용접성양호, 염산, 황산염 묽은 황산, 염소 가스 대한 저항 적다.

13_0.2% 탄소강이 723℃ 선상에서 초석 Ferrite와 Pearlite 양은 약 몇%인가? (단, 공석점의 탄소함량은 0.8%이다)

가. 초석 Ferrite 75%, Pearlite 25%

나. 초석 Ferrite 25%, Pearlite 75%

다. 초석 Ferrite 55%, Pearlite 45%

라. 초석 Ferrite 45%, Pearlite 55%

[해설] 초석페라이트 = 0.8-0.2/0.8-0.025x100 = 75%

ANSWER : 11 가 12 나 13 가

14_백주철을 탈탄 열처리하여 순철에 가까운 Pearlite 기지로 만들어 연성을 갖는 주철은?

가. 펄라이트 가단주철
나. 흑심가단주철
다. 백심가단주철
라. 구상흑연주철

[해설] 백심가단주철(WMC) 백주철 철광석, 밀스케일과 함께 풀림 처리에 사용된 상자에 다져넣어 약 950-1000℃로 가열하면 산화철의 산소가 작용하여 백주철의 표면이 탈탄되며 용도는 자동차, 방직기의 부품에 쓰인다.

15_연성과 전성이 좋은 황동으로서 색깔도 아름다우며 장식용 잡화나 악기 등의 재료로 쓰이고, 금박의 대용으로 쓰이는 재료로서 Cu와 Zn이 8:2로 합금된 것은?

가. 톰백(tombac)
나. 문즈메탈(Muntz metal)
다. 하이 브라스(high brass)
라. 카트리즈 브라스(cartridge brass)

[해설] 톰백은 Zn 8-20% 저 아연 합금으로 전연성이 좋고 색이 금에 가까우므로 모조금, 박으로 하여 금대용으로 사용한다.

16_열처리에서 질량효과에 따른 설명으로 옳은 것은?

가 가열시간의 차이에 따라 재료의 내·외부가 뒤틀리는 현상
나. 재료의 크기에 따라 담금질 효과가 다르게 나타나는 현상
다. 시효처리의 일종으로서 재료가 크면 내부의 경도가 외부 경도에 비해 떨어지는 현상
라. 뜨임현상의 일종으로 뜨임 시간이 길어지면 재료 내. 외부에 경도가 달라지는 현상

[해설] 질량효과(mass effect) 재료를 담금질할 때 질량이 작은 재료는 내외부의 온도차가 없으나 질량이 큰 재료는 열의 전도에 시간이 소요되는 내외부의 온도차가 생겨 외부는 경화되어도 내부는 경화 되지 않는 현상을 말한다.

17_탄소강과 합금강을 300℃ 부근에서 뜨임하면 최저 충격 에너지가 나타난다. 이러한 현상을 무엇이라 하는가?

가. 청열 취성
나. 적열 취성
다. 시효 경화
라. 가공 취성

[해설] 청열 취성(200-300℃) P는 결정입자를 조대화 시키고 경도, 인장강도를 증가시키나 연신율을 감소시키며, 특히 상온에서 충격값이 감소되며 냉간가공시 균열이 생긴다.

ANSWER : 14 다 15 가 16 가 17 가

18_Mg 합금이 구조재료로서 갖는 특성을 설명한 것 중 틀린 것은?

　가. 소성가공성이 높아 상온변형이 쉽다.

　나. 비강도가 커서 항공우주용 재료에 유리하다.

　다. 감쇠능이 주철보다 커서 소음방지 재료로 우수하다.

　라. 기계가공성이 좋고 아름다운 절삭면이 얻어진다.

　[해설] 비중은1.74이며, 고온에서 발화하기 쉽고, 염수에 대단히 약하며, 내산성 나쁘고 내알카리성에 강하며 Mg,에
　　　　Zn 20% 첨가하면 융점이 내려간다. 주물로서의 비강도는 Al금속보다 우수, 항공기, 자동차부품, 전기기, 선박,
　　　　관산기계, 인쇄제판, 구상흑연 주철의 첨가제로 사용한다.

19_다음 중 청동에 대한 설명으로 틀린 것은?

　가. 응고온도 범위가 넓은 Mushy형 응고를 한다.

　나. 청동은 구리(Cu)+안티몬(Sb)의 합금이다.

　다. 주석청동 주물의 용탕 유동성을 좋게 하기 위하여 Zn을 첨가하여 사용한다.

　라. 내해수성이 좋아 선박 등에 많이 사용하는 주석청동은 Admiralty gun metal이
　　　라고 한다.

　[해설] Cu와 Sn합금으로 황동보다 내식성이 좋고 내마모성과 주조성이 우수, 무기, 불상, 기계부품, 선박용, 미술공예
　　　　에 사용된다.

20_열팽창 계수가 대단히 작아 바이메탈에 사용되는 인바(Invar)는 철(Fe)에 Ni이 어느 정도
　함유되어 있는가?

　가. 17%　　　　　　　　　　　　　　나. 23%

　다. 36%　　　　　　　　　　　　　　라. 47%

　[해설] 인바 Ni(36%)+C(0.2%)+Mn(0.4%)의 Fe-Ni계 합금으로 열팽창계수는 0.97×10^{-6}이고 내식성이 우수, 줄자, 시
　　　　계추, 바이메탈에 사용한다.

21_직류 아크 용접에서 모재를 양극 (+), 용접봉을 음극(-)에 연결한 극성은?

　가. 정극성　　　　　　　　　　　　　나. 역극성

　다. 용극성　　　　　　　　　　　　　라. 비용극성

　[해설] 직류역극성(direct current reverse polarity)은 특징은 용입 얕고, 비드 폭이 넓고, 용접속도가 빠르고, 용접봉
　　　　의 녹음이 빠르다, 주로 박판용접시유용하다.

ANSWER : 18 가　19 나　20 다　21 가

22_ 용접봉의 용융속도를 가장 잘 설명한 것은?

가. 단위시간당 소비되는 모재의 무게
나. 단위시간당 소비된 용접봉의 길이 또는 무게
다. 일정량의 모재가 소비될 때까지의 시간
라. 일정길이의 용접봉이 소비될 때까지의 시간

[해설] 용융속도(melting rate)은 단위시간당 소비되는 용접봉의 길이 또는 중량으로 표시되며, 용융속도는 아크전압에 관계없이 아크전류에 정비례한다.

23_ 아크 쏠림의 방지 대책으로 틀린 것은?

가. 아크 길이를 짧게 유지한다.
나. 접지점 2개를 연결한다.
다. 접지점을 될 수 있는 한 용접부에 가까이한다.
라. 용접부가 긴 경우 백 스탭(Back Step)방법을 쓴다.

[해설] 아크쏠림(arc blow)은 용접봉 및 모재 주위에 자계가 발생하여 아크가 비대칭적으로 쏠리는 현상으로 자기불림, 자기쏠림 이라고도 하며 방지 대책으로는 교류용접, 접지 점을 용접부로부터 멀리 한다.

24_ AW500이고, 정격 사용율이 60%인 용접기로 400A의 전류로 용접한다면 허용 사용율은 약 몇 %인가?

가. 72
나. 94
다. 108
라. 125

[해설] (정격2차전류)2/(실제용접전류)2x정격사용률(%) = (500)2/(400)2x60(%) = 93.75%

25_ 양호한 용접이음을 위하여 외부에서 주어지는 열량은 충분해야 한다. 아크전압 45V, 아크 전류 120A, 용접속도가 200(mm/min)일 때 용접 입열은?

가. 14200J/㎝
나. 15200J/㎝
다. 16200J/㎝
라. 17200J/㎝

[해설] 용접입열(weld heat input)는 외부에서 용접부에 주어지는 열량을 말하며 이때 모재로 흡수되는 열량은 75-85% 정도이다. 입열 공식은 H = 60EI/VJ/cm = 60X45X120/200 = 16200J/cm

ANSWER : 22 나 23 다 24 나 25 다

26_ 다음 피복 아크 용접봉 중에서 작업성은 나쁘나, 기계적 성질, 내 균열성이 가장 좋은 용접봉은?

　가. 티타니아계 용접봉
　나. 고셀룰로스계 용접봉
　다. 일미나이트계 용접봉
　라. 저수소계 용접봉

[해설] 저수소계용접봉(E4316)은 다른 용접봉에 수소의 함량이 1/10 정도이며 내 균열성이 우수하고, 작업성이 나쁘고 흡습성이 크다.

27_ 다음 중 서브머지드 아크 용접법의 장점으로 틀린 것은?

　가. 용입이 깊다.
　나. 비드외관이 매우 아름답다.
　다. 용융속도 및 용착속도가 빠르다.
　라. 적용재료에 제한을 받지 않는다.

[해설] 서브머지드 아크용접은 용제의 단열작용으로 용입이 깊고, 높은 전류 밀도로 용접 할 수 있으며, 이음의 신뢰도가 높고 경제적이며 용접변형도 적다.

28_ 다음 물질 중에서 아세틸렌과 접촉하여도 폭발할 위험성이 없는 것은?

　가. 철　　　　　　　　　나. 동
　다. 은　　　　　　　　　라. 수은

[해설] 아세틸렌의 폭발성에서 구리 또는 구리합금(62% 이상의 구리), 은(Ag), 수은(Hg)등과 접촉하면 이들과 화합하여 폭발성이 있는 화합물을 생성하는 것으로 알려져 있다.

29_ 다음 중 가장 얇은 판 이음에 적용되는 용접 홈은?

　가. H형 홈　　　　　　　나. X형 홈
　다. V형 홈　　　　　　　라. I형 홈

[해설] I 홈(6mm 이하), V홈(6-20mm), X홈(12mm 이상), H홈(16-50mm)

ANSWER : 26 라　27 라　28 가　29 가

30__용접부를 피닝(Peening)하는 주된 목적은?

가. 녹제거
나. 잔류 응력의 경감
다. 용접 불량의 검사
라. 크레이터 균열 방지

[해설] 끝이 구면인 특수한 피이닝 해머로 용접부를 연속적으로 타격을 주어 용접부 표면에 소성변형 주는 방법으로 용접부의 인장응력을 완화 하는데 효과가 있으며 용착금속의 균열 방지에도 이용되고 있다.

31__아크용접 중에 아크가 중단되어 비드가 오목하게 나타나는 형상을 무엇이라 하는가?

가. 크레이터
나. 언더컷
다. 오버랩
라. 스패터

[해설] 아크가 중단되거나 용접이 끝나는 종점에 주로 나타나는 것을 크레이터라고 한다.

32__용접 중 용착법의 순서를 다음과 같이 용접 길이를 정해놓고 번호순으로 용접하는 경우를 무엇이라 하는가?

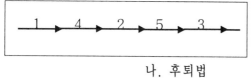

가. 대칭법
나. 후퇴법
다. 전진법
라. 비석법

[해설] 스킵법 또는 비석법이라고도 하며 박판 용접시 유효한 용착법이며 잔류응력 및 변형을 방지하는데 효과적인 용착법이다.

33__산소-아세틸렌 절단과 비교한 산소-프로판(LP) 가스 절단의 설명으로 잘못된 것은?

가. 절단 상부기슭이 녹은 것이 적다.
나. 절단면이 미세하며 깨끗하다.
다. 슬래그 제거가 쉽다.
라. 후판절단 시 아세틸렌보다 느리다.

[해설] 후판 절단시 아세틸렌보다 빠르고 포갬 절단도 속도가 아세틸렌보다 빠르다.

ANSWER : 30 나 31 가 32 라 33 라

34_ 피복아크 용접봉의 피복제에 습기가 있을 경우 용접 시 발생하기 쉬운 대표적인 결함은?

가. 언 더 컷   나. 용입 불량

다. 오 버 랩   라. 기 공

[해설] 기공(blow hole)방지를 위해 용접봉관리를 철저히 해야 한다.

35_ 각 장치가 유기적인 관계를 유지하면서 미리 정해 놓은 시간적 순서에 따라 순차적으로 제어하는 제어 방법은?

가. 시퀸스 제어   나. 피드백 제어

다. 수동 제어   라. 온 오프 제어

[해설] 시퀸스 제어(sequence control)미리 정해진 순서에 따라서 각 단계의 동작을 순차적으로 진행하여 가는 제어 방식을 말하며 이 제어는 동작의 개시시기를 무엇인가의 방법으로 명령한다.

36_ 레이저 용접의 특징에 대한 설명으로 틀린 것은?

가. 용접재의 기계적 성질에 많은 변화를 준다.

나. 광선이 용접의 열원이다.

다. 열의 영향범위가 좁다.

라. 원격 조작이 용이하다.

[해설] 레이저(laser welding)용접은 용접재의 기계적 성질에 변화를 주는 일이 적으므로 작은 물건, 정밀부분의 용접에 없어서는 안 될 용접법이다.

37_ 높은 진공 속에서도 용접을 진행하므로 대기와 반응하기 쉬운 재료도 용접이 가능한 용접법은?

가. 초음파 용접   나. 전자빔 용접

다. 프라즈마 용접   라. 레이져 용접

[해설] 전자 비임 용접법(electron beam welding)은 고진공($10{-}4$ – $10{-}8$mmHg)중에서 고속의 전자 비임을 모아서 그 에너지를 접합부에 조사하여 그 충격 열을 이용하는 용접법이다.

ANSWER : 34 라   35 가   36 가   37 나

38_ 초음파 탐상시험을 양쪽에서 할 때의 기호로 적당한 것은?

가. $\overline{VT}$ ↘ 나. ↙ $\underline{UT-A}$

다. ↙ $\dfrac{UT}{UT}$ 라. ↙ $\dfrac{UT-A}{UT}$

[해설] 가(육안검사), 나(초음파 탐상으로 경사각 탐촉자 사용), 다(양쪽에서 초음파탐상검사),

39_ 일명 충돌용접이라고도 하며 극히 짧은 지름의 용접부 접합에 사용되고 전원으로 축전된 직류를 사용하는 용접법은?

가. 만능 심 용접　　　　　　　　　나. 업셋 용접
다. 퍼커션 용접　　　　　　　　　　라. 플래시 버트 용접

[해설] 퍼어커션 용접(percussion welding)은 극히 짧은 지름의 용접물을 접합하는데 사용하며 전원은 축전된 직류를 사용한다.

40_ 연납용 용제는 어느 것인가?

가. 염화 아연　　　　　　　　　　　나. 붕사
다. 붕산염　　　　　　　　　　　　　라. 염화물

[해설] 연납용제에는 염산, 염화아연, 염화암모니아, 수지 인산, 목재수지 등 있다.

ANSWER : 38 라　39 다　40 가

MEMO

용접·금속 문제 – 2006년 산업기사

1_ 다음 용접방법 중 가스용접에 속하는 것은?

가. 탄산가스 아크 용접　　　　　　나. 산소수소 용접

다. 플라즈마 용접　　　　　　　　　라. 원자수소 용접

[해설] 가스 용접(gas welding)에는 산소 아세틸렌 용접, 공기 아세틸렌 용접, 산소수소 용접이 있다.

2_ 아크용접 극성인 정극성과 역극성이 모두 올바른 것은?

가. DCSP : 용접봉(+)극, 모재(−)극, DCRP : 용접봉(+)극, 모재(−)극

나. DCSP : 용접봉(−)극, 모재(+)극, DCRP : 용접봉(+)극, 모재(−)극

다. DCSP : 용접봉(+)극, 모재(−)극, DCRP : 용접봉(−)극, 모재(+)극

라. DCSP : 용접봉(−)극, 모재(+)극, DCRP : 용접봉(−)극, 모재(+)극

[해설] 정극성의 특징은 용입이 깊고, 비드폭이 좁고, 용접봉 녹이 느리고, 용접속도가 느리고 후판용접시 효과적이며 역극성은 반대로 생각하면 된다.

3_ 용접균열의 형성 원인을 크게 분류하면 금속학적 요인과 역학적 요인으로 구분할 수 있다. 다음 중 금속학적 요인이 아닌 것은?

가. 용접시의 가열 냉각으로 생긴 열응력

나. 열 영향에 따라서 모재의 연성이 저하되는 것

다. 용융 시 침입하였다가 또는 확산하는 수소의 영향에 의하여 취하(brittle)되는 경우

라. 인, 유황, 주석, 동 등의 유해한 불순물의 포함

[해설] 역학적 요인으로는 용접시 가열, 냉각으로 생긴 열응력, 강의 변태에 따른 체적 변화, 구조적으로 기인되는 용접부 내부·외부의 힘의 작용, 용접 불량이다.

 ANSWER : 1 나　2 나　3 가

4_ 용접 시 발생한 변형을 교정하는 일반적인 방법이 아닌 것은?

　　가. 박판에 대한 직선 수축법
　　나. 가열 후 해머질하는 방법
　　다. 절단하여 정형(整形)후 재 용접하는 방법
　　라. 후판에 대하여 가열 후 압력을 가하고 수냉하는 방법

　　[해설] 변형교정방법에는 박판에 대하여 점수축법, 형재에 대한 직선수축법, 피이닝법이 있다.

5_ 정격 2차 전류가 450A인 아크용접기준 290A의 용접 전류를 사용하여 용접할 경우 이 용접기의 허용 사용율은? (단, 용접기의 정격 사용율은 50%로 본다.)

　　가. 약 98%　　　　　　　　　나. 약 109%
　　다. 약 115%　　　　　　　　　라. 약 120%

　　[해설] 허용사용률(%) = (정격 2차전류)^2/(실제 용접전류)^2×정격 사용률(%) = $(450)^2/(290)^2×50(\%) = 120.39$

6_ 아크 용접의 용접부에 기공이 생기는 원인과 가장 관계가 적은 것은?

　　가. 아크에 수소 또는 일산화탄소가 너무 많을 때
　　나. 용착부가 급냉될 때
　　다. 용접봉에 습기가 많을 때
　　라. 용접 속도가 느릴 때

　　[해설] 기공(blow hole)은 응고온도에서 액체와 고체의 용해도 차에 의해서 생기며 용접금속내부에 존재하는 것을 기공이라 한다.

7_ 용접결함 중 은점(銀占)이 생기는 주원인과 가장 관계가 있는 것은?

　　가. 산소　　　　　　　　　나. 수소
　　다. 질소　　　　　　　　　라. 탄소

　　[해설] 은점(fish eye)은 수소가원이며 수소기고에 의한 수소취화 인장시험 후 파면에 물고기 눈 모양처럼 은백색을 띠게 된다.

ANSWER : 4 가　5 라　6 라　7 나

8_ 압접의 종류가 아닌 것은?

가. 점용접   나. 단접

다. 고주파용접   라. 불활성가스용접

[해설] 압접(pressure welding)에는 전기저항용접, 냉간압접, 단접, 초음파용접, 마찰용접, 가스압접 등이 있다.

9_ 가스용접(산소 아세틸렌 용접)시 아세틸렌이 과잉일 때 발생되는 불꽃은 어느 것인가?

가. 중성불꽃   나. 탄화불꽃

다. 산화불꽃   라. 카바이드불꽃

[해설] 불꽃의 종류는 중성불꽃(1:1), 탄화불꽃(아세틸렌과잉불꽃), 산화불꽃(산소과잉불꽃)이 있다.

10_ 불활성가스 금속아크 용접의 장점이 아닌 것은?

가. 수동피복 아크용접에 비해 용착율이 높아 고능률적이다.

나. TIG용접에 비해 전류 밀도가 높아 용융속도가 빠르다.

다. 3mm 이하 박판용접에 적합하다.

라. 각종 금속용접에 다양하게 적용할 수 있어 응용범위가 넓다.

[해설] 전류 밀도가 매우 높아 아크용접의 4~6배, TIG용접의 2배정도며 능률이 높아 3mm 이상의 두께의 알루미늄에 사용하고 스테인리스강, 구리합금 등에도 이용된다.

11_ 결정 중에 존재하는 점결함(point defect)이 아닌 것은?

가. 원자공공(vacancy)   나. 격자간 원자(interstitial atom)

다. 전위(dislocation)   라. 치환형 원자(substutional atom)

[해설] 격자결함에는 점결함(원자공공, 격자간의 원자, 치환형 원자), 면결함(적층결함, 결정립경계), 선결함(전위), 체적결함(주조결함) 등이 있다.

ANSWER : 8 라   9 나   10 다   11 나

12_구리합금 중 공석변태를 하여 서냉 취성이 심한 합금은?

가. 문쯔메탈
나. 알루미늄청동
다. 연청동
라. 인청동

[해설] 격자결함 Cu에 Al을 2~3첨가한 합금은 강도(46kg/㎟)가 높고, 비중(8.5)이 낮으며 내식성도 우수하다.

13_자기변태에 대한 설명으로 틀린 것은?

가. 어떤 온도에서 자성이 변화가 나타난다.
나. 점진적 연속인 변화가 나타난다.
다. 큐리점점 말한다.
라. 결정격자의 모양이 변화한다.

[해설] 격자결함자기변태는 어느 온도에 있어서 상의 변화를 일으키는 변태를 말하며, 결정격자의 모양이 변화는 것은 동소변태이다.

14_초내열강(초합금 : super alloy)의 합금 원소는?

가. Ni, Co, Cr 등
나. Pb, Mn, Zn 등
다. Cs, Cu, Hg 등
라. Al, Mg, Sn 등

[해설] 격자결함초내열합금은 초고온도(500℃ 이상) 사용에 견디는 합금으로 Co를 주체로 해서 만든 비타륨, 하이네스 25, Ni-Cr을 주체로 한 인코넬X, 니모닉, Fe를 바탕으로 해서 이것에 Cr, Ni을 첨가한 팀겐합금 등이 주종이다.

15_전자부품의 솔더링(soldering)으로 가장 많이 사용하고 있고 약 450도 이하의 융점을 갖는 합금은?

가. Cu-Sn계 합금
나. Sn-Pb계 합금
다. Cu-Pb계 합금
라. Ni-Cr계 합금

[해설] 격자 결함 솔더링은 모재를 녹이지 않고 solder를 용융시켜 접합하는 방법이다.

ANSWER : 12 나 13 라 14 가 15 나

16_ 금속의 합금화에서 치환형 고용체가 되기 위한 조건 중 맞는 것은?

가. 두 원자 반지름 차이가 약 15% 이상이면 좋다.

나. 서로 다른 결정구조를 가지는 것이 좋다.

다. 전기 음성도 차이가 많이 날수록 좋다.

라. 같은 원자가를 가지면 좋다.

[해설] 격자 결함 치환형고용체는 녹아 들어가는 원자가 모체 원자와의 불규칙으로 치환한 것으로 용질, 용매원자가 크기의 차가 15% 이하 이내일 때 이루어진다.

17_ 슬립(slip)에 대한 설명 중 잘못된 것은?

가. 체심입방정의 주요 슬립방향은 [111]이다.

나. 원자밀도가 최대인 방향으로 슬립이 일어난다.

다. 슬립계가 많은 금속일수록 소성변형이 쉽다.

라. 육방정계에 속하는 금속이 가장 가공하기 쉽다.

[해설] 격자결함재료에 외력을 작용할 때 어떤 방향으로 결정이 미끄러져 이동하는 현상으로 육방정계 속하는 금속이 가장 가공이 곤란하다.

18_ 특수강에 첨가되는 특수원소의 특성이 아닌 것은?

가. Ni-인성증가, 저온충격저항 증가   나. Cr-내마모성, 내식성 증가

다. Si-전기특성, 내열성 양호   라. Mn-뜨임취성, 고온강도 방지

[해설] 격자결함 Mn의 영향은 탈탄제 및 적열취성을 방지하며 고장력강, 강인강 등의 합금원소에 사용되며 시멘 타이틀을 안정하게 하고 크롬보다 담금질성이 크며 탄소강의 공석점으로 망간이 첨가되면 저탄소, 저온 쪽으로 이동한다.

19_ 40~50% Co, 15~33% Cr, 10~20% W, 2~5%C로 된 주조경질 합금은?

가. 고속도강   나. 스텔라이트

다. 합금공구강   라. 다이스강

[해설] 격자결함경질 주조합금 공구 재료이며 주조상태로 사용하는 합금이다.

ANSWER : 16 라 17 라 18 라 19 나

20_ 수소 저장용 합금의 기능과 용도를 설명한 것 중 틀린 것은?

　가. 촉매작업(암모니아 합성)
　나. 수소분리 및 정제(수소의 순도 99.999%)
　다. 열에너지의 저장 및 수송(태양 장기 축열 시스템, 냉온방용)
　라. 저온, 저압에서 수소저장 → 저압수소 발생(케미컬 엔진)

21_ 다음 KS 용접 도시기호 중 플러그나 슬로트 용접기호는?

　가. ⊓　　　　　　　　　　나. ▽

　다. ○　　　　　　　　　　라. ◿

[해설] 두 부재를 겹쳐 놓고 한 쪽 부재에 둥근 모양 또는 좁고 긴 홈을 뚫어 그 곳에 용착금속을 채우는 용접법이다.

22_ 용접부를 X-Ray 사진검사 방법으로 검사시 발견할 수 없는 용접 결함은?

　가. 기공　　　　　　　　　나. 균열
　다. 잔류응력　　　　　　　라. 슬랙 섞임

[해설] x-ray 필름 상에 기공은 검은, 균열은 날카로운 선, 슬래그 혼입은 기공보다 덜 진한 타원형 형태로 나타난다.

23_ 본 용접에 있어서 다음 그림과 같은 용착법은?

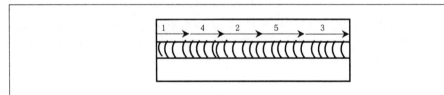

　가. 대칭법　　　　　　　　나. 후퇴법
　다. 전진법　　　　　　　　라. 스킵법

[해설] 비석법 또는 뜀용접이라고도 하며 잔류응력을 완화시키는 용착법으로 많이 선정하고 있다.

ANSWER : 20 라　21 가　22 다　23 라

24_ 텅스텐 아크절단시 사용하는 극성으로 가장 적합한 것은?

　가. DCSP　　　　　　　　　　　　나. DCRP
　다. AC　　　　　　　　　　　　　라. DC

[해설] 직류정극성을 이용하여 절단하는 것이 좋으며 전원 연결은 모재가(+), 전극이(-)로 연결하여 절단하는 것이 효과적이다.

25_ 탄산가스 아크 용접의 특징으로 틀린 것은?

　가. 피복 아크 용접에 비해 용입이 깊다.
　나. 슬래그 섞임이 발생하여 용접 후 처리가 어렵다.
　다. 피복 아크 용접에 비해 용접 속도가 빠르다.
　라. 비트 외관이 피복 아크 용접에 비해 약간 거칠다.

[해설] 보호가스로 이산화탄소가스를 사용하여 용접하는 아크용접의 일종으로 용접 후 처리가 비교적 쉽다.

26_ 용접부의 변형 교정법 중 열을 사용하지 아니하고 외력으로써 소성변형이 일어나게 하는 것은?

　가. 형재(刑材)에 대한 직선수축법　　나. 박판에 대한 점수축법
　다. 피닝(peening)법　　　　　　　　라. 국부풀림법

[해설] 특수 해머로 용접부를 타격하여 교정하는 방법을 피닝(peening)이라고 한다.

27_ 피복 아크용접에 관한 일반적인 특성 설명으로 올바른 것은?

　가. 피복 아크용접에서 피복제의 주된 역할은 냉각속도를 빠르게 한다.
　나. 피복 아크용접에서 직류 정극성은 역극성보다 비드 폭이 좁다.
　다. 탄산가스 아크용접은 피복 아크용접보다 용착속도가 늦다.
　라. 직류 정극성은 (+)극에 용접봉은, (-)극에는 모재로 회로를 구성한다.

[해설] 극성을 이용한 직류용접에서 직류정극성은 용입이 깊고, 비드폭이 좁으며, 용접봉의 녹음이 느리고 주로 후판 용접할 때 많이 사용한다.

ANSWER : 24 가　25 나　26 다　27 나

28_ 무부하 전압 80V, 아크 전압 30V, 아크 전류 300A 내부손실 4kW라 하면 이때 효율은 몇 %인가?

가. 69   나. 54

다. 90   라. 80

[해설] 효율(efficiency) = 출력(kw)/입력(kw)×100 = 9.0+4/24×100 = 54%

29_ 심용접의 종류 중 심부의 겹침을 모재 두께 정도로 하여 겹쳐진 폭 전체를 가압하여 결합하는 방법은?

가. 맞대기 심용접   나. 매시 심용접

다. 포일 심용접   라. 다전극 심용접

[해설] 전기저항열을 이용하는 저항용접의 방법으로 매시 심용접(mash seam welding)이다.

30_ 플래시 용접법의 특징이 아닌 것은?

가. 가열범위가 좁고 열영향부가 좁다.

나. 용접면에 산화물의 개입이 적다.

다. 용접면의 끝맺음 가공을 정확하게 할 필요가 없다.

라. 용접시간이 길고 소비 전력이 많다.

[해설] 플래시 용접(flash welding)으로 장접으로 용접강도가 크고 업셋량도 적고 모재의 가열범위가 적으며 전력소모가 적다.

31_ 니켈과 그 합금에 관한 설명으로 틀린 것은?

가. 니켈은 비중이 약 8.9이고 백색을 나타낸다.

나. 니켈은 도금용 소재로 사용된다.

다. 니켈은 인성이 풍부한 금속이다.

라. 36% Ni-Fe 합금은 퍼멀로이(permalloy)로서 열팽창 계수가 크다.

[해설] 퍼멀로이는 Fe+Ni(니켈이 78.5%, 나머지 Fe) 투자율이 높고 약한 자장으로 큰 투자율을 갖는다.

ANSWER : 28 나   29 나   30 라   31 라

32_ 쾌삭강(free cutting steel)의 피삭성(被削性)을 향상시키는 원소가 아닌 것은?

가. Pb
나. S
다. Ca
라. Mn

[해설] 쾌삭강에는 황쾌삭강, 납쾌삭강, 흑연쾌삭강이 있으며 망간의 황의 해로부터 방지하는 역할을 한다.

33_ 금속의 변태점을 측정하는 방법에 해당되는 것은?

가. 현미경 조직 검사법
나. 침투탐상시험법
다. 인장 시험법
라. 열 분석법

[해설] 변태점 측정하는 방법에는 시차 열 분석법, 열 팽창법, 전기저항법, 자기분석법, 열분석법이 있다.

34_ 액체상태의 금속이 응고할 때 과냉각의 정도에 따라 생성되는 핵의 크기와 그 수로 옳은 것은?

가. 과냉각의 정도가 클수록 생성되는 핵의 크기는 크고, 그 수는 감소한다.
나. 과냉각의 정도가 클수록 생성되는 핵의 크기는 작고, 그 수는 증가한다.
다. 과냉각의 정도가 클수록 생성되는 핵의 크기는 크고, 그 수는 증가한다.
라. 과냉각의 정도가 클수록 생성되는 핵의 크기는 작고, 그 수는 감소한다.

[해설] 융체 또는 고용체가 응고 온도선 또는 용해 온도선 이하로 냉각하여도 액체 또는 고용체로 계속되는 현상이며, 과냉도가 클수록 핵의 크기가 크고 그 수는 증가한다.

35_ Fe-C 상태도에서 공석점의 자유도는? (단, 압력은 대기압으로 일정하다.)

가. 0
나. 1
다. 2
라. 3

[해설] 자유도(dogree of freetom)는 상율에 있어서 하나의 불균일계의 경우에 존재하는 상의 종류와 수를 변화시키지 않고 상호 독점하여 그의 값을 변할 수 있는 변수의 수를 말하며 식은 F = n+2-P(n은 성분수, P는 상의 수, F는 자유도)

ANSWER : 32 라　33 라　34 나　34 가

36_ 복합재료 소재 중 섬유 강화 금속은?

가. GFRP

나. CFRP

다. FRM

라. ACM

[해설] 섬유 강화 금속(fiber reinforced metals) : 강도가 큰 섬유로 금속을 강화한 복합재료이다.

37_ 금속은 일정한 온도에서 전기저항이 0이 되는 형상을 나타낸다. 이 상태를 무엇이라고 하는가?

가. 전도율

나. 비정질

다. 전기전도

라. 초전도

[해설] 초전도(superconductivity)는 어떤 종류의 물체의 전기저항이 절대영도(-273℃)에 가까운 어떤 온도 이하에서 불연속적으로 0이 되는 현상을 말한다.

38_ 정련된 용강을 레들 중에서 Fe-Mn, Fe-Si, Al 등으로 완전 탈산시킨 강괴는?

가. 킬드강

나. 림드강

다. 세미킬드강

라. 캡드강

[해설] 강괴의 종류에는 탈산정도에 따라 킬드강(완전 탈산강), 세미킬드강(중간 탈산강), 림드강(불완전 탈산강)이 있다.

39_ 다음 중 분말야금법의 공정 순서로 옳은 것은?

가. 원료분말제조 → 혼합 → 압축성형 → 예비소결 → 재압축 → 본소결

나. 원료분말제조 → 본소결 → 예비소결 → 혼합 → 재압축 → 압축성형

다. 압축성형 → 예비소경 → 원료분말제조 → 혼합 → 재압축 → 본소결

라. 압축성형 → 원료분말제조 → 예비소결 → 본소결 → 재압축 → 혼합

[해설] 분말야금(powder metallurgy)은 금속분말을 가압 성형하여 굳히고, 가열하여 소결함으로써 목적하는 형태의 금속 제품을 얻는 방법이다.

ANSWER : 36 다 37 라 38 가 39 가

40_ 변형 전과 후의 위치가 면을 경계로 하여 대칭이 되는 것과 같은 변형은?

가. 슬립변형

나. 탄성변형

다. 연성변형

라. 쌍정변형

[해설] 쌍정(twin)변형 전과 후의 위치가 어떤 면을 경계로 대칭을 이룬 것으로 조밀육방격자(HCP), 체심입방격자(BCC) 금속이나 특히 충격적인 하중이나 낮은 온도에서 변형할 때 많이 나타나며, 쌍정이 일어나기 쉬운 금속으로는 Sn, Bi, Sb 등이 있다.

 ANSWER : 40 라

MEMO

용접 · 금속 문제 - 2007년 산업기사

1_ 아래 보기와 같은 특성을 갖는 교류 아크 용접기로 가장 적합한 것은?

〈보기〉
- 가변 저항의 변화로 용접 전류를 조정한다.
- 전기적 전류 조정으로 소음이 없고 기계 수명이 길다.
- 조작이 간단하고 원격 제어가 된다.

가. 가동철심형　　　　　　　　　나. 탭 전환형
다. 가동 코일형　　　　　　　　　라. 가포화 리액터형

[해설] 용접사와 용접기가 거리가 멀리 떨어져 있을 때 용접전류, 전압조정이 용이한 용접기이다.

2_ 다음 중 용착금속 보호 방식에 따른 피복제의 종류가 아닌 것은?

가. 슬래그 생성식　　　　　　　　나. 가스 발생식
다. 반가스 발생식　　　　　　　　라. 아크 안정식

[해설] 용착금속(deposited metal) 보호 방식에는 슬래그 생성식, 가스 발생식, 반가스 발생식이 있다.

3_ 전기용접봉의 기호 E 4301에서 43은 무엇을 나타내는가?

가. 피복제의 종류　　　　　　　　나. 용착금속의 최소인장강도
다. 용접자세 종류　　　　　　　　라. 아크 용접시의 사용전류

[해설] 용접봉 기호에서 E(전기 용접봉이라는 뜻), 43(최저인장강도), 0.1(피복제계통)이다.

ANSWER : 1 라　2 라　3 나

4_ 저항용접에서 점용접의 품질에 영향을 미치는 요인 중 가장 큰 요소가 아닌 것은?

가. 통전시간
나. 용접전류
다. 프라즈마
라. 가압력

[해설] 전기저항용접의 3대 요소는 가압력, 전류의 세기, 통전시간이다.

5_ 정격전류 200A, 정격사용률 50%인 아크 용접기로 실제 150A의 전류로 용접할 때의 허용 사용률은?

가. 약 67%
나. 약 78%
다. 약 89%
라. 약 98%

[해설] 허용사용률 = (정격 2차 전류)^2/(실제 용접전류)^2×정격사용률(%) = 89%

6_ 일반적으로 가스용접에서 가장 많이 이용하는 가스는?

가. 수소-산소
나. 산소-아세틸렌
다. 질소-산소
라. 수소-아세틸렌

[해설] 가스용접에는 산소아세틸렌용접, 산소수소용접, 산소프로판용접, 공기 아세틸렌용접이 있다.

7_ 용접 후 피닝을 하는 주목적은 무엇인가?

가. 도료를 없애기 위해서
나. 용접 후 잔류 응력을 제거하기 위해서
다. 응력을 강하게 하고 변형을 적게 하기 위해서
라. 모재의 균열을 검사하기 위해서

[해설] 특수해머로 용접부를 소성 변형시켜 용착금속부에 남아 있는 잔류응력을 제거하는 방법이다.

ANSWER : 4 다   5 다   6 나   7 나

8_ 다음 중 저항 용접에 속하지 않는 것은?

가. 프로젝션 용접   나. 스터드 용접
다. 점 용접   라. 심 용접

[해설] 저항용접에는 프로젝션용접, 점용접, 심용접, 플래시, 업셋, 퍼카션용접이 있다.

9_ 테르밋 반응과 관계가 없는 것은?

가. 알루미늄과 FeO 나. 알루미늄과 Fe_2O_3
다. 알루미늄과 Fe_3O_4 라. 알루미늄과 Cr_2O_3

[해설] 테르밋 용접(Thermit welding)은 미세한 알루미늄분말과 산화철의 혼합물을 도가니에 넣고 첨가제인 과산화바륨 마그네슘 등의 혼합물을 넣어 성냥 등으로 점화하면 강력한 발열반응을 일으켜 약 2800℃ 정도의 열로 용접한다.

10_ 용접구조 설계상의 주의 사항이 아닌 것은?

가. 용접하기 쉽도록 설계할 것
나. 용접 길이는 가능한 길게 할 것
다. 용접 이음은 한 곳에 집중하지 말 것
라. 결함이 생기기 쉬운 용접은 피할 것

[해설] 용접선이 긴 경우는 용접길이를 가능한 한 짧게 하는 것이 좋다.

11_ 다음 중 Al-Mg 합금에 대한 설명으로 틀린 것은?

가. Al에 약 10%Mg을 품는 합금을 Hydronalium이라 한다.
나. α고용체와 β상이 450도에서 공정을 만든다.
다. 고온에서 Mg고용도가 높아지므로 약 400도에서 풀림하면 강도와 연신이 좋아진다.
라. Al-Mg합금의 용탕은 산화가 잘되지 않기 때문에 산화물이 들어가도 상관없다.

[해설] 알만(alman)은 내식 알루미늄의 하나 Mg을 1~1.5%첨가한 것으로 내식성을 순알루미늄과 다르지 않으며, 성형 용접도 용이하나 가공 상태에서 경도가 매우 높다.

 ANSWER : 8 나 9 라 10 나 11 라

12_ 비정질합금의 일반적인 특성에 대한 설명 중 틀린 것은?

가. 전기저항이 크다.

나. 열에 강하며, 가공경화를 일으킨다.

다. 구조적으로는 장거리의 규칙성이 없다.

라. 균질한 재료이고, 결정이방성이 없다.

[해설] 비정질합금은 결정체에 비해서 버정질체는 보자력이 작고 실온에서 전기저항이 2~3배 크며 저항의 온도계수가 적어 수소취성이 생기기 쉽다.

13_ 다음 설명 중 틀린 것은?

가. 톰백은 Zn이 5~20% 함유한 것으로 금박의 대용으로 사용된다.

나. 문쯔메탈은 6:4 황동으로 열교환기나 열간 단조용으로 사용된다.

다. 쾌삭 황동에서는 절삭성을 좋게 하기 위해 Pb을 첨가한다.

라. 5:6 황동에는 Zn을 1%로 첨가한 황동을 네이벌 황동이라고 한다.

[해설] 네이벌황동(naval brass)은 4~6% Sn을 첨가한 황동을 말하며, Sn이 함유되어 있기 때문에 강도가 커짐과 동시에 내식성이 커져서 함선의 축, 기어, 볼트 등에 쓰인다.

14_ 동소변태에 대한 설명 중 틀린 것은?

가. 고체 내에서 원자배열의 변화에 의해서 생긴다.

나. 결정격자의 형상이 변하기 때문에 나타난다.

다. 동소변태 A4의 온도는 약 1400도에서 일어난다.

라. 점진적이고 연속적인 변화에 의해 생긴다.

[해설] 동소변태는 일정한 온도에서 급격히 비연속적으로 발생한다.

ANSWER : 12 나 13 라 14 라

15_X-선 회절 시험에서 사용되는 브래그의 법칙을 정의한 식으로 옳은 것은? (단, d : 결정의 면간 거리, λ : 파장, θ : 반사각도, n : 정정수)

가. $n\lambda = 2d \cos\theta$ 나. $n\lambda = 2d \sin\theta$

다. $nd = 2\lambda \cos\theta$ 라. $nd = 2\lambda \sin\theta$

[해설] X-선을 격자면에 입사시키면 X-선은 각각 면에 투과되어 반사를 일으키는데 각 원자로부터 나오는 반사선이며 이 식은 브러그 법칙이다.

16_Bravais의 결정격자 중 조밀육방격자내의 원자 충진율과 배위수로 각각 옳은 것은?

가. 68%-12개   나. 74%-12개

다. 68%-8개   라. 74%-8개

[해설] 정육각형을 6개의 정삼각형으로 나누면 그 정삼각주의 6개 꼭지점에 원자가 있고 또 하나 건너 삼각기둥 중심에 1개의 원자가 있으며 인접된 2개의 정삼각주를 합한 것이 단위포가 된다.

17_브라베이스 격자 중 단사정계의 축 길이와 사이각의 관계로 옳은 것은?

가. $a=b=c$ $\alpha=\beta=\gamma=90$ 나. $a\neq b\neq c$ $\alpha=\gamma=90$ $\beta\neq 90$

다. $a=b\neq c$ $\alpha=\beta=90$ $\gamma=120$ 라. $a=b\neq c$ $\alpha=\beta=\gamma=90$

[해설] 가(입방정계), 나(단사정계), 다(육방정계), 라(정방정계)

18_다공질 재료에 윤활유를 흡수시켜 계속해서 급유하지 않도록 제조된 합금으로 대부분이 분말 야금법으로 제조되는 베어링용 합금은?

가. 함유 베어링   나. 주석계 화이트 메탈

다. 두라나 메탈   라. 아연계 화이트 메탈

[해설] 분말야금(powder metallurgy) : 금속분말을 가압 성형하여 굳히고, 가열하여 소결함으로써 목적하는 형태의 금속제품을 얻는 방법이며, 금속 기타의 표면 개재물을 제거하여 다른 금속이나 기타의 물질을 완전히 밀착시키는 방법으로 함침법(impregnation)이라고 한다.

ANSWER : 15 나   16 나   17 나   18 가

19_500-600도까지 가열해도 뜨임 효과에 의해 연화되지 않고 고온에서도 경도의 감소가 적은 것이 특징이며 18%W-4%Cr-1%V-0.8-0.9%C의 조성으로 된 강은?

    가. 다이스강   나. 스테인리스강

    다. 게이지용강   라. 고속도공구강

> [해설] 고속도공구강(SKH)은 담금질 후 뜨임하면 HRC 약 65가 되며, 단속절삭에 견디는 강인성을 갖고 자경성이 있고, 고속절삭시 온도 상승에 상당한 600℃정도에서 연화하지 않는다.

20_18-8 스테인리스강에 대한 설명 중 틀린 것은?

    가. Cr18% Ni8%를 함유한다.

    나. 페라이트 조직으로 강자성이다.

    다. 입계부식 방지를 위해 Ti를 첨가한다.

    라. 내식, 내충격성, 기계가공성이 우수하다.

> [해설] 오스테나이터 스테인리스 내식성이 좋으며 자성이 없다.

21_정격 2차전류가 200A, 정격사용율 40%인 용접기의 용접전류 150A로 아크용접을 할 때 허용사용률(%)은 약 얼마인가?

    가. 53.3   나. 60.0

    다. 71.1   라. 90.0

> [해설] (정격2차전류)^2/(실제용접전류)^{2}X정격사용률(%) = $(200)^2/(150)^2$X40 = 71.1%

22_다음 용접의 분류 중 저항용접에 해당하는 것은?

    가. 아크용접   나. 업셋 맞대기 용접

    다. 원자수소 용접   라. 와이어 아크 용접

> [해설] 전기저항용접에는 겹치기용접(점, 심, 돌기용접), 맞대기용접(플래시, 업셋, 충격용접)법이 있다.

ANSWER : 19 라   20 나   21 다   22 나

23_ 다음 중 점용접의 3대 요소가 아닌 것은?

가. 전극의 재질　　　　　　　　　나. 용접 전류
다. 통전 시간　　　　　　　　　　라. 가압력

[해설] 저항 용접의 3대 요소는 용접전류, 통전시간, 가압력이다.

24_ 다음 용접 결함 중 구조상의 결함이 아닌 것은?

가. 슬랙 섞임　　　　　　　　　　나. 용입 불량
다. 변형　　　　　　　　　　　　라. 기공

[해설] 용접결함을 분류하면 치수상 결함, 구조상결함, 성질상결함으로 나눌 수 있으며, 변형은 치수상 결함에 속한다.

25_ 용접 재료에 예열을 하는 가장 중요한 목적은?

가. 균열 발생 방지　　　　　　　　나. 아크 쏠림 방지
다. 용접 속도 증가　　　　　　　　라. 용접봉 절약

[해설] 예열(Preheating)은 급냉 경화 조직을 방지하고 수소의 방출시킴으로 해서 저온균열을 예방할 수 있다.

26_ 피복 아크 용접봉의 용융속도에 대해 설명한 것 중 맞는 것은?

가. 아크 전압에 비례한다.
나. 아크 전류에 비례한다.
다. 용접봉의 직경과 전압의 곱에 비례한다.
라. 아크 전류와 전압에 반비례 한다.

[해설] 용융속도(melting rate)는 단위시간당 소비되는 용접봉의 길이 또는 무게로 표시된다. 용접봉의 용융속도는 아크 전압에 관계없이 전류에 비례 한다.

ANSWER : 23 가　24 다　25 가　26 나

27_ 가스용접 시 사용되는 산소용기에 표기하는 사항이 아닌 것은?

가. 충전가스의 명칭
나. 용기 재질
다. 용기의 내압시험 압력
라. 용기 제조자의 용기번호 및 제조 번호

[해설] 산소 용기에 기록 사항으로는 용기제작자 명칭, 충전가스명칭, 용기제조자의 용기기호, 제조번호, 내용적(V), 용기중량, 내압시험 연월일, 용기의 내압시험압력(TP), 최고충전압력(FP)이다.

28_ 플러그 용접(Plug Welding)에 대한 설명으로 가장 적합한 것은?

가. 2개 부재 사이의 휨 부분을 용접하는 이음 방법
나. 접합하려고 하는 한쪽의 부재에 둥근 구멍을 뚫고 그 곳에 용접하여 이음하는 방법
다. 동일 평면에 있는 2개의 부재를 마주 붙여 용접하는 이음 방법
라. 고 진공 중에서 고속 전자 빔에 의한 충격 발열을 이용하여 용접하는 방법

[해설] 플러그(Plug weld)는 접합하고자하는 한쪽의 부재에 둥근 구멍을 뚫고(둥근 홈 대신 좁고 긴홈 : 슬롯용접) 그 곳에 용접하여 이음 하는 것을 말한다.

29_ 이산화탄소 아크 용접시에 스패터가 많이 발생하는 원인이 아닌 것은?

가. 용접 조건의 부적당
나. 1차 입력전압의 불균형
다. 직류 리액터의 탭 불량
라. 이음 형상의 불량

[해설] 이산화 탄소 용접에서 스패터가 많이 발생하는 원인에는 용접조건의 부적당, 1차입력 전압의 불균형, 직류 리액터의 탭불량, 자기쏠림, 와이어 종류가 부적당할 때 스패터가 많이 발생한다.

30_ 표점거리의 길이가 50mm인 재료를 인장시험 후 측정 하였더니 55mm가 되었을 때, 이 재료의 연신율(%)은?

가. 9 　　　　나. 10
다. 15 　　　　라. 18

[해설] 연신율(%) = 55-50/50X100 = 10%

ANSWER : 27 나　28 나　29 라　30 나

31_용접구조물의 용접 순서는 수축변형에 크게 영향을 주며 잔류응력 및 구속응력에도 영향을 준다. 용접 순서의 일반적인 원칙이 아닌 것은?

가. 수축량이 큰 것을 먼저 용접하고 수축량이 적은 것은 나중에 용접한다.
나. 좌·우는 될 수 있는 대로 중심에 대칭이 되도록 용접 한다.
다. 긴 용접부는 끝단에서 중앙부로 동시에 용접한다.
라. 동일 평면 내에 이음이 많을 경우 수축은 가능한 자유단으로 보낸다.

[해설] 긴 용접부에 대하여서는 중앙부에서 끝단으로 동시에 용접을 행한다.

32_냉간 가공한 금속을 풀림(annealing)하였을 때 내부 조직의 변화를 순서대로 나열한 것은?

가. 재결정 → 회복 → 결정립 성장
나. 결정립 성장 → 재결정 → 회복
다. 회복 → 결정립 성장 → 재결정
라. 회복 → 재결정 → 결정립 성장

[해설] 상온 가공에 의해서 내부응력(변형)을 일으킨 결정입자가 가열에 의해서 그 모양은 바뀌지 않고 내부응력이 감소되는 현상(연화과정의 3단계 –> 회복–>재결정–>입자성장)

33_다음 중 초경합금에 대한 설명으로 가장 관계가 먼 것은?

가. 경도가 높다.
나. 내마모성 및 압축강도가 높다.
다. 고온경도 및 강도는 양호하나 고온에서 변형이 크다.
라. WC분말에 TiC, TaC, 및 Co분말 등을 첨가하여 제조한다.

[해설] 초경합금 공구 등에 사용되는 초경질 합금의 총칭이며 금속의 탄화물 분말을 소성해서 만든 경도가 대단히 높은 합금이다. 고온에서 내구력이 크므로 에보나이트, 석재, 도자기, 유리 절삭용에 사용한다.

34_베어링에 사용되는 구리합금의 대표적인 켈밋(kelmet)의 주성분은?

가. 70%Cu-30%Pb 합금
나. 70%Pb-30%Mg 합금
다. 60%Cu-40%Zn 합금
라. 60%Pb-40%Ti 합금

[해설] 켈밋(고연청동) Cu+Pb(30–40%) 합금이며 윤활성 향상으로 자동차, 일반기계, 베어링용에 사용된다.

 ANSWER : 31 다 32 라 33 다 34 가

35_ 탄성구역에서 변형은 세로방향에 연신이 생기면 가로 방향에 수축이 생기는데 각 방향의 치수변화의 비를 무엇이라 하는가?

가. 강성률의 비 　　　　　　　　나. 포아송의 비

다. 탄성률의 비 　　　　　　　　라. 전단변형량의 비

[해설] 탄성한계 내에서 가로변형과 세로 변형 비는 그 재료에 대하여 항상 일정하다(금속의 경우 포아 손비 :보통 0.2~0.4).

36_ 다음 중 형상기억합금에 대한 설명으로 틀린 것은?

가. 특정한 모양의 것을 인장하여 탄성한도를 넘어서 소성변형 시킨 경우에도 하중을 제거하면 원상태로 돌아가는 현상.

나. 주어진 특정모양의 것을 인장하거나 소성 변형된 것이 가열에 의하여 원래의 모양으로 돌아가는 현상

다. Ti-Ni합금은 형상 기억효과가 있다.

라. 냉각시의 유기 마텐자이트 변태가 일어난다.

[해설] 형상기억합금은 일정한 온도에서 어떤 형태를 갖게 되면, 그 이하 온도에서 어떤 형태로 바꾸어 일정온도 이상이면 혼자서 다시 원래의 모습으로 돌아간다.

37_ 다음 중 Ni과 Al의 주된 슬립면으로 옳은 것은?

가. {100} 　　　　　　　　　　나. {110}

다. {111} 　　　　　　　　　　라. {0001}

[해설] 미끄럼계 면심[111:면], (110:방향), 조밀(0001면), (1120:방향)

38_ 주철에서 접종처리(Inoculation)하는 목적으로 틀린 것은?

가. Chill화 방지 　　　　　　　나. 흑연형상의 개량

다. 기계적 성질향상 　　　　　　라. 질량효과의 증가

[해설] 구상흑연 형상은 입수를 갖고 cementite가 정출할 경우 특히 역 칠(chill) 현상은 제거하며 기지의 ferrite화를 촉진하여 접종제로는 75 또는 50% Fe-Si로 보통 0.3~0.4% 첨가한다.

ANSWER : 35 나　36 가　37 다　38 라

39_내식성이 좋고 비자성체이며, 오스테나이트 조직을 갖는 스테인리스강은?

가. 3%Cr 스테인리스강

나. 35%Cr 스테인리스강

다. 18%Cr-8%Ni 스테인리스강

라. 석출 경화형 스테인리스강

[해설] 오스테나이트 스테인리스강은 내산, 내식성우수, 비자성, 인성양호, 가공성우수하고 산과 알카리에 강하고 용접성도 양호하다.

40_다음 중 황동 자연 균열 방지책으로 틀린 것은?

가. 도료칠

나. 아연도금

다. 저온응력 풀림

라. 암모니아 분위기 조성

[해설] 지연균열(season crack : 시기균열)은 황동에 공기 중의 암모니아, 기타의 염류에 의해 입간 부식을 일으켜 상온가공에 의한 내부응력 때문에 생긴다. 방지대책으로는 도금, 도료, 또는 180-260℃로 20-30분 동안에서 저온풀림한다.

41_용입이 깊고 와이어보다 앞에 입상의 용제를 산포하면서 일반적으로 아래보기용접에 적용되는 자동용접기는?

가. 서브머지드 용접

나. 일렉트로 슬랙 용접

다. 그래비티 용접

라. 일렉트로 가스 용접

[해설] 서브머지드 아크용접은 용제 속에서 용접이 된다고 하여 잠호 용접이라고도 하며, 링컨용접, 유니온 멜트 용접이라고도 부르는 용접법이다.

42_다음의 용접방법 중 전기저항 열을 이용한 용접방법이 아닌 것은?

가. 심 용접

나. 프로젝션 용접

다. 퍼커션 용접

라. 테르밋 용접

[해설] 테르밋용접은 화학 반응열을 이용하여 용접하는 방법으로 주로 기차레일 접할 때 많이 이용된다.

ANSWER : 39 다 40 라 41 가 42 라

43_ 모재에 (+)극을 전극에 (-)극을 연결한 불활성가스 텅스텐 아크용접의 극성에 대한 설명 중 틀린 것은?

가. 비드 폭이 좁다.
나. 모재 쪽에 청정작용이 있다.
다. 직류 정극성(DCSP) 이다.
라. 용입이 깊다.

[해설] 정극성(direct current straight polarity)이라고 하며, 용입이 깊고 용접속도가 느리며 비드 폭이 좁고 청정작용 효과는 없다.

44_ 다음 용접봉의 종류 중 용접성(내균열성 정도)이 가장 좋은 것은?

가. 일미나이트계 　　　　　　　　　나. 저수소계
다. 철분산화철계 　　　　　　　　　라. 고산화티탄계

[해설] 저수소계용접봉(low hydrogen electrode type)은 다른 용접봉에 비해 수소의 함량이 적고, 그리고 내균열성이 우수한 용접봉이지만 작업성이 나쁘며 무기물형 용접봉으로 흡습성이 크다는 것이 단점이다.

45_ 용접작업 시 용접봉에 아크가 한쪽으로 쏠리는 현상을 방지하는 대책으로 틀린 것은?

가. 직류용접기보다 교류용접기를 사용할 것
나. 접지점은 될 수 있는 대로 용접부에서 멀리 할 것
다. 접지점 2개를 연결할 것
라. 긴 아크를 사용하여 열량을 충분히 주어 용입을 깊게 할 것

[해설] 아크쏠림(arc blow)현상이 발생되면 아크의 불안정으로 기공, 슬래그 섞임, 용착금속의 재질변화 원인되며 방지대책으로 가능한 짧은 아크를 사용하고, 보조 판을 사용, 후퇴법등을 사용하여 아크쏠림을 방지하여야 한다.

46_ 용접 작업 시 홈을 만드는 가장 중요한 이유는?

가. 용입을 양호하게 하기 위하여
나. 용접 변형을 최소화하기 위하여
다. 잔류 응력의 발생을 억제하기 위하여
라. 용융 속도를 높이기 위하여

[해설] 용입을 양호하게 하고 용입 부족, 융합부족의 용접결함을 방지하기 위함이다.

ANSWER : 43 나　44 나　45 가　46 가

47_CO₂ 용접기를 사용하여 용착금속 20Kgf, 용착속도 4Kgf/hr, 아크타임 50%로 용접할 경우 용접작업시간은?

가. 5시간   나. 10시간
다. 20시간   라. 40시간

[해설] 용접 작업에 필요한 시간은 제품의 종류와 모양, 용접봉의 종류와 지름 용접자세 및 용접 길이 등에 따라 달라진다. 일반적으로 용접자세가 아래보기인 경우 수직이나 위보기 자세에 비하여 단위길이를 용접하는데 요하는 시간은 약 1/2정도가 된다. T(총용접시간) = Wd(용착금속의중량)/V(용착속도)xTe(아크시간%)(hr)이다.
20/4x50 = 10시간

48_맞대기 용접이음의 같은 판 두께에서도 가로 수축이 발생하기 쉬운 경우인 것은?

가. 루트간격과 홈 각도가 클수록
나. 루트간격과 홈 각도가 작을수록
다. 루트간격이 좁고 홈 각도가 클수록
라. 루트간격이 크고 홈 각도가 작을수록

[해설] 용접선의 직각 방향으로 발생하는 수축을 가로 수축이라고 하며 루트간격과 홈 각도가 클 때 심하게 발생한다.

49_점용접시 접합부의 일부분이 용융되어 바둑알 형태의 단면으로 된 것을 무엇이라 하는가?

가. 업셋   나. 너깃
다. 포인트   라. 프로젝션

[해설] 점용접(spot welding)은 전기 저항 열을 이용하여 접합하는 방법이며 용착금속 부분을 너깃(nugget)이라고 부른다.

50_아세틸렌가스에는 불순물이 포함되어 여러 가지 악영향을 미치는데 여러 가지 악영향 중 용착금속을 약하게 하고 토치의 가스 통로를 막아 역류, 역화의 원인이 되는 것은?

가. 인화수소   나. 황화수소
다. 질소   라. 석회분말

[해설] 카바이드에 포함되어 있는 불순물 때문에 악취가 난다. 인화수소, 유화수소를 포함하게 되어 용접부의 기계적 성질을 저하 시킬 뿐만 아니라 역류, 역화, 인화의 원인이 되기도 한다.

ANSWER : 47 나 48 나 49 라 50 라

51_ 금속결정 내의 격자 결함에 관한 설명으로 틀린 것은?

가. 금속결정 내의 격자결함에는 점 결함, 선결함, 면결함 등이 있다.

나. 점 결함에는 원자공공과 격자간 원자가 있다.

다. 전위에는 칼날 전위, 나사전위, 혼합전위 등이 있다.

라. 체적결함에는 적층결함과 결정립 경계 등이 있다

[해설] 격자 결함을 구조민감성의 종류에 따른 분류 점 결함(원자공공, 격자간의 원자, 치환형 원자), 면결함(적층결함, 결정립경계), 선결함(전위; 칼날전위, 나사전위, 혼합전위), 체적결함(주조결함, 수축공, 기공) 나눌 수가 있다.

52_ 마우러 조직도란 주철 중에 어떤 원소의 함량을 나타낸 것인가?

가. C와 Si

나. C와 Mn

다. P와 Si

라. P와 S

[해설] 마우러 조직도란 C와 Si 양과 냉각속도를 그림으로 나타낸 것을 말하며, 주철 중의 C, Si의 양 및 냉각속도에 따른 조직변화를 표시한 것이다.

53_ Cu계 베어링합금인 Kelmet에 대한 설명 중 틀린 것은?

가. 마찰계수가 작고 열전도율이 좋다.

나. Cu+Pb가 대표적이며, 주석청동, 인청동 등이 있다.

다. 고온, 고압에서 강도가 떨어지지 않고 수명이 길다.

라. Pb 함유량이 많을수록 피로강도가 높아지고, 감마(減磨) 효과는 작아진다.

[해설] 켈멧(고연청동)Cu+Pb930-40%) 합금이며 화이트 메탈 베어링보다 바탕과의 결합이 강력하므로 박리 되기 어렵고 열전도율이나 용융온도가 놓아서 늘어붙음이 생기지 않으므로 고 하중, 고속도의 운전에 견디는 특징이 있다.

54_ Fe-C 평형상태도에서 나타나지 않는 불변반응은?

가. 공석반응

나. 공정반응

다. 편정반응

라. 포정반응

[해설] 하나의 액상에서 별개의 액상과 고용체를 동시에 생성하는 반응 편정반응이라고도 한다. 공정반응과 흡사하나 액체이므로 이와 같이 부른다.

ANSWER : 51 라 52 가 53 라 54 다

55_ Fe-C 평형상태에서 r-고용체와 시멘타이트가 동시에 정출할 때의 공정조직은?

가. 페라이트

나. 레데뷰라이트

다. 오스테나이트

라. 펄라이트

[해설] 레데뷰라이트 2.0%C의 r-고용체와 6.68%C의 Fe3C와의 공정조직으로 주철에 나타난 공정점의 조직이다.

56_ (그림)은 순 구리의 냉각곡선을 나타낸 것이다. 용융 Cu의 핵이 생성되기 시작하는 곳은?

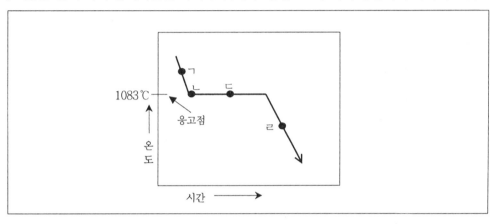

가. ㄱ

나. ㄴ

다. ㄷ

라. ㄹ

[해설] ㄱㄴ 액체 상태에서의 냉각구간, ㄴㄷ 응고시작부터 끝날 때까지 일정온도, ㄷㄹ 고체 상태에서의 냉각곡선

57_ 문츠메탈에 Sn을 소량 첨가한 합금으로 용접봉, 밸트 등에 사용되는 합금은?

가. Lautal

나. Red brass

다. Admiralty gun metal

라. Naval brass

[해설] 6:4 황동에 Sn을 1% 첨가한 것으로 용접봉, 파이프 선박용 기계로 사용한다.

ANSWER : 55 나 56 다 57 나

58_마그네슘의 물리적 성질을 설명한 것 중 틀린 것은?

가. 융점 : 약 650℃

나. 밀도 : 2.74g/㎤

다. 비열 (25℃) : 0.25㎈/g

라. 결정 : 조밀육방격자

[해설] 비중은 1.74이며 고온에서 발화하기 쉽고, 염수에 대단히 약하며, 내산성 나쁘고 내 알카리성에 강하며 Mg에 Zn 20% 첨가하면 융점이 내려간다.

59_처음에 주어진 특정 모양의 것을 인장 하거나 소성변형된 것이 가열에 의하여 원래의 모양으로 돌아가는 현상을 이용한 합금은?

가. 수소저장합금

나. 형상기억합금

다. 초내열합금

라. 고강도합금

[해설] 합금이 모형을 기억하는 것은 금속의 원자 배열과 관계된다. 즉 안정된 결정구조를 갖고 있는 금속을 갑자기 식히면 이 금속은 내부에 불안정한 구조를 갖게 되며 이것을 마텐자이트 변환이라도 한다.

60_정방정계의 축 길이와 사이각을 바르게 나타낸 것은?

가. $a = b = c$, $\alpha = \beta = \gamma = 90^0$

나. $a = b \neq c$, $\alpha = \beta = \gamma = 90^0$

다. $a \neq b \neq c$, $\alpha = \beta = \gamma = 90^0$

라. $a = b \neq c$, $\alpha = \beta = 90^0$, $\gamma = 120^0$

[해설] 가(입방정계), 나(정방정계), 다(사방정계), 라(육방정계)

ANSWER : 58 라 59 나 60 나

용접 · 금속 문제 - 2008년 산업기사

1_ 잠호 용접이라고도 하며 용접법 중 입상의 미세한 용제를 사용하는 용접법은?

　가. 불활성 가스 아크 용접　　　　　나. 버트 용접
　다. 서브머지드 아크 용접　　　　　라. 시임 용접

> [해설] 서브머지드 아크 용접(submerged arc welding)은 용제 속에서 용접이 진행된다고 하여 잠호 용접이라고도 부르며 링컨용접, 유니온 멜트 용접, 이 용접법은 아래보기 수평 필렛 자동용접법이다

2_ 탄산가스 아크 용접법의 분류에서 용극식 중 플럭스와이어 CO_2 법에 속하지 않는 것은?

　가. 아코스 아크법　　　　　　　　나. 텅스텐 아크법
　다. 퓨즈 아크법　　　　　　　　　라. 유니언 아크법

> [해설] 용제가 들어 있는 와이어 이산화 탄소법에는 아코스아크법, 퓨즈아크법, NCG법, 유니언 아크법이 있다.

3_ 다음 용접법 중 저항용접에 속하는 것은?

　가. 프로젝션 용접　　　　　　　　나. 전자빔 용접
　다. 테르밋 용접　　　　　　　　　라. 레이져 용접

> [해설] 전기저항용접을 분류하게 되면 겹치기 용접(점, 돌기, 심), 맞대기 용접법(플래시, 업셋, 충격)을 분류된다.

4_ 가스 절단속도에 영향을 미치지 않는 것은?

　가. 절단산소의 압력　　　　　　　나. 절단산소의 순도
　다. 강판의 두께　　　　　　　　　라. 용기내의 가스압력

> [해설] 절단에 영향을 주는 요소는 팁의 크기와 형상, 산소의 압력, 절단속도, 모재의 재질과 두께, 가스의 순도, 예열불꽃의 세기, 예열온도, 팁의 거리 및 각도 등에 따라 다르다.

ANSWER : 1 다　2 나　3 가　4 라

5_ 맞대기 용접, 필릿 용접 등의 비드 표면과 모재와의 경계부에 발생되는 균열이며, 구속응력이 클 때 용접부 가장자리에서 발상하여 성장하는 균열은?

가. 토 균열
나. 설퍼 균열
다. 루트 균열
라. 헤어 크랙

[해설] 토우균열은 맞대기 이음, 필렛 용접 등의 어느 경우든지 비드 표면과 모재와의 경계부에 발생하여 반드시 벌어져 있기 때문에 침투검사로 검출할 수 있다.

6_ 교류 용접기의 종류 4가지를 올바르게 나열한 것은?

가. 가동 철심형, 발전기형, 탭전환형, 가포화리엑터형
나. 가동 철심형, 가동코일형, 탭전환형, 가포화리엑터형
다. 가동철심형, 가동코일형, 정류기형, 포화리액터형
라. 가동철심형, 가동코일형, 탭전환형, 셀렌 정류기형

[해설] 교류용접기(가동철심 형, 가동 코일형, 텝 전환형, 가포화 리액터형), 직류용접기(발전기형, 엔진 구동형, 정류기형) 분류된다.

7_ 다음 용접부 그림의 명칭 중 틀린 것은?

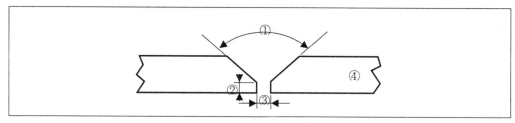

가. ① : 홈의 각도
나. ② : 홈의 깊이
다. ③ : 루트 간격
라. ④ : 모재

[해설] 루트면(root face)이다.

8_ 표점거리 50㎜, 인장시험 후 표점거리가 60㎜일 경우 연신율은?

가. 16.7%
나. 20%
다. 25%
라. 33.3%

[해설] 늘어난 길이 - 처음길이/처음길이X100 = 60-50/50X100 = 20%

ANSWER : 5 가 6 나 7 나 8 나

9_ 잔류응력 완화법이 아닌 것은?

가. 응력 제거 어닐링　　　　　　나. 그라인딩
다. 저온응력 완화법　　　　　　라. 피닝

[해설] 잔류응력완화 법에는 국부 풀림법, 노내 풀림법, 기계적응력완화법, 피이닝 법이 있다.

10_ 피복아크 용접봉 선택시 고려할 사항이 아닌 것은?

가. 용접성　　　　　　　　　　나. 자동성
다. 작업성　　　　　　　　　　라. 경제성

[해설] 용접봉을 선택 할 때는 모재의 재질, 용접물의 사용목적과 사용 장소, 용접자세, 사용전류의 극성, 이음 모양 등을 고려하여 선정하여야한다.

11_ 오스테나이트계(austenite type) 스테인리스강에서 입계부식(intergranuar corrosion)을 방지하기 위한 대책이 아닌 것은?

가. 탄소의 함량을 0.03% 이하로 낮게 한 것을 사용한다.
나. 1000~1150℃로 가열하여 탄화물을 고용시킨 후 급냉하는 고용화열처리를 한다.
다. Cr 탄화물을 가능한 한 많이 석출시켜 스테인리스강이 예민화(Sensitize) 되도록 한다.
라. 탄소화 친화력이 Cr 보다 큰 Ti, Nb 등을 첨가해서 안정화 시킨다.

[해설] 입계부식은 고온으로부터 급냉한 것은 500~850℃ 범위로 재가열하면 고용 탄소가 Austenite의 결정립계로 이동하여 탄화크롬이라는 탄화물을 석출하여 결정입계 부근의 크롬 량이 감소되고 내식성이 감소되는 결과로 되어 입계 부식이 발생된다. 방지대책으로는 크롬 탄화물이 많이 석출되게 되면 예민화 현상이 더 심하게 발생한다.

12_ 다음 중 실용되고 있는 형상기억 합금계가 아닌 것은?

가. Co-Mn계　　　　　　　　　나. TI-Ni계
다. Cu-Al-Ni계　　　　　　　　라. Cu-Zn-Al계

[해설] Ti-Ni(치열 교정용, 기록계용, 펜 구동장치), Cu-Zn-Si(직접회로 접착장치), Cu-Zn-Al(온도제어장치)

ANSWER : 9 나　10 나　11 다　12 가

13_응고 과정에서 결정이 나뭇가지 모양으로 이루어진 결정 조직은?

가. 수지상결정 나. 주상결정
다. 편상결정 라. 구상결정

[해설] 서냉시 결정격자가 나무 가지 모양을 이룬 것을 말하며 용융한 금속이 냉각되어 응고점 이하로 내려가 용융금속중의 소수 원자가 규칙적인 배열을 하여 매우 작은 결정핵을 만들고 성장하여 나무 가지모양으로 발달한다.

14_0.5% 탄소강의 723℃ 선상에서의 pearlite 양은 몇 % 정도 인가? (단, 공석점의 탄소량은 0.8%이다.)

가. 37.5 나. 42.5
다. 57.5 라. 62.5

[해설] Pearlite 량 = C%/0.8X100 = 0.5/0.8X100 = 62.5%

15_심한 가공이나 주조하여 만든 Cu합금은 사용 중 혹은 저장 중에 자연균열(Season crack)이 일어난다. 이 균열의 방지법으로 틀린 것은?

가. 표면에 도료를 칠한다.
나. 표면에 아연도금을 한다.
다. 암모니아가스 분위기 속에 저장해 둔다.
라. 185~260℃의 범위에서 가열하여 응력을 제거한다.

[해설] 지연균열(season crack 시기균열)은 황동에 공기 중의 암모니아, 기타 염류에 의해 입간 부식을 일으켜 상온가공에 의한 내부응력 때문에 생기고 방지대책으로 도금, 도료 또는 180-260℃로 20-30분 동안에서 저온 풀림한다.

16_다음 중 대표적인 시효 경화성 합금은?

가. Al-Cu-Mg-Mn 합금 나. Cu-Zn 합금
다. Cu-Sn 합금 라. Fe-C 합금

[해설] 두랄루민이 대표적인 합금이며 500℃에서 용체화 처리하여 급냉한 후 상온에 방치하면 시간이 경과함에 따라서 경화되며 150-170℃로 가열하면 경화 현상을 촉진한다.

ANSWER : 13 가 14 라 15 다 16 가

17_[그림]과 같은 격자 결함은? (단, 점선으로 표시된 원자는 격자사이로 끼어들어가는 상태를 그린 것이다.)

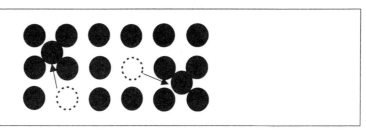

가. 점결함(point defect)　　　　나. 선결함(LINE defect)

다. 면결함(plane defect0　　　　라. 체적결함(Volume defect)

[해설] 점결함에 속하며 종류는 쇼트키형 결함, 플렌겔형, 복공공, 격자간원자 덤벨형 격자간 원자, 치환형 원자가 있다.

18_다음 중 비정질 합금에 대한 설명으로 틀린 것은?

가. 결정이방성이 없다.

나. 구조적으로 장거리의 규칙성이 없다.

다. 가공경화가 심하여 경도를 상승시킨다.

라. 열에 약하며, 고온에서는 결정화하여 전혀 다른 재료가 된다.

[해설] 일반적인 성질은 저탄성, 고강인성, 내방사선손상, 고전기저항, 저음과 감쇠율, 화학적 활성이며 긴주기성을 가지지 않는 흐트러진 원자배열을 가지고 있으며, 결정에서와 같은 이방성을 갖지 않는 등방성 재료이고 입계나 편석이 없는 균질 재료이다

19_다음 중 금속에 관한 일반적 설명으로 틀린 것은?

가. 수은을 제외한 금속은 상온에서 고체상태의 결정구조를 갖는다.

나. 전성 및 연성이 좋고, 금속 고유의 광택을 갖는다.

다. 강자성체 금속으로는 Fe, Co, Ni 등이 있다.

라. 순금속은 합금에 비해 경도가 높다.

[해설] 순금속은 합금에 비해 강도 경도가 낮으며 열과 전기의 양도체이고, 결정의 내부구조를 변경시킬 수있다.

ANSWER : 17 가　18 다　19 라

20_ 다음 열전대 중에서 가장 높은 온도를 측정할 수 있는 것은?

가. 백금-백금. 로듐

나. 철-콘스탄탄

다. 크로멜-알루멜

라. 구리-콘스탄탄

해설 열전쌍재료에는 백금-백금로듐(PR : 1600℃), 크로멜-알루멜(CA : 1200℃), 철-콘스탄탄(IC : 900℃), 구리-콘스탄탄(CC : 600℃)

ANSWER : 20 가

비파괴검사문제집 2 - 초음파(UT)투과검사

발 행 일 | 2009년 2월 20일

공　　저 | 김철영·박재원
발 행 인 | 박승합
발 행 처 | NODE MEDIA ((구)도서출판 골드)
등　　록 | 제3-163호(1988.1.21)
주　　소 | 서울시 용산구 갈월동 11-50
전　　화 | 02-754-1867, 0992
팩　　스 | 02-753-1867
홈페이지 | http://gold.hompee.com

정가 32,000원

ISBN　978-89-8458-172-2-94550
　　　　978-89-8458-170-8-94550 （세트）

※도서 오탈자는 홈페이지를 참고하세요.